D1003242

Mémoires
d'un homme invisible

Harry F. Saint

Mémoires d'un homme invisible

ROMAN

Traduit de l'anglais par Pierre Alien

Albin Michel

Édition originale américaine :
MEMOIRS OF AN INVISIBLE MAN

Atheneum, New York

Traduction française :

22, rue Huyghens, 75014 Paris

ISBN 2-226-03397-1

Si vous pouviez me voir en ce moment — vous ne le pouvez pas, vous ne le pourriez pas, mais je suis là. Et bien que l'explication soit banale, l'effet, somme toute, est magique. Si vous entriez dans cette pièce en ce moment, vous la trouveriez complètement vide — une chaise vide devant un bureau vide, à l'exception d'un bloc de papier blanc. Mais vous verriez un stylo danser tout seul sur le papier, écrire les mots que vous lisez, s'interrompre de temps en temps, suspendu dans le vide, comme pour réfléchir. Vous seriez fasciné, ou terrifié.

C'est moi, malheureusement, qui tiens le stylo. Si vous étiez assez vif, et si je ne l'étais pas, vous pourriez m'empoigner et vous rendre compte, au toucher, qu'il y a dans cette pièce un être humain impossible à voir, mais à cela près très ordinaire. Vous pourriez aussi prendre une chaise et m'assommer. Je regrette d'avoir à dire que cette conduite n'aurait rien d'extraordinaire, dans ces circonstances, car ma condition, bien qu'anonyme, est indéniablement bizarre. Elle suscite la curiosité, qui est à mon avis un instinct des plus pervers. Ma vie est extrêmement pénible. En général, j'ai intérêt à ne pas rester en place.

Ce texte, à vrai dire, devrait plutôt s'appeler « Aventures » que « Mémoires d'un homme invisible ». Je n'ai certes pas l'intention de m'étendre sur mon enfance ni sur les souffrances singulières de mon adolescence, qui fut sans doute ni plus ni moins intéressante que la vôtre. Non plus que sur les détails de mon développement intellectuel et moral, très ordinaire. Rien de tout cela ne rendrait plus intéressante mon histoire, qui est passionnante mais parfaitement superficielle. Ni, je le crains, n'éclairerait d'un jour nouveau la condition humaine. Vous ne m'aimez que pour mon infirmité, j'en conviens, et tout ce qui l'a précédée est hors sujet. Pendant les trente-quatre premières années de ma vie, j'ai vécu exactement comme tout le monde, et même si cette période m'a passionné sur le moment, je ne crois pas que vous auriez envie de lire les « Mémoires d'un analyste financier ». En tout cas, au beau milieu de cette existence passablement ordinaire, une mésaventure scientifique mineure, mais néanmoins extraordinaire, a rendu entièrement invisible une petite portion sphérique du New Jersey. Et le hasard a voulu que je sois inclus dans cette sphère. Instantanément, ainsi que mon voisinage immédiat, j'ai été transformé : de même qu'un fossile pétrifié reproduit fidèlement, grâce à des particules minérales, la structure de l'organisme originel, mon corps a été transformé en une structure de quanta énergétiques. Il fonctionne plus ou moins comme avant : pour ce que j'en ai vu, les différences sont minimes. Mais on ne peut plus le voir.

Il aurait pu s'agir de n'importe qui. Je sais que nous sommes tous uniques et ainsi de suite — à l'instar des feuilles ou des flocons de neige. Pourtant, lorsque le vent éparpille une génération de ces proverbiales feuilles mortes, on a parfois du mal à trouver une consolation métaphysique à sa propre singularité. Quoi qu'il en soit, nulle particularité ne m'a davantage prédisposé à cette condition que vous, par exemple. Un coup de dés cosmique, improbable et regrettable. A l'époque, sans doute, Dieu avait l'œil sur le moineau de la fable.

Alors que le mien se portait sur Anne Epstein et son adorable poitrine que son corsage effleurait merveilleusement à chacun de ses gestes. Je voyais les bouts de ses seins à travers la soie bleu-vert, et quand elle se tournait vers la vitre du compartiment, elle découvrait dans l'entrebâillement du tissu un délicieux triangle de peau blanche. Nous allions de New York à Princeton et c'était ce que vous pourriez appeler le matin fatidique. En y repensant, cette matinée avait effectivement quelque chose de menaçant : les nuages noirs de tempête et le soleil d'avril se succédaient sans cesse de façon théâtrale ; mais à l'époque je n'ai guère vu que le soleil. J'avais trop bu et trop peu dormi la nuit d'avant, tout était recouvert d'un vernis euphorique, comme en rêve. Sur le moment, bien que sachant par expérience que cette sensation laisserait bientôt place à une migraine féroce et à une envie de dormir insurmontable, mon corps et mon esprit ne ressentaient que le plaisir aigu, enivrant, du soleil printanier jouant sur la peau blanche et lisse d'Anne Epstein.

A l'inverse de la marée banlieusarde qui montait vers la ville, nous étions seuls dans un wagon délabré, encore pourvu des anciens sièges orientables à volonté. J'avais fait pivoter le mien de sorte que nous étions face à face, sans la place d'étendre les jambes. Je ne m'étais pas assis de cette manière depuis mon enfance, lors de ces merveilleux voyages en train qui préludaient aux vacances scolaires, au retour de l'internat ; et ce souvenir, associé à la jubilation de m'être absenté de mon travail sous un prétexte parfaitement saugrenu, ajoutait une touche de plaisir interdit, puéril, à cette journée. Elle avait le bras gauche plié au-dessus de la tête. Un sein se pressait contre la soie tendue. J'ai allongé le bras, nonchalamment, et fait courir mes doigts sur son flanc, de la poitrine aux hanches. Sans s'arrêter de parler, elle a eu un léger frisson de gêne et de plaisir.

De quoi parlait-elle ? Je me souviens qu'elle avait le *Times* ouvert sur les genoux — le journal où elle travaillait — et qu'elle m'expliquait quelque chose de très important et de très intéressant, pour elle. Il me semble qu'il s'agissait d'une tentative pour redécouper les cantons électoraux quelque part dans le Midwest. Il y avait les deux partis habituels, mais l'un d'eux — ou peut-être les deux — était divisé en factions, dont l'une offrait son appui à un groupe ethnique si ledit groupe soutenait le redécoupage au détriment d'un autre groupe ethnique de façon à affaiblir une des autres factions même si cette manœuvre devait renforcer le parti adverse. Tout cela était particulièrement significatif, car la combinaison des groupes ethniques, des factions et des partis était inhabituelle, et la situation pouvait donc laisser pressentir un tournant majeur dans la conduite des affaires nationales.

Pour moi, j'y voyais plutôt une bande de voleurs en train de conclure un marché, mais il est vrai que je ne trouve rien de plus ennuyeux et de plus mesquin que la politique. Pour Anne, par contre, la politique était la seule dimension où les actes et les pensées des hommes pouvaient prendre leur sens véritable. J'avais donc les sourcils froncés, pour signaler un intérêt soutenu et de temps en temps, je hochais la tête au son de sa voix qui filait avec le même éclat irréel, incompréhensible, que les nuages sombres encadrés par la vitre. Au moment voulu je posais de brèves questions insignifiantes, d'un ton très sérieux. Plus elle parlait, plus elle s'animait. Les traits de son visage, si beaux, devenaient plus aigus, et même plus durs, dès qu'il s'agissait de politique, mais elle n'en était que plus exquise. Le flot de ses cheveux bruns sur ses épaules, ou le moindre pli de son ensemble impeccable étaient à la fois complètement naturels et entièrement calculés : on aurait dit la présentatrice du journal télévisé du soir plutôt qu'une journaliste de presse écrite. Elle s'est penchée en avant et a déplié une longue jambe, presque nue, pour la poser sur le siège voisin du mien. Tout en parlant, elle agitait l'index et le médium de la main droite, et lorsqu'elle soulignait un point particulièrement important, elle tapotait le journal de ses doigts fins avec un sourire ironique, l'air bien informée, me regardant droit dans les yeux. Même si je n'arrivais pas vraiment à m'intéresser à ce qu'elle disait, mon cœur et mon esprit étaient entièrement occupés par l'intérêt que je lui portais. Anne était très belle.

Elle avait aussi de l'humour — de temps en temps à ses dépens — et j'avais découvert qu'en y faisant appel, je pouvais parfois dévier ses humeurs intensément politiques. Mais c'était une opération délicate, risquée, et dans ce cas j'ai préféré changer progressivement de sujet, en commençant par lui poser la question la plus complexe que j'aie pu inventer sur la façon dont on attribuait les articles dans le service économie. Je savais que sa réponse me passionnerait nettement plus que les nouvelles politiques du jour, et qu'Anne aurait plaisir à me répondre : sa carrière était pour elle la seule chose qui comptait, à part la politique, et elle venait d'être affectée à ce service. Avant, elle était aux sports, spécialisée dans le base-ball professionnel, et encore avant, elle avait passé quatre ans à Yale où, semblait-il, elle n'avait jamais mis les pieds à un match de base-ball pas plus qu'elle n'avait entendu parler de commerce ou d'économie.

Justement, c'était en raison des lacunes de son éducation et de la politique impénétrable du *Times* à l'égard de son personnel que nous étions ensemble. Moins de quinze jours plus tôt, lors d'un dîner, on m'avait placé à côté d'elle. Depuis un an ou deux, on avait dû nous présenter déjà un certain nombre de fois, mais elle avait tout de même jugé bon de me demander ce que je faisais, et — malgré sa beauté — je ne lui avais sans doute accordé qu'une attention très ordinaire, puisque je me souviens de lui avoir répondu sans détours. Normalement, si on ne veut pas voir les gens fouiller la pièce des yeux pour s'enfuir au plus tôt, on ne dit jamais qu'on est analyste financier. En société, c'est l'équivalent d'un ingénieur chimiste. Mais Anne, à ma grande surprise, avait manifesté un intérêt quasi explosif. Probablement à cause de sa nouvelle affectation. Découvrant une source d'informations utiles, et voulant peut-être aussi agacer son fiancé — l'amour a des origines complexes et mystérieuses —, elle avait posé la main sur mon bras, m'avait regardé bien en face avec un sourire époustouflant, et m'avait posé question après question sur les affaires et la vie économique. Ces sujets peuvent vous sembler dénués de tout romantisme, mais je n'oublierai jamais son regard merveilleusement attentif. Comme tout journaliste, elle savait poser les questions auxquelles on a envie de répondre et vous donner l'impression d'être fascinée par vos paroles. Et elle était vraiment très belle.

J'avais été, bien sûr, instantanément envahi par les sensations et désirs habituels, et je ne me rappelle pas avoir vraiment pensé à autre chose pendant la semaine suivante. Je l'avais invitée à déjeuner, à dîner, à boire un verre, chaque fois que j'avais pu la joindre, mais elle était restée douloureusement insaisissable, ne pouvant ou ne voulant jamais se libérer plus d'une heure ou deux, soit à cause de son travail où elle manifestait une ambition et un zèle irréprochables, soit à cause de sa vie privée à laquelle j'essayais de porter un intérêt sincère sans être importun. Il y avait un ami ou fiancé ou « juste quelqu'un dont je suis terriblement proche » — son rôle semblait varier constamment — avec qui elle entretenait une sorte d'entente ou de mésentente confuse, mais il y avait aussi le fait qu'Anne était d'abord quelqu'un de très difficile à vivre — qualité qui cadrait parfaitement avec sa beauté extraordinaire. Je la voyais chaque fois, à l'instant critique, se lever pour dire au revoir, me fixer au fond des yeux et m'écraser de son sourire éblouissant. (Personne ne peut plus me regarder. Dans un exceptionnel moment de tranquillité, d'intimité, on peut tout au plus envoyer dans ma direction un sourire incertain.) Par contre, tant qu'elle était là, elle m'accordait son attention pleine et entière, et j'étais enivré. Elle adorait m'interroger, et plus longues étaient mes réponses, plus elle semblait les aimer. De même qu'un peu plus tôt elle avait acquis une connaissance terrifiante du base-ball, Anne avait entrepris d'accumuler tous les faits, opinions et théories sur l'économie et les affaires, qui passaient à sa portée.

Son avidité me plaisait : qui n'aime pas répondre aux questions dont il connaît la réponse ? Certes, j'étais parfois agacé en voyant que les priorités habituelles, dans l'esprit d'Anne, étaient apparemment inversées — elle prisait infiniment les opinions, tenait la théorie à distance, et les faits n'avaient pour elle qu'une sorte de charme décoratif — mais son employeur n'aurait sans doute pas voulu qu'il en fût autrement. Et comme elle était particulièrement astucieuse et ambitieuse, elle amassait rapidement une quantité impressionnante d'informations. Je le lui disais souvent, et ce compliment ne manquait pas de lui faire plaisir. Quant à moi, j'étais enchanté par son esprit vif, avide, ses caprices, ses longues jambes, sa main sur mon bras. Je posais quelques questions, j'écoutais ses réponses avec un intérêt patient, douloureux. Je lui demandais de me parler de son travail, de ses projets, de ses amis. Je lui demandais de faire l'amour avec moi. De temps en temps, je glissais les doigts le long de son bras nu et je disais ce qui me passait par la tête en regardant remuer sa belle bouche et ses hanches pleines.

Cette fois, j'ai entouré du pouce et de l'index la mince cheville posée sur le siège voisin, je suis remonté jusqu'au mollet en ouvrant la main, j'ai glissé autour du genou et jusqu'à l'extérieur de la cuisse, le pouce toujours écarté, de sorte qu'il a continué, sous le journal, puis sous la jupe en lin, jusqu'au pli de sa hanche.

Elle s'est tordue sur son siège pour échapper à ma main, a retiré sa jambe, croisé les genoux et pris un air pincé des plus exquis.

« Pour la nuit dernière, a-t-elle dit. Ce n'est pas juste. »

La nuit dernière, qui malgré plusieurs heures de sommeil n'avait pas vraiment pris fin et avait débordé sur le matin, avait été notre première — et dernière — nuit ensemble. Une semaine de déjeuners, de cocktails, de dîners, de flatteries, de supplications, de caresses, de sourires et de promesses avait fini par atteindre son apogée dans le lit d'Anne, au-dessus de l'East River. Or maintenant elle semblait dire que cette délicieuse bataille était à reprendre et qu'il me faudrait reconquérir le même terrain, ce que j'envisageais avec un plaisir mêlé de frustration.

« Qu'est-ce qui n'est pas juste ?

— Ce n'est pas loyal envers Peter. »

Peter était le fiancé, ami, ou Dieu sait quoi. Je le connaissais vaguement, depuis des années, et il m'avait toujours paru plutôt agréable, quoique un peu ennuyeux. Mais la plupart des gens doivent me trouver un peu ennuyeux, moi aussi. (Je crois qu'en fin de compte, elle a fini par l'épouser.)

« A franchement parler, je n'ai pas encore eu l'occasion de faire entrer la loyauté due à Peter dans mes calculs moraux. »

Cette remarque a semblé la mettre en colère. Elle s'est crispée.

« Eh bien moi, si. Et si tu es capable de me prendre au sérieux, moi ou n'importe qui...

— Tu as tout à fait raison, me suis-je hâté d'ajouter. Je ne sais pas pourquoi je dis ce genre de choses. La gêne, probablement. La timidité. C'est pour dissimuler aux autres et à moi-même les passions archaïques qui envahissent irrésistiblement mon cœur. » Je me suis légèrement tapoté la poitrine avec l'index. Anne m'a regardé d'un air bizarre. « Et aussi mes scrupules moraux. Des scrupules presque insurmontables. Le tout caché derrière l'aspect aimable d'un clown. » Là-dessus, je lui ai adressé ce que je croyais être mon plus beau sourire.

« L'aspect, a-t-elle dit un peu méchamment, est jusqu'au bout des ongles celui d'un banquier. Ce que tu es.

— Pas vraiment...

— Analyste financier. Ou quoi que ce soit. Le fait est que tu portes d'affreux costumes rayés et des chaussures démodées et que tu n'arrêtes pas de bafouiller le plus sérieusement du monde en faisant croire que tu ne sais jamais ce qui se passe. Au premier coup d'œil, n'importe qui voit que tu as l'air ringard. A part ça, extérieurement, ça va. Tu donnes l'impression de quelqu'un de bien élevé, agréable, gentil, inefficace. C'est à l'intérieur que c'est nettement moins plaisant. C'est plutôt là qu'il y a un clown. »

Elle s'est tournée vers la vitre et a contemplé d'un air agressif le plus sinistre paysage que puisse offrir le New Jersey.

« Je porte ces vêtements dans l'espoir d'être pris pour un banquier. Dans certains cercles, c'est même un costume qui jouit d'un certain prestige. En fait, je me suis toujours habillé comme ça. C'est confortable, inusable, et il n'y a jamais eu que toi pour y trouver à redire.

— Tu devrais élargir le cercle de tes relations. De toute façon, tu ressembles plutôt à ces autres banquiers... » Elle a fait la moue, vexée d'avoir oublié. « Ce que tu m'as dit hier... les *commerciaux*. Tu ressembles à un banquier commercial. La loi Glass-Steagall...

— C'est très bien. Quelle année ?

— Dix-neuf cent trente-trois. Oui, tu as plutôt l'aura d'un banquier commercial. Ou d'un démarcheur de caisse d'épargne, offrant des grille-pain et des couvertures chauffantes aux vieilles dames pour leur faire avaler des intérêts ignominieusement faibles...

— Eh bien toi, par contre, tu me parais d'une beauté indicible. » Elle a tourné la tête, dédaigneuse, mais personne ne déteste vraiment ce genre de compliment. « Franchement, ai-je continué, très sérieux, tu te dois d'être juste envers toi-même aussi bien qu'envers Peter. »

L'idée a semblé lui plaire, bien que ce genre de phrase, pour moi, n'ait aucun sens.

« Ce n'est pas seulement de Peter qu'il s'agit, c'est de construire une relation sur la confiance...

— Absolument, ai-je dit en poursuivant sur cette lancée, peut-être un peu trop vite. D'ailleurs, où en est Peter, en ce moment ? Ne passe-t-il pas le plus clair de son temps avec Betsy Austin ou quelqu'un du même style ?

— Probablement. Ce serait bien de lui. » Elle s'est interrompue, maussade, puis s'est ressaisie. « Je connais Peter depuis toujours. Et toi depuis à peine quinze jours. Je ne te connais pas du tout, en fait. »

Plutôt une semaine, ai-je pensé. « Nous nous connaissons depuis deux ans...

— Nous ne nous sommes jamais dit un mot jusqu'à...

— De toute façon, je n'ai pensé qu'à toi pendant tout ce temps. Une véritable obsession. Bien que tu te sois constamment montrée capricieuse et déraisonnable.

— En plus, a-t-elle ajouté à propos de rien, sinon pour illustrer l'observation que je venais de faire, tu n'es pas juif.

— C'est exact », ai-je dit lentement, pris de court. Elle adorait ces attaques inattendues. « Mais ne pas être juif n'est plus un handicap insurmontable. Bien sûr, on a du mal à entrer dans les meilleures écoles, mais désormais, presque toutes les professions sont ouvertes aux non-juifs qualifiés. Et puis il reste les banques commerciales, dont il semble que tu me...

— Tu peux en rire si tu veux, mais pour moi c'est important.

— Je ne cherche absolument pas à en rire. Je veux seulement comprendre pourquoi c'est important. Par exemple, tu n'es pas baptiste.

— Tu es baptiste ? » a-t-elle demandé avec une angoisse apparemment sincère.

A croire qu'à fréquenter des gentils, elle voulait qu'ils fussent épiscopaliens.

« Non, mais si je l'étais, ça me serait égal que tu le sois ou non.

— Eh bien, a-t-elle dit froidement, pleine de supériorité morale, il se trouve que ça ne m'est pas égal. »

Une idée m'a traversé l'esprit.

« Peter n'est pas juif, n'est-ce pas ?

— Ce n'est pas la question, a-t-elle tranché, contrariée. Et j'ignore pourquoi tu ramènes tout à Peter. Comme si tu faisais une sorte de fixation sur lui. »

Elle s'est lovée sur son siège de telle sorte que son corsage lui a encore mieux moulé les seins, et elle m'a fixé d'un air dédaigneux. Je continuais à l'admirer, chaque fois ébloui, dans ce genre de discussion, par son manque absolu de principes.

— Je fais bien une sorte de fixation, mais je t'assure que c'est exclusivement sur toi et que...

— Autre chose, c'est grossier de regarder les seins des gens.

— Vraiment ? Je veux dire, ça se voit tellement que je regarde ?... Et puis, n'est-ce pas flatteur ?

— On peut aimer être regardée pour quelque chose d'un peu plus significatif que ses seins. De plus, cela met mal à l'aise. »

A ces mots, elle a étouffé un bâillement et s'est étirée langoureusement les bras en l'air, les épaules en arrière, sa poitrine tendue en avant, et la soie de son corsage a souligné la pointe de ses seins avec un relief poignant.

« Bon, tes qualités morales, si merveilleuses qu'elles soient, sont difficiles à regarder. Tes seins, par contre, sont pour moi la manifestation merveilleusement visible de ces qualités qui...

— Mets-toi ça quelque part, Nick », a-t-elle dit, un peu plus aimablement. Ses yeux pétillaient. « Parle-moi plutôt de ce qui se passe aujourd'hui.

— Oui, aujourd'hui, ai-je dit gaiement, feignant de mal comprendre. J'ai pensé que nous pourrions louer une voiture à Princeton, nous montrer quelques minutes à MicroMagnetics, pour le principe, et ensuite aller à Basking Ridge. Des amis à moi sont en Europe pour un an, leur maison est très belle, et ils l'ont laissée à ma disposition. Si le temps ne se couvre pas, nous aurons une parfaite journée de printemps. Et même si...

— Je pense à ce truc de MicroMagnetics. Ce devrait être plus intéressant que d'habitude. »

MicroMagnetics, d'après ce que m'avait appris une enquête de pure forme, était une petite société de la banlieue de Princeton qui faisait des recherches sur la maîtrise de la fusion nucléaire au moyen des champs magnétiques. Sa principale ressource était la présence de son fondateur et président, un certain professeur Bernard Wachs. Le retentissement et l'originalité de son travail sur la physique des particules lui avaient valu un financement gouvernemental de plusieurs millions de dollars. A ce jour, apparemment, la seule activité de la société avait été de dépenser cet argent le plus vite possible, et sa première contribution au bien-être du genre humain, de mon point de vue, était de me donner l'occasion d'attirer Anne à la campagne. MicroMagnetics, Inc., la semaine précédente, avait distribué à un public relativement indifférent un communiqué de presse annonçant la découverte ou l'invention du CMA, un nouveau type de champ magnétique qui était au champ magnétique habituel, quotidien, ce que le laser est à la lumière du jour. Faiblesse ou vertu de ce communiqué — selon ce que vaudrait en fin de compte le CMA —, il ne contenait rien de plus précis que cette vague analogie, n'indiquant même pas si le CMA était destiné à maîtriser la fusion nucléaire ou quoi que ce soit d'autre. « Des scientifiques de Princeton, New Jersey, annoncent en ce jour une avancée révolutionnaire... », pouvait-on lire, ainsi que : « découverte majeure », « incontournable », etc. Comme de nombreux scientifiques, sinon tous, parlent de leurs travaux en ces termes, j'étais resté parfaitement insensible. Mais puisqu'une conférence de presse et une sorte de démonstration étaient prévues, j'avais persuadé Anne de couvrir cet événement, et j'avais dit à mon bureau que je serais absent toute la journée.

A ce point, me semble-t-il, je pourrais expliquer ce que je fais. Ou faisais. Un analyste financier examine une affaire, ce qu'elle possède, ce qu'elle fabrique, l'activité de la concurrence, tous les détails des actions ou obligations émises par cette affaire pour trouver de l'argent ; à partir de quoi il tente d'évaluer le prix auquel les gens devraient acheter ou vendre ces actions ou obligations. L'argument théorique en faveur de cette occupation, c'est qu'elle aide à répartir plus efficacement les ressources nécessaires pour produire ce dont les gens ont besoin ou envie. L'argument contraire, du mieux que je puisse l'exprimer — Anne serait bien plus convaincante —, c'est que le capitalisme est ennuyeux, maléfique, et que quiconque en améliore le fonctionnement est lui-même ennuyeux et maléfique. De fait, je trouve souvent mon travail un peu ennuyeux, mais je n'y ai jamais aperçu la plus petite ombre de malveillance. Je n'abuserai pas en vous expliquant les différentes fonctions d'un analyste financier, mais je dois préciser que mon statut personnel, légèrement au-dessus de la moyenne en ce qui concerne le salaire et en dessous pour ce qui est du prestige, me permettait de bénéficier d'un horaire raisonnable et que je ne m'occupais pas des ventes. Tant que je donnais satisfaction à mes associés, j'étais virtuellement indépendant, et une heure sur cinq je prenais grand plaisir à mon travail — ce qui est une bonne moyenne, selon moi, pour n'importe quel emploi.

Il se trouvait que j'avais notamment la responsabilité de couvrir l'industrie énergétique, ce qui était plutôt avantageux à une époque où l'énergie était soumise depuis plusieurs années à divers bouleversements et où d'énormes sommes d'argent pouvaient être gagnées ou perdues, de sorte que ma compétence et mes avis étaient constamment sollicités. De plus, un peu par caprice personnel, je suivais aussi ce qu'on appelait les « énergies alternatives », ce qui était encore plus branché et me prenait très peu de temps, puisqu'il n'y avait quasiment pas d'instruments financiers dignes d'être analysés. Chaque mois il y avait quelqu'un pour annoncer qu'il allait transformer l'eau en hydrogène, transporter des icebergs au Kansas en dirigeable ou faire remonter les fleuves vers leur source grâce à l'énergie solaire. Les rares fois où un de ces trucs n'était pas scientifiquement impensable, on pouvait généralement, même en prenant le parti le plus optimiste, prouver qu'économiquement c'était absurde. Tous ces projets étant alors très en vogue, j'étais moi-même très en vue, et je recevais force coups de fil quémandant mon opinion d'expert. Et il y avait toujours l'espoir lointain, mais séduisant, qu'un de ces trucs marcherait vraiment, auquel cas j'en tirerais le plus grand bénéfice.

Certes, ce jour-là, en ce qui concernait MicroMagnetics, je n'avais aucun espoir. Toutes mes espérances consistaient à embarquer Anne le plus vite possible vers un déjeuner arrosé des meilleurs vins, offert par mes associés, puis à faire l'amour avec elle à Basking Ridge dans une chambre ouvrant sur les prés et les torrents. Ce plan m'était venu quand je ne savais pas encore si j'arriverais jamais à coucher avec elle, mais depuis la nuit dernière, je pouvais raisonnablement m'attendre à passer la plus belle journée de ce printemps.

« Qu'est-ce qui te fait croire, ai-je demandé, sincèrement intrigué, que MicroMagnetics présentera le moindre intérêt ?

— D'abord c'est toi qui me l'as dit.

— Oui, j'ai dû dire ça. Et je n'en doute pas. Mais c'était surtout pour t'attirer hors de la ville. » Elle a tourné la tête, impassible, vers la vitre où défilaient les usines décrépies qui bordent les voies du New Jersey d'un bout à l'autre de l'État, parfois interrompues par les amas de tubulures multicolores des raffineries. « L'important, c'était de te faire venir à la campagne, que tu respires le printemps, que tu goûtes aux délices arcadiennes du New Jersey. Un enlèvement. »

Elle a continué comme si je n'avais rien dit : « Et en tout cas, pour une fois, il y a une dimension politique. »

J'étais ravi que le cirque organisé par MicroMagnetics eût pour elle une dimension politique, mais je me demandais vraiment où elle la voyait.

« Tu penses à une source d'énergie alternative », ai-je avancé. Se libérer de la dépendance à l'égard des carburants fossiles et ainsi de suite, en y réfléchissant bien, cela doit avoir des conséquences politiques... « Progrès écologiques, etc., ai-je ajouté vaguement.

— Ce n'est pas du tout une énergie alternative, a-t-elle dit d'un ton irrité. C'est nucléaire.

« Nucléaire », opposé à « alternatif », c'était le mal. Mon éducation politique allait jusque-là.

« En fait je ne pense pas que ce soit " nucléaire " au sens où tu l'entends : cela n'a sûrement rien à voir avec la fission nucléaire. Toutes les recherches de ces gens tournent autour de la maîtrise magnétique de la fusion, laquelle n'engendre aucune des pollutions ou autres atteintes à l'environnement dont se plaignent tes amis. Vraiment, de ton point de vue, c'est la source d'énergie idéale : surtout que personne n'est encore capable de la faire fonctionner... Quoique, puisque tu soulèves le problème, je crois que le communiqué n'a même pas mentionné la fusion... J'imagine qu'il s'agit simplement d'un petit tour de plus dans la bouteille magnétique, et que tu n'auras sûrement aucune objection en ce...

— C'est totalement nucléaire, a-t-elle affirmé. C'est un crime contre la planète et les générations futures. Si le gouvernement se préoccupait des véritables besoins des gens au lieu d'aider les riches à s'enrichir, on tirerait directement l'énergie du soleil, sans nous empoisonner. La technologie nécessaire existe déjà. »

Sourcils froncés, lèvres pincées, elle incarnait la vertu offensée. J'avais dû faire un faux pas. Mieux valait se cantonner à la technique.

« Pourtant, avec la technologie actuelle, le kilowatt-heure coûterait entre un demi-dollar et un dollar au lieu de six à douze cents pour l'énergie traditionnelle. A moins de compter les cellules au silicium dans la technologie " déjà existante ", auquel cas il faudrait en produire industriellement avec un rendement d'au moins sept pour cent...

— Si ces machins ne sont pas " produits industriellement " avec un rendement qui te convient, m'a-t-elle coupé d'un ton sarcastique, ce n'est guère étonnant, avec un gouvernement qui ne fait rien et laisse les trusts prendre ce genre de décisions.

— Oui, absolument, ton argument est des plus pertinents. » Sauf pour le plaisir de l'instant, on perd toujours son temps à discuter politique avec qui que ce soit — à discuter de n'importe quoi, en fait. On n'apprend jamais rien et on ne peut jamais convaincre la partie adverse. « Tu as probablement raison. Bien sûr, la vraie question est de savoir, si on pourrait produire ces trucs à un prix compétitif. C'est juste un problème d'offre et de demande...

— La vraie question est de savoir si nous voulons rester à la merci du marché ou si nous allons prendre notre destin en main comme des êtres guidés par la raison et la morale. »

Ma seule crainte, outre qu'elle se laisse aller à une réthorique déplorable, était qu'elle se mette vraiment en colère. Son humeur, comme le temps, était variable.

« A propos, ai-je dit, je voulais te poser une question sur le *Times* d'aujourd'hui. Il semble qu'un groupe de vos journalistes ait été fait prisonnier en même temps qu'un conseiller cubain. Comme il paraît que le *Times* a des camps d'entraînement en Éthiopie, j'ai pensé que tu pourrais me dire si...

— Va te faire foutre », a-t-elle dit tranquillement, avec un charmant sourire. J'ai remarqué que les gens se sentent mieux si on les laisse un peu délirer sur la politique, mais il ne faut surtout pas les laisser s'enferrer. En fait, c'est peut-être la seule chose à laquelle sert la politique. « Pourtant, a-t-elle ajouté, j'ai très envie de connaître le coût réel des sources d'énergie alternative. Cela me serait vraiment utile. C'est stupéfiant, les chiffres que tu peux retenir. » Une idée lui est venue à l'esprit. « Non. Montre-moi encore ce truc sur les courbes de l'offre et de la demande. C'est ça qu'il me faut. »

J'étais toujours ravi de lui expliquer n'importe quoi. Et on est toujours heureux d'avoir l'impression d'agir à la fois dans l'intérêt de l'humanité et dans le sien propre : peut-être aurais-je la chance d'inculquer à une employée du *Times* quelques notions rudimentaires sur les concepts d'offre et de demande. J'ai sorti un bloc-notes de ma serviette et je me suis installé à côté d'elle. Posant d'abord le bloc-notes sur ma cuisse, puis sur la sienne, j'ai tracé des coordonnées familières.

« Bon, cet axe représente le prix d'une marchandise, et celui-ci la quantité de marchandise produite. Ensuite, pour chaque...

— Il s'agit des marchandises en général ou d'une en particulier ?

— Eh bien, c'est un exemple... c'est-à-dire, une marchandise quelconque. Pour n'importe quelle marchandise, à n'importe quel moment, il y a une courbe de l'offre et une de la demande — si c'est bien ce que tu veux savoir.

— Quelle sorte de marchandise ? Et puis, qu'est-ce que c'est qu'une marchandise, exactement ? J'aimerais mieux que tu sois plus concret.

— Ça peut être n'importe quelle marchandise. Ou service. Ça peut être n'importe quoi, du moment qu'une personne au moins en veut. Et qu'une autre peut la fournir, je crois. Des voitures, du blé, des journaux. Des leçons de danse. Des revolvers. Des poèmes. L'important, c'est qu'à n'importe quel prix donné correspondra un certain niveau d'approvisionnement — le montant du produit ou du service que des gens seront amenés à produire à ce prix.

— Qu'est-ce qui se passe au bout de la chaîne ? »

Au bout de la chaîne ? Il fallait que je raisonne très vite.

« Différentes choses, rien d'important. »

J'ai posé une main sur le haut de sa cuisse, et j'ai senti bouger le muscle sous la jupe en lin bleu. Elle a ignoré mon geste et scruté intensément le schéma posé sur ses genoux.

« Essaye de faire attention et de ne pas poser de questions piège, ai-je dit en inscrivant une paire de coordonnées et une seconde courbe en dessous de la première. La courbe de la demande — je la mets à part pour commencer — est dans le même esprit, mais tourne en sens inverse.

— Toujours ? »

Je me souvenais vaguement qu'on pouvait inventer des cas où elle tournait dans le mauvais sens, mais sans me rappeler si on pouvait les expliquer ou s'il fallait simplement les ignorer. Il faut très vite, ai-je pensé, que je lise quelques manuels d'économie pour revoir ces choses-là.

« En ce qui concerne les applications pratiques, toujours. Je ne veux pas compliquer inutilement ces explications. »

J'ai glissé la main sous sa jupe et fait courir mes doigts à l'intérieur de sa cuisse. Elle a écarté les jambes imperceptiblement, pour m'accueillir, mais elle m'a retenu la main, fermement, pour m'empêcher d'aller plus loin.

« Maintenant, ai-je dit, cet axe où s'ordonne la courbe de la demande représente le montant des transactions pour un prix donné. »

Sans lâcher le crayon, j'ai tendu la main droite pour écarter les cheveux de son cou, je me suis penché et je l'ai embrassée derrière l'oreille. Elle n'a pas quitté le papier des yeux, mais elle a eu un léger frisson.

« Ce que je veux comprendre, a-t-elle dit d'un ton à mon avis un peu absent, c'est comment tu combines les courbes. Et pourquoi. »

J'ai redessiné la seconde courbe superposée à la première. Je l'ai embrassée une deuxième fois sur la nuque. Son épaule s'est levée et sa tête s'est tournée lentement, d'un mouvement sinueux, tandis qu'elle relâchait sa pression sur ma main. Je l'ai embrassée sur les lèvres. Elle a ouvert la bouche et nos langues se sont mêlées. Elle m'a pris la tête à deux mains, m'attirant contre elle. Nous étions tous les deux de biais sur la banquette, face à face, les genoux coincés. J'ai fait courir mes mains largement ouvertes le long de ses flancs, mes pouces caressant ses seins. Je sentais ses côtes se contracter au rythme de son souffle, son cœur cogner contre ma paume. J'ai passé la main gauche sur son sein, embrassé sa bouche, son cou, ses yeux, glissé une main dans son corsage en faisant sauter un bouton. J'ai senti un téton gonfler sous mes doigts, le globe de chair s'aplatir sous ma paume ouverte. J'ai défait les autres boutons du corsage et je lui ai caressé la poitrine de mes deux mains. Puis je me suis penché pour embrasser les pointes durcies. Elle s'est cambrée, pressant ses seins contre mon visage.

L'espace restreint nous rendait la manœuvre incroyablement difficile, les sièges étaient trop étroits et beaucoup trop rapprochés. Je me suis contorsionné un peu plus, à moitié debout, une jambe par terre et un genou sur la banquette, et j'ai repris sa bouche en lui caressant le dos. Je n'oublierai jamais l'image de ses seins splendides au milieu du wagon désert. Anne a voulu dénouer ma cravate, s'est impatientée et s'est mise à défaire les boutons de ma chemise, sauf celui du col. Ses doigts couraient sur mon torse, au creux de mes reins. Elle m'a embrassé la poitrine, les flancs. J'ai avancé une main sur la peau douce de son ventre, sous l'élastique de son slip. Pour m'aider, elle a retenu son souffle. Mes doigts ont plongé dans sa toison soyeuse, encore plus bas, et j'ai senti ses hanches chavirer. Elle a glissé un peu en avant, de biais, la tête appuyée contre la vitre, et ma main s'est trouvée coincée. Cette banquette ne nous facilitait pas les choses. J'ai réussi à extraire ma main et j'ai soulevé Anne pour nous mettre tous les deux à moitié debout dans l'espace entre les sièges. Elle a écarté les pans de ma chemise, entouré mon torse de ses bras, et j'ai senti le contact de ses seins sur ma peau nue. En l'embrassant, j'ai avancé une cuisse entre ses jambes et pressé mon bas-ventre contre le sien.

J'ai retiré un bras pour relever sa jupe et remonter doucement à l'intérieur de ses cuisses. Elle a appuyé son dos contre la vitre. Ma main ouverte est doucement descendue dans son entrejambe étroitement moulé par la soie mince et humide. Son pelvis ondulait lentement sous ma caresse, et elle a écarté les cuisses. J'ai passé les pouces sous l'élastique du slip et je l'ai abaissé jusqu'à ses genoux. Une longue jambe nue s'est levée, est sortie du slip, l'a pincé entre deux orteils et en a fait un petit tas au bas de l'autre jambe. Mes doigts ont effleuré sa toison, glissé dans la fente. D'un geste, elle a ouvert mon pantalon, découvert le caleçon, qu'elle a ouvert également, et m'a pris à deux mains, sortant mon érection à l'air libre.

En écrivant ces lignes, j'ai le sentiment de vous devoir, à vous lecteur, des excuses — ou plutôt un avertissement — car, sachant que tout roman pornographique comporte une scène en chemin de fer, vous pourriez vous méprendre sur ce qui va suivre. Or ce qui ne va pas suivre — et j'avoue en avoir quelques regrets —, c'est une série de rencontres sexuelles de plus en plus fréquentes et acrobatiques entre des partenaires de plus en plus nombreux. En fait, un des aspects mélancoliques de ma condition actuelle — bien plus mélancolique pour moi que pour vous, lecteur — tient à la difficulté de tout type de rencontre. Je ne veux pas non plus vous induire en erreur quant à ma façon de vivre avant cette journée fatidique. Ceci n'est pas une scène typique de ma vie quotidienne. Je me suis rarement trouvé — jamais, en réalité, sauf ce jour-là — en proie à un désir frénétique, à moitié nu, avec une femme splendide à moitié nue elle aussi, dans un lieu public. Et ce jour-là, s'il n'était rien arrivé d'autre qui sortît de l'ordinaire, aurait été l'un des plus extraordinaires de ma vie.

D'un autre côté, vous pouvez penser que je vous dois une explication, ou même des excuses, pour avoir décrit cet incident. Ou pour l'incident lui-même. Pour être franc, je ne suis pas entièrement à l'aise en écrivant ce genre de chose, car si, la plupart du temps, et dans mon humeur normale, le comportement d'adultes consentants et empressés tels qu'Anne et moi-même ne m'inspire guère d'objections morales, j'admets qu'il y ait bon nombre de points de vue différents sur ce sujet, et je n'approuverais pas de les offenser inutilement par des exhibitions publiques sexuelles ou sentimentales. Je ne suis pas le moins du monde exhibitionniste — bien que dans ma condition actuelle, cela puisse vous sembler une vantardise sans objet. Ce jour-là, je ne sais vraiment pas ce qui nous a pris. Ou plutôt, je ne le sais que trop, mais j'ignore où sont passés les scrupules moraux et les inhibitions habituelles. Je doute encore des raisons pour lesquelles nous nous sommes retrouvés à moitié nus, debout dans un wagon de chemin de fer, réciproquement agrippés aux parties intimes de l'autre et fouillant nos bouches de nos langues. Certes, nous étions seuls dans ce wagon, n'ayant vu personne depuis New York, à part le contrôleur qui n'était passé qu'une fois. Et les sentiments divers que nous avions l'un pour l'autre étaient probablement très forts. De plus nous n'avions presque pas dormi de la nuit et nous étions encore, me semble-t-il, passablement ivres.

J'ai reposé Anne sur la banquette où elle n'avait pas la place de s'allonger, si bien qu'elle s'est pliée, à demi assise, la tête et les épaules contre la vitre, la jupe relevée jusqu'à la taille, les cuisses largement écartées, une jambe allongée sur la moleskine, touchant le sol, l'autre levée, le pied posé sur l'accoudoir près du couloir. J'étais au-dessus d'elle, en équilibre. Elle me tenait les hanches. J'ai pensé un instant l'emmener dans les toilettes, où nous aurions pu nous sentir plus à l'abri — au prix, néanmoins, du confort et de la commodité. Anne avait probablement fait le même calcul. Mais il n'y avait personne, personne ne pouvait entrer, et si quelqu'un venait, quelle importance aurait cette intrusion dans l'ordre général des choses ? L'important, la seule chose qui comptait à cet instant délicieusement poignant, c'était de s'enfoncer dans la félicité. *Carpe diem.*

Soudain, alors que j'allais me baisser sur Anne, le train a

commencé à freiner et je me suis arrêté, indécis, pour regarder par la fenêtre. J'ai d'abord cru que nous étions arrivés à Princeton. Bon Dieu. Mais ce n'était pas la gare de Princeton. C'était nulle part — en tout cas pas un endroit où arrêter un train. Ce qui n'avait en soi rien de particulièrement dérangeant : ceux qui n'ont jamais pris ces trains savent, bien qu'ils circulent sur la ligne la plus importante et la plus fréquentée du pays, que leurs déplacements sont aussi hasardeux que le permettent les limites purement physiques des rails en acier. Ils ne cessent d'accélérer ou de ralentir pour des raisons mystérieuses et s'arrêtent à des intervalles imprévisibles, sans rapport avec les horaires publiés ni avec l'emplacement des gares. Une fois immobiles, ils peuvent rester sur place pendant quelques secondes ou quelques heures, absolument au hasard. Les employés de la ligne, qu'ils sachent ou non ce qui se passe et pourquoi, n'en font jamais part aux passagers. Ensuite, mystérieusement, le train repart.

Dans ces circonstances j'aurais pu trouver bienvenu un arrêt en rase campagne. Le problème, c'est que nous étions en train de ralentir au beau milieu d'une gare inconnue, le long d'un quai où quelques personnes — peu nombreuses, heureusement — attendaient l'omnibus de la région. Peut-être allait-on leur permettre de monter dans notre convoi. J'espérais que non. Mais du moins étaient-elles merveilleusement placées pour voir ce qui se passait dans le train, et effectivement, la fenêtre de notre wagon s'est brusquement arrêtée juste en face de trois dames d'un certain âge, fort dignes, leur offrant le spectacle d'une Anne dépoitraillée, jambes écartées, et au-dessus d'elle votre serviteur, avec son érection frémissante. Sans la vitre qui nous séparait, elles auraient pu tendre la main et nous toucher. Non que cette envie, me semble-t-il, ait pu leur venir.

Moi-même, naturellement, je les voyais tout aussi bien, mais ce n'était qu'une piètre consolation. Leurs dimensions imposantes et la sobriété de leurs vêtements correspondaient à leur âge et à leur rang. Leur maintien était des plus rébarbatifs. Du fait qu'elles attendaient sur le quai nord, on pouvait conclure qu'habitant à mi-chemin des deux villes elles avaient choisi de passer la journée à Philadelphie plutôt qu'à New York. Toutes les trois alignées, elles nous faisaient face. Celle du milieu tenait une sorte de tricot entre les mains, et à leur attitude on devinait qu'elles s'étaient penchées sur cet ouvrage pour en discuter sérieusement. Néanmoins, lorsque notre petit *tableau vivant* a été déposé si brutalement devant elles, leurs yeux se sont braqués sur nous, se sont agrandis, et leurs bouches ont formé aussitôt trois petits O muets, stupéfaits et désapprobateurs. Je me sentais extrêmement mal à l'aise. Elles aussi, j'imagine, bien que leur inconfort dût être d'une nature très différente. Ma propre bouche également s'est sans doute arrondie en un petit O exprimant la surprise ou toute autre émotion également ridicule, car Anne m'a regardé, a lâché mes hanches, s'est redressée et a tourné la tête pour voir ce qui se passait. Elle a contemplé un instant les trois visages sévères, puis elle a secoué la tête en l'inclinant légèrement pour faire retomber ses cheveux, qui lui ont caché la moitié du visage, et s'est retournée vers moi.

J'étais figé, confus, mortifié. J'ai pensé sauter dans mon pantalon et me reboutonner devant elles, mais cela m'a semblé encore plus stupide et humiliant. Je me demandais même si je me sentirais aussi ridicule et honteux dans les instants suivants, quand mon désir s'effondrerait mollement sous le poids de la gêne. Peut-être, me suis-je dit, fallait-il aussitôt tirer Anne par la main et la traîner sur une banquette de l'autre côté du train, où nous pourrions reprendre nos esprits et nos vêtements. Mais Anne a réagi différemment. Avec un sourire si plein de malice et de perversité que seule une petite fille l'aurait osé, elle s'est léché lentement les lèvres, s'est penchée en avant et m'a embrassé délicatement. Les petits O formés par les bouches de ces dames se sont agrandis un peu plus. Anne s'est légèrement écartée, s'est léché encore une fois les lèvres, m'a embrassé à nouveau, puis a dessiné délibérément un petit O et m'a encerclé de sa bouche.

A ce moment, Dieu merci, il y a eu un fracas métallique, une violente secousse, et le train nous a lentement soustraits au regard sévère de ces trois dames. Alors que nous dérivions hors de nos vies respectives, la dame du milieu m'a fixé d'un œil furieux, le sourcil froncé, puis a enroulé autour d'un doigt expert le fil de son ouvrage qu'elle a cassé net. C'était comme si ma chute avait été décrétée par des Parques banlieusardes et féroces. J'ignore le châtiment qu'elles m'auraient réservé, mais si elles avaient pu la prévoir, la suite des événements les aurait certainement satisfaites. Je me souviens de m'être demandé si l'une d'elles me connaissait. En ce cas, il se pourrait, plusieurs semaines ou plusieurs mois plus tard, lors d'un dîner, que je me trouve placé à côté d'elle. Un léger vertige m'a saisi. Sans le savoir, sans le vouloir, j'avais pris part à un acte sexuel représenté en direct devant un public hostile. Je me sentais vulnérable, honteux et angoissé.

Mais je sentais aussi la bouche et les mains d'Anne sur mon corps, les caresses de ses lèvres et de sa langue, et une nouvelle vague de félicité a bientôt adouci mon déshonneur. Je me suis penché sur elle, je l'ai repoussée contre le siège, j'ai parcouru ses hanches et ses seins de mes mains empressées, je l'ai embrassée, ma langue a fouillé sa bouche, mon pouce l'a pénétrée. Son corps a ondulé, et elle m'a repris dans sa main.

Cette fois l'interruption est venue de l'autre bout du wagon. Une porte s'est ouverte avec fracas et nous avons été envahis par le cliquetis des roues cognant sur les rails. Je me suis redressé pour jeter un coup d'œil au-dessus du dossier. Le contrôleur, un homme énorme sanglé dans un uniforme noir, descendait le couloir d'un pas tranquille, très digne. C'était encore plus troublant que la première fois : il n'y avait aucune vitre pour nous donner l'allure d'un couple de spécimens dans une ménagerie, par contre, nous étions prévenus, nous avions un peu de temps devant nous. Frénétiquement, nous nous sommes rhabillés du mieux possible, sans pouvoir reboutonner nos vêtements, mais en recouvrant au maximum nos membres et divers monticules de chair nue.

J'ai pris le *Times* pour nous en couvrir des épaules aux genoux, comme si c'était un bavoir géant, je me suis penché, j'ai récupéré mon bloc-notes par terre, et je l'ai posé en équilibre sur une jambe. A l'arrivée du contrôleur, j'ai repris mon cours sur l'offre et la demande.

« Quand on superpose les deux courbes, leur intersection définit les points où le marché s'éclaircit. »

Le contrôleur est arrivé à notre hauteur. Il a tendu la main pour retirer deux tickets d'une fente du porte-bagages.

« C'est-à-dire, ai-je dit, un peu troublé, que l'offre et la demande sont en équilibre. »

Le contrôleur nous a regardés avec insistance, comme s'il sentait qu'il y avait quelque chose d'anormal.

« L'évolution des prix tendra vers ce point... » Anne m'a pincé par-dessous le journal. J'ai dû pousser une sorte de grognement et le contrôleur m'a lancé un coup d'œil soupçonneux. « Bien qu'une évolution à court terme ne puisse pas... »

Le contrôleur s'est penché vers nous et a annoncé aussi fort que si le wagon avait été rempli de passagers : « Prochain arrêt à Princeton ! »

Nous avons sursauté. Le contrôleur ne nous quittait pas des yeux. Silencieusement, ardemment, nous avons continué à étudier nos courbes entrecroisées.

Incapable, de toute évidence, de penser à ce qu'il pourrait dire ou faire de plus, le contrôleur a fini par se retourner et se diriger d'un pas lourd vers l'extrémité du wagon.

Le journal a glissé par terre. Le train ralentissait déjà. Anne s'est mise à rire. Je lui ai fait une dernière caresse, presque brutale. Nous avons boutonné nos vêtements en hâte, fourré les papiers dans nos serviettes. Horriblement, douloureusement frustrés. C'est en ajustant nos vêtements et en nous recoiffant de la main que nous avons maladroitement dégringolé sur le quai.

« Zut alors ! » a dit Anne en riant.

Debout sur le quai, encore un peu hébétés, nous avons regardé le train partir. Le ciel était complètement noir ; il allait sûrement pleuvoir. Le contact de l'air froid, humide et menaçant, me donnait l'impression de sortir d'un sommeil trop vite écourté. La poignée de passagers descendus en même temps que nous se dirigeait en hâte vers le parking ou le petit omnibus qui les emmènerait à Princeton. J'ai dit à ma compagne que j'allais appeler un taxi. Nous avions tout notre temps — non que je me serais soucié d'être en retard — et je voulais louer une voiture en ville pour m'échapper de MicroMagnetics avec Anne à la première occasion.

A ma grande déception, elle m'a répondu qu'elle s'était arrangée pour qu'on vienne nous chercher. J'ai d'abord cru que le *Times,* dans sa munificence, fournissait un chauffeur à ses employés saisis par la quête de la vérité. En fait, ai-je appris, nous avions rendez-vous avec un représentant du Mouvement pour un Monde meilleur.

« Pourquoi faire appel à eux ? Les taxis de Princeton conduisent sûrement bien mieux », ai-je protesté. Après tout, le *Times* avait peut-être vraiment des camps d'entraînement en Éthiopie. « D'ailleurs, pourquoi ces étudiants se donneraient-ils tant de mal pour nous ? Je sais que nous devons tous mettre la main à la pâte pour l'édification d'un monde meilleur et ainsi de suite, mais je n'ai pas l'impression qu'ils fassent le meilleur usage de leurs talents en nous fournissant des chauffeurs. En vérité, nous desservons la révolution.

— Ferme-la, a-t-elle dit d'un ton affable. C'est probablement lui qui vient. »

Un membre de l'avant-garde révolutionnaire avait surgi sur le quai un peu plus loin. Il avait de l'allure — c'était un beau jeune homme avec les traits réguliers d'un mannequin, des longs cheveux blonds qui lui tombaient dans le dos, et un ensemble en jean délavé bleu pâle. Il était peut-être assez jeune pour être encore étudiant.

« Oui, en effet, ai-je dit. Voilà quelqu'un de la génération automnale des révolutionnaires à la Ralph Lauren. »

Il nous observait, indécis, ne trouvant pas, de toute évidence, ce à quoi il s'attendait. Mais nous étions les seuls à être restés sur le quai.

« Pourquoi ne pas me laisser faire mon travail ? » m'a dit Anne en s'avançant vers lui avec un grand sourire.

En la voyant venir, il s'est passé une main dans les cheveux et a tendu l'autre pour la saluer. Le cœur maussade, je l'ai suivie le plus lentement possible. Que des gens quasiment adultes choisissent de se déguiser, de jouer aux cow-boys et aux Indiens ou à un semblant de révolution, très bien ; mais qu'ils ne viennent pas piétiner mes plates-bandes. Quand je les ai rejoints, Anne le remerciait d'être venu nous chercher.

« De rien. Si vous ne nous aviez pas appelés pour nous prévenir, nous aurions tout raté. Aucun d'entre nous n'avait jamais entendu parler de MicroMagnetics, et c'est exactement le genre d'occasions que nous cherchons. L'empoisonnement nucléaire de l'environnement fait réagir un très large public. Et une fois qu'on amène les gens à... »

Il s'est interrompu à mon arrivée, et ils m'ont regardé tous les deux avec une sorte d'étonnement, comme si ma présence était une surprise, ou même une erreur. Puéril, peut-être, mais j'étais extrêmement agacé — de voir la journée tourner autrement que je ne l'avais prévu, de voir le faux costume d'ouvrier de ce jeune homme, de voir qu'il était beau garçon et qu'il me regardait comme si j'étais une forme de vie inhabituelle et quelque peu suspecte.

« Nick Halloway, Robert Carillon », a dit Anne un peu trop vite. Elle nous a désignés l'un à l'autre d'un geste de pure forme, apparemment pour ne pas s'étendre sur les présentations, et s'est retournée vers Carillon, me laissant le spectacle de son crâne. Mais il l'a devancée.

« Vous êtes du *Times*, Nick, vous aussi ? a-t-il demandé en me jaugeant d'un air sceptique.

— Mince, oh non, ai-je dit, de l'air le plus gosse et ingénu possible. Malheureusement. Je veux dire, je voudrais bien. Grand journal. Formidable défi, d'en faire partie — et vachement drôle, je parie. En plus, une formidable responsabilité. » Anne, qui m'avait d'abord regardé d'un œil stupéfait, m'a tourné le dos, glaciale. « Moi, je suis chez Shipway & Whitman. Chouette boîte. Des gens super. »

Et je lui ai fait un grand sourire d'imbécile heureux.

Carillon, sans savoir si j'étais vraiment sérieux, me trouvait de toute façon haïssable. Pendant que je parlais, il regardait ma cravate comme s'il n'en avait jamais vue de sa vie et qu'il trouvait l'idée vaguement comique. Hochant la tête, il a plissé les yeux pour bien montrer qu'il examinait d'abord le monogramme brodé sur ma chemise, puis mes bretelles. Son regard est descendu le long de mon costume, lequel était effectivement gris avec de fines rayures blanches, et s'est posé sur mes chaussures qu'il a semblé trouver particulièrement choquantes. C'étaient d'excellentes chaussures anglaises faites à mes mesures, et il s'est avéré que j'avais eu de la chance de les mettre ce jour-là.

— Et vous, vous êtes d'où ? ai-je demandé, toujours enthousiaste.

— J'appartiens au Mouvement pour un Monde meilleur.

— Oh, oui. Bien sûr, c'est ça. Tout le monde en parle. Vous êtes le chef de cette petite armée, n'est-ce pas ?

— Je n'appellerais pas ça une armée, a-t-il répondu, un peu crispé. L'armée, c'est exactement ce à quoi nous voulons mettre fin. Et nous n'avons pas de chef. Nous sommes organisés selon des principes démocratiques, d'après un consensus collectif. Cette idée ne vous est peut-être pas familière.

— Mais c'est vous qui dirigez, non ?

— On me choisit parfois comme porte-parole, a-t-il reconnu modestement.

— Mince, c'est super. Juste comme de mon temps le président d'une confrérie, d'une société secrète ou autre. Ou d'un club de bouffe — c'est bien des clubs de bouffe que vous avez, n'est-ce pas ? Vos parents doivent être fiers comme des paons. »

Il a rougi et froncé les sourcils.

« Je ne pense pas qu'ils le voient de cette façon. Et pour une fois, je suis d'accord avec eux. Vous venez voir, me semble-t-il, si quelqu'un peut tirer profit d'une nouvelle variété d'énergie nucléaire.

— C'est ça, ai-je dit gaiement. Toujours en quête du bénéfice maximum, où qu'il soit. C'est ce qui fait tourner la planète, comme dit le poète. La main invisible et ainsi de suite. L'efficacité impitoyable du marché.

— Oh, je suppose qu'il ne peut pas être plus impitoyable ou efficace que les gens qui le manipulent, a-t-il répondu avec un sourire sardonique. C'est peut-être pourquoi la première de ces qualités l'emporte souvent sur la seconde. »

Vraiment, c'était bien parti. Anne, qui d'habitude adorait les batailles idéologiques, paraissait plutôt irritée. Ma présence devait la gêner, ce qui ne faisait que renforcer mon propre malaise. Du coup, elle a décidé de reprendre les choses en main.

« Ce truc est prévu pour dix heures trente... »

Mais une idée m'est venue et je l'ai interrompue : « Dites donc, vous n'avez pas un frère ou un cousin qui s'appelle Bradford Carillon, par hasard ? Et qui travaille chez Morgan ?

— Un demi-frère, a-t-il répondu froidement.

— Un type super. (C'était un mensonge éhonté.) Je lui dirai que je vous ai rencontré.

— Faites.

— Il faut qu'on y aille », dit Anne d'un ton ferme. Elle en avait plus qu'assez. « A quelle distance sommes-nous de Micro-Magnetics ? »

Carillon a paru soulagé de changer de sujet. Il n'y avait que dix minutes de trajet, mais ils se sont mis à discuter de la distance à parcourir, du temps qu'il faudrait et des différents chemins possibles comme s'il s'agissait d'un problème de première importance, tout en prenant soin d'éviter mon regard. J'ai pensé prendre un taxi, mais je me suis dit que j'aurais l'air de me conduire comme un gosse. Carillon nous a laissés pour aller chercher sa voiture.

« On peut très bien marcher jusqu'au parking, a dit Anne.

— Non, attendez-moi un instant, je vais tout organiser. »

Notre héros de la révolution s'est éloigné, et dès qu'il a été hors de portée de voix, Anne a exprimé ce qu'elle pensait de ma conduite :

« Bon sang, tu ne pourrais pas rester poli ?

— Je croyais l'être. J'ai pratiquement soutenu la conversation à moi tout seul, bien que je craigne que nous perdions notre temps à discuter avec ce type. Nous ferions mieux d'aller louer une voiture à Princeton et...

— Lui parler, c'est mon travail. Et cela me fait plaisir.

— La conversation m'a fait plaisir, à moi aussi.

— Eh bien, tu t'es assez amusé pour aujourd'hui. Laisse-le tranquille.

— C'est tout à fait mon intention. Mais, dis-moi, au nom du ciel, qu'est-ce qui t'a pris d'appeler ces gens et de les pousser à venir harceler MicroMagnetics ? »

Instantanément elle s'est calmée. Ma question, visiblement, la gênait.

« Je n'ai poussé personne à rien du tout. Comme je prends la peine de suivre ce qui se passe dans le monde où je vis, je suis au courant de l'intérêt actif que porte le Mouvement pour un Monde meilleur à certaines questions, et mon travail implique que j'apprenne s'ils préparent une action quelconque en réponse à un événement organisé par l'industrie nucléaire et annoncé avec tambour et trompette. Par ailleurs, j'aimerais que tu n'en parles à personne. Et surtout pas au *Times*.

— Anne, mon amour, ceci n'est pas un événement annoncé avec tambour et trompette. Nous sommes probablement les seuls qui aient pris la peine de se déplacer — et si la météo ne s'était pas trompée du tout au tout, il y aurait eu encore deux fois moins de monde. De plus, les gens de MicroMagnetics, quels qu'ils soient, seront certainement stupéfaits, voire électrisés, d'apprendre que quelqu'un les a classés dans l'industrie nucléaire. Mais comme je t'adore infiniment, peu m'importe que tu veuilles organiser une révolte armée en plein centre du New Jersey tout en étant payée par le *Times*. Je ne le dirai à personne. Je ferai même tout mon possible pour rester dans tes bonnes grâces ; je compte sur toi pour glisser un mot en ma faveur à ces gens et leur garantir que je suis depuis toujours, en secret, un de leurs sympathisants — au cas bien sûr où la question viendrait à se poser après la révolution. »

Je lui ai fait mon sourire le plus séduisant. (Je n'ai plus de sourire séduisant à ma disposition — ni même aucune sorte de sourire. C'est comme si je ne pouvais parler aux gens qu'à travers un téléphone.)

Elle a ri. « Il a vraiment un frère qui travaille chez Morgan ?

— Oui. Un poseur. »

Sur ce quai, avec la brise de printemps qui faisait voler ses cheveux et sa jupe, Anne était vraiment splendide. Nous avons conclu une trêve. Je serais poli envers tous ceux que nous rencontrerions. Elle tenterait d'obtenir le plus vite possible ce qu'elle voulait des étudiants du MMM et de MicroMagnetics, et nous ne nous attarderions pas inutilement en leur compagnie.

De notre place, nous pouvions voir Carillon, à l'autre bout du quai, là où la route dessinait un demi-cercle. Il y avait une camionnette gris sale et deux autres véhicules garés derrière. Une vieille Mercedes, je m'en souviens, encore élégante, et une conduite intérieure quelconque et couverte de rouille. Carillon parlait avec un des occupants de la camionnette. Brusquement, les portières se sont ouvertes et quatre ou cinq personnes en sont descendues. Les révolutionnaires voyagent toujours en bande, jamais seuls. D'autres sont sortis des voitures. Je crois que deux ou trois étaient des filles, ou des femmes. Je n'ai pas fait très attention — moins que je n'aurais dû, en tout cas. Je me rappelle avoir pensé que la plupart semblaient être des étudiants, mais qu'aucun n'en portait le costume — ils étaient habillés comme des ouvriers ou des paysans d'autres cultures, plus exotiques. Ils ont discuté plusieurs minutes au milieu du parking et à un moment, leurs têtes se sont tournées vers nous. Puis toute la troupe, sauf le président Carillon, s'est entassée dans les deux voitures. Lui-même est resté près de la camionnette, les a regardés partir, s'est retourné et nous a fait signe de venir. Tout cela m'avait mis un peu mal à l'aise. Or, j'ai un instinct très sûr. J'aurais dû me méfier d'eux.

La camionnette n'ayant que deux sièges, j'ai informé gracieusement Anne et Carillon que je serais ravi de m'asseoir derrière, sur la tôle. De toute évidence, ils n'avaient pas pensé une seconde qu'il pût en être autrement. L'intérieur était rempli d'un fouillis d'outils, de caisses en carton, et de ce qui me parut être des matériaux de construction. J'ai escaladé maladroitement les caisses et trouvé plusieurs coussins dont j'ai essayé de me faire un siège. Une fois assis, je ne voyais plus rien, sinon quelques lambeaux de ciel, et dès que nous avons démarré, je me suis senti ballotté dans tous les sens à chaque virage. Le fourgon, de plus, était imprégné d'une étrange odeur de produit chimique.

Devant, Anne et Carillon étaient plongés dans une discussion hermétique sur les rapports entre différents groupuscules d'extrême gauche, tous identifiés par des initiales, comme des organisations gouvernementales. Aucun intérêt pour moi. J'essayais d'imaginer à quoi pouvait servir le matériel répandu dans le fourgon. Il y avait plusieurs rouleaux de fil électrique et au moins deux grosses batteries. J'ai eu un choc désagréable en me rendant compte que l'odeur étrange était une odeur de poudre. Il était clair que j'allais être mêlé à un attentat à la bombe. Ce qui me coulerait à pic aux yeux de mes associés. Pour Anne, ce serait certainement l'occasion rêvée. En première page : « UN CABINET D'INVESTISSEMENTS COMPROMIS AVEC UN GROUPE TERRORISTE D'EXTRÊME GAUCHE. » Les mains tremblantes, j'ai soulevé le couvercle d'une, puis plusieurs caisses, pour y glisser un œil.

Carillon m'a entendu et a tordu le cou pour voir ce que je fabriquais.

« Tout va bien derrière ? » a-t-il demandé.

Anne a tourné la tête.

« Vous avez un sacré matériel, là-dedans, ai-je avancé sur le ton de la conversation. Une sorte de passe-temps, je suppose.

— On peut appeler ça comme ça. Plutôt une vocation. Il vaudrait mieux que vous ne touchiez à rien. »

J'avais vraiment peur. Ces gens paraissent inoffensifs quand ils discourent entre eux dans des endroits publics sur la façon de nous imposer un monde meilleur, mais avec un équipement convenable, ils peuvent être réellement dangereux pour eux-mêmes et pour d'autres. J'ai eu la vision de MicroMagnetics réduit en miettes par une explosion. Immédiatement suivie par une autre vision bien plus plausible, celle de notre camionnette réduite en miettes avant d'avoir pu atteindre MicroMagnetics. J'espérais que ma voix n'allait pas trembler.

« On dirait que vous allez fêter le jour de l'Indépendance avec un peu d'avance.

— Vous pouvez le voir ainsi, a-t-il répondu après un silence. En fait, aujourd'hui, nous allons réellement avoir une petite explosion. »

Anne, toujours à moitié tournée vers moi, semblait tout excitée, pas démontée le moins du monde. Le calepin ouvert, le stylo brandi, elle attendait les détails.

« Super, ai-je dit, c'est comme ça qu'il faut faire. Montrez-leur que vous n'êtes pas des plaisantins. Pouf. Plus de MicroMagnetics. Ces clowns réfléchiront à deux fois avant d'inventer n'importe quoi. En plus, ça libère ma journée. Inutile maintenant d'aller voir cette boîte. Vous pouvez juste me déposer...

— Aujourd'hui, nous allons seulement faire sauter un cobaye.

— C'est bien ça. Ces clowns de MicroMagnetics ne sont que des cobayes. Si ça marche ici, vous pourrez faire sauter tous ceux qui ne marcheront pas droit.

— Un cochon d'Inde, a-t-il précisé froidement. L'animal en cage qui est derrière, avec vous. Nous allons le faire sauter au cours d'une petite simulation d'explosion nucléaire, pour rendre tangible l'horreur inacceptable d'une guerre atomique. »

Je ne voyais aucune cage, mais je me suis senti immensément soulagé en apprenant qu'aucune destruction majeure n'était envisagée et que, de plus, il n'y avait probablement, ballotté avec nous dans la camionnette, rien de plus dangereux que des pétards. Je trouvais même un peu ridicule de m'être effrayé si facilement. Anne, par contre, qui avait paru envisager la volatilisation de toute une usine presque avec enthousiasme, a eu une réaction opposée.

« Vous assassinez un animal ? » (Elle avait l'air consterné.)

« Exactement ! répondit le terroriste, cachant mal son triomphe. Voilà comment tout le monde réagit. Une des contradictions de la sensibilité bourgeoise fait que les gens sont davantage bouleversés par la mort indolore mais sous leurs yeux d'un animal de laboratoire que par l'empoisonnement continu de l'humanité par la radioactivité. C'est en exacerbant cette contradiction que nous pouvons les obliger à passer à un niveau dialectique supérieur de conscience politique.

— En tuant un animal, voulez-vous dire ? » a répété Anne, plus calme.

Je ne pouvais dire si elle replaçait l'événement dans sa juste perspective révolutionnaire ou si elle avait simplement l'impression d'accomplir son travail de journaliste.

« C'est cela. Vous voyez, en ce moment même, nous sommes tous les cobayes de l'industrie nucléaire capitaliste qui fait passer le profit avant les êtres humains. Si, en détruisant cet animal, nous pouvons faire qu'un seul être humain le comprenne, sa souffrance n'aura pas été vaine. »

Ce genre de discours semblait lui plaire. Il était de plus en plus gai, animé, et sa voix prenait de l'ampleur, comme s'il s'adressait à une foule. D'après mon expérience, quand ce genre de personne emploie le mot « dialectique », on est foutu. Qu'on lui présente encore la moindre objection, et j'étais sûr qu'il se relancerait dans un processus dialectique impossible à endiguer. Je me suis empressé de l'approuver.

« C'est un argument très parlant, savez-vous. » Je m'appliquais à paraître sincère et réfléchi. « Oui, je trouve que cela vaut de l'or. »

Une phrase mal choisie : il m'a regardé d'un air soupçonneux. J'aurais préféré qu'il regarde la route. La conversation s'est enlisée, et Anne, après m'avoir lancé un regard inquisiteur, s'est retournée et a repris son interview avec une certaine difficulté, parlant le plus doucement possible pour m'empêcher d'y participer.

J'ai découvert la cage de l'autre côté du fourgon. Elle n'était guère plus grande que l'animal enfermé à l'intérieur. J'ai ouvert la petite porte et le cobaye est tombé sur le plancher. L'animal est resté sur place, gras et passif. J'ai regagné mes coussins en rampant. Les mouvements du véhicule commençaient à me donner la nausée. Je ne pouvais plus penser qu'aux secousses qui me jetaient de droite à gauche. Les virages s'accentuaient, se rapprochaient, nous devions être sur une route secondaire. De plus en plus malade, j'aurais bien aimé ne pas être assis par terre, et avoir moins bu la nuit d'avant. J'aurais aussi voulu voir passer autre chose qu'un coin de nuage ou parfois une branche. Tout cela me soulevait le cœur. J'ai fermé les yeux. Pire. Les ai rouverts. Trajet trop long.

Quand la camionnette a fini par s'arrêter, j'ai poussé les portes arrière et je suis sorti en trébuchant aussi dignement que possible. Aucune trace du cobaye, mais j'ai laissé les portes ouvertes pour lui donner toutes ses chances. Où trouve-t-on les cobayes à l'état naturel ? Pas au milieu du New Jersey. Je ne croyais guère à ses chances de survie en pleine campagne, mais du moins son destin ne dépendait plus que de lui.

Anne et Carillon étaient toujours en pleine conversation. Quand je les ai rejoints, Anne a levé la tête et m'a dit : « Je n'ai pas encore fini, Nick.

— Prends tout ton temps, Anne. Nous ne sommes pas pressés. Je serai en face du bâtiment. Je vais prendre l'air. » J'ai tendu la main à Carillon. « Bob, merci pour la balade. C'était super de bavarder ensemble, et au cas où on ne se reverrait pas, je vous souhaite bonne chance pour tous vos projets, aujourd'hui et plus tard. »

Il m'a adressé un bref signe de tête, ignorant ma main tendue, et s'est retourné vers Anne. De l'autre côté du parking, j'ai vu quelques-uns de ses associés nous regarder en silence attendant, me suis-je dit, que Carillon en ait terminé avec nous.

Une haie séparait le parking du bâtiment principal et un sentier passait par une brèche dans cette haie. Je me suis retrouvé à la lisière d'une grande pelouse ombragée par des arbres immenses qui devaient dater de plusieurs générations.

Une allée bordée de chênes allait jusqu'à la route, à une centaine de mètres. Tout autour du parking, il y avait de grands champs entourés d'arbres. C'était un très bel endroit. La seule fausse note, au beau milieu, était un bâtiment tout neuf, un long rectangle blanc en bois, de ceux qu'on s'attend à trouver environnés de bitume dans ce qu'on appelle une « zone industrielle ». Une allée pavée longeait le bâtiment jusqu'en son milieu, où se trouvait l'entrée principale : deux marches donnant sur un perron flanqué de colonnes massives en bois blanc supportant un embryon ou plutôt un vestige de marquise, qui ne dépassait de la façade que de deux pieds à peine. Sans doute le constructeur avait-il annoncé un effet « colonial ». Au-dessus de cette structure étrangement rabougrie s'étalaient les deux M de MicroMagnetics, en lettres rouges hautes de cinquante centimètres et collées au mur. On aurait dit une gigantesque pochette de bonbons M & M. Cette bizarrerie architecturale avait dû remplacer une ferme beaucoup plus ancienne. Si on avait pu réinstaller cette ferme, l'endroit aurait été vraiment magnifique.

A travers la pelouse, j'ai marché jusqu'à un grand hêtre au tronc massif en aspirant de grandes goulées d'air épais et humide dans l'espoir de me sentir mieux. Une grosse goutte est tombée du ciel, entièrement noir, sur ma tête. Il allait bientôt pleuvoir. Ce serait sans doute mieux ainsi, ai-je pensé. Peut-être devrais-je rester un peu sous la pluie. Mais pourquoi étais-je venu ?

Sombrement, j'ai tenté d'évaluer la situation. MicroMagnetics était une boîte encore plus petite que je n'avais cru. Le bâtiment tout entier ne dépassait sûrement pas six cents mètres carrés. Sur le côté se trouvait un cube en béton où entraient assez de câbles électriques pour alimenter une ville de province. Ils devaient consommer une énorme quantité d'énergie. Pour quoi faire ? Peu importe. J'ai pris encore quelques grandes goulées d'air en essayant de savoir si je me sentais mieux. J'ai décidé de me dire que oui, bien que deux points douloureux fussent apparus au niveau de mes yeux. Bientôt ces points se rejoindraient au milieu de mon crâne en une migraine épouvantable.

Il était encore tôt, mais quelques personnes entraient déjà par la grande porte, sans enthousiasme. Tous des universitaires, me semblait-il. Je n'allais certes pas y rencontrer d'analystes financiers. Je me demandais s'il y aurait même un seul journaliste. Bien sûr, si le *Times* passait un papier d'Anne, ce serait déjà un triomphe à tout casser. Mais qu'est-ce que MicroMagnetics ferait d'un tel succès ? Leur communiqué ne servait à rien. Que cherchaient-ils ?

La gloire et la fortune, probablement. Comme toujours.

Les révolutionnaires apportaient leurs cartons sur la pelouse et installaient leur petite démonstration scientifique juste en face de l'entrée. Ils ne semblaient redouter aucune opposition, ce qui pouvait paraître étrange, mais, de toute évidence, ils avaient raison : nul ne s'intéressait à eux le moins du monde. Les habitudes universitaires. Il y a toujours des jeunes gens entassés sur les pelouses, et qui font n'importe quoi. A l'intérieur, quelqu'un aurait peut-être de l'aspirine. Du café. Plusieurs séides de Carillon étaient accroupis à l'entrée de la petite cabane en béton. Mauvais.

Anne et Carillon ont franchi la haie et rejoint le groupe installé sur la pelouse. Elle leur a souhaité bonne chance et s'est dirigée vers moi.

« Merci d'avoir attendu. »

Apparemment, elle avait retrouvé son amabilité.

« C'était un plaisir. Je voulais prendre l'air.

— Tu vas bien ? Tu es un peu verdâtre.

— Ça ira. Le matérialisme dialectique me fait toujours cet effet-là. Le tangage et le roulis perpétuel du processus historique. Comment s'annonce la révolution ? Ai-je encore le temps de retirer l'argent de ma banque ?

— Le cobaye a disparu. Tu l'as laissé sortir ?

— Pourquoi vouloir enrayer l'irrésistible marée révolutionnaire ?

— En tout cas, tu es le premier suspect. Toi et la fille aux longs cheveux blonds, qui semble avoir un passé de sentimentalité bourgeoise. » Anne était nettement de meilleure humeur. « Enfin, il n'est plus là.

— Dommage. Qu'est-ce qu'ils vont faire ?

— Ils cherchent un substitut. Ils te réserveraient sûrement un bon accueil, si cela t'intéresse. On entre ? Il commence à pleuvoir.

— Mais sûrement, entrons... Dis-moi, as-tu la moindre idée de ce que fabriquent ces gens dans ce transformateur ou je ne sais quoi ? »

La porte de la cabane en béton était ouverte, et un des jeunes gens apportait ce qui ressemblait à une caisse à outils.

« Je pense, dit-elle sans leur accorder un regard, qu'ils vont couper le courant de la boîte pour leur démonstration. Comme ça, tout le monde devra sortir et les regarder. As-tu vu d'autres journalistes ?

— Non, aucun. Tu veux dire qu'ils vont couper le courant d'un laboratoire où fonctionne Dieu sait quel équipement ? Tu ne crois pas que c'est un peu irresponsable ?

— Être irresponsable, pour toi, c'est penser à autre chose qu'au profit, a dit Anne en souriant.

— Pas du tout. Ils peuvent bien penser à tout ce...

— Et comme d'habitude, tu t'inquiètes de la propriété avant de penser aux gens.

— La propriété privée en question va bientôt contenir des gens. Nous, pour être précis. Ils vont tout faire sauter, finalement. Écoute, je ne connais rien au terrorisme. L'avertissement téléphonique avant l'explosion est-il une de leurs traditions ? Nous devrions peut-être prévenir la police ou les gens de MicroMagnetics que...

— Nous sommes des journalistes, pas des mouchards. » Elle s'échauffait à nouveau. « Nous n'avons rien à dire à personne. Cela relève du Premier Amendement...

— Très aimable à toi de m'inclure dans les journalistes, mais je ne suis qu'un citoyen ordinaire, sans privilèges ni statut particulier. Je suis seulement inquiet...

— Tu sais très bien qu'ils ne vont faire de mal à personne. Mais pour la police, tu n'as pas tort, a-t-elle dit, brusquement pensive. Il devrait y avoir des policiers. Je n'ai jamais vu de manifestation antinucléaire se dérouler convenablement sans la police. »

Elle a froncé les sourcils, réellement perplexe.

« Écoute, Anne, plutôt que d'avoir à choisir entre l'ignominie de devenir mouchards et l'inconvénient d'être les victimes innocentes d'une action terroriste, pourquoi ne pas simplement écourter notre séjour ? Entrons, prenons les documents qu'ils ont préparés, et appelons un taxi. Nous pourrons louer une voiture à Princeton et aller...

— Nick, je tiens absolument à rester pour la conférence de presse et la démonstration. Ensuite, nous avons tous les deux rendez-vous avec Wachs. Après quoi, il vaudrait mieux que je rentre à New York pour...

— Voilà ce qu'on va faire. Entrons et allons voir Wachs maintenant. Ensuite, nous n'aurons plus à perdre notre temps.

— La conférence de presse commence dans vingt minutes. Nous ne pourrons pas le voir avant...

— Je m'en occupe. »

Je l'ai prise par le bras, plein d'assurance, et me suis dirigé vers l'entrée. A ce moment-là, j'étais sûr que tout le monde ferait ce que je voudrais, que tout m'obéirait. Mon estomac semblait passer un cap difficile, et la lumière (le peu qu'il y en avait) me faisait mal aux yeux, mais une sorte d'euphorie m'avait submergé ; peut-être les derniers effets de l'alcool absorbé la nuit précédente. En tout cas, j'avais l'impression de pleinement contrôler la situation.

« A midi, nous serons partis », ai-je dit.

(A midi, effectivement, je n'y serais plus.)

Quand nous avons traversé la pelouse, le ciel a viré au noir, et ma veste a été constellée de gouttes de pluie. Anne a fait de grands gestes amicaux en passant devant les révolutionnaires. Ils avaient posé sur l'herbe une petite table en fer, et derrière, ils avaient tendu entre deux piquets une banderole peinte à la main :

LA DESTRUCTION PAR HOLOCAUSTE NUCLÉAIRE D'UN COBAYE
REPRÉSENTANT TOUTES LES VICTIMES INNOCENTES
DE L'OPPRESSION CAPITALISTE
ET DE LA TECHNOLOGIE NUCLÉAIRE MEURTRIÈRE.
NOUS SOMMES TOUS DES COBAYES !

« Bon slogan, ai-je marmonné. Accrocheur. »

D'autres gens arrivaient et passaient devant les manifestants sans s'inquiéter ni même s'intéresser à eux. De nos jours, on s'attend à des manifestations n'importe où.

Carillon, arrangeant d'une main ses longs cheveux blonds, nous a hélés : « Anne, avez-vous vu d'autres gens des médias ? »

Agacé par sa familiarité, j'ai répondu avant elle : « Je crois avoir vu quelqu'un du *Washington Post.* Et peut-être quelqu'un de *Newsweek.* Mais encore aucune équipe de TV. »

Il m'a d'abord lancé un regard vide, ne sachant que penser. « Bon, espérons toujours, a-t-il dit froidement.

— J'imagine que vous ne devriez pas commencer avant l'arrivée des caméras... »

Anne, féroce m'a pris par le bras et m'a traîné vers l'entrée. Nous nous sommes retrouvés dans un petit salon d'accueil, meublé d'un divan, d'une table, d'un grand bureau nous faisant face, avec un poste de dactylo sur le côté. Derrière le bureau se trouvait une femme d'une quarantaine d'années dont l'expression violemment insatisfaite était soigneusement rehaussée par l'application d'une grande quantité de maquillage. Elle a lancé un bref coup d'œil désapprobateur à Anne et fixé son regard sur moi.

« Prenez un dossier de presse et la porte à gauche, la salle de conférences est au bout du couloir. Nous commençons dans quelques minutes. »

Sa voix n'avait aucune chaleur. J'ai pris un dossier.

« Merci. Vous êtes trop aimable. Pourriez-vous faire savoir au docteur Wachs que M. Halloway, de Shipway & Whitman, est arrivé.

— On ne peut pas déranger le professeur Wachs en ce moment. Vous devez prendre la porte de gauche et continuer jusqu'à la salle de conférences.

— Et voici Mlle Epstein, du *Times*, ai-je poursuivi, certain que le titre du journal la ferait changer d'avis.

— Si vous voulez bien vous rendre dans la salle de conférences, je suis sûre que le professeur Wachs ne va pas tarder. » Elle a froncé les sourcils et regardé Anne d'un œil soupçonneux. « Je crois que nous avons déjà fixé un rendez-vous — elle a examiné un registre posé sur le bureau — à deux heures. Et un *autre* pour...

— En fait, l'ai-je interrompu, j'espérais que nous pourrions échanger quelques mots seul à seul avec le professeur avant la conférence de presse, une sorte de préliminaire... »

J'ai laissé ma voix traîner, regardant le dossier de presse comme si c'était un objet parfaitement énigmatique arrivé Dieu sait comment entre mes mains, puis je l'ai retourné pour en examiner l'envers. C'était un dépliant sur papier glacé rouge et blanc — identique à celui que j'avais dans ma serviette — contenant certainement des photocopies de coupures de presse, un communiqué dépourvu de toute information, et le curriculum vitae de Bernard Wachs. Avec la plus grande attention, mais toujours sans l'ouvrir, je l'ai fait lentement pivoter pour qu'il se retrouve sens dessus dessous et j'ai louché studieusement, comme si j'espérais quelque révélation de ce nouveau point de vue.

« Je regrette, a-t-elle dit, mais vous devez vous rendre tous les deux à la salle de conférences avec les autres. » Je restais sur place, toujours absorbé par le dépliant. « La porte sur votre gauche », a-t-elle insisté, sévère.

Précautionneusement, j'ai ouvert le dossier pour y jeter un œil. Mon front s'est plissé à la vue de la première page. A l'envers, elle était indéchiffrable. Je l'ai sortie pour la retourner avec soin, et je l'ai remise dans le dossier. La femme, souffrant mille morts, me fusillait du regard. Finalement, elle n'a pas pu se retenir : « Vous la regardez à l'envers », a-t-elle dit, au bord de l'hystérie.

J'ai cligné des yeux.

« J'ai quoi à l'envers ?

— Le dépliant.

— Oh, le dépliant, ai-je dit en baissant la tête, stupéfait. Vous avez tout à fait raison. C'est juste. » Je l'ai retourné pour l'étudier. « Il me paraît possible qu'il désire nous voir...

— Il est beaucoup trop occupé en ce moment.

— Bien sûr, très occupé. Pourtant, il se peut qu'il nous reçoive. Je ne saurais dire, mais il me semble qu'il aurait probablement envie de nous voir... » J'ai rouvert le dossier, tout aussi soigneusement, et plissé à nouveau le front en signe de perplexité quand j'ai regardé la première page, que j'avais remise à l'envers. « Vous savez, je ne suis pas sûr qu'elle *était* à l'envers. »

Outragée, méprisante, elle a ouvert de grands yeux, fait un geste de la main comme pour m'arracher le dépliant, mais s'est ravisée. J'ai retiré l'une après l'autre les feuilles du dossier, puis, après mûre délibération, je les ai replacées en désordre ou à l'envers, ce qui avait l'air de la bouleverser considérablement.

« Croyez-vous qu'il est encore dans son bureau ? » ai-je demandé.

Involontairement, son regard a effleuré une porte sur ma droite.

« *Maintenant, vous devez entrer avec les autres.* »

Elle criait presque.

« Oui, bien sûr. » J'ai reposé soigneusement le dossier sur son bureau, en haut de la pile. Elle l'a regardé comme si c'était une bombe à la mèche allumée. « La porte de gauche, dites-vous ? ai-je demandé en désignant celle de droite.

— Non... oui... non ! »

J'ai pris à droite, nonchalamment, et ouvert la porte.

« Vous ne pouvez pas rentrer là ! »

C'était une pièce immense, tapissée de moquette, placée à

l'angle du bâtiment. Les meubles étaient quelconques, mais plusieurs fenêtres donnaient sur la pelouse, les arbres et les prés qui s'étendaient au loin. Un grand bureau occupait le centre de la pièce, devant lequel se trouvait un petit homme replet ressemblant à un rongeur. Il avait visiblement acheté son costume quand il pesait quinze kilos de moins, et sa ceinture lui cisaillait le ventre. Il eut l'air surpris de nous voir, mais le peu de temps que je l'ai connu, il a toujours gardé cette même expression, sans cesse à regarder de tous les côtés, à remuer nerveusement la tête, par saccades, comme un écureuil géant qui cherche un endroit où cacher ses noisettes. Son regard inquiet oscillait entre nous deux, mais s'attardait plutôt sur Anne, ce qui était compréhensible, et revenait sur ses seins.

« Vous ne seriez pas le docteur Wachs, par hasard ?

— Si, si, c'est moi. Comment allez-vous ? a-t-il dit très vite, en sautillant d'un pied sur l'autre.

— Je suis Nick Halloway, de Shipway et Whitman. Le cabinet d'investissements.

— Oh, vous êtes exactement celui que je voulais voir. Actuellement, je m'intéresse tout spécialement à l'argent. La capitalisation...

— Professeur Wachs, a lancé la réceptionniste, menaçante, ces gens...

— Et voici Anne Epstein, du *Times.*

— Oh, c'est merveilleux que vous ayez pu venir. Le *Times.* Entrez, entrez. Je pense que le travail que nous faisons ici va vous passionner. » Il a fixé intensément les seins d'Anne. « Y a-t-il quelque chose que je...

— Professeur Wachs, a insisté la réceptionniste, il est très tard. Vous devez...

— Oui, oui, c'est juste. Nous n'avons pas plus d'une minute. Entrez donc un instant. Vous dites que vous venez d'une banque d'investissements ? Augmenter notre capital, c'est notre priorité absolue. Pendant que je vous ai sous la main, peut-être pouvez-vous m'indiquer un bon livre sur ce sujet.

— Nous aurions plutôt avantage à discuter de vos besoins en capital quand...

— Professeur Wachs. » La réceptionniste était toujours plantée dans l'embrasure de la porte. « Il est presque l'heure. Vous devez...

— Vous avez là une installation étonnante, ai-je dit en fermant la porte au nez de la femme. Vraiment impressionnante. Beaucoup plus importante que je ne l'aurais cru. »

Il a paru content. « Oui, vous savez, j'ai tout conçu moi-même. Il n'y avait rien ici, sauf une vieille ferme. Avec l'entreprise, bien sûr : les Frères Fucini, Entrepreneurs. Ils sont très bien, si jamais vous pensez faire construire. Très bien. C'est extraordinaire, la complexité d'un bâtiment, même le plus simple. Fascinant. Ils ont entièrement construit le parc Kirby, a-t-il ajouté pour compléter son explication.

— Vraiment ? » Je n'avais aucune idée de ce que cela pouvait être, mais je croyais devoir garder une prise ténue sur la conversation. « Le logo aussi, vous l'avez dessiné vous-même ?

— Oui. Qu'en pensez-vous ? a-t-il demandé, très sérieusement.

— Tout à fait irrésistible. Mes compliments.

— Vous ne trouvez pas que cela ressemble aux M & M ?

Il paraissait un peu troublé.

« M & M ? ai-je dit d'un ton neutre.

— Oui. Vous savez, les petits bonbons ronds.

— Oh, bien sûr : M & M. Cela me rappelle-t-il les M & M ?... Non. Cela devrait ?

— Non, non, non. Je me demandais seulement si vous y aviez pensé. Quelqu'un en avait parlé. »

Ma réponse l'avait rassuré.

« L'effet d'ensemble est absolument frappant. Le nom de la société en lettres rouges, le logo, les colonnes de la façade. Et les arbres, ai-je ajouté en prime.

— Les arbres. Extraordinaires, les arbres. Nous avons réussi à en sauver la plupart. A ce stade, inutile d'éliminer les arbres. Attendez. Je veux vous faire voir... Venez par ici, je veux vous montrer la vue que j'ai de mon bureau. Vous voyez ce hêtre ? » Surexcité, il a fait le tour du bureau en sautillant. Je l'ai suivi pour admirer le grand hêtre mais il était déjà passé à autre chose. « Voilà qui devrait vous intéresser, Nick. J'ai conçu moi-même ce téléphone. Très en avance sur tous ceux du marché. Il garde automatiquement en mémoire vos cinq derniers numéros. Jusqu'à vingt chiffres...

— Je sais que vous êtes terriblement occupé, ai-je dit, mais j'ai pensé que vous pourriez nous donner quelques informations avant d'être complètement pris par votre conférence de presse...

— Oui, oui. Absolument.

— Pouvez-vous nous dire, a coupé Anne, à ma grande irritation, comment vous ressentez les contradictions d'une société prise entre ses besoins accrus d'énergie et la protection de l'environnement, ainsi que leurs effets sur la question de l'énergie nucléaire ? »

Ça l'a arrêté net. Avant qu'il n'ait perdu trop de temps à essayer de comprendre, je suis intervenu :

« Exactement. Plus spécifiquement, nous nous demandons pourquoi votre communiqué de presse n'a pas mentionné la maîtrise magnétique. Les travaux qui vous ont rendu célèbre concernent si souvent le problème de cette maîtrise...

— Oui, oui. Vous avez raison. Ceci n'a rien à voir avec les champs magnétiques. Bien qu'on puisse l'appliquer à leur maîtrise, si c'était... » Il a regardé par la fenêtre. Quelque chose avait attiré son regard inquiet. « Il semble qu'il y ait des gens dehors qui construisent je ne sais quoi, a-t-il dit, perplexe.

— C'est précisément ce dont nous voulons discuter..., commença Anne.

— Ce sont des étudiants, des manifestants..., ai-je continué. Il semble, on ne sait pourquoi, qu'ils aient des objections morales ou politiques à ce que vous faites ici. Ce qui pose la question précisément de ce que vous...

— Oh, des étudiants ! a-t-il dit comme si c'était de toute façon une explication satisfaisante. Vous êtes sûr que ce ne sont que des étudiants ? Ils n'aiment pas qu'on soit financé par le gouvernement. Ils protestent sans arrêt. Mais l'argent est indispensable. Raison de plus pour trouver des capitaux privés. Il faut que je me souvienne de vous redemander le titre d'un bon livre. Nous avons besoin d'une stratégie pour approcher les banques.

— Je crois qu'ils veulent couper le courant, ai-je dit.

— Couper le courant ? Pourquoi les banques couperaient-elles le courant ? Vous parlez de la compagnie d'électricité. Je croyais qu'on s'était arrangé avec eux. L'ennui, c'est qu'il s'agit littéralement de centaines de milliers de dollars par an. La quantité incroyable d'électricité qu'exige ce projet, c'est notre plus gros problème. Le potentiel est invraisemblable. Tout est une question de capital. »

Je ne savais plus s'il parlait d'un potentiel électrique, scientifique ou financier.

« Personnellement, je ne connais rien aux questions de financement, et le travail que nous faisons est d'une importance extrême, révolutionnaire. Je suis donc particulièrement content d'avoir l'occasion de vous en parler.

— Eh bien, nous sommes extrêmement intéressés par votre travail, ai-je dit, en espérant que ce " nous " évoquait de vastes possibilités financières. A propos, vous n'auriez pas par hasard une évaluation chiffrée sur laquelle je puisse jeter un coup d'œil ? »

Par principe, me disais-je, il fallait que je le lui demande, du moment que cette conversation absurde avait lieu. L'interview ne donnant rien, autant essayer d'obtenir quelque chose d'écrit.

Il s'est précipité vers son bureau pour fouiller dans une pile de papiers.

« Extraordinaire », a-t-il dit en ressortant une grosse enveloppe en papier fort. Il a regardé à l'intérieur, puis me l'a tendue. « Stupéfiant que personne ne s'en soit encore jamais aperçu. Du point de vue mathématique, c'est extrêmement simple. »

Parlait-il des finances ?

« Tout s'ensuit inévitablement dès qu'on pose une représentation convenable du magnétisme. Magnifiquement simple, mais quand on va jusqu'au bout, tout est mis sens dessus dessous. Incroyable qu'on ne l'ait jamais vu. »

L'enveloppe contenait les affirmations non confirmées d'un comptable local. Par politesse, je les ai examinées quelques instants. Ce qui en ressortait de plus impressionnant, outre le montant des fonds obtenus du gouvernement, c'était que ce type avait réussi à faire financer par une banque le bâtiment où nous étions.

« Un potentiel illimité », disait-il, s'adressant apparemment aux seins d'Anne.

L'interphone de son bureau a vibré. Il a décroché.

« Oui, oui. Absolument. Nous sommes justement en train de descendre. Je sais. Pas le temps. » Il nous a regardés en raccrochant. « Nous devons descendre à la salle de conférence. C'est l'heure. Nous reparlerons ensuite. La clef, c'est l'argent », a-t-il dit, sans quitter Anne des yeux.

Nous sommes sortis de son bureau par un couloir intérieur. Une autre porte, entrebâillée, donnait sur des toilettes que j'avais grand besoin d'utiliser, mais j'ai décidé de poursuivre cet entretien. Tout pour ne pas avoir à recommencer dans quelques heures.

Dans le couloir, toujours aussi excité, il continuait :

« Bon, nous n'avons pas vraiment le temps de le voir, mais je veux vous montrer le laboratoire. Même si, malheureusement, une conférence de presse ne me permet pas de donner tout son sens à ce que nous faisons, je veux que vous voyiez au moins cela. Dans ces occasions, on doit adapter ses explications à un public profane, et il est difficile d'aller plus loin. J'ai déjà, heureusement, donné des cours à des étudiants sans aucun bagage scientifique — en histoire et en philosophie des sciences, ce genre de choses — et, sans me vanter, je crois pouvoir donner une idée de la substance conceptuelle sous-jacente, mais...

— Ce qui me rappelle, ai-je dit, que je désirais vous demander si vos travaux actuels sont sous forme écrite pour que...

— Eh bien, c'est un problème », a-t-il très vite répondu. Une ombre est passée sur son visage. Nous étions au bout du couloir, en face d'une lourde porte en acier, et il a sorti un gros trousseau de clefs. « Je pensais qu'aujourd'hui, tout serait publiable — pour ne pas dire publié — et, à strictement parler, je ne devrais rien annoncer en public avant la publication, mais... », a-t-il ajouté en roulant des yeux, « nous avons besoin de fonds. C'est la clef. »

Il s'est arrêté une main sur la porte et a regardé d'un air pensif, visiblement surpris, la clef qu'il avait mise dans la serrure.

« Un aperçu général me conviendrait, ai-je insisté. Nous sommes tous extrêmement intéressés par ce que vous avez accompli. A mon avis, la plupart des gens ne saisissent pas l'importance de ce que vous êtes en train de faire. »

Je me demandais si je saurais jamais, même vaguement, de quoi il s'agissait.

« Personne ne comprend ce que je veux faire, a-t-il dit avec enthousiasme. Pas même les gens avec qui je travaille. C'est stupéfiant. »

Il a poussé la porte blindée, et nous sommes entrés dans le laboratoire. Un endroit étonnant, sans aucun doute : un entrepôt immense, très haut de plafond, devant occuper plus de la moitié du bâtiment, et plongé dans un chaos indescriptible bien qu'on l'eût évidemment nettoyé à fond pour l'occasion. Partout, il y avait des tables. Des tables avec des ordinateurs, des machines-outils, des circuits imprimés, des tuyaux. Le centre du laboratoire était occupé par un anneau métallique massif de trois mètres de diamètre, entouré et traversé par un fouillis de tubes et de câbles, lui-même entouré par d'autres tubes et d'autres câbles qui finissaient par se répandre dans la pièce et se raccorder à une douzaine d'appareils incompréhensibles posés sur d'autres tables.

Quand j'étais petit, on appelait les ordinateurs des « cerveaux électroniques ». Sous mes yeux, j'avais leurs intestins.

« Mon Dieu ! ai-je dit.

— Je voulais que vous voyiez cela », a dit Wachs en nous conduisant à une table où un personnage d'une maigreur extrême, costumé et cravaté, en chaussures de jogging, surveillait un écran d'ordinateur couvert d'un réseau de chiffres qui changeaient constamment. Il n'a pas semblé s'apercevoir de notre présence. « Je ne sais pas si pour vous c'est très clair, a continué Wachs d'un ton jubilant, mais en ce moment même, nous engendrons un champ magnétique — un champ augmenté, un CMA, disons-nous. Le CMA, voyez-vous, est à un champ magnétique normal ce que le laser est à la lumière ordinaire. Bien sûr, ce n'est qu'une métaphore. »

Son ton montrait qu'il ne tenait pas les métaphores en haute estime.

« Attendez, a-t-il dit à l'homme de l'ordinateur. Exposez la matrice primaire pour qu'ils voient exactement ce qui se passe. » L'homme lui a lancé un bref coup d'œil, sceptique, et a poussé un bouton. Tous les chiffres ont changé d'un seul coup. « Vous avez vu ? Pour en donner l'approximation la plus grossière à usage des profanes, le moment du spin et des orbites des particules constitue un champ qui altère continuellement la structure interne de ces mêmes particules avec un bénéfice en énergie suffisant pour entretenir le champ lui-même. Bien sûr, cela peut induire en erreur. » Il s'est rembruni. « En fait, il est probablement plus simple de ne pas y penser du tout en termes d'énergie, mais plutôt comme à des équations. »

Il agitait les bras pour signaler qu'il parlait de la masse d'appareillage au centre de la pièce. L'homme à l'ordinateur a appuyé sur une touche, et l'écran s'est couvert de pourcentages.

« Enculés, a dit l'homme.

— Attendez une minute, est intervenue Anne, une lueur au fond de l'œil. Voulez-vous dire que vous produisez de l'énergie atomique dans cette pièce — par fission ou fusion ou quoi que ce soit ? »

L'homme a appuyé sur d'autres touches, et l'écran s'est éteint.

« Eh bien, on ne peut pas appeler ça " fission " ou " fusion " — quoiqu'on puisse parler de désintégration subatomique — ni même " production ", je suppose. Une transformation continuelle ferait...

— Mais qu'est-ce qui se passe réellement là-dedans, a-t-elle insisté. Là, dans cet... instrument ? »

Elle désignait d'un doigt ferme la masse intestinale de tubes et de câbles.

« Oui. C'est ça. Extraordinaire, n'est-ce pas ? Ici même. A dire vrai, la plupart des choses que vous avez sous les yeux n'ont rien à y voir. Une partie de cet équipement sert aux travaux que nous poursuivons sur la maîtrise des champs magnétiques. On pourrait même en enlever une bonne partie. »

Pratiquement, c'était difficile à imaginer.

« C'est fascinant », a dit Anne en souriant. Wachs, dans son innocence, devait croire que c'était un sourire amical, mais elle n'allait pas lâcher le morceau. « Pouvez-vous m'indiquer les mesures de sécurité prises contre une fuite radioactive ou un accident nucléaire ? »

Effectivement, il ne semblait y avoir aucune sorte de protection autour des appareils. Des gens comme Wachs tendent à se plonger dans les délices intellectuelles de tel ou tel projet en oubliant des choses aussi simples que le chauffage en hiver ou les radiations mortelles.

« Il n'y a pas ici plus de radiations qu'aux environs d'un émetteur radio normal », a-t-il dit d'un ton rassurant.

Je me demandais à quoi ressemblait en fait un émetteur « normal », et s'il aurait satisfait à mes critères d'hygiène personnels, mais je doutais qu'il y ait vraiment de quoi s'inquiéter. Wachs et ses employés avaient tous l'air en bonne santé. Ce qui m'intéressait, c'était de découvrir ce qu'ils faisaient, et si cela pouvait avoir une valeur quelconque.

« Ce que je voudrais comprendre, ai-je dit, c'est la quantité de chaleur, de lumière ou autre émise par ce processus, relativement à...

— Il s'agit d'électricité. Cela produit directement de l'électricité. » Son excitation le faisait presque danser sur place. « Personne ne va le croire. » Dieu sait pourquoi, cette idée semblait lui procurer un plaisir immense. « Ici, même avec cette installation, nous pouvons stabiliser le processus de sorte qu'il produit autant d'énergie qu'il en consomme. Il s'entretient tout seul. La seule énergie exogène, c'est celle du système de contrôle. A part ça, virtuellement, cela pourrait continuer éternellement. »

Là, j'aurais dû mieux écouter. Je savais que quelqu'un allait couper le courant, ou du moins essayer. Or, ce type me disait qu'il y avait une sorte de boucle subatomique qui marchait à toute allure, autonome sauf pour le système de contrôle. On devrait mieux écouter ce que disent les gens. La bonne volonté ou le sens civique de Wachs auraient pu lui faire prêter attention à ce qui allait se passer. Résoudre le problème. Quelle inconséquence, de ma part ! Facile de voir ces choses après coup, facile de désigner rétroactivement la faille alors qu'on l'a vu devenir une crevasse béante. J'ignorais les conséquences possibles, mais j'aurais pu avoir un peu plus envie de rendre service à Wachs. Eh bien, tant pis. Peu importe, désormais. Mais je le regrette. Pour lui comme pour moi. Même si, à vrai dire, ce type était cinglé. Quand ils ont voulu, avec l'aide de ses collègues et fournisseurs — qu'il avait tenus dans l'ignorance — reconstituer ce qui s'était passé dans le laboratoire, ils ont trouvé incroyable qu'il ne se soit pas électrocuté cent fois, lui et toute son équipe. On ne peut pas vraiment empiler ce genre d'appareils l'un sur l'autre, comme on empile des idées.

« C'est un processus absolument structuré, expliquait-il à Anne qui le cuisinait à propos d'autorisations et de normes fédérales. Pas du tout comme une explosion. Si je vous en faisais suivre les mathématiques, vous seriez stupéfaite. C'est absolument magnifique. Et si simple, en réalité. Il est incroyable que personne ne l'ait encore découvert, bien qu'en un sens, chez Maxwell, tout y est...

— Ce que je voudrais comprendre, l'ai-je coupé, c'est si ce processus, quel qu'il soit, peut produire plus d'électricité que ce dont il a besoin pour se maintenir. Pouvez-vous obtenir plus de courant que ce qu'il consomme, ou y a-t-il une sorte de limite théorique ?

— Non, non, non. Ce n'est pas du tout une limite théorique. Justement. Il n'y aurait même pas de limite pratique, si seulement nous avions de quoi construire un générateur de grande envergure. »

Tout le monde dit ça. D'habitude la théorie ne vaut rien, la machine coûte trop cher à construire, ou les deux. Mais on ne sait jamais. De toute façon, on ne gagne jamais rien à contredire les gens.

« Eh bien, si ce que vous avancez est vrai, ou simplement soutenable, ai-je dit, à partir de maintenant, vous ne devriez plus avoir de problème d'argent. Au minimum, vous aurez des subventions illimitées — et peut-être que la fortune vous attend. Au fait, quelle sorte de carburant utilise ce truc ?

— Carburant ?

— Quelle sorte de matière voit sa structure continuellement altérée ou...

— Docteur Wachs ! » La réceptionniste nous avait retrouvés. Elle avait une voix de jugement dernier et nous foudroyait du regard. « Nous allons devoir commencer avec un quart d'heure de retard.

— Oui, oui, a-t-il dit, très vite. Nous y allons tout de suite. »

Il est sorti en trottinant, Anne et moi sur ses talons, la réceptionniste derrière, chargeant comme un tank. Nous sommes entrés dans une pièce étroite, toute en longueur, au bout du bâtiment. Une grande table ovale avait été poussée dans un coin, la salle était remplie de chaises pliantes, et on avait installé un projecteur de diapos. Anne a insisté pour se mettre au premier rang, ce qui m'a contrarié, parce que j'espérais à moitié faire une petite sieste. Je suppose qu'elle voulait surveiller de près le criminel nucléaire.

Il pouvait y avoir deux douzaines de personnes. A part quelques journalistes, peut-être, c'étaient probablement tous des universitaires, amis ou collègues de Wachs. Le professeur, pourtant, a commencé par se présenter, nous assurant qu'il n'allait pas infliger un discours technique à un public profane. Un article scientifique était en préparation : il paraîtrait en temps utile dans une revue appropriée. Et bien que cette publication eût dû normalement précéder toute conférence de presse, l'importance des résultats et la nécessité d'alimenter les recherches en cours l'avaient incité à présenter des résultats préliminaires de manière informelle.

Soudain les lumières se sont éteintes et la pièce a été plongée dans une obscurité totale. J'ai cru un instant que le Mouvement pour un Monde meilleur avait déjà frappé, mais le silence stupéfait a été brisé par le débit de mitraillette de Wachs :

« Aujourd'hui, habitués à penser le magnétisme comme le vecteur du spin et des orbites de particules subatomiques, nous sommes souvent étonnés de voir avec quelle variété de points de vue, au cours de l'histoire, les hommes ont considéré l'ensemble des phénomènes que nous groupons sous le terme “ magnétisme ”. Dès le VIe siècle avant Jésus-Christ, le philosophe grec

Thalès observait la faculté extraordinaire qu'a la magnétite d'attirer d'autres morceaux de magnétite, ainsi que le fer. »

Du fond de la pièce, brusquement, a jailli un mélange de cliquetis et de vrombissements, et l'image incongrue d'une grosse pierre est apparue à l'improviste sur le mur qui nous faisait face.

Qu'est-ce que ça pouvait bien être ? D'après Wachs, la manière d'expliquer quelque chose à des non-spécialistes. On nous offrait un cours d'histoire et philosophie de la science, destiné aux classes de première.

J'allais avoir du mal à le supporter. Ma gueule de bois devenait de plus en plus douloureuse. Le contraste entre les images violemment éclairées et l'obscurité de la pièce aggravait ma migraine déjà féroce, et chaque fois que le projecteur cliquetait et grinçait en assenant brutalement une image sur l'écran, une vague de nausée m'envahissait comme un mal de mer. A chaque diapositive, j'étais de plus en plus crispé.

« En l'an 1785, le Français Charles Coulomb... »

Rrrr. Clac. Apparut un instrument incompréhensible pouvant illustrer l'histoire de n'importe quoi. L'artillerie. La contraception.

Au bout d'un quart d'heure, nous n'en étions encore qu'au XVIIIe siècle. Et le XIXe, j'en étais certain, avait produit des travaux très importants. Si je pouvais m'éclipser, je trouverais des toilettes, ou bien j'irais prendre un peu l'air, et je serais rentré à temps pour le XXe siècle. Plié en deux, j'ai quitté mon siège et réussi à trouver la porte.

En l'ouvrant, la lumière du couloir m'a éclairé, et j'ai senti tous les regards fixés sur moi. Je me suis penché vers la personne la plus proche pour chuchoter des excuses.

« Excusez-moi. Me sens un peu patraque. Je reviens. »

J'ai refermé la porte et pris le couloir en direction de l'entrée. Bouger un peu me ferait du bien, ai-je pensé à tort. Il n'y avait plus personne à la réception. Tout le monde devait être dans la salle de conférences. Un peu d'air frais, peut-être, quelques pas sur l'herbe. Une pluie fine tombait régulièrement, désagréable. Les étudiants, sans s'inquiéter du mauvais temps, construisaient un morceau de leur monde meilleur au milieu de la pelouse. L'un d'eux m'a aperçu, m'a fait signe et s'est avancé comme pour me demander quelque chose. Je lui ai répondu d'un geste vague et j'ai reculé aussitôt à l'intérieur du bâtiment, fermant la porte à clef pour plus de sûreté.

J'étais pris par une nausée insupportable, je ne voulais parler à personne, uniquement trouver des toilettes. Et peut-être me rouler en boule sur le divan de la réception. Quelques minutes, pas plus. J'ai essayé le bureau de Wachs. Fermé. Revenant dans le couloir, j'ai essayé la première porte à droite. Un placard à balais. Mais la suivante donnait sur une salle de bains immense, luxueusement équipée, avec une douche, un sauna, une pile de serviettes propres et au mur une rangée de patères où pendaient des survêtements et quelques habits. Les employés de MicroMagnetics devaient s'en servir comme d'un vestiaire.

Je suis entré aux toilettes pour précipiter les convulsions purgatives dont mon organisme était capable. Ceci fait, je me suis senti mieux, mais ma migraine avait encore empiré. J'ai posé la tête dans un lavabo et ouvert le robinet. Il fallait que je m'éclaircisse les idées. L'eau était trop froide, et la position extrêmement inconfortable. Dans une armoire à pharmacie, j'ai trouvé un flacon d'aspirine et j'ai pris trois comprimés. Il me semblait entendre une sorte de sifflement plaintif, continu, aux limites de l'aigu — peut-être un effet secondaire de ma migraine — et la lumière paraissait enfler et vaciller à chaque élancement qui me perçait les tempes. La douleur était vraiment atroce. J'avais le plus grand mal à penser. Le sifflement, à mon avis, était réel, mais je n'arrivais pas à déterminer s'il oscillait à intervalles réguliers.

J'ai rajusté mes vêtements et contemplé d'un œil morne mon image dans le miroir. J'étais couvert de sueur. Prendre une douche, en vitesse, avant de retourner dans la salle de conférences. Un peu osé, de ma part, d'emprunter leur salle de bains. Gênant, si quelqu'un venait. Mais ils devaient tous regarder la projection. Et cela me ferait un bien fou. J'ai ôté mes vêtements et je les ai accrochés soigneusement à une patère, agacé de ne pas voir de cintres. Des gens négligés, ces scientifiques, me suis-je dit avec mauvaise humeur. Bientôt il n'y aura plus que des ingénieurs et des programmeurs, les teinturiers feront faillite. Il faudrait que je demande qui fabrique les machines de nettoyage à sec et que je me débarrasse de toutes leurs actions. J'ai plié mes chaussettes, mes sous-vêtements, je les ai posés sur mes chaussures et je me suis mis sous la douche. D'abord l'eau chaude, ensuite froide, puis très chaude, et à nouveau froide. Fini. Je me sentais mille fois mieux. J'ai pris une serviette sur la pile, tranquillement, et j'ai commencé à m'essuyer.

Quelque part, dans le bâtiment, une sonnerie s'est déclenchée. Le genre de sonnerie violente, envahissante, qui annonce la fin d'un cours — tout le monde referme son cahier, ramasse ses livres, range son stylobille, piétine dans le couloir. J'ai cru un instant, bêtement, que Wachs avait terminé sa conférence. Non, c'était une sorte de signal d'alarme. Une sonnerie ininterrompue, comme celles qui se déclenchent dans un magasin au milieu de la nuit et peuvent sonner pendant des heures jusqu'à l'arrivée de la police ou du propriétaire. Quel soulagement, quand c'est fini ! J'aurais voulu que celle-ci s'arrête. Je me sentais mieux, certes, mais je n'avais pas la tête entièrement dégagée. Derrière la sonnerie, j'entendais toujours la même plainte suraiguë, lancinante. Quelqu'un est passé dans le couloir en courant et en criant je ne sais quoi.

Tout ce fracas avait dû être provoqué par le Mouvement pour un Monde meilleur. Ils avaient probablement coupé le courant. Non, la lumière marchait toujours. L'électricité du laboratoire, alors. Ou seulement déclenché le signal d'alarme. C'était le plus plausible.

Pour faire sortir tout le monde et avoir un public pour leur démonstration. Plus j'y pensais, moins j'avais envie de leur faire ce plaisir. J'entendais des cris un peu partout, des portes qui claquaient, des gens qui défilaient dans les couloirs. Bon, tout cela n'était qu'un exercice d'alerte, comme dans un lycée. Si on ne me voyait pas, je pourrais rester à l'intérieur, à l'abri, pendant que les autres se retrouveraient sous une pluie glaciale. Je suis allé verrouiller la porte de la salle de bains, et, par précaution, j'ai caché mes habits sous un des survêtements. L'idée d'échapper au sort commun me réconfortait.

J'ai jeté un coup d'œil dans le sauna. Encore chaud. Quelqu'un avait dû s'en servir dans la matinée. J'ai mis le chauffage au maximum et je suis ressorti prendre quatre serviettes sur la pile. J'en ai étendu deux sur la banquette en cèdre qui faisait le tour de la cabine en guise de matelas, et les deux autres pliées m'ont servi d'oreiller. Puis j'ai dévissé l'ampoule du sauna et je me suis allongé dans le noir, pour que mon corps s'imprègne de chaleur.

J'ai dû rester couché dix à quinze minutes, flottant dans un demi-sommeil. Une fois la porte fermée, la sonnerie s'entendait à peine, et le tumulte qui régnait dans le bâtiment me paraissait très lointain. Soudain, j'ai sursauté : la porte que j'avais verrouillée s'est ouverte à grand fracas et un homme s'est précipité dans la salle de bains. Je me suis redressé et j'ai regardé par le hublot de la porte. L'homme était muni d'un passe-partout et portait un casque blanc avec une espèce d'insigne. Probablement le costume prescrit pour courir dans les couloirs pendant les exercices d'alerte — ou en cas de bombardement. Il a crié, d'un ton officiel : « Il y a quelqu'un ? Il y a quelqu'un ? » Le vrai désagrément des urgences n'est pas tant l'urgence elle-même, que l'occasion qu'elle donne à des gens habituellement supportables d'enfiler un uniforme et de lancer des ordres à tort et à travers. Je n'ai fait aucun bruit. L'homme, planté au milieu de la pièce, l'examinait sans rien trouver d'anormal. Naturellement, le sauna n'étant pas éclairé, il ne pouvait pas me voir. Il s'est tourné, a avancé de quelques pas et regardé, je ne sais pourquoi, dans la cuvette des W.-C. Heureusement, j'actionne toujours la chasse d'eau. Une bonne éducation ne manque jamais d'être d'un grand secours. Il a traversé la pièce et ouvert une autre porte, qui semblait donner directement dans le bureau de Wachs.

« Il y a quelqu'un ? Il y a quelqu'un ? »

Apparemment non. Il est ressorti de la salle de bains en fermant chaque porte derrière lui.

A l'occasion de cette intrusion, je me suis dit, pour la première fois, qu'il me serait désagréable d'être découvert. Et ça me gênerait énormément. Quand on vient voir quelqu'un chez lui ou sur son lieu de travail, il est relativement normal d'utiliser les toilettes — voire le lavabo, d'une façon limitée — mais vous n'allez pas vous barricader dans la salle de bains, rester une demi-heure sous la douche ou faire la sieste dans le sauna, s'il y en a un. Cela paraîtrait un peu arrogant, pensais-je, malgré les vagues explications que je pourrais inventer. De plus, à l'heure actuelle, je devais avoir enfreint plusieurs règlements à suivre en cas d'incendie, et quelqu'un prendrait certainement cela très au sérieux. Pire encore, ce type casqué voudrait m'obliger, pour ma propre sécurité, à quitter le bâtiment. Je me voyais déjà sur la pelouse, entièrement nu, bêtement cramponné à mes vêtements, écoutant des gosses de riches faire un cours sur ma mauvaise attitude politique. Comme c'était une conférence de presse, il y aurait peut-être même un photographe pour immortaliser l'instant. Par ailleurs, l'homme au casque étant reparti, j'étais à peu près sûr de m'en tirer sans que personne ne s'aperçoive de rien, et j'étais particulièrement fier à l'idée d'être le seul à ne pas être obligé d'aller faire l'imbécile sous la pluie.

Le seul inconvénient, c'était cette sonnerie, qui ne s'arrêtait pas, et les pulsations suraiguës, continuelles.

Quand je n'ai plus entendu de bruit dans le couloir, je suis sorti du sauna et j'ai pris une dernière douche, d'abord très froide, ensuite de plus en plus chaude. Quand j'aurais fini, du moins je l'espérais, cette confusion révolutionnaire serait terminée. Tout le monde devait avoir déjà quitté le bâtiment. Je me demandais si je pourrais entendre leur simulation d'explosion nucléaire. J'ai fermé le robinet et je me suis essuyé.

Les lumières, d'un seul coup, se sont éteintes. La sonnerie aussi, heureusement. L'avant-garde révolutionnaire, de toute évidence, avait réussi à couper le courant. Sans inquiétude, mais gêné par l'obscurité, je suis allé à tâtons jusqu'à la porte du bureau de Wachs. Une fois ouverte, il y avait assez de jour pour que je m'habille. Débarrassé de la sonnerie, j'entendais encore plus nettement le sifflement désagréable, perçant, lancinant. Une partie de l'installation devait continuer à fonctionner. Dans la pénombre, je me suis recoiffé du mieux que j'ai pu devant le miroir du lavabo.

Une succession brutale de coups de klaxon, de ceux qu'on entend dans les sous-marins au cinéma — et peut-être même dans les vrais sous-marins —, m'a encore fait sursauter. Une fois remis, je crois que j'ai éclaté de rire. Pourquoi avoir accumulé tous ces engins bruyants, invraisemblables ? Et quel message étaient-ils censés nous transmettre ?

En y repensant, j'aurais préféré qu'ils aient inventé un bruit capable de m'inspirer une terreur aveugle, irrépressible — quelque chose qui m'aurait poussé à m'enfuir à toutes jambes.

Après un vague coup d'œil dans le miroir — la dernière fois, en fait, que j'ai aperçu mon reflet —, je suis entré dans le bureau de Wachs. Par les fenêtres, je pourrais observer ce qui se passait dehors. Du milieu de la pièce, pour ne pas risquer d'être vu, j'ai admiré le spectacle. Ma bonne humeur était revenue, même si ce sifflement continuel me mettait toujours au supplice. Sur la pelouse, juste après le tournant de l'allée menant au parking, il y avait une voiture de pompiers, mais, pour ce que j'en savais, pas le moindre signe d'incendie. Bon, s'il y avait vraiment le feu, je sortirais sans difficulté, puisque j'étais au rez-de-chaussée. Deux voitures de police : Anne et les jeunes du MMM avaient dû être contents de les voir arriver. Plusieurs personnes coiffées de casques blancs. Tous ceux qui étaient revêtus d'une sorte d'uniforme gesticulaient ou criaient des instructions, mais aucun ne semblait réussir à ramener l'ordre ou à établir une autorité quelconque. Les gens qu'on avait fait sortir du bâtiment attendaient sur la pelouse, l'air pitoyable, et regardaient tristement les étudiants et la voiture de pompiers. Une pluie fine tombait sur les uns et les autres.

L'explosion atomique, c'était clair, n'avait pas encore eu lieu. A quelques mètres du bâtiment, les manifestants avaient installé une sorte de table métallique où l'explosion, apparemment, devait prendre place. Au milieu se trouvait un appareil d'environ soixante centimètres de haut, couvert d'un plastique, peut-être pour le garder au sec, d'où sortaient des fils électriques qui allaient jusqu'à la pelouse, dix mètres plus loin, là où la plupart des manifestants entouraient un assortiment de caisses et d'instruments variés. Quelques-uns, penchés sur les fils, paraissaient les relier à quelque chose — probablement une sorte de détonateur.

Deux des jeunes gens de ce groupe essayaient de faire entrer un chat dans la cage apportée par la camionnette. Cette cage, à mon avis, était déjà trop petite pour un cobaye, et ce chat avait l'air beaucoup plus gros. Pour y parvenir, il aurait fallu sa coopération pleine et entière, or, si les cobayes sont des créatures relativement dociles, ce n'est pas le cas des chats. Celui-ci, en particulier, semblait fort peu enclin à jouer le rôle d'un cobaye — encore moins à symboliser toutes les victimes de l'oppression capitaliste et de la technologie nucléaire. Il se contorsionnait, lançait des coups de griffe, grondait et crachait, attirant peu à peu l'attention des invités éparpillés sur la pelouse, lesquels paraissaient à la fois effarés par le traitement subi par cet animal et troublés par le fait qu'il était décrit, sur la banderole, comme un cobaye.

Finalement ils ont plus ou moins réussi à pousser le chat dans la cage et à refermer la porte, mais les pattes de la bête, furieuse, dépassaient de tous les côtés. Puis ils ont découvert le mécanisme posé sur la table, révélant un assemblage complexe de tuyaux, de boîtes de conserve et de fils, et posé la cage par-dessus.

Carillon s'est détaché du groupe des révolutionnaires, un mégaphone dans les mains. Au bénéfice supposé de ceux qui ne savaient pas lire, il a prononcé les mots écrits en grandes lettres sur la banderole : « Destruction par holocauste nucléaire d'un cobaye représentant toutes les victimes innocentes de l'oppression capitaliste et de la technologie nucléaire. Nous sommes tous des cobayes ! » A travers les vitres, même avec le mégaphone, j'avais du mal à l'entendre, et je me suis rapproché d'une fenêtre, mais discrètement, dans un angle. Pour être franc, j'avais envie de voir l'explosion. Et de fait, tous ceux qui étaient sur la pelouse regardaient avec la plus grande attention. Au fond, quelles que soient leurs opinions politiques, les gens adorent les explosions. Quant à moi, je trouvais de mauvais goût l'enrôlement du chat.

« Nous vivons dans une société dominée par la rapacité. » Carillon continuait. Le texte de la banderole n'était donc qu'un slogan ; il nous faudrait subir le sermon en entier avant d'avoir droit au feu d'artifice. J'espérais qu'il serait bref : le sifflement devenait insupportable. Peut-être, après tout, devrais-je sortir du bâtiment. « Un monde où les gens comptent moins que la propriété et le profit. »

A ce moment-là, Wachs est apparu, comique, et a chargé au travers de la pelouse aussi vite que le lui permettaient ses jambes grassouillettes. Il paraissait très en colère, voire enragé. A mon avis, il y avait de quoi. Et il fonçait droit sur Carillon qu'il tenait évidemment pour responsable de l'interruption et des dégâts possibles. Le jeune homme, voyant s'approcher l'oppresseur capitaliste, a abrégé son discours et crié : « ZÉRO ! ».

Sur la pelouse, instinctivement, les gens ont détourné la tête du lieu supposé de l'explosion, levé les bras et reculé de quelques pas. Les manifestants agglutinés autour du détonateur se sont serrés les uns contre les autres quand on a appuyé sur le bouton.

A suivi un bruit merveilleusement satisfaisant, comme celui d'un gros pétard — c'est déjà mieux qu'un cocktail Molotov — qui a résonné dans les arbres.

Mais, surprise, l'appareil complexe surmonté de la cage, sur lequel tous nos regards étaient rivés, est resté parfaitement intact. Au bout du compte, c'était l'endroit idéal pour conserver un chat. Par contre, un des cartons posés près du détonateur a explosé de façon spectaculaire. Ils avaient peut-être branché par erreur une autre bombe, gardée en réserve — je n'ai jamais vraiment su quelle erreur ils avaient commise. C'est un des problèmes que posent les études de lettres. On ne devrait jamais permettre à ceux qui passent une licence d'anglais de toucher à des explosifs, quels qu'ils soient, ni les laisser faire le moindre travail manuel.

Tous les regards se sont portés sur le lieu de l'explosion. Une splendide colonne de fumée noire est sortie du carton éventré, s'est élevée à deux mètres et s'est élargie, prenant la forme familière d'un champignon. Les proportions laissaient à désirer — le pied était trop haut et trop mince —, mais dans l'ensemble, l'effet était plutôt réussi. Quelqu'un avait dû faire un effort : la chose était très bien conçue, même si l'exécution avait été un peu bâclée.

Tout autour, poussés par la force de l'explosion ou plus probablement par la surprise de s'être fait eux-mêmes sauter, les manifestants ont jailli comme des diables et se sont égaillés dans toutes les directions. Sans que je puisse m'en assurer, étant donné la confusion générale et les critères vestimentaires prévalant, il m'a semblé qu'un jeune homme avait le côté du corps en charpie. Il y avait du sang et ses vêtements, son bras peut-être, paraissaient affreusement déchirés.

Wachs, qui s'était figé sur place le temps de l'explosion, a hurlé quelques mots que je n'ai pu comprendre à l'adresse de Carillon, et s'est précipité sur l'appareil installé sous la banderole. Il a pris la cage où était toujours emprisonné le chat, et il l'a fracassée contre la machine infernale, brisant plusieurs pièces. Carillon, scandalisé à son tour par cette attaque contre sa bombe inemployée, l'a rejoint en courant et s'est mis à crier. Tous les spectateurs, fascinés, les regardaient sans rien dire.

L'horrible bruit aigu, dont j'avais cru qu'il commençait à décroître, est soudain devenu beaucoup plus intense. Il m'a semblé qu'une lueur étrange, sortie du bâtiment, venait illuminer les silhouettes plantées sur la pelouse. Wachs a levé les yeux, horrifié. A cet instant, peut-être, il a été le seul à comprendre — et peut-être le seul qui comprendrait jamais — ce qui allait se passer. Il a brandi la cage à bout de bras en hurlant : « Assassins ! » et l'a abattue de toutes ses forces sur la tête de Carillon. La cage lui a échappé, a rebondi sur le sol et s'est ouverte. Le chat a surgi comme un diable, affolé, et il a détalé vers le bâtiment. Carillon, sous la force du coup, a d'abord chancelé, puis il a porté les mains à son visage ensanglanté. Il regardait Wachs d'un air stupéfait, scandalisé. J'ai vu ses lèvres former quelques mots : « Vous êtes complètement cinglé, putain de connard ! »

Ils sont restés un moment immobiles, les yeux dans les yeux, fous de rage. Le sifflement insupportable a vacillé, un bref instant ; j'ai compris alors — tellement c'était douloureux — que j'aurais dû sortir du bâtiment, et il a repris de plus belle, atteignant une intensité nouvelle, irrésistible, déchirante. En même temps, toute la scène a été baignée d'un éclat irréel. Puis la lumière et le bruit ont atteint une intensité incroyable, et Wachs et Carillon ont grimacé sous l'effet d'une douleur effroyable, ultime. L'horreur, comme en écho, est apparue sur le visage d'Anne et des spectateurs restés à l'arrière-plan. J'ai vu alors — c'est la dernière chose que j'aie vue, ou dont je me souvienne — la banderole, la bombe et les corps des deux hommes dévorés instantanément par une flamme éblouissante.

Le matin est venu, comme d'habitude. Désagréable. Mon Dieu, trop de soleil ! Comme un coup de tisonnier dans l'œil. Les deux yeux. « J'ai dû laisser ouverts ces foutus rideaux. Retourne-toi, cherche un oreiller pour te couvrir la tête. » Des hurlements de sirènes, dehors. Mal partout. Surtout la tête et les yeux. Pas d'oreiller. Pas même mon lit. J'étais couché sur la moquette, et j'ai compris avec dégoût que j'avais dormi tout habillé. J'avais dû tomber raide, la veille au soir. « Arrête de boire tant. Ça vaut pas le coup. Quelles matinées. » Qu'avais-je fait la nuit dernière ? Ma tête ne fonctionnait pas. Migraine épouvantable. Un soleil féroce. Pas des sirènes : un chat qui miaulait quelque part. J'essayais mentalement de me représenter mon appartement et de localiser l'endroit où j'étais. « Je dois être dans le living. Sauf que le soleil se lève à l'est. » Avec qui étais-je la nuit dernière ?

Soudain mon esprit a été rempli par l'ultime vision de Wachs, Carillon et la banderole rouge vif du MMM, affreusement transfigurés dans les flammes.

— Mon Dieu !

Maintenant, j'étais bien réveillé. Et je ne saurais exprimer l'horreur incompréhensible qui m'a prise à cet instant. Ce que je voyais n'avait aucun sens. J'étais couché sur le ventre au-dessus d'une fosse profonde d'au moins huit mètres. Comme si je m'étais réveillé accroché au rebord d'une fenêtre, au deuxième étage d'une maison, mais je ne voyais aucune sorte de rebord, ni ce qui m'empêchait de tomber au fond du trou. Très peu de chose, sans doute, car lorsque j'ai tourné la tête — très prudemment —, je n'ai rien vu qui puisse supporter mon corps. Ma terreur, alors, s'est changée en panique. Mon cœur battait comme celui d'un lapin pris au piège. Il fallait que j'arrive à me contrôler, à contenir ma frayeur. Il fallait que je comprenne exactement dans quelle situation j'étais, et ce que j'avais à faire.

D'abord, je devais surtout rester absolument immobile, pour ne pas glisser et m'écraser huit mètres plus bas. Et commencer l'inventaire systématique des alentours, sans me laisser envahir par la peur. Lentement, tournant la tête degré par degré, j'ai examiné la cavité au-dessus de laquelle j'étais maintenu d'une façon incompréhensible.

On semblait avoir creusé avec le plus grand soin un bassin arrondi, complètement lisse, d'environ trente mètres de diamètre, et, au milieu, profond d'une quinzaine de mètres. Il paraissait entièrement tapissé d'herbe brûlée et de rochers, mais c'était difficile à dire, car la surface interne était extraordinairement lisse. Tout autour de cette fosse, sur trois mètres, l'herbe était noircie et la végétation carbonisée. Derrière cet anneau de terre brûlée, pourtant, tout était vert, et les arbres toujours en fleurs. Ce qui s'était passé, en tout cas, les avait épargnés. J'étais suspendu — je ne pouvais toujours pas comprendre comment — à un niveau un peu plus élevé que celui de la pelouse, environ à mi-distance du bord et du centre.

Pris entre la terreur et la nausée, j'ai essayé de faire le point. Je savais en gros où j'étais : je reconnaissais la pelouse, les arbres, l'allée. C'était le siège de MicroMagnetics, Inc. A l'emplacement du bâtiment il n'y avait plus qu'un grand trou dans le sol. J'en ai conclu qu'une explosion avait creusé un cratère énorme, absolument lisse. De toute évidence, la chaleur ou les radiations avaient tout consumé sur trois mètres au-delà du cratère, dessinant un anneau circulaire de trois mètres de large. Quant à moi, Dieu sait comment, j'avais été projeté par l'explosion sur quelque chose. Sur quoi ? Un arbre, peut-être. Comme le héros d'un mauvais film qui bascule au bord d'une falaise se retrouve accroché quelques mètres plus bas à un maigre buisson et se balance au-dessus du gouffre.

Cela n'avait pas de sens. Tout, dans le volume sphérique englobé par l'explosion, semblait avoir été désintégré : il ne restait pas la moindre trace du bâtiment ni de ce qu'il contenait. Pourtant, je m'étais trouvé à l'intérieur, non ? Et, dans le monde réel, les explosions produisent-elles des cratères parfaitement ronds, lisses comme du verre ?

Enfin, surtout, sur quoi étais-je tombé ? Comment redescendre ? Pourquoi personne ne venait-il à mon secours ?

Tout paraissait désert, étrangement calme. On n'entendait que les miaulements incessants du chat. Or Anne et les autres étaient restés en sécurité, hors du périmètre de l'explosion. Il y avait eu des douzaines de personnes. Des pompiers, des policiers. Des voitures de pompiers. Où étaient-ils passés ? Pourquoi m'avaient-ils abandonné ?

J'ai crié un faible « Au secours ! » Mais, même dans l'état de panique où j'étais, je savais que c'était absurde. S'il y avait eu quelqu'un, on m'aurait vu, perché au-dessus de ce grand trou.

Il fallait que je détermine comment j'étais maintenu, sur quoi j'étais perché. Sans bouger le reste de mon corps, j'ai voulu baisser la tête pour regarder où j'étais, jusqu'où allaient mes jambes. Mais j'ai eu beau essayer, je ne suis pas arrivé à me voir, ni rien d'autre. Curieux, d'autant plus que je sentais contre ma joue quelque chose qui ressemblait à de la moquette. J'ai glissé prudemment mes mains sous ma poitrine, à plat, comme si je voulais faire des pompes, j'ai lentement soulevé le haut de mon corps en avançant les genoux pour me retrouver à quatre pattes. Pour m'assurer de ma stabilité, je suis resté dans cette position et j'ai regardé sur quoi reposaient mes genoux. Je n'ai rien vu, sinon l'autre bord du cratère, et aussitôt cette vision incompréhensible a provoqué en moi une vague de nausée vertigineuse : j'avais l'impression de faire un saut périlleux dans le vide. Je crois que j'ai crié en tendant les bras, instinctivement, pour attraper quelque chose, ce qui m'a fait retomber de tout mon long, mais j'ai senti tout de suite que j'avais exactement la même vue qu'avant, et la même position relative au cratère. Et toujours la sensation tactile d'être allongé sur un sol couvert de moquette. Ces quelques secondes avaient suffi pour me donner un affreux mal de mer. J'avais l'impression que j'étais sur quelque chose d'instable, qui oscillait de gauche à droite, sans pouvoir en être sûr. Alors, en essayant de me lever, j'ai fixé mon regard sur le bord du cratère. Un peu plus vite, mais toujours aussi terrifié, je me suis mis à quatre pattes, puis à genoux, en gardant les mains sur le sol — étrangement semblable à une moquette — pour plus de sûreté.

J'ai répété mon expérience avec tout le sang-froid dont j'étais capable, et laissé graduellement glisser mon regard du bord du cratère jusqu'à mes jambes et ce qui les supportait. De nouveau je n'ai rien vu que le fond du gouffre. De nouveau j'ai eu la sensation de tomber cul par-dessus tête. Cette fois, je me suis forcé à ne pas bouger avant de savoir que je regardais l'endroit où devaient se trouver mes jambes. Pas de jambes ! Mon Dieu ! J'ai crié, convaincu d'avoir eu les deux jambes arrachées. J'étais sûrement en train de mourir. « Au secours ! Mon Dieu ! »

D'un autre côté, il m'est venu à l'esprit que j'étais à genoux, ou du moins que j'en avais l'impression. Je me souvenais d'avoir lu quelque part que les gens amputés d'un membre continuent à ressentir ou à imaginer des sensations dans le membre manquant. Mais cela n'avait pas de sens. La panique m'a envahi, mes pensées tourbillonnèrent dans un chaos total. Il fallait que je reprenne mon sang-froid et que je réfléchisse à la situation pour essayer de me calmer, j'ai fermé les yeux. Ce qui n'a pas eu le moindre effet. Je voyais toujours aussi clairement, même en serrant les paupières de toutes mes forces. C'était horrible, même si rien ne pouvait accroître l'horreur de ce moment, et il m'en est venu une sorte de gaieté grotesque. Les gens se font continuellement couper bras et jambes dans des accidents sensationnels, mais je n'avais jamais entendu parler d'un cas de paupières arrachées.

Une main posée sur le sol, j'ai levé l'autre vers mon visage, à titre d'expérience, et du bout des doigts, j'ai touché la peau près de mes yeux. Sourcils en place, rien de brûlé. Je me suis doucement touché l'œil droit du bout de l'index. Une paupière, sans aucun doute. Je la sentais bouger. Les cils m'effleuraient la peau.

Autre étrangeté : je ne voyais pas mon doigt. Ni ma main. Je me suis couvert les yeux à deux mains. Absolument aucun changement dans mon champ visuel. Le soleil était plus haut dans le ciel et je voyais tout ce qui m'entourait — les arbres, la pelouse, le ciel bleu et sans nuages — aussi clairement que jamais. Plus clairement, peut-être. En tremblant, j'ai baissé la main et touché mes jambes absentes. Elles m'ont semblé intactes, à leur place habituelle. Je me suis redressé et je me suis passé les mains le long du corps. Tout était là — revêtu, par surcroît, de mon costume rayé. Pourtant, j'avais beau tourner la tête, baisser les yeux, je ne voyais rien de moi. Il n'y avait même absolument rien à voir dans toute la sphère délimitée par le cratère. Je me sentais intact, matériellement parlant, à peu près capable de penser, mais j'étais vaguement conscient de laisser échapper une sorte de plainte inarticulée. Il me fallait comprendre que je n'avais plus rien de matériel. Mon esprit se bloquait, la situation était trop effrayante, trop illogique. Vouloir penser clairement, c'était comme essayer de courir avec de l'eau jusqu'à la taille. Et finalement, saisi par une intuition épouvantable, j'ai trouvé une explication rendant compte des faits. A l'évidence, j'étais mort.

Il y avait longtemps que, pour diverses raisons, je n'avais pas réfléchi sérieusement à l'au-delà. Probablement pas depuis mon enfance. De vagues images d'anges ailés posés sur des nuages et de démons attisant un feu d'enfer se sont télescopées dans mon esprit. « Abandonne tout espoir ! Fini ! » Ces clichés vulgaires, saints coiffés d'une auréole, portes du paradis, passaient comme des étoiles filantes dans la nuit infinie de mon désespoir. Le désespoir d'une vie pas tellement bien vécue. Le regret des actions que je n'aurais pas dû commettre, de celles que j'aurais dû accomplir. Une vie superficielle, remplie d'après-midi et de soirées gâchées. Des jours, des semaines, des années. Il y avait une sorte de juge céleste, me souvenait-il, qui assignait aux âmes leur dernière demeure. S'il n'y a que deux possibilités, ai-je pensé, ce n'est pas très rassurant. Pourtant la migraine, la nausée et la terreur étaient contradictoires avec l'idée fondamentale du paradis. Au ciel, on n'a pas mal au crâne. Les catholiques, me semblait-il, avaient une autre possibilité : le purgatoire, ou les limbes. Mais cela n'évoquait pour moi qu'une version agrandie de ces pièces remplies de bébés endormis qu'on voit dans les maternités.

Ce n'était sûrement pas ma destination définitive. J'étais toujours à MicroMagnetics, Inc. Ou plutôt là où MicroMagnetics avait été. Il m'est passé par la tête que MicroMagnetics n'avait plus d'avenir financier digne de ce nom. C'était pourtant l'endroit où ma vie avait pris fin. Je devais donc être, en ai-je déduit, ce qu'on appelle un fantôme. J'en savais encore moins sur les fantômes que sur le ciel et l'enfer. Une image du Hollandais volant décollant de la côte du New Jersey s'est formée dans mon esprit, aussitôt effacée. Balivernes. Pour autant que je m'en souvenais, je n'avais jamais cru aux fantômes, même dans ma plus tendre enfance, et je ne supportais pas ceux qui y croyaient ou feignaient d'y croire. Je n'ai jamais compris le succès des histoires de fantômes. En fait, je n'ai jamais compris que ça puisse avoir un sens. Habituellement, il semble qu'ils soient voués à une errance perpétuelle à la surface de la terre — ce qui, quand on y pense, est exactement l'existence que se choisissent la plupart des gens, quand leur richesse et leur longévité le leur permettent. A moins qu'ils ne soient condamnés à rester sur le lieu d'un événement terrible survenu de leur vivant. Hypothèse qui semblait convenir assez bien à ma propre situation. Bien qu'il puisse paraître étrange d'être condamné à hanter le New Jersey pour l'éternité. Par rapport à ce qui m'était passé par la tête un peu plus tôt, c'était tout de même un progrès. Un progrès extraordinaire. Un autre monde.

Mon humeur s'est quelque peu améliorée. Mon cœur vrombissait toujours comme un jouet à ressort, et je tremblais encore, mais j'espérais être remonté à la surface de cette terreur incontrôlable où j'avais pensé me noyer. L'hypothèse du fantôme me donnait un certain cadre de référence, si désagréable fût-il. Tant qu'à être une entité à laquelle je n'avais jamais cru, « ange » aurait été préférable. « Fantôme » manquait de dignité théologique. Bien sûr, il était trop tard pour aspirer à un statut angélique. De toute façon, la situation était certainement trop complexe pour être décrite avec des mots tels que « fantôme » ou « ange », notions grossières inventées par des mortels ignorants. Apparemment, j'aurais tout le temps de réfléchir à ces questions sublimes. Il y avait même la possibilité — j'osais à peine me la formuler —, dans mon état actuel, d'une sorte d'immortalité. Ou du moins d'une existence incomparablement plus longue que ce à quoi je pouvais jadis m'attendre.

A y réfléchir, comment allais-je chercher les réponses à ces questions ? Quand je regardais autour de moi, le monde paraissait aussi opaque que toujours, son sens ultime, s'il existe, caché par les arbres, le ciel, tout ce qui peut arrêter le regard, ainsi que par mes humeurs changeantes et mes pensées fragmentaires. Comment apprendrais-je les conditions et les responsabilités de mon nouvel état ? Entrerais-je en contact avec d'autres êtres immatériels ? Et puis, comment étancher la soif qui me tenaillait ? L'horreur m'a pris à l'idée que cette soif était peut-être le début d'un châtiment éternel — la rançon de mes excès, sans doute. Il fallait que je trouve de l'eau, que je sache si j'étais capable de boire. Pouvais-je me déplacer ? Comment ? Et s'il m'était possible de flotter à huit mètres au-dessus du cratère, pourquoi pas à trente mètres, à trois mètres ?

Mon moral est retombé en chute libre. J'étais à genoux sur une moquette, et les règles permettant de se déplacer n'avaient pas changé. Pour mettre cette hypothèse à l'épreuve, je me suis penché en tâtonnant autour de moi. Sans but particulier, toujours à quatre pattes, j'ai avancé pouce à pouce. Rien à voir, sinon le fond étincelant du cratère, tout en bas. Je me suis arrêté, et, lentement, prudemment, m'aidant de mes mains, je me suis mis debout. Je suis resté sur place plusieurs secondes, le regard toujours fixé sur le cratère, puisqu'il n'y avait rien de plus proche à regarder. J'essayais de trouver mon équilibre, mais avec l'impression que j'allais tomber d'un moment à l'autre. A vous soulever le cœur. Ensuite, comme il n'y avait rien d'autre à faire, j'ai glissé un pied en avant, puis l'autre, progressé d'un, deux, trois, quatre petits pas prudents, les bras tendus devant moi. C'était une sensation incroyable : je sentais mon corps se mouvoir comme il l'avait toujours fait, mes pieds frotter contre le sol, mais je ne voyais rien de ce qui se passait. Je ne voyais toujours que le bord du cratère, à plusieurs mètres de là. Ma main gauche a touché une table. J'ai laissé courir mes mains sur les bords du meuble, pour mieux le situer, et au-dessus : il était couvert de livres et de papiers, parfaitement intacts mais rigoureusement invisibles. J'étais dans le bureau de Wachs. Tout était en l'état, rien n'avait changé : ni la moquette, ni la table, ni moi. La seule différence, c'était que tout était devenu invisible.

Les gens peuvent devenir des fantômes, ou des anges. Ils peuvent avoir droit à l'éternité, et même, pour ce que j'en sais, jouer de la harpe, vêtus de lumière, et flotter sur les nuages. Ce matin-là, désorienté, terrifié, toutes sortes d'idées extravagantes et incongrues m'ont traversé l'esprit. Mais je savais tout de même qu'un bureau n'avait pas droit à l'au-delà. Aucun projet théologique, si mystérieux soit-il, n'en serait accompli. Ainsi donc une catastrophe extraordinaire, mais tristement matérielle, m'avait transformé, avec mon environnement immédiat, nous laissant parfaitement invisibles, sans autre qualité supplémentaire.

Si échevelée que puisse paraître cette explication, dans l'abstrait, j'ai vu aussitôt que c'était l'hypothèse la moins fantastique, compte tenu des circonstances. Après toutes les suppositions ridicules et terrifiantes que j'avais faites, j'étais soulagé d'avoir résolu le problème, d'être arrivé à ce qui était, par comparaison, une explication rationnelle, dictée par le bon sens. A partir de là, je ne savais pas si je devais m'en réjouir ou me désespérer — ni ce que je devais décider. Je n'étais pas sûr de grand-chose. Je tremblais. Il fallait que je m'assoie pour y réfléchir.

Une main sur le bureau, j'en ai fait le tour, avec précaution. Mon autre main a trouvé un siège et je me suis assis. C'était une chaise pivotante en cuir d'où je pouvais observer tout ce qui m'entourait — tout ce qui, du moins, était visible. Il m'a fallu contenir ma peur pour entreprendre un examen prolongé, rationnel. Le soleil était maintenant bien au-dessus de l'horizon, le ciel clair, lumineux, sans nuage, et tout d'une netteté extraordinaire. Même au-delà des effets de l'explosion — pas vraiment une explosion, en réalité —, il y avait une différence dans ce que je voyais. Comme si ma vue avait subtilement changé, plus perçante que... Combien de temps étais-je resté inconscient ? Probablement depuis le matin précédent. Disons vingt heures. « Regarde, et réfléchis. »

Premièrement, ce que j'avais pris pour un cratère n'en était pas un : c'était un volume sphérique où tout avait été rendu invisible mais restait parfaitement solide. Cette sphère comprenait le bâtiment tout entier ainsi qu'une bonne quantité de buissons, de pelouse et de terre. En réalité, comme je l'apprendrais quelques heures plus tard, ainsi que d'autres, ce n'était pas exact. La sphère avait un noyau creux : au centre, où avait été installé l'appareil de Wachs, tout avait disparu dans un rayon de trois mètres. Mais à ce moment-là, lorsque je tremblais de peur devant le bureau de Wachs, j'ai pensé que tout l'intérieur de la sphère avait subi le même sort que moi — c'est-à-dire que rien n'avait changé, sauf qu'on ne voyait plus rien.

Pour moi, en tout cas. Je me suis demandé si ce n'était pas seulement ma vision qui avait changé, de sorte que si je ne pouvais plus rien voir près de moi, tout restait parfaitement visible aux yeux des autres. Non, de toutes les improbabilités que je concoctais c'était encore la moins plausible. Impossible de changer les yeux de quelqu'un de façon à ce qu'il puisse voir à travers *certains* objets. De plus les limites de la sphère d'invisibilité demeuraient fixes, même quand je me déplaçais. C'étaient donc les objets qui étaient modifiés, pas ma vision. Ou les deux, peut-être. J'avais du mal à envisager toutes les possibilités, mais il y avait là une hypothèse cohérente : un être humain intact pourrait tout voir, alors que moi-même, ou toute autre personne prise dans l'espace de la sphère, serait incapable de voir les objets modifiés.

Y avait-il quelqu'un d'autre avec moi ?

J'ai revu Wachs et Carillon dévorés par les flammes, avec l'horrible certitude qu'ils n'avaient survécu sous aucune forme que ce soit. D'après ce que j'avais sous les yeux, ils avaient dû se trouver au niveau de l'anneau qui entourait le cratère, là où il n'y avait plus que cendre et poussière, pas même le squelette d'un arbre : tout avait été incinéré. Les autres étaient plus loin, à une distance où tout paraissait intact, inchangé. Ou presque : il y avait une différence. Peut-être cette clôture, à l'arrière-plan, dont je ne me souvenais pas. Mais quelqu'un était peut-être à l'intérieur du bâtiment, comme moi. Comme ce maudit chat. Si seulement cet animal arrêtait de hurler, je penserais un peu plus clairement. Non, personne n'était resté. L'évacuation avait été effectuée consciencieusement. Pourquoi, me suis-je demandé, avais-je tenu à rester ? Moi seul ? Peu importe. Inutile de revenir là-dessus.

J'ai fait des expériences avec les objets qui se trouvaient sur le bureau : j'ai feuilleté les pages d'un livre, donné des coups secs sur le bois avec un stylo pour entendre le bruit que cela produisait ; trouvé une agrafeuse et agrafé des papiers. Tout marchait parfaitement. Je ne saurais vous dire l'étrangeté qu'il y avait à tenir et à manier ces objets sans pouvoir les voir, ni me voir, ni rien voir dans un rayon de plusieurs mètres. Les sons et les sensations tactiles flottaient en l'air, devant moi, comme venus d'une autre dimension. Je ne savais pas où poser mon regard, et la nausée m'a repris. J'aurais voulu pouvoir fermer les yeux.

Ma tête me faisait affreusement mal. Tout mon corps était douloureux. Une idée horrible m'a secoué : j'ai compris que j'étais en train de mourir. C'était presque certain. Oh, mon Dieu, quand ils viendront à mon secours, faites qu'ils puissent me voir. Autrement, comment pourraient-ils me soigner ? J'étais mourant, sûrement. J'espérais que non. Même dans cet état épouvantable, j'avais envie de survivre. Je me suis penché en avant, sans quitter ma chaise, et je me suis tâté tout le corps des pieds à la tête à la recherche d'une blessure quelconque. Rien, Dieu merci, mais peut-on sentir avec les mains les effets des radiations ? Même mes vêtements semblaient intacts. J'ai desserré ma cravate. En passant les mains sur mon ventre, je me suis rendu compte que ma vessie était douloureusement pleine, depuis longtemps, et que c'était très désagréable. Il fallait que j'urine sans délai. Vingt heures. Et soif, aussi. Migraine, vertiges et nausée sont-ils des symptômes d'empoisonnement radioactif ? Il ne me restait probablement que quelques heures à vivre. « Arrête, oublie ces symptômes. Et d'abord, va te soulager la vessie. »

Telle est l'emprise de la civilisation qu'il ne m'est pas venu à l'idée d'aller ailleurs qu'aux toilettes. Je savais qu'il y en avait à quelques mètres, mais il fallait d'abord que je les localise. J'ai cherché à reconstituer mentalement le bâtiment à partir de mes souvenirs de la veille. Le mur d'en face et celui de gauche — je tournais la tête bien qu'il n'y ait rien à voir — étaient percés de fenêtres donnant sur la pelouse. Derrière moi se trouvaient des étagères, un tableau noir, la porte du couloir qui traversait le bâtiment. Dans le mur de droite s'ouvraient deux portes : une sur la réception, une autre, presque à l'angle, pour la salle de bains.

Il fallait que j'y aille. Même à l'agonie, je voulais me soulager une dernière fois. Ensuite j'irais chercher du secours — si jamais on pouvait encore faire quelque chose pour moi. Lentement, les mains sur le bureau pour garder mon équilibre, je me suis relevé et j'ai vu, à ma grande surprise, qu'après tout je n'étais pas seul.

A l'endroit où j'étais, si je regardais vers l'autre bout du bâtiment, mon champ de vision dépassait les buissons du parking et découvrait un grand pré bizarrement coupé en deux par une clôture en grillage surmontée de rouleaux de fil barbelé. J'étais sûr qu'elle n'y était pas la veille.

Les toits de deux camions et d'une voiture garés sur le parking dépassaient des buissons, mais tout le reste avait été évacué. De mon côté de la barrière, c'était désert, rien ne bougeait. De l'autre côté, par contre, cela grouillait de monde. A cette distance, gêné par les arbres, les buissons et la clôture, j'avais du mal à comprendre exactement ce qui se passait, mais je voyais que ces gens portaient des uniformes de l'armée ou de la police, différents les uns des autres. Il y avait aussi toutes les sortes de véhicules imaginables : jeeps, camions, tracteurs, camionnettes, voitures, peints de ces couleurs tristes proclamant qu'ils appartiennent au gouvernement : gris, blanc ou kaki. Je voyais des gens installer des baraquements provisoires, faire la queue pour utiliser des W.-C. de campagne, assembler ce qui ressemblait à du matériel radio, se promener avec des papiers agrafés sur des planchettes, mais je ne comprenais pas le but de toutes ces activités.

Ils avaient tracé, je ne savais pourquoi, une nouvelle route allant du pré à l'autre bout du parking. Au niveau de la clôture, la route était coupée par un grand portail grillagé, et, juste à ce moment, des hommes fixaient de grandes bâches vertes, opaques, contre le grillage, de sorte que ces gens et leur matériel ont bientôt échappé à mes regards. Pivotant sur place, lentement, j'ai constaté avec une vague inquiétude que toute la zone où je me trouvais — plus d'un hectare comprenant la pelouse, le parking et une partie des prés voisins — était entourée d'un grillage masqué par des bâches.

Ainsi donc j'étais encerclé, on prenait d'extraordinaires précautions pour s'assurer que personne n'atteigne le site de MicroMagnetics, ni même le voie de loin. Pour quelque raison, tout cela devait rester secret. Mais je n'ai pas essayé d'y réfléchir. Il me semblait plutôt que c'était moi qui étais exclu. La vue de tous ceux qui s'affairaient de l'autre côté de la clôture m'inspirait une grande envie de retrouver les humains. J'avais besoin de leur aide. J'étais malade, mourant, mon cas était peut-être désespéré — j'osais à peine supposer que je pourrais survivre — mais j'avais un désir éperdu de les voir me venir en aide, un besoin vital de leur réconfort. J'étais en train de mourir.

« Au secours ! » Ma voix, affaiblie par la peur, était curieusement amortie. « Par ici ! Au secours ! »

Rien. Personne ne s'est retourné. Personne n'avait entendu. Personne ne viendrait. Bientôt toute la clôture serait recouverte de toile et je ne les verrais plus. Pourquoi étaient-ils allés si loin construire des routes et des barrières ? Pourquoi n'étaient-ils pas venus ici, sur la scène d'un vrai désastre, d'une tragédie, là où on avait besoin d'eux, au lieu d'installer leur foutu camp scout ?

« Bien sûr, ils ne peuvent pas m'entendre. Redeviens rationnel. Ils sont à plus de cent mètres, ma voix ne porte pas si loin. S'ils entendent quelque chose, ce doit être les miaulements de ce maudit chat. Où est-il, ce chat ? Probablement dans la pièce voisine. » Avec un sursaut de terreur, je me suis souvenu que j'étais à l'intérieur d'un bâtiment. « Personne ne pourra me voir. Ni m'entendre. Ils ne sauront jamais que je suis là. Les radiations. Ils vont devoir isoler cette zone à cause des radiations. Pendant des mois. Des années. »

Il fallait que j'aille les rejoindre. Si j'y arrivais. Je tremblais, je me sentais sans force. Les radiations m'avaient sûrement trop affaibli pour que je puisse marcher. « Sans espoir. Reste calme. Il faut essayer. Calme. D'abord uriner. » Ma vessie allait éclater. Ensuite je tâcherais de sortir du bâtiment et de rejoindre l'espèce humaine.

J'ai glissé les mains le long du bureau pour déterminer l'axe du bâtiment, et puis, à petits pas traînants, je me suis lancé dans le vide, vers la salle de bains. Très vite, j'ai dû lâcher le bureau. Horrible. J'ai résisté à l'envie de retomber à quatre pattes. Rien à voir sur trente mètres. J'ai tendu les bras devant moi, comme si j'étais dans l'obscurité, et je me suis forcé à regarder le bord du cratère, sur ma gauche. Cela m'a un peu aidé à garder l'équilibre.

J'avais l'impression d'être un funambule : plus je pensais à ce que je faisais, plus j'avais du mal à marcher. Quand, après quelques pas, mes mains invisibles ont touché un mur invisible, j'ai eu un choc, mais en même temps j'ai été soulagé. Le chat — maintenant j'étais sûr qu'il était dans la pièce voisine — s'est remis à miauler de plus belle. Un peu plus sûr de moi, j'ai longé le mur jusqu'à la porte de la salle de bains.

J'ai trouvé la poignée de la main droite, je l'ai tournée, et j'ai poussé la porte. Sans lâcher la poignée, j'ai tâtonné à la recherche du lavabo. Ensuite, me tenant d'une main au lavabo, je suis arrivé aux toilettes. J'avais du mal à me retenir. Vingt heures. J'ai ôté ma veste, je l'ai laissée tomber par terre, j'ai écarté mes bretelles, ouvert mon pantalon et mon caleçon et les ai baissés en me tortillant sur place — pas question de faire ça debout — avant de m'asseoir sur le siège. Relâcher ma vessie a été une sensation exquise. Au son merveilleux du jet d'urine invisible s'écoulant dans une cuvette invisible, je me suis senti beaucoup beaucoup mieux.

Ceci fait, j'ai pivoté, trouvé le bouton, appuyé dessus. Le torrent familier de la chasse d'eau s'est déversé, mais ce bruit, au milieu de nulle part, était si bizarre, si ridicule, que j'ai laissé échappé un son moitié rire moitié sanglot. Tout ce fracas a relancé les hurlements du chat. Ma situation était horrible, certes, mais je me rendais compte qu'elle était aussi grotesque. A vrai dire, je me sentais beaucoup mieux.

Je me suis levé — cette fois sans prendre la peine de me tenir — et j'ai remonté mon pantalon. L'image du flacon d'aspirine, aperçu la veille, m'est revenue à l'esprit, j'ai retrouvé l'armoire à pharmacie, fouillé d'une main les étagères où j'ai trouvé de nombreux petits objets, certains identifiables (crème à raser, dentifrice, brosse à dents), d'autres non. Si maladroitement, d'ailleurs, que plusieurs sont tombés à grand fracas dans le lavabo ou sur le carrelage. Mais j'ai trouvé l'aspirine. Du moins je l'espérais, d'après la forme du flacon. « Pourtant, me suis-je dit, est-ce que l'aspirine aura le moindre effet sur moi, dans l'état étrange où je suis. Essayons toujours. » J'avais très mal. A la tête et un peu partout. Le bouchon de sécurité m'a donné quelques tracas, mais la rage m'a aidé à en venir à bout. J'ai versé quelques comprimés dans ma paume et en ai soigneusement compté trois du bout de l'index. Comme on conseille d'en prendre un ou deux, j'en avale toujours trois.

J'ai ouvert l'eau froide, j'ai collé ma bouche au robinet pour faire passer le goût des comprimés, et j'ai bu goulûment. L'eau était merveilleuse. Mais, au bout d'une douzaine de gorgées, le jet s'est tari. Pourquoi ? Le bâtiment était intact. Même si la conduite avait été coupée au niveau de la zone incendiée, il devait y avoir un réservoir d'eau chaude. J'ai ouvert l'autre robinet et il en est sorti un flot d'eau tiède. Je me suis brossé les dents, me suis aspergé le visage, et j'ai recommencé à boire. Longtemps. Je me sentais de mieux en mieux. J'ai même pensé à me raser, mais ce n'était pas une idée très réaliste.

Maintenant j'allais chercher du secours. Pour retrouver ma veste, je me suis mis à quatre pattes et j'ai fouillé dans tous les coins. Il fallait que je me souvienne de ne pas poser n'importe où ce que je voulais récupérer.

Une fois debout, j'ai vu une voiture noire sortir lentement du parking et remonter l'allée, vers la route. Il y avait eu des gens ! Et ils s'en allaient ! La barrière était complètement recouverte ! Quand la voiture serait passée par la seule ouverture qui restait, que le portail se serait refermé, toute la zone serait coupée du monde. A part les deux camionnettes dans le parking, il n'y avait plus rien. A l'extérieur, tout était soustrait à mes regards. Aucun mouvement, plus aucune trace d'humanité. Quand la voiture s'est éloignée, le désespoir m'a envahi, comme l'homme tombé en mer qui voit disparaître son navire à l'horizon.

Alors, mystérieusement, la première puis la deuxième camionnette ont longé les buissons, sont sorties du parking et se sont glissées sur la pelouse, parallèlement au bâtiment. Les deux véhicules, gris anthracite, avaient des vitres en verre fumé. A l'intérieur, on ne voyait rien. Le premier était de la taille d'une camionnette de livraison, le second au moins deux fois plus gros : une antenne compliquée sortait d'une ouverture dans le toit, et à l'arrière un gros câble se déroulait sur le sol, comme la bave qu'aurait laissée un escargot monstrueux. La petite camionnette s'est arrêtée juste en face de moi, à trente mètres du bord, la seconde derrière. Pendant plusieurs longues secondes, il ne s'est rien passé. L'effet d'ensemble était plutôt sinistre, et au lieu de jubiler à l'idée qu'on ne m'avait pas abandonné, je suis resté immobile, fasciné mais inquiet.

La porte avant du premier véhicule s'est ouverte. Un Noir musclé, le visage sévère, inexpressif, s'est rapproché du second, sa démarche militaire et sa chemise hawaïenne, d'un rouge criard, indiquaient qu'il devait habituellement porter l'uniforme. Un homme corpulent, presque obèse, est descendu pour lui parler. Lui aussi, malgré des bottes en cuir repoussé et une chemise western ornée de petits boutons en nacre, avait l'allure d'un soldat ou d'un policier. Il ponctuait ses paroles d'un rire gras, mais ses petits yeux furtifs restaient sur le qui-vive. Le Noir l'écoutait, impassible, sans rien dire.

Quelques minutes plus tard, un troisième homme est sorti du camion. Plus âgé que les autres — environ quarante-cinq ans —, il portait un costume gris foncé, mal coupé, qui faisait des faux plis. Ses cheveux très courts, presque rasés, découvraient la peau de son crâne, d'une pâleur malsaine, malgré son corps d'athlète. Il s'est avancé d'un pas précis, presque trop raide, vers le camion. La porte latérale s'est ouverte d'un coup, un petit homme de style hispanique lui a dit quelques mots et s'est éclipsé, laissant la porte ouverte.

L'homme en costume a rejoint le Noir et le cow-boy, il a prononcé plusieurs phrases qu'ils ont écoutées attentivement et il leur a tourné le dos. Apparemment, c'est lui qui commandait : dès qu'il a eu fini de parler, les deux autres sont allés à l'arrière de la petite camionnette, tandis qu'il restait sur place, ignorant les hommes qu'il avait mis en mouvement, son regard froid fixé droit devant lui — sur moi, ai-je pensé. Non, il examinait attentivement l'ensemble de la zone. Je ne savais toujours pas s'il voyait le bâtiment ou si celui-ci était aussi invisible pour lui que pour moi. Mais je le saurais bientôt, quand ils m'auraient secouru : j'apprendrais ce qui m'était arrivé. Ils ne savaient pas encore qu'il y avait un rescapé, et il fallait qu'ils le sachent.

« Au secours ! »

Personne ne s'est retourné.

Le Noir et le cow-boy ont ouvert les portes arrière pour aider à descendre un homme enfermé dans un curieux costume blanc, très volumineux. Une sorte de tenue de plongeur. Ou d'astronaute. Ou bien, idée désagréable, de celles qu'on voit aux informations quand il faut inspecter un réacteur endommagé. C'était bien ce que j'avais craint : les radiations. J'étais en train de mourir. A cette idée, je me suis senti de plus en plus faible.

« Par ici ! » ai-je crié.

On ne m'entendait pas. Trop de murs entre eux et moi. Il serait stupide de gâcher le peu de force qui me restait. L'homme en costume protecteur serait bientôt à l'intérieur du bâtiment. J'ai rabaissé le couvercle des W.-C. et je me suis assis en attendant les secours.

Mon futur sauveur, visiblement, n'était pas habitué à son costume. Il essayait de remuer les bras, faisait prudemment quelques pas en avant, en arrière. A cette distance, et derrière son masque en verre teinté, je ne distinguais rien de son visage. D'une main, il tenait une tige en métal longue de plusieurs mètres, reliée par un câble au milieu de son costume, et il l'agitait au-dessus du sol. Ce devait être un compteur Geiger ou un instrument quelconque mesurant la radioactivité. L'Hispanique avait reparu à la porte du camion, et les trois autres se coiffaient chacun d'un casque avec micro comme ceux des entraîneurs de football ou des reporters de la télévision. Ils ne bougeaient plus, occupés à tester leur matériel. Enfin l'homme en costume gris a hoché la tête, et l'astronaute s'est mis en marche.

Il s'est avancé sur la pelouse, droit vers moi, d'un pas lourd, lent, délibéré, comme s'il marchait à la surface de la lune, balayant le terrain devant lui avec son compteur Geiger — une sorte d'aspirateur spatial.

J'étais impatient, et en même temps désespéré. Je voulais qu'on me retrouve : mais qu'est-ce que ça changerait ? D'abord, j'étais mourant. Ensuite, je me trouvais dans une situation si extraordinaire qu'on ne pouvait être sûr de rien. Au cas où ces gens m'apporteraient un espoir quelconque, je voulais qu'ils se dépêchent.

Les trois autres, regroupés sur la pelouse, déroulaient une grande liasse de papiers. Ils les consultaient, relevaient la tête, tendaient le doigt dans ma direction. Des plans. Ils avaient les plans du bâtiment. Par radio, ils allaient guider l'homme en costume blanc. Dès qu'il serait à l'intérieur, qu'il pourrait m'entendre, je recommencerais à crier.

Il a atteint le bord de l'anneau de terre brûlée et s'est retourné pour faire face aux trois autres. L'un d'eux — le gros — est rentré dans le camion, où il est resté plusieurs minutes. Qu'est-ce qu'ils attendaient ? L'astronaute a hoché maladroitement la tête, comme un robot, et après un vague signe du bras, il s'est éloigné le long de l'anneau en passant son compteur Geiger au-dessus des cendres.

« Par ici ! » ai-je crié. Pourquoi s'en allait-il ? « Au secours ! »

Il a continué. Une vingtaine de mètres plus loin, il s'est à nouveau retourné vers les autres. Une discussion a paru s'engager. L'homme en costume gris, un crayon à la main, traçait des marques sur le plan. Ils ont pris une décision. L'astronaute s'est replacé face au cratère. Il a posé un pied sur la surface noircie, avec précaution ; il est allé jusqu'au bord. Là, il a regardé quelques instants, puis il a passé lentement son compteur tout le long.

J'ai su alors que tout, pour eux comme pour moi, était invisible, et j'ai guetté avec impatience le moment où ils allaient s'en rendre compte — découverte imminente et extraordinaire — au point que j'en ai presque oublié ma propre situation.

Prudemment, l'homme a abaissé son instrument, dont l'extrémité a heurté la surface invisible. Il a poussé plus fort, tapoté le sol en décrivant un petit cercle, s'est même appuyé sur l'instrument de tout son poids, et il a fini par se retourner vers les autres. Ils sont restés immobiles. L'homme a regardé le cratère.

Alors, comme un enfant sur une glace trop mince, il a posé doucement un pied sur le sol invisible. Il a insisté, plusieurs fois, comme s'il s'attendait à passer au travers, et finalement, l'autre jambe tendue en arrière, au-dessus du sol visible, il a porté tout le poids de son corps sur la surface invisible. Dans cette pose incongrue, à cloche-pied et entre ciel et terre, on aurait dit un acrobate déguisé en clown, exécutant un tour très difficile mais parfaitement idiot. Il a penché la tête autant que le permettait son costume, regardé son deuxième pied rejoindre le premier et n'a plus fait un geste, les yeux fixés sur ses chaussures. Ensuite, comme pour tester la glace une bonne fois, il a essayé maladroitement de sauter sur place, sans grand succès, à cause de sa combinaison. Tête baissée, toujours, il a fait plusieurs pas au-dessus du cratère. Alors, lentement, il s'est retourné vers ceux qui étaient restés sur la pelouse.

Personne ne bougeait. Tel qu'il était, perché en l'air, on aurait dit un miracle. Moi-même, j'étais stupéfait. Car si ma situation était encore moins ordinaire, elle avait très peu d'impact visuel.

L'homme en costume gris parlait dans son micro. Après un petit geste vers le cratère, il s'est remis à consulter ses plans. L'astronaute a esquissé un hochement de tête, il s'est retourné et s'est avancé vers le centre du cratère en agitant son détecteur devant lui jusqu'à ce que l'instrument cogne brutalement le mur du bâtiment. Il s'est rapproché, il a passé la tige métallique contre le mur, dans tous les sens, aussi haut et aussi loin que possible. Ensuite il s'est plié en deux, laborieusement, il a posé son instrument sur le sol invisible, l'a regardé quelques instants comme s'il craignait de le voir tomber au fond du cratère, et il a poussé le mur, pour en éprouver la solidité, avant de l'explorer à tâtons avec ses gants énormes. Très vite, il a paru localiser quelque chose dont il a tracé le contour, un rectangle, en le parcourant plusieurs fois des deux mains. C'était, à l'évidence, une fenêtre.

Il y a eu une pause, qui s'est prolongée. Cette découverte, je le voyais, ne satisfaisait pas les trois hommes restés sur la pelouse, qui discutaient en se référant fréquemment à leurs plans. Ils ont dû donner un ordre à l'astronaute, car celui-ci s'est collé au bâtiment, les bras tendus de chaque côté, comme un poteau indicateur. Leur problème a été résolu. L'homme en gris, avec son crayon, a désigné deux points du cratère et les a reliés par une ligne imaginaire. Visiblement, ils s'étaient trompés sur l'orientation du bâtiment. Soit les plans étaient inexacts, soit le chemin qui venait du parking, en biais, les avait induits en erreur. Les trois hommes, mieux informés, ont pivoté de plusieurs degrés pour faire face au bâtiment invisible.

L'astronaute a repris son détecteur et commencé à longer la façade dans ma direction, une main en contact avec le mur. Arrivé à la fenêtre suivante, il en a souligné les contours à l'intention des autres, qui, cette fois, ont paru satisfait. Quelques pas lui auraient suffi pour atteindre l'entrée, mais il était d'une lenteur horripilante. Impossible de savoir le temps qu'il lui faudrait pour traverser tout le bâtiment et arriver jusqu'à moi. Mon impatience était telle que je n'ai pu y tenir, je me suis levé pour aller à sa rencontre.

J'avais l'intention de marcher prudemment. En fait, je me suis mis à courir, les bras tendus devant moi pour localiser murs et portes, et je me suis pris le pied dans quelque chose — une serviette ou un vêtement. Je suis tombé sur le carrelage de la salle de bains. Un choc incroyable m'a traversé tout le corps, et j'ai senti une douleur horrible dans le coude qui avait heurté le sol. « Bon Dieu ! Doucement, veux-tu. » En me redressant, je me suis cogné le crâne contre le chambranle de la porte. Bon Dieu ! A quatre pattes, pitoyable, j'ai gagné le bureau de Wachs et longé la cloison jusqu'à la porte de la réception.

Toujours à genoux, j'ai tourné la poignée et tiré. Rien. J'ai poussé. Toujours rien. Fermé à clef. « Reste calme. C'est sans importance. Ils vont ouvrir. »

L'astronaute avait atteint l'entrée. Il était à moins de trois mètres de moi. Malgré les deux portes qui nous séparaient, je voyais son visage à travers sa visière en verre teinté. Plié en deux, presque accroupi, il a monté les deux marches du perron et reposé son compteur Geiger pour passer les deux mains sur la porte. Sa main droite a trouvé ce qu'il cherchait, la poignée sans doute. Il avait du mal à la tourner à cause de ses gants énormes, aux articulations rigides. Le chat hurlait de plus belle. Lui aussi, me suis-je dit, devait suivre des yeux le nouvel arrivant. Que pouvait-il comprendre d'un pareil spectacle ? La main de l'homme, soudain, s'est avancée de plusieurs centimètres. Il avait ouvert la porte ! Entrebâillé, pas plus. Mais maintenant je pouvais l'entendre.

« Un putain de chat ! Bon Dieu, je vous le jure, c'est un putain de chat ! Vous l'entendez ? C'est un putain de chat ! Ça peut pas être autre chose ! Seigneur ! Un putain de chat invisible ! »

Il s'est arrêté pour écouter ce qu'on lui disait et que je n'entendais pas.

« Oui, monsieur, répondait-il. Désolé, monsieur... Non, monsieur. Ce chat ne va aller nulle part... Je suis presque sûr qu'il est tout près de la porte... Non, monsieur. Pas de problème. Sûr que ce chat va pas bouger d'ici. »

J'étais en face de lui, je le regardais droit dans les yeux, et je ne saurais dire pourquoi, à ce moment-là, je n'ai rien dit. J'avais appelé au secours toute la matinée, sans résultat, et les secours étaient venus. Je n'avais qu'à parler. Mais je ne l'ai pas fait. Savoir qu'il y avait des gens à portée de voix, peut-être, me rassurait suffisamment pour que je puisse me passer d'eux un peu plus longtemps. De plus, j'étais fasciné par l'exploration en cours, je voulais voir comment l'homme allait se débrouiller avec le chat. Pour l'instant, inutile de l'interrompre. Et peut-être — en y repensant, je n'en suis pas sûr — peut-être commençais-je tout juste à prendre un plaisir puéril, pathétique, à mon invisibilité ? J'étais là, ils ne pouvaient pas me voir. Pourquoi ne pas attendre un peu avant de livrer mon secret ?

L'homme tenait toujours la porte entrebâillée. Il avait repris son détecteur, l'avait glissé par la fente et inspectait la réception. Instantanément, je ne sais pourquoi, les miaulements ont cessé. J'ai entendu le sifflement menaçant qu'émettent les chats fous de terreur ou de colère.

« L'aiguille bouge ?... Toujours rien ? Cette baraque est aussi propre que mes coudes. Je devrais enlever cette combinaison... Oui, monsieur. »

Mon cœur a fait un bond. Il semblait dire qu'il n'y avait aucune radioactivité. J'ai failli l'appeler.

Il a retiré son instrument, l'a mis de côté, tout en gardant une main sur la poignée et l'autre plus bas, dans l'ouverture de la porte.

« Minet minet minet ». Il chantonnait. « Viens ici, minet minet minet. » Le chat crachait continuellement. L'homme a glissé doucement son bras dans la pièce. « Minet minet minet. »

Soudain sa main a lâché la poignée, pour plonger vers le bas, et l'homme a avancé d'un pas. Il avait les bras tendus, les paumes séparées par l'épaisseur d'un chat comprimé. J'ai entendu un grondement rageur.

« Ça y est ! Je l'ai eu ! Doucement, minet ! Doucement ! Du calme ! » L'homme était à l'intérieur, désormais, penché en avant, en équilibre instable. Il a serré brusquement les bras, pour maintenir l'animal qui devait se débattre, s'est redressé d'une secousse et a rabattu violemment sa main droite sur son ventre, où elle a paru se convulser quelques instants. « Du calme, petit enculé ! »

Sa main gauche, ensuite, s'est écrasée contre sa cuisse. Il a essayé de lever une jambe, pivoté d'un coup sur la gauche et trébuché vers la porte. Qu'il se soit cogné au panneau, au chambranle, ou aux deux, c'était difficile à dire, mais il s'est écroulé par terre.

« Merde ! Oh, mon Dieu, ça fait mal... C't' enculé s'est barré. Merde... Par la porte. Désolé. Il doit aller droit vers vous. Essayez de l'attraper ! »

Sur la pelouse, les hommes à qui ces remarques étaient probablement adressées paraissaient savoir qu'ils n'avaient guère de chance de réussir. Le gros en chemise de cow-boy a fait un pas en avant et s'est mis à psalmodier, juste assez fort pour que je l'entende : « Ici, minet minet. Ici, minet minet. » Les deux autres, l'air sombre, n'ont pas bougé, les yeux fixés sur le personnage qui gémissait et se tordait, suspendu dans le vide. « Ici, minet minet. » J'ignorais comment minet accueillait généralement les inconnus, et la vie qu'il avait menée jusqu'ici, mais les dernières vingt-quatre heures avaient certainement été très éprouvantes pour lui. Il était peu plausible qu'il recherche avant quelque temps la compagnie des hommes. Le cow-boy a essayé une fois de plus : « Ici, minet », et il a rejoint les autres sans les regarder, l'air gêné.

L'astronaute continuait à s'excuser tout en se relevant péniblement : « Oui, monsieur... Je comprends cela, monsieur... Non, monsieur. Vous avez raison. Je n'ai aucun moyen d'être absolument sûr que le chat est sorti du bâtiment, monsieur... Oui, monsieur. Je la referme, monsieur. J'arrive tout de suite, monsieur. »

Il m'a fallu un moment pour comprendre qu'il allait repartir, mais j'ai été aussitôt repris par la panique. « Attendez ! » ai-je hurlé comme jamais je ne l'avais fait depuis mon enfance. « Au secours ! » J'ai donné des grands coups de poing sur la porte. « Par ici, j'ai besoin d'aide ! »

L'homme en blanc est resté absolument immobile. J'ai vu, à travers son casque, son regard me fixer, me traverser — un regard vide, méfiant et inquiet. Il devait essayer de surmonter le choc. Lentement, prudemment, il a rouvert la porte, il est entré et il a refermé derrière lui comme s'il avait peur que je l'entende. Alors, droit vers moi, il a crié : « Où es-tu, mec ? Je t'entends mal. »

« Par ici. » Je criais, moi aussi. « De l'autre côté de cette porte. » J'ai cogné des deux mains pour qu'il comprenne. Naturellement, enfermé dans sa foutue combinaison spatiale et avec les autres qui n'arrêtaient pas de jacasser, il avait du mal à m'entendre. Immobile, l'air stupide, il regardait plus ou moins dans ma direction. « Pour l'amour de Dieu, sortez-moi de là ! Il faut que vous ouvriez cette porte ! Elle est fermée à clef ! »

Sans bouger, toujours aussi méfiant, il s'est mis à parler très doucement — mais pas à moi. Comme s'il croyait que je n'entendais rien.

« Les gars, vous pouvez vous taire une minute ? Il y a quelque chose ici... Bon sang ! Il y a un putain d'être humain là-dedans ! Mon Dieu... Non, je ne peux pas le voir ! Vous pouvez, vous ? » Ceci d'un ton sarcastique, mais nuancé de terreur. « On dirait qu'il est dans une autre pièce. Il dit qu'il est enfermé. Mon Dieu, c'est dingue. Je l'entends mal. Il dit qu'il veut sortir. »

Il y a eu un bref silence, et il s'est remis à crier : « Tu m'entends, mec ?

— A peine », ai-je répondu, moins fort cette fois — et moins spontanément.

J'aimais bien l'entendre discuter sans qu'il le sache. Troublant, néanmoins, que mon sauveteur et moi n'établissions pas aussitôt un rapport de confiance. Il était, bien sûr, sur un terrain inhabituel, étrange. Moi aussi. Ma voix désincarnée lui semblait sans doute mystérieuse, surnaturelle. Et ils devaient tous penser à la fuite du chat. Pourtant, ils ne faisaient rien pour m'aider. Au lieu de se précipiter à mon secours, ils restaient sur leurs positions avec une méfiance fort peu charitable. L'astronaute, maintenant, me tournait le dos, face au groupe de la pelouse. Une vive discussion était en cours. Les trois hommes se sont tus et ont tourné la tête vers nous. Ils avaient pris une décision. L'astronaute s'est retourné.

« Est-ce que tu peux me voir, mec ? »

Bonne question. Quelqu'un avait vraiment trouvé une très bonne question à poser. Eux-mêmes n'avaient aucun moyen de connaître les lois de ce petit univers invisible. L'homme invisible, par contre, n'avait peut-être aucun mal à voir les objets invisibles de la même façon qu'avant. Le mur, pour lui, était peut-être opaque, comme doit être un mur. Ou non. Ou encore ne voyait-il rien du tout : les hommes invisibles sont peut-être aveugles.

« Tu peux me voir ? a-t-il crié.

— Non, ai-je répondu. Je suis dedans. »

J'imagine que l'évasion du chat ne m'était pas sortie de la tête, pas plus que de la leur. Bientôt, bien sûr, je devrais leur décrire précisément ma situation. Pour qu'ils puissent me donner les soins dont j'avais besoin. Mais ce n'était pas la peine d'aller trop vite : ils n'avaient pas encore besoin de ces renseignements. « Soyons prudents, les uns et les autres. »

Nouveau silence. Ceux de la pelouse s'adressaient à mon sauveteur. Celui-ci s'est remis à crier :

« Écoute, mec, je ne peux pas ouvrir la porte tout seul. Tu peux tenir le temps qu'on vienne m'aider ? On va te sortir de là très vite. »

Certes, il n'arriverait pas à ouvrir la porte s'il n'essayait pas. Sans trop penser à ce que je devrais faire, j'ai exploré des deux mains la surface du panneau. Un peu au-dessus de la poignée, j'ai trouvé une serrure, mais pas de clef.

« Tu es OK ? » a-t-il ajouté, comme s'il venait d'y penser.

Cette question m'a bouleversé : j'ai essayé d'imaginer une réponse correcte, appropriée, et mes yeux se sont remplis de larmes.

Je n'ai pas répondu. Il a continué : « Dis-moi, mec, de quoi ça a l'air, là-dedans ? »

Je n'avais aucune envie d'aborder un sujet aussi mélancolique. « Je veux seulement sortir de là.

— Tu vas être dehors très vite ! a-t-il crié.

— Sortez-moi de là, je vous en prie ! Tout de suite !

— Je m'en vais une minute pour chercher de l'aide. Tout va aller très bien. Je reviens tout de suite. Tiens le coup, mec. »

Lentement, je ne sais pourquoi, il est sorti à reculons, comme si j'étais un animal qui pourrait l'attaquer. Il a fermé la porte, a fait demi-tour et a retraversé jusqu'au bord visible et noirci du cratère, où il s'est arrêté.

Pendant dix minutes, environ, personne n'a bougé. Les trois hommes, sur la pelouse, regardaient dans ma direction. L'un d'eux, parfois, disait quelques mots, puis le silence retombait. Pourquoi restaient-ils ainsi, sans faire un geste, alors qu'ils n'auraient dû penser qu'à me venir en aide ? Ils avaient l'air d'attendre. J'avais peur, j'étais en colère, mais j'attendais, moi aussi, passivement. Ils avaient sûrement une raison pour ne pas enfoncer immédiatement la porte et me sortir de là, une raison que j'ignorais. Quelque chose de terrible, peut-être. Ayant probablement trait aux radiations — quelque chose dont ils devaient se protéger, ou bien qu'ils étaient obligés de faire pour me secourir.

A ce moment-là, plus loin, j'ai vu s'ouvrir le portail de l'allée. Un fourgon blanc surmonté d'un gyrophare a roulé lentement vers le parking. Le Noir s'est avancé à sa rencontre et lui a fait signe de se garer près des autres véhicules. J'ai eu du mal à lire le mot écrit sur le capot et soudain j'ai compris que c'était « AMBULANCE », les lettres inversées comme dans un miroir. Bien sûr ! Ils avaient seulement attendu, avant de venir me chercher, d'avoir une assistance médicale compétente. J'étais dans une situation affreuse, mais il fallait tout de même que j'arrête de soupçonner ceux qui venaient me secourir, d'en avoir peur, de me mettre en colère. Ne pas devenir fou, d'abord. Je l'étais peut-être déjà. Je n'y avais pas encore pensé. C'était peut-être la seule explication.

Quel que soit le problème, ils allaient bientôt s'en charger, Dieu merci. Quand le fourgon a amorcé un dernier virage sur la pelouse, avant de s'arrêter, j'ai vu « UNITÉ MÉDICALE MOBILE », sur le côté, ainsi qu'une série incompréhensible de chiffres et de lettres. Plus qu'une question de minutes. Ce serait bon de parler à un être humain, après tout ce qui m'était arrivé.

Le Noir s'est avancé vers la portière. Un homme en blouse blanche est descendu. Ils se sont mis à parler. Deux autres, eux aussi en blouse blanche, ont débarqué par l'arrière et les ont rejoints. Ils n'avaient pas l'air d'être d'accord entre eux. Le Noir secouait la tête. Un homme est retourné dans l'ambulance, et en est ressorti avec une civière. Le Noir la lui a prise des mains et l'a posée contre la camionnette radio. La conversation semblait aller un peu dans tous les sens ; le personnel médical regardait d'un air inquiet le cratère et l'homme qui attendait au bord, debout dans son énorme combinaison. Tout le monde, une fois de plus, était figé dans une immobilité inexplicable. L'euphorie qui m'avait envahi se crevassait d'angoisse. Le groupe de la pelouse, de temps en temps, jetait un coup d'œil sur le portail. Ils attendaient encore autre chose.

Cinq minutes, au moins, ont dû se passer ainsi. Puis le portail s'est rouvert, une voiture noire est entrée et s'est dirigée droit vers les autres véhicules. Le conducteur est descendu, il a regardé le cratère en fronçant les sourcils, puis a sorti du coffre deux grands sacs en toile verte. Sur un signe du Noir, il les a posés sur la pelouse et s'est remis au volant. Les trois hommes en blouse blanche, apparemment à contrecœur, sont montés dans sa voiture. Pourquoi s'en allaient-ils ? J'avais besoin d'eux. L'un des trois, en montant, a désigné l'ambulance du doigt et prononcé quelques mots. Le Noir a répondu d'un bref hochement de tête et lui a tourné le dos. La voiture a fait demi-tour sur la pelouse avant de repartir vers le parking. Tout le monde a regardé le portail s'ouvrir pour laisser passer la voiture, et se refermer.

Aussitôt après, ils se sont retournés vers le cratère. Le scaphandrier s'est avancé sur la surface invisible, a remonté les marches du perron invisible et a repassé la porte tout aussi invisible. Ils laissaient le monde extérieur dans le secret. Mais comment pourraient-ils garder le secret quand ils devraient s'occuper de moi ? La disparition des hommes en blanc m'avait fait une impression horrible.

Sur la pelouse, les trois hommes ouvraient les sacs. Du premier, on a tiré une deuxième combinaison que le Noir a entrepris d'enfiler, apparemment sans grande conviction. Du second, l'homme à la chemise de cow-boy a sorti ce qui m'a paru un très grand filet, et il a commencé à le déplier.

Un filet ? Bon Dieu ! Ils avaient renvoyé les seules personnes d'allure vaguement médicale que j'avais vues et ils venaient me chercher avec une civière et un filet !

Le premier astronaute, pendant ce temps, était revenu dans la pièce voisine. Et il criait :

« Je suis là, mec. Tu m'entends ? Des médecins sont arrivés. On va te sortir d'ici en vitesse, maintenant. T'es OK ?

— Super ! »

J'étais en train de longer la cloison. J'ai atteint l'angle du mur extérieur et j'ai continué. Je me souvenais qu'il y avait deux fenêtres, peut-être trois. J'ai trouvé la première, tiré vers le haut : elle s'est ouverte. J'ai passé une jambe dehors, puis l'autre. Une fois assis sur le rebord, je me suis laissé descendre lentement, jusqu'à ce que mes pieds atteignent la pelouse, invisible et moelleuse.

Je me suis avancé jusqu'au bord du cratère et j'ai posé le pied sur la surface visible. Le sol était carbonisé, dur comme du mâchefer, et j'ai cru distinguer encore un peu de fumée sous mes pas. Marcher, tout de suite, est devenu plus facile : même si je ne voyais pas mes pieds, je voyais au moins l'endroit où je les mettais. En passant de la cendre à la pelouse, j'ai remarqué que l'herbe s'écrasait quand je posais un pied et se redressait quand je le relevais. C'était à la fois agaçant et décevant ; je commençais à comprendre qu'à défaut d'être entièrement visible, il valait mieux ne pas l'être du tout. Tout état intermédiaire alliait les désavantages des deux conditions. En guise de consolation, pourtant, j'ai constaté qu'aucune trace d'herbe ne restait collée à la semelle de mes souliers.

Je n'avais pas vraiment décidé, délibérément, d'échapper à mes sauveteurs, j'avais simplement agi d'instinct — sous le coup de la colère et de la peur, me semble-t-il. Surtout à cause du filet. La vision de cet instrument m'avait fait bondir et sauter par la fenêtre, balayant la terreur qui m'avait paralysé et toutes mes idées de maladie et de mort. Je ne me rendais pas encore compte que j'étais une sorte de fugitif, mais je savais que pour l'instant, j'allais éviter ces gens, essayer de comprendre leurs intentions, et me débrouiller pour qu'ils ne sachent pas exactement où j'en étais. Je réservais mon choix.

J'ai décrit un large cercle pour passer derrière l'homme en costume gris et son acolyte en chemise de cow-boy, et je me suis approché d'eux. Comme je l'avais pensé, ils étudiaient les plans du bâtiment. Je les ai imités, prenant garde de rester à cinquante bons centimètres de crainte que l'un d'eux fasse un mouvement brusque et vienne se heurter à moi. Je suis devenu soudain extrêmement conscient du bruit de ma respiration, et j'étais stupéfait qu'ils ne le remarquent pas. J'avais très envie de me racler la gorge, mais simplement avaler ma salive me faisait l'effet d'une explosion. Pourtant ils ne se rendaient compte de rien.

Ils avaient déroulé le plan du rez-de-chaussée, et j'ai entrepris systématiquement de me le mettre en mémoire. J'aurais voulu voir aussi celui du premier étage, mais je n'ai pu qu'y jeter un coup d'œil.

L'homme en chemise de cow-boy, celui qui tenait les plans, entretenait un dialogue permanent avec les deux astronautes. « Très bien, Tyler, maintenant tu es juste en face de l'entrée. Souviens-toi, tu montes deux marches et tu arrives sur une sorte de petit palier devant la porte. Morrissey, tu laisses la porte ouverte pour Tyler ? »

Il avait le genre d'accent du Sud et de familiarité qu'on trouve chez les militaires, les pilotes de ligne et les amateurs de CB. Sa graisse gonflait sa chemise et donnait à son visage une expression porcine. De plus, malgré sa jovialité, ses yeux rapetissés par la bouffissure paraissaient méfiants, voire méchants.

L'autre homme, qui était de toute évidence le responsable de cette opération, parlait rarement, et chaque fois d'un ton bref, pour donner un ordre, avec une voix calme, indifférente. Bien que ses traits fussent d'une parfaite régularité — beaucoup de gens, sans aucun doute, l'auraient trouvé beau —, son crâne chauve et la peau plissée de son visage avaient quelque chose de reptilien. Il m'a déplu dès le premier abord. Quand il a levé les yeux, délaissant son subordonné pour regarder l'horizon, sa joue gauche a tressailli de façon presque imperceptible. « Il doit être en colère », me suis-je dit. Il a ôté son casque avec des gestes précis, délibérés, l'a mis dans la poche de son veston, puis il s'est tourné vers le cow-boy et lui a parlé d'une voix suave, mais extrêmement désagréable.

« Clellan, vous connaissez mieux que moi Morrissey et Tyler. Je veux que vous trouviez la méthode appropriée pour les convaincre tous les deux qu'il est d'une importance cruciale de localiser l'homme de ce bâtiment. C'est très important pour moi ; c'est très important pour le gouvernement des États-Unis ; c'est très important pour la personne à l'intérieur du bâtiment ; c'est très important pour Morrissey et Tyler. Je compte sur vous, Clellan. »

Sur ces mots, il s'est dirigé vers la camionnette radio, où il est entré par la porte latérale.

« Vous entendez, les gars ? Vous entendez ce que dit le

colonel ? » a dit Clellan, pas très à l'aise. « On va pas bousiller ce coup-là. Oublie ce chat, Morrissey. Et ne l'oublie pas non plus, tu piges. Il répond toujours pas ?... Bon, continuez à lui parler. Il faut bien qu'il soit là-dedans. Vous l'entendez bouger ou quelque chose ?... Écoutez, ce type est peut-être dans un sale état. Bon Dieu, il doit être dans un sale état — ou alors on le verrait... Il a dû tomber dans les pommes. Tyler, toi tu ouvres la porte, et tu attends de ce côté-ci que Morrissey trouve le type. Alors tu y vas direct avec le filet. Même s'il ne bouge plus, vous lui flanquez le filet dessus tout de suite, pigé ?... On ne sait pas ce qu'il a dans la tête. Ce sera mauvais pour lui et pour tout le monde s'il s'affole et met les voiles. J'espère que vous pigez que ce sera mauvais pour vous, les gars. »

Les gars étaient dans l'entrée, et Tyler était devant la porte du bureau de Wachs, penché en avant, un trousseau de clefs à la main, en quête d'une serrure invisible sur une porte invisible. Une tâche ardue, que ses gants énormes rendaient peut-être impossible.

« N'oublie pas d'essayer la poignée, disait Clellan. C'est souvent qu'on a la serrure en plein dans la poignée... Tu l'as ?... Au-dessus de la poignée ?... Combien de centimètres ? Il y a peut-être d'autres portes fermées à clef... Faut que t'essayes les deux clefs. Il y en a une qui ouvre seulement la porte d'entrée, et l'autre ouvre tout dans la baraque sauf les toilettes. Celle du laboratoire doit être la seule qu'on n'a pas. Il n'y a que le type qui dirigeait la boîte qui l'avait — pour des raisons de sécurité. »

Clellan a paru trouver cela drôle et il a éclaté d'un gros rire. Le colonel, qui était ressorti de la voiture radio et revenu à ses côtés, s'est tourné vers lui et l'a regardé, impassible. Clellan s'est arrêté net.

« Tu l'as ?... OK, tu m'ouvres ça tout doucement. Il est peut-être couché par terre, juste derrière. On veut pas lui faire de mal. Tyler, tiens-moi ce filet plié, et qu'on ne le voie pas. Ce qu'il faut d'abord, c'est pas l'exciter. »

Tyler a fait le geste d'ouvrir une porte, juste assez pour que Morrissey se glisse à l'intérieur. Ils ne voulaient pas prendre le risque de me voir filer à la suite du chat. Une fois Morrissey entré, Tyler a refermé sans lâcher la poignée, de sorte que son bras est resté tendu, bizarrement, comme pour serrer la main de quelqu'un. Morrissey, avec son compteur Geiger, tâtait précautionneusement le sol aux alentours.

« Morrissey, il est forcément quelque part là-dedans, disait Clellan. Cherche encore. Et fais attention. Ne marche pas sur ce pauvre gars. Des radiations ?... Rien. Continue à balayer, de toute façon. Le type lui-même a pu être contaminé ailleurs, même si la pièce est propre. Très bien, Tyler, tu ferais mieux d'y aller aussi. Va doucement et referme à clef derrière toi. »

Tyler a mis plusieurs minutes pour y arriver. Morrissey, entre-temps, promenait son instrument le long de la cloison de droite à gauche et se cognait maladroitement aux meubles. A un moment, le compteur a touché quelque chose de mou, près du sol, et il a cru m'avoir trouvé. « Vas-y doucement ! Amène ce filet, Tyler ! » Clellan s'était mis à hurler. En fait, ce n'était qu'un divan.

Clellan était de plus en plus malheureux. « Bon Dieu, où est cet enculé ? T'es sûr d'avoir entendu quelqu'un, Morrissey ?... Tyler, je veux que tu longes le mur ouest vers le nord. A peu près trois mètres et tu trouveras une autre porte. Ensuite, juste après l'angle, il y en a encore une dans le mur nord. Je veux que tu regardes ces portes et que tu me dises si elles sont fermées à clef, pigé ? »

Tyler est revenu sur ses pas jusqu'au mur. Morrissey passait systématiquement son compteur sur toute la surface de la pièce, comme s'il tondait une pelouse. Arrivé au bureau, il a posé l'instrument, tapoté le dessus du meuble avec les deux mains, et puis, laborieusement, il s'est mis à quatre pattes pour en inspecter le dessous. Au cours de ses déplacements, il rencontrait divers objets, certains difficiles à identifier. (« C'est peut-être une corbeille à papiers, disait Clellan. Regarde s'il y a un fond. ») Mais pas trace de forme humaine. Une fois la pièce entièrement fouillée, Morrissey a posé son appareil et regardé Tyler, lequel avait trouvé les deux portes, conclu qu'elles n'étaient pas fermées à clef et qu'une était entrouverte. Les deux hommes, alors, se sont tournés vers nous, attendant les ordres. Debout entre ciel et terre, avec leurs combinaisons spatiales, on aurait dit des suppliants venus d'un autre monde.

« Bon Dieu ! a aboyé Clellan.

— Décevant », a dit le colonel presque en même temps, d'une voix sourde, étrange.

Transmis par leurs micros, ces mots ont fait sursauter les deux explorateurs.

Le colonel et Clellan se sont regardés, et ils ont chacun réglé quelque chose sur leur casque pour couper la radio.

Clellan a parlé le premier : « Nous ne sommes pas absolument certains qu'il y ait jamais eu quelqu'un là-dedans, monsieur. En fait, c'est très peu probable, quand on y pense. On n'a que la parole de Morrissey. C'est plutôt bizarre, là-bas. Peut-être que sa tête ne marche pas très bien. »

Le colonel n'a rien dit pendant un long moment, comme s'il réfléchissait à la question.

« C'est une possibilité, bien sûr, a-t-il fini par admettre. Mais j'aurais tendance à croire le rapport de Morrissey... Naturellement, vous le connaissez mieux, et vous êtes plus à même d'évaluer sa crédibilité. C'est un homme à vous. »

Le colonel parlait lentement, d'un ton détaché, comme s'il pensait à autre chose.

« J'aimerais, à propos, voir tout ce que nous avons sur Morrissey et Tyler. Et sur l'homme de la voiture radio... Gomez, n'est-ce pas ? »

Il a marqué une seconde pause, les yeux plissés, creusant les rides de sa peau blême. « Non, il semble qu'il y ait effectivement eu un chat. Or un être humain — si extraordinaire que cela puisse paraître — n'est pas plus improbable, logiquement, qu'un chat. De toute façon, Clellan, nous n'avons rien à perdre à supposer qu'il y a un homme à l'intérieur. Et si c'est le cas, les bénéfices potentiels sont incalculables. »

Il y a eu encore un silence, comme s'il essayait de les calculer.

« Incalculables. Les implications scientifiques à elles seules... Au point où nous en sommes, nous pouvons à peine commencer à imaginer les usages scientifiques et médicaux d'un corps humain complet, vivant, et totalement invisible. Même les expériences les plus évidentes donneraient des informations jusqu'alors inaccessibles. Inventer des méthodes pour tirer profit de toutes les possibilités deviendrait presque une discipline en soi. »

L'instant d'avant, comme les plans n'avaient plus rien à m'apprendre, j'avais eu l'intention de quitter mes nouveaux amis, mais le tour qu'avait pris la conversation m'intéressait au plus haut point. Je suis donc resté près d'eux, parfaitement immobile, essayant de retenir mon souffle pendant les silences.

« Bien sûr, nous devons supposer qu'il ne survivra pas longtemps, dans l'état où il est. Pourtant, même pour peu de temps, il serait d'une valeur incalculable.

— Et il ferait aussi un sacré agent sur le terrain, a ajouté Clellan. Pensez à ce que ce serait d'en avoir un comme lui. Il pourrait aller n'importe où ! Partout ! Vous pourriez obtenir n'importe quelle information, dans le monde entier. Ou du moins sacrément plus que n'importe qui d'autre. Mon Dieu ! Vous pourriez quasiment dicter votre propre budget... n'importe quel putain de truc dont vous auriez envie. Y aurait personne pour dire bof. On dirigerait la moitié de ce foutu gouvernement. »

Clellan paraissait avoir des difficultés à concevoir clairement les possibilités brusquement dévoilées par mon existence. A mesure qu'il essayait de les formuler, elles prenaient des proportions telles que son imagination ne pouvait suivre.

« Mon Dieu. Il n'y a pas de limites...

— Ça suffit, Clellan », a dit très calmement le colonel. Pensif, il contemplait l'horizon. « Pour le moment, notre seule préoccupation est de localiser l'homme aussi vite que possible.

— Mais pensez à ce que ce type pourrait faire ! a continué Clellan sans pouvoir contenir son enthousiasme.

— La question, c'est ce qu'il ferait, ce que nous pourrions le persuader de faire. Toujours la même question. Il y aurait tous les problèmes habituels pour obtenir sa coopération, avec en plus des difficultés inhabituelles... Quoiqu'il y aurait peut-être aussi certains avantages.

— Est-ce qu'on aurait vraiment à le donner aux scientifiques ? » a demandé Clellan.

Le colonel a marqué une pause. « Probablement. Mais en fin de compte, peut-être en reprendrions-nous le contrôle. Le problème est de savoir si nous pouvons garder le secret sur toute l'affaire. Jusqu'à présent, personne n'est vraiment sûr qu'il y a ici quoi que ce soit de plus intéressant qu'un trou dans le sol...

— Vous voulez dire qu'on pourrait le récupérer quand les savants auraient fini ? a demandé Clellan, plein d'espoir. Il risque de ne pas en rester grand-chose après qu'il fut passé entre leurs mains, a-t-il ajouté.

— De toute façon, a répondu le colonel, nous n'avons aucune idée de sa condition physique, ni de son état d'esprit. Il est peut-être inconscient, à quelques pas de Tyler et Morrissey. Peut-être en bonne santé, physiquement, mais complètement prostré. Il peut avoir l'esprit dérangé, être incapable d'émettre un jugement rationnel ou de prendre une décision sensée. C'est presque à prévoir, étant donné les circonstances.

— Bon, les savants en tireraient quand même pas mal de trucs, j'imagine, a dit Clellan d'un ton abattu.

— A moins, tout simplement, qu'il ne soit hostile, a continué le colonel. C'était probablement un des manifestants, puisqu'il a choisi d'entrer ou de rester dans le bâtiment sans autorisation après l'évacuation. Les gens qui ont organisé cette manifestation aiment à se dire marxistes, du moins entre eux. Ça vaut peut-être la peine d'imaginer ce qui se passerait s'il se rangeait contre nous. »

Les petits yeux de Clellan se sont agrandis. Sa bouche s'est ouverte, puis s'est refermée. Cette idée paraissait réellement l'angoisser. Le colonel, les lèvres pincées, les yeux plissés, regardait dans le lointain. J'attendais. Nous attendions tous — Tyler, Morrissey, Clellan et moi — que le colonel décide de la suite des événements.

En attendant de voir ce qu'il allait faire, j'essayais frénétiquement de choisir la direction où devraient tendre mes propres efforts. J'étais absolument terrifié à l'idée de me trouver entre les mains de ces gens-là. Penser à l'immense contribution que j'apporterais à la science suffisait à me bouleverser. Je tentais d'imaginer quelques-unes des expériences indispensables qu'on pourrait faire sur « un corps humain complet, vivant, et totalement invisible. » Plusieurs idées me sont venues, telles que l'injection de fluides multicolores dans les organes vitaux, mais aucune qui m'ait poussé à m'engager définitivement, du moins pour le moment.

Par ailleurs, j'étais toujours aussi terrifié par le grotesque de ma condition. J'avais désespérément besoin qu'on s'occupe de moi. Des gens compétents, ayant mes intérêts à cœur. Et j'avais l'impression que plus je tarderais à me livrer, plus les choses tourneraient mal pour moi.

« Le colonel, me disais-je, a probablement raison : je ne suis pas capable de prendre une décision sensée. » J'avais besoin d'un peu de temps pour réfléchir, mais mes possibilités de choix risquaient de s'amenuiser dans des proportions radicales. Et si ces gens, maintenant, s'emparaient de moi, je n'aurais probablement plus jamais aucune décision à prendre. Des personnes plus compétentes, mieux à même d'évaluer ma valeur pour l'humanité, les prendraient pour moi. Je ne doutais pas qu'elles tiendraient constamment compte de mes intérêts et de ceux de la race humaine. Elles sauraient distinguer le contingent de l'essentiel.

L'essentiel, pour moi, c'était de m'en aller.

« Débrouillez-vous pour que ces hommes fouillent le reste du bâtiment aussi vite que possible, a dit soudain le colonel.

— On irait plus vite avec des renforts, a répondu Clellan.

— Faisons avec ce qu'on a. Je ne veux pas que d'autres apprennent ce qui se passe ici. Nous devons tâcher de garder le contrôle de la situation. D'abord, trouver cet homme ; ensuite, établir l'inventaire complet de tout ce que nous avons. »

Clellan a remis son casque pour donner des instructions à Morrissey et Tyler. Le colonel, brusquement, a pivoté sur place et s'est avancé droit sur moi. J'ai sauté de côté, déséquilibré, et je me suis étalé par terre en aplatissant l'herbe de la pelouse. Mon cœur s'est emballé sous l'effet de la terreur, mais il n'a rien remarqué, sinon, peut-être, du coin de l'œil, une ombre vague et passagère. Le regard toujours fixé sur l'horizon, il m'a dépassé et s'est dirigé vers la plus grande des deux camionnettes. J'avais eu l'intention d'aller jusqu'au portail, pour voir quand et comment je pourrais le franchir, mais je voulais d'abord savoir ce qu'il comptait faire.

Quelques minutes plus tard il est ressorti, un téléphone sans fil à la main, et s'est mis à parler sans quitter des yeux la clôture.

« ... C'est exactement ça. Je veux les gardes à dix mètres d'intervalle tout autour du terrain... Immédiatement. Vous installerez les systèmes d'alarme et le reste quand ils seront en place... Faites venir tous les hommes dont vous avez besoin... C'est ça. Dites-leur que rien, littéralement rien, pas même un écureuil, ne doit franchir le périmètre dans un sens ou dans l'autre... Oui, c'est ça. Dites-leur aussi qu'il y a peut-être ici des animaux contaminés. S'ils remarquent le moindre mouvement, quel qu'il soit, à l'intérieur de la zone, ils doivent ouvrir le feu, même s'ils ne découvrent pas l'origine de ce mouvement... Non, je ne veux pas enlever le grillage pour qu'ils y voient mieux. Vous pouvez leur rappeler que nous sommes à l'intérieur : ils doivent essayer de tirer en biais, mais tirer sur tout ce qui bouge... Oui, je suis conscient des risques... Le portail ne sera ouvert en aucun cas, sauf sur mon ordre. Nous allons employer des méthodes inédites... »

Derrière nous, pendant qu'il parlait, un ampli a produit une sorte d'explosion électronique. En me retournant, j'ai vu qu'une tourelle de haut-parleurs pointés aux quatre points cardinaux avait surgi comme par magie du toit de la camionnette. Trois autres explosions ont suivi — on tapotait le micro pour vérifier le système.

« *Avis à tous les personnels.* » Les mots jaillissaient avec une force extraordinaire, d'une voix monocorde, teintée d'accent mexicain. « *Avis à tous les personnels. N'approchez pas de la clôture. Le périmètre est surveillé continuellement par des gardes armés qui ont l'ordre de tirer sur tout ce qui s'approche de la clôture ou tente de la franchir. Dans l'intérêt de votre propre sécurité. Toute personne se trouvant dans la zone sans autorisation doit immédiatement nous indiquer l'endroit où elle se trouve pour que nous puissions venir à son secours. Je répète. Toute personne se trouvant dans la zone sans autorisation doit immédiatement nous indiquer l'endroit où elle se trouve pour que nous puissions venir à son secours.* »

Le colonel continuait à donner des instructions au téléphone, mais le bruit m'empêchait de l'entendre. Après la troisième lecture du message, quand le micro a été coupé avec une explosion qui a failli me percer les tympans, le colonel, l'écouteur à l'oreille, a regardé Clellan.

« Clellan, qui a la liste des gens qui étaient présents hier dans le bâtiment ?

— Il y en a une dans la camionnette, monsieur.

— Non, j'en veux une à l'extérieur de la zone.

— Simmons en a une. »

Le colonel a repris son téléphone.

« Simmons peut vous donner la liste des noms connus. Commencez par ceux des manifestants. Nous ne les avons peut-être pas tous. Ceux à qui nous avons parlé tremblent de peur : il y a deux morts, un bâtiment détruit, et ils ne veulent pas prendre la moindre responsabilité. Qu'on les interroge tous avant qu'ils n'aient eu le temps de réfléchir, pour déterminer si Carillon est le seul disparu, ou s'il y en a d'autres. Après, attaquez-vous aux employés — et à tous les collègues, amis ou parents connaissant assez bien le bâtiment pour avoir eu envie d'y rester après l'évacuation. Ensuite le reste de la liste. Nous savons que quelqu'un est resté à l'intérieur, et nous devons apprendre le plus tôt possible de qui il s'agit... Non, aucun signalement. Probablement un homme, adulte, mais ce n'est pas confirmé avec précision. »

Clellan, pendant ce temps, regardait Tyler et Morrissey ramper dans le vide, à l'intérieur d'une salle de bains invisible. Le doigt sur le plan, il indiquait à Morrissey le chemin à suivre des W.-C. à la douche et commentait chacun de ses pas.

Je me suis éloigné, doucement, sur l'épais tapis d'herbe verte. Je pense devoir ma liberté, en grande partie, au temps absolument splendide qu'il faisait ce jour-là. Le soleil brillait, les feuilles printanières, d'un vert tendre, se détachaient sur le bleu vif du ciel. C'était peut-être le plus beau jour de l'année, bien qu'à l'époque je ne m'en sois pas vraiment rendu compte à cause de la terreur qui ne m'a pas quitté du matin au soir. J'étais comme un alpiniste accroché à sa paroi, l'esprit totalement concentré sur le moindre détail, examinant chaque prise possible, chaque erreur prévisible, et il ne me serait pas venu à l'esprit de tourner la tête pour jouir du paysage — même si c'était en grande partie à cause de ce paysage que j'avais entrepris cette escalade et que je continuais. Un ciel nuageux, oppressant, aurait pu faire pencher la balance dans l'autre sens : peut-être me serais-je contenté d'attendre, passivement, qu'on vienne à mon secours. Pourtant, sous la peur qui me collait à la peau et me faisait frissonner, je sentais comme une sorte d'exultation. Le jeu, après tout, valait la peine. Quant aux risques, autant ne pas y penser. Par contre, si je faisais attention, si je réussissais à survivre, outre ma liberté, j'aurais gagné le plaisir d'avoir été plus malin que ces gens. Cette pensée, si puérile fût-elle, était entrée dans mes calculs. Et bien que les conditions puissent être de plus en plus dures à mesure que le jeu durerait, je pourrais toujours me rendre à certaines conditions. L'important, c'était de survivre et de rester libre, d'être maître de mes choix. L'important, c'était de m'enfuir.

Je me suis dirigé vers le portail, dans l'espoir de découvrir un moyen de me glisser à l'extérieur. Après avoir vérifié que c'était impossible — au fond, je le savais déjà —, j'ai voulu suivre la clôture à la recherche d'une ouverture ou d'un endroit mal gardé. C'était peu probable, mais plus j'attendrais, moins j'aurais de chances d'en trouver. Quels que soient les risques, il valait mieux que je m'attaque à cette clôture sans plus tarder. Et quand j'ai vu mes empreintes apparaître sur la pelouse, comme par magie : on aurait dit le dessin d'un pas de danse, j'ai compris soudain, avec une clarté nouvelle, la situation où j'étais. Ce fut comme une blessure qui s'ouvrait dans mon esprit. Si vous avez jamais, quand vous étiez enfant, rêvé d'invisibilité, vous avez sûrement imaginé que cela donnait une liberté prodigieuse, illimitée : celle de pouvoir aller partout sans laisser de traces, de prendre ce qu'il vous plaît, d'écouter les conversations les plus intimes, de découvrir n'importe quel secret, car personne ne peut vous en empêcher, nul ne sait que vous êtes là, et vous n'êtes plus tenu à aucune règle, à aucune loi.

Or, à voir les traces de mon fox-trot à travers la pelouse, je prévoyais déjà un certain nombre de limites. Et je venais de passer près d'une demi-heure avec deux êtres humains, obligé de guetter à chaque instant le moindre signe d'un mouvement risquant de nous mettre en contact, une bonne partie de mon esprit occupée à penser au plaisir que j'aurais à me racler la gorge, une autre à m'empêcher continuellement, et avec le plus grand mal, de renifler ou d'éternuer. Au lieu d'une liberté extraordinaire, magique, je rencontrais une désagréable série de problèmes pratiques. Comme dans la vie quotidienne, après tout, me suis-je surpris à penser. Donc, pour rester libre, il faudrait que je ne fasse aucun bruit et que je ne porte aucune sorte d'objet en présence d'autres personnes.

Sauf, bien sûr, ce que j'avais sur moi — tout était déjà invisible. Et aussi ce que je récupérerais dans le bâtiment. Voilà. Les ruines de MicroMagnetics constituaient la seule réserve existante d'objets invisibles, et si je ne voulais pas me trahir, tout ce que je porterais ou utiliserais jusqu'à la fin de mes jours devrait venir de là. De plus, c'était presque certain, il fallait que je me les procure sur-le-champ. Je ne pouvais pas espérer qu'une telle chance se reproduirait. Si toutefois elle existait encore. Je me suis retourné vers le bâtiment. C'était, comme on dit, une occasion unique, celle qu'on a une fois dans sa vie, un seul jour, et qui ne se représente jamais. Il fallait que je m'équipe pour la vie. Elle ne serait peut-être pas très longue, mais pour une fois la prudence m'obligeait à tenir compte des prévisions les plus optimistes.

En approchant de l'entrée, je me suis trouvé dans le champ de vision de Clellan. Je les ai observés attentivement, lui et le colonel, pour voir s'ils remarquaient mes empreintes. Ce jour-là, à mon avis, s'ils n'ont rien vu, c'est qu'ils n'avaient pas encore pensé aux signes qu'ils auraient dû guetter. En atteignant le sol noirci par l'incendie, j'ai traîné les pieds par terre pour ne pas laisser de traces identifiables et noté une fois de plus, avec soulagement, que ni l'herbe ni la cendre ne restaient collées à mes semelles. Les combinaisons de Tyler et de Morrissey, par contre, semblaient attirer la poussière et la suie : leurs empreintes étaient si nombreuses que je pouvais maintenant repérer les marches et la porte d'entrée.

Ils étaient revenus tous les deux à la réception. Morrissey, à l'aide d'un gros feutre rouge, essayait de tracer un trait sur le mur. Il avait du mal à tenir le feutre, à cause de ses gants, et l'encre n'adhérait pas très bien : chaque trait ne laissait qu'une sorte de pointillé brillant d'un éclat mystérieux dans le vide, et chaque fois qu'il repassait la main au même endroit, toute l'encre se retrouvait sur son gant. Tyler, à quatre pattes, avait entrepris la même opération sur la moquette, avec à peu près les mêmes résultats. Je me demandais ce qu'ils pouvaient avoir en tête. On aurait dit des gosses dans une classe de maternelle.

Sans hésiter, je suis entré dans la pièce. J'ai pris soin d'avancer en évitant de heurter les murs et les meubles, mais j'étais sûr que les deux hommes, enfermés dans leurs scaphandres, avec dans leurs écouteurs le grasseyement jovial et ininterrompu de Clellan, ne m'entendraient pas marcher. J'ai trouvé la porte du bureau de Wachs, je l'ai ouverte et soigneusement refermée derrière moi. Au déclic de la serrure, Tyler a brusquement relevé la tête. Nous sommes restés un instant figés sur place, l'un et l'autre, puis il a repris ses tentatives pour abîmer la moquette invisible. J'ai attendu un peu, et je me suis dirigé vers la salle de bains.

Je me déplaçais désormais avec plus d'assurance. Dans ces deux pièces, je savais en gros où se trouvaient les murs et les meubles, et je sentais maintenant d'instinct, en marchant, quand mon pied invisible allait toucher le sol invisible. C'était tout de même un processus laborieux. Je devais garder les bras tendus devant moi, et attendre à chaque pas que mon pied soit fermement en place avant d'y porter le poids de mon corps.

J'ai trouvé l'armoire à pharmacie, et dedans le flacon d'aspirine. Je me sentais beaucoup mieux, mais j'ai tout de même avalé quelques comprimés, sans eau, avant de mettre le flacon dans la poche de ma veste. Ensuite j'ai fouillé les étagères et vidé dans mes poches le contenu de l'armoire. Un rasoir, du fil à nettoyer les dents, du savon à barbe, deux peignes en plastique, des lames de rasoir en cartouches, une brosse à cheveux, un rasoir électrique, un coupe-ongles, un blaireau, des ciseaux à ongles, une pince à épiler, une petite boîte en métal pleine de pansements, un rouleau de sparadrap. J'ai aussi découvert une demi-douzaine de flacons de formes variées exhalant divers parfums, que j'ai laissés où ils étaient. Sur le rebord du lavabo j'ai encore récupéré une savonnette, et au-dessus, sur la tablette, deux brosses à dents et une timbale en plastique qui sont venues gonfler mes poches.

Il me fallait un meilleur moyen pour transporter tout ça. Avant même d'en avoir fini avec la première pièce, mes poches étaient si pleines que j'avais peur de déchirer le seul vrai costume que je posséderais pour le restant de mes jours. Je suis allé jusqu'à la douche, et là, un peu malaisément, j'ai décroché le rideau de sa tringle et je l'ai étalé par terre. J'y ai d'abord jeté toutes les serviettes que j'ai trouvées, les survêtements accrochés près du sauna, et j'ai vidé mes poches. Au-dessus de la tringle, sur une étagère, il y avait un bonnet de laine, une écharpe et une boîte en métal, si lourde que je l'ai ouverte pour voir si ça valait la peine de l'emporter. Des compresses, du coton, des bandes, du sparadrad — une trousse de secours. Avec le reste. J'ai fait le tour de la pièce au cas où il y aurait d'autres étagères. J'étais sûr d'avoir vu des baskets, et je me suis mis à quatre pattes pour explorer le sol. Deux paires de baskets, une paire de sandales en caoutchouc. Je n'ai pas pris le temps de voir si elles m'allaient. Je devais préparer mes valises et filer.

Tyler et Morrissey, dans la réception, avaient délaissé leurs feutres ; ils jouaient maintenant avec des rubans adhésifs de toutes les couleurs. Même à deux, ils avaient beaucoup de mal à couper l'adhésif, qui ensuite refusait de rester au mur. Par contre il semblait très bien coller aux gants de Morrissey. Tyler a entrepris, avec un succès mitigé, de les nettoyer et sa combinaison a été bientôt constellée de rubans multicolores. A travers le mur, je les entendais vaguement raconter leurs malheurs à Clellan. Pour l'instant, ils ne paraissaient guère menaçants, mais dès qu'ils progresseraient à l'intérieur du bâtiment, comme je le faisais moi-même pour compléter mon pillage, ils se rendraient compte de ma présence.

Grâce aux plans que j'avais étudiés, j'ai pu repérer sans grande difficulté le placard du gardien, à côté de la salle de bains. Deux chemises, un pantalon, et une paire de tennis en très mauvais état. Et une autre boîte en métal, plus grande. Il m'a fallu un petit moment pour comprendre comment elle s'ouvrait. En passant les mains sur les côtés de la boîte, j'ai fini par trouver deux loquets que j'ai relevés. Quand on ne voit pas ce qu'on fait, ces machins peuvent montrer beaucoup de mauvaise volonté. Le couvercle s'est soulevé et j'ai pu identifier sur plusieurs tablettes intérieures une pince, quelques tournevis, et une série de clés à douilles. Une caisse à outils ! Cette découverte m'a transporté de joie. Mais comme j'avais dérangé les outils pour les examiner, la caisse a refusé de se refermer. Après un rangement sommaire, c'était pire. Finalement, j'ai dû déballer la moitié de la caisse, aligner tous les outils et les replacer dans un ordre précis avant de pouvoir rabattre le couvercle. Pendant toute cette opération, je suis resté à genoux, dans une position inconfortable, de plus en plus inquiet à cause du temps que j'étais en train de perdre. Ma chemise était trempée de sueur. Je l'ai ôtée et l'ai posée sur la caisse. Ma cravate avec. Que pourrais-je faire d'une cravate, désormais ?

Les voix des deux hommes me parvenaient de très loin, trop faibles pour que je comprenne ce qu'ils disaient. Morrissey avait encore un rouleau de ruban à la main ; Tyler avait ouvert sa propre boîte à outils, qui flottait à hauteur de sa taille : il avait dû la poser sur un bureau.

Précipitamment, je me suis remis à fouiller le placard. J'en ai sorti un seau, quelques chiffons, un paquet de sacs poubelle en plastique, j'ai dévissé le manche en bois d'un balai, sans vraiment savoir à quoi me serviraient ces objets. Je choisissais presque au hasard, me demandant chaque fois, avec angoisse, si je ne me trompais pas. Mais rien, dans mon passé, ne pouvait m'aider à juger de ce qui me serait utile ou non, et je n'avais pas le temps d'y réfléchir. Je savais que je devais emporter tous les vêtements que je trouvais, ainsi que le moindre bout de tissu pour en fabriquer. A part ça, je prenais tout ce qui n'était pas trop lourd et qui pouvait être utilisé comme une arme ou un outil — voilà ce que me dictait mon esprit terrorisé.

Les astronautes avaient abandonné leurs rubans. Ils déroulaient maintenant un grand rouleau de câble sur le sol le long des murs. Arrivés à une porte, ils coupaient le câble avec une énorme cisaille, laissant un espace vide. Grâce à cette méthode, ils avaient déjà tracé les contours de la réception et de deux petites pièces adjacentes — des placards ou des cagibis, superposant ainsi un plan visible au sol invisible du bâtiment. Je me suis dit, soudain, qu'ils allaient sûrement continuer par le bureau de Wachs, et je voulais y passer avant eux. En fait, j'aurais dû commencer par là. Il fallait que je me dépêche. « Garde ton calme, sois aussi efficace que possible. »

J'ai pris les quatre coins du rideau et j'ai traîné mon ballot jusqu'au milieu du bureau de Wachs. Ensuite je me suis installé dans son fauteuil et j'ai exploré le dessus de la table : un coupe-papier, une règle, une agrafeuse et des piles de papiers désormais inutiles. Dans les tiroirs j'ai récupéré des trombones, des élastiques, des ciseaux, un couteau suisse à plusieurs lames, trois anneaux où étaient enfilées toutes sortes de clefs, un mini magnétophone à cassettes, des cartes de crédit, du ruban adhésif.

Et puis, tout au fond du dernier tiroir de droite, un revolver.

Je n'ai jamais pensé grand-chose des armes, ni dans un sens ni dans l'autre. Mais ce revolver était une découverte sensationnelle. « Ma situation, me suis-je dit, s'améliore nettement — et peut-être de beaucoup. » C'était comme si, tout d'un coup, je me sentais plus fort. Je me suis tourné vers Clellan et le colonel, toujours debout sur la pelouse. Ce n'était pourtant qu'un revolver, un tout petit revolver. Sur le moment, malgré ma hâte, j'ai pris le temps de l'examiner : je voulais être sûr de ce que j'avais entre les mains et de savoir m'en servir. Il m'a fallu plusieurs minutes pour en ôter le chargeur, n'ayant aucune idée de la marche à suivre. Je l'ai vidé et j'ai compté les balles, un, deux, trois, quatre, cinq, six, ensuite je me suis exercé à appuyer sur la gâchette, à mettre et à enlever le cran de sûreté. Après quoi j'ai soigneusement remis les balles dans le chargeur, en les comptant pour n'en oublier aucune, et j'ai glissé l'arme dans la poche de ma veste.

Il devait y avoir des munitions quelque part. Pas dans les tiroirs. Un revolver invisible, malheureusement, sans balles invisibles, est un objet absurde, et je n'en avais que six. Elles devaient se trouver dans cette pièce. Il fallait que je prenne le temps de les chercher. Vingt minutes plus tard, peut-être — il était difficile d'évaluer le temps qui passait —, j'avais fini de fouiller le bureau et ajouté à mon butin, entre autres, une pelote de ficelle, deux rallonges électriques, un téléphone, un parapluie, un imperméable et une paire de caoutchoucs — mais pas de munitions. J'étais devenu presque frénétique, obsédé par ces balles, et j'ai eu du mal à abandonner cette fouille qui risquait de me faire perdre le résultat de tous mes efforts.

Le tas était si gros qu'il serait difficile à transporter. De plus, Tyler et Morrissey pouvaient entrer d'un instant à l'autre, se prendre les pieds dedans et m'en interdire l'accès. Il fallait que je mette mon butin à l'abri de leurs recherches, hors du bâtiment. Je suis allé vers le mur du fond, j'ai trouvé une fenêtre, à tâtons, et j'ai soulevé le panneau du bas. Le bruit m'a paru cataclysmique, et j'ai regardé par-dessus mon épaule — ou à travers, pour ce que j'en savais — en direction des astronautes. Mais ils étaient complètement absorbés par leur tâche, qu'ils accomplissaient avec une grande conscience professionnelle. Ils avaient posé des bouts de câble sur chaque appui de fenêtre, et ils enroulaient maintenant du fil électrique aux pieds des tables, des chaises et des bureaux, pour qu'on distingue clairement l'ameublement et la disposition de chaque pièce.

Revenu à mon tas d'objets invisibles, je me suis agenouillé et j'ai pris les quatre coins du rideau dans une main. Ensuite je me suis relevé et j'ai moitié porté, moitié traîné le tout jusqu'à la fenêtre. J'ai entendu des objets tomber. « C'est trop plein. Fais plus attention. Pas le moment de te tromper. » J'ai soulevé mon ballot, et avec un fracas épouvantable, m'a-t-il semblé, je l'ai passé par la fenêtre et posé dehors avant de me remettre à quatre pattes pour chercher ce que j'avais laissé tomber. Je n'ai trouvé qu'un trousseau de clefs et une chaussette de sport. Au moment où je les fourrais dans ma poche, Tyler et Morrissey ont ouvert la porte et sont entrés dans le bureau.

Ils commençaient à bien connaître leur travail, et ils se sont mis aussitôt à l'ouvrage, coupant des tronçons de câble qu'ils alignaient contre les murs, enroulant proprement les pieds des meubles avec du fil électrique. C'est malheureusement par la cloison séparant le bureau de la réception et de la salle de bains qu'ils ont commencé. J'aurais peut-être dû attendre, ou simplement sortir par la fenêtre et leur céder la place, mais le manche à balai et la boîte à outils étaient restés dans la salle de bains, et je ne voulais surtout pas qu'ils s'emparent des outils. De plus ils paraissaient plongés dans leur travail, et ils n'avaient rien remarqué, dans la réception, quand j'étais passé tout près.

Je me suis redressé et j'ai marché très lentement, pas à pas, jusqu'à la porte de la salle de bains, passant entre les deux hommes. La porte, je ne sais pourquoi, n'était qu'entrebâillée, et quand je l'ai poussée, tout doucement, elle a fait un horrible grincement. Tyler s'est raidi. Quand j'ai posé le pied sur le carrelage de la salle de bain, ma semelle en cuir a légèrement craqué. J'ai entendu Tyler parler dans son micro, à voix basse, d'un ton uni.

« Il est là, en ce moment, avec nous. Il est là et il se déplace... Oui, monsieur, j'en suis absolument certain. »

Morrissey, lui aussi, s'était interrompu. Plié en deux, tâtant le sol des deux mains, j'ai retrouvé la boîte à outils et le manche à balai et je les ai soulevés lentement, l'un après l'autre. Quand je l'ai empoigné, le manche en bois a émis un petit bruit de frottement. Nous sommes restés immobiles, tous les trois, pendant plusieurs minutes. Alors je me suis avancé vers eux, posant d'abord le talon sur le sol, à chaque pas, avant d'abaisser ma semelle et de faire porter lentement le poids de mon corps sur ma jambe.

J'aurai dû sortir de la salle de bains par l'autre porte et prendre le couloir qui traversait le bâtiment. Mais je n'y étais jamais passé et j'avais peur de trébucher, ou pire, de me retrouver coincé entre des portes fermées à clef. Le bureau, je le connaissais bien, et je pensais qu'une fois sur la moquette, je pourrais marcher sans bruit. Or, quand je suis arrivé près de Morrissey, je l'ai entendu dire : « Tu as raison. Il est ici. Je le sens remuer, cet enculé. Je sens le sol qui bouge. »

Il s'est jeté droit sur moi. Au jugé, peut-être, mais il visait juste. De toutes mes forces, je lui ai enfoncé le manche à balai dans le ventre. J'ignorais totalement l'effet que cela lui ferait à travers sa combinaison, mais j'ai vu tout de suite que c'était suffisant. Il s'est plié en deux et s'est effondré en poussant une sorte de gargouillement plaintif. Tyler s'est d'abord demandé s'il devait se lancer à ma poursuite ou aller secourir Morrissey, puis, ses regards anxieux ne découvrant rien à poursuivre, il s'est occupé de son collègue. Morrissey et moi, semblait-il, n'étions pas destinés à devenir amis.

Je suis sorti, j'ai traversé la réception, descendu le perron et j'ai suivi le mur jusqu'à ce que je me cogne à mon ballot. Là, je me suis rendu compte que d'autres objets étaient tombés. Pour l'emporter, il fallait que je le ferme d'une façon ou d'une autre. J'ai d'abord noué ensemble deux coins opposés du rideau, puis les deux autres. Je commençais à m'habituer à ne pas voir mes mains ni ce qu'elles touchaient, mais c'était un peu comme arpenter une maison dans le noir, et le plus difficile, je ne sais pourquoi, était de faire un nœud. Quand j'y suis arrivé, finalement, j'ai passé le manche à balai dans le ballot et glissé une épaule par-dessous — non sans souffrir. Ensuite, la boîte à outils dans l'autre main, j'ai traversé la pelouse.

Ils n'avaient aucune raison de fouiller cette pelouse, mais je voulais laisser mon butin là où il n'y aurait aucun risque qu'on tombe dessus par accident. J'ai donc posé mon fardeau au pied du grand hêtre, un endroit où on n'accédait qu'en se baissant par-dessous les premières branches de l'arbre. J'ai gardé le revolver sur moi.

Ensuite, j'ai continué à fouiller les pièces, en commençant par la réception. J'allais aussi vite que possible, inspectant les tiroirs et les placards, prenant tout ce que j'imaginais pouvoir m'être utile. Je mettais les objets en tas au milieu de la pièce, prêts à être embarqués quand j'aurais fini. Dans la réception, je suis tombé sur un divan — déjà découvert par Morrissey — où j'ai récupéré les housses des coussins, ce qui me donnait une demi-douzaine de sacs pour emporter mon butin. Le tas, sous l'arbre, grandissait de plus en plus. Trop — comment pourrais-je emporter tout ça ? J'ai essayé de faire un choix plus strict, de me consacrer surtout aux vêtements et aux tissus. Dans plusieurs pièces il y avait des rideaux que j'ai décrochés. J'ai déniché une autre paire de baskets, et comme le bruit de mes semelles en cuir sur le plancher nu me mettait à la torture, je les ai enfilées. Elles étaient un peu trop petites, d'une demi-taille, mais comme j'avais des chaussettes fines, c'était supportable. Je les ai lacées et j'ai jeté mes chaussures en haut du tas.

Encore deux imperméables. Heureusement qu'il a plu hier. Peut-être que non. Je ne serais peut-être pas resté à l'intérieur. Inutile de penser à ça. Continue. Il faudrait bientôt que je pense à trouver un moyen de franchir la clôture avec toutes ces affaires. Ou même sans rien. Je ne voyais pas comment. D'abord récupérer ce que je pouvais, ensuite affronter le problème de la clôture quand il se présenterait, ou plutôt le problème d'armes à feu puisque le colonel avait donné l'ordre à ses hommes de tirer.

Gomez, deux fois, était remonté dans la petite camionnette pour franchir le portail et était revenu au bout de quelques minutes. Chaque fois qu'il était entré ou sorti, je m'étais interrompu pour le regarder. Le portail s'écartait juste assez pour laisser passer le véhicule, en frottant de chaque côté. Au-delà, il semblait y avoir un enclos, lui aussi entouré d'une clôture, et un second portail. Sans espoir. Y réfléchir plus tard.

La première fois, Gomez avait rapporté du câble et du fil pour les astronautes. Mais la seconde fois, il était sorti par l'arrière de la camionnette en tenant deux laisses auxquelles étaient attachés des chiens. Le genre de chiens qu'on voit dans les films et qui poursuivent des prisonniers évadés dans la forêt ou à travers les marais. Gomez a noué l'extrémité des laisses au pare-chocs et a disparu à l'intérieur de l'autre véhicule.

Je ne saurais dire à quel point la vue de ces animaux m'a découragé et terrifié. Quelles chances me resterait-il quand ils seraient à mes trousses ? J'étais sur un territoire plutôt restreint, clos de toutes parts. Il me serait peut-être impossible de franchir la clôture, mais une fois les chiens lâchés, il n'en serait même plus question. Il fallait que je m'attaque immédiatement à cette clôture, et probablement oublier tout espoir d'emporter grand-chose.

A la réflexion, j'avais peut-être le moyen de gagner un certain temps.

Clellan et le colonel étaient plantés devant la camionnette, les yeux fixés sur Tyler et Morrissey. Gomez était hors de vue. Je me suis avancé vers les bêtes, et tout en marchant j'ai mis la main dans ma poche, sorti le revolver et ôté le cran de sûreté.

Les chiens, couchés sur l'herbe, haletaient doucement. Quand je suis arrivé à quelques mètres, l'un d'eux a sursauté et s'est relevé avec des gestes maladroits. J'ai levé le bras, pointé l'arme vers sa tête, mais j'ai compris que cette façon de viser était hautement fantaisiste, car je ne voyais ni le revolver, ni mon bras, et je ne savais même pas exactement où je me trouvais. Si je ne voulais pas transformer en affreux gâchis une affaire déjà passablement déplaisante, me suis-je dit, il fallait que je me rapproche. Prudemment, sans aucun bruit, j'ai fait trois pas vers l'animal et j'ai voulu avancer le revolver près de sa tête. J'avais mal jugé la distance, et je lui ai donné un coup sur le nez. Il a eu un jappement bref, surpris, a donné un coup de dents, et il s'est mis à pousser un grondement sourd, prolongé. J'ai reculé. Quelqu'un d'autre, plus habitué aux armes à feu, aurait sans doute tiré immédiatement. Mais je suis resté sur place, sans rien faire. L'autre chien s'est levé et a commencé à aboyer.

Il y a eu, pendant les quelques minutes suivantes, force grondements, aboiements et reniflements. Ma terreur initiale s'est vite apaisée quand j'ai vu qu'aucune de ces activités n'était particulièrement dirigée vers moi. Les chiens ne savaient pas où j'étais ! Le moindre bruit leur faisait dresser l'oreille, mais ils étaient apparemment incapables de sentir mon odeur. Le courage m'est revenu, et je suis reparti terminer mon travail.

Tyler et Morrissey allaient de plus en plus vite. Après avoir esquissé les contours du bureau de Wachs et de la salle de bains avec du câble et du fil, ils avaient continué par le couloir qui faisait toute la longueur du bâtiment et s'occupaient des autres bureaux, loin derrière moi. Au bout d'un moment, à court de câble, ils ont délimité les murs avec un fil blanc qui se détachait admirablement sur le fond noir du cratère. En quelques heures, tout autour de nous, le bâtiment a pris forme, telle une gigantesque maquette construite avec des cure-dents. Chaque fois qu'ils changeaient de pièce, Tyler entrait le premier en agitant son instrument, officiellement pour mesurer la radioactivité, mais en fait pour localiser les chaises, les tables et les cloisons. Ensuite, laborieusement, ils se mettaient tous les deux à genoux — leurs combinaisons n'étaient vraiment pas conçues pour ça — et posaient leurs fils. Morrissey faisait le tour de la pièce et Tyler se chargeait des meubles. Tout cela sans interrompre leur dialogue avec Clellan : « Ici un grand bureau, au milieu de la pièce. Chaise pivotante », ou bien : « J'ai deux portes dans la cloison ouest. Vous savez s'il y en a une qui donne dans l'autre pièce ? Y a-t-il un placard sur le plan ? » Ou encore : « Cet enculé est dans la pièce à côté. Il nous précède. Je l'entends. Je le jure devant Dieu. Il a laissé tomber quelque chose... Il nous précède partout où on va. »

Pendant un moment, effectivement, j'étais passé devant eux, mais comme ils risquaient sans cesse de me rattraper, j'avais décidé de retourner en arrière et de les suivre en gardant une ou deux pièces d'écart, ce qui, en outre, grâce aux câbles et aux fils qu'ils avaient posés, me permettait de me déplacer sans craindre de heurter les meubles ou les cloisons. Par contre je devais prendre garde à ne pas me trahir en déplaçant des meubles déjà marqués, et je n'osais plus m'asseoir sur une chaise pendant que je fouillais un bureau.

Tyler et Morrissey travaillaient dur. Leur tâche, visiblement, était difficile et très fatigante, surtout à cause des combinaisons et des gants qu'ils étaient obligés de porter. L'ambiance était morose : ils se souvenaient tous d'avoir perdu le chat — sans parler d'un être humain — et Morrissey n'avait sûrement pas oublié le manche à balai que je lui avais enfoncé dans le ventre. Ils étaient conscients de ma présence, ce qui les rendait fébriles, irritables, et peut-être inquiets. Moi, en tout cas, à nous voir travailler au même endroit, j'étais nerveux et j'avais peur. Je ne pouvais pas m'empêcher de faire du bruit en ouvrant les tiroirs, ou en emportant des objets d'une pièce à l'autre. Une fois, j'ai tiré un tiroir trop loin et il est tombé par terre. Les deux hommes sont arrivés en courant — aussi vite, du moins, que le permettaient leurs combinaisons. Bien avant qu'ils aient localisé le bureau en question et son tiroir, je m'étais éloigné et je les regardais d'une pièce voisine.

« Il fouille les bureaux, a annoncé Morrissey. Comme s'il cherchait quelque chose. Je ne sais pas quoi. Mais ça donne la chair de poule. Vous voulez qu'on s'occupe de ça ?... J'aimerais bien mettre la main sur cet enculé. Si on pouvait enlever ces combinaisons... Oui, monsieur. »

Quelques minutes plus tard, quand j'ai renversé une chaise, ils n'ont même pas pris la peine de se relever. Ils ont levé la tête, écouté un peu, et se sont remis au travail d'un air maussade.

J'aurais dû réfléchir au moyen de m'enfuir. Et tâcher de résoudre le problème de la clôture. Mais je me disais que j'attendrais qu'ils aient ouvert le laboratoire, même si je ne savais pas exactement ce que j'espérais y découvrir, peut-être des outils. Et j'avais probablement l'impression qu'à cet endroit, à l'origine de la catastrophe, j'obtiendrais une sorte d'explication qui clarifierait un peu la situation grotesque dans laquelle je me trouvais — la raison de mon état, ou comment y remédier.

Au début de l'après-midi, nous en avons fini avec toutes les pièces de la première moitié du bâtiment. Je les avais pillées, Tyler et Morrissey en avaient délimité les contours. En revenant de l'arbre où j'avais déposé mon dernier chargement, j'ai vu qu'ils étaient sortis et qu'ils s'avançaient lourdement vers le bord du cratère. Clellan avait marché à leur rencontre, et il avait amené les chiens. La chasse à l'homme allait commencer. Sachant qu'ils ne pouvaient pas détecter mon odeur, les chiens ne me faisaient plus très peur, mais comme je voulais rester à bonne distance pour qu'ils ne m'entendent pas, j'ai préféré rester sur la pelouse, avec Clellan, pour assister au spectacle. Je me suis mis à trois mètres de lui, et je l'ai regardé donner ses instructions aux astronautes.

Les chiens, d'entrée de jeu, ont montré fort peu d'enthousiasme envers Tyler et Morrissey, trouvant peut-être que leurs costumes n'avaient rien de rassurant. J'étais de tout cœur avec eux. Il s'avéra que ce manque d'enthousiasme était réciproque : on discuta longuement pour savoir qui, des deux hommes, conduirait les chiens. Tyler, finalement, a été désigné — probablement parce qu'il subissait l'adversité de meilleure grâce, ou du moins avec flegme, et un certain stoïcisme.

Aidé par Clellan, Tyler a réussi à enrouler les laisses autour de son poing massif. Quelques tiraillements et plusieurs coups secs ont fait avancer les bêtes jusqu'à ce qui devait être, même pour un chien, le bord d'un trou de bonne taille et assez profond. Tyler les a précédés sur la surface invisible de ce trou, mais le fait qu'il soit capable de marcher dans le vide ne les rassurait pas le moins du monde. En tirant un peu plus fort, Tyler a pu leur faire poser les pattes de devant au-delà du sol visible, et là ils se sont arrêtés net. Ils voulaient bien qu'on les traîne au bord d'un trou, qu'on les jette dans le vide, pas qu'on les oblige à pratiquer la lévitation. Ils se sont figés sur place, arc-boutés sur leurs pattes, sans même aboyer. Tyler, à reculons, tirait sur les laisses. Morrissey, par-derrière, s'est penché, très laborieusement, pour caresser les chiens, les pousser en avant. Un animal a émis un feulement ininterrompu qu'il a soudain conclu en mordant férocement le bras de Morrissey, malheureusement très bien protégé.

Clellan les encourageait de la voix. « C'est ça. Faites-les seulement avancer. Ils vont s'en remettre. »

Rien, jusqu'ici, n'indiquait qu'ils allaient s'en remettre. Tyler avait réussi à les traîner sur la surface invisible, mais ils résistaient toujours, et grondaient de façon menaçante. L'homme s'était arrêté devant la porte, incapable de leur faire monter les marches.

« Très bien, a dit Clellan. Attends une minute. Laisse-les s'habituer. »

Pendant un certain temps, Tyler a attendu qu'ils s'habituent. Les chiens, puisqu'on ne les tirait plus en avant, ont cessé de tirer en arrière. Les laisses se sont détendues. Les deux créatures terrorisées sont restées suspendues dans le vide. J'étais le premier à compatir à leur malheur. Mais eux, du moins, pouvaient fermer les yeux.

Un chien, soudain, a bondi et s'est élancé vers le bord du cratère. Tyler, qui avait pris un air buté, résigné, a été pris au dépourvu. Déséquilibré, il est tombé du perron en plein sur l'autre chien. L'homme n'a eu qu'un bref commentaire : « Merde ! », mais les animaux ont fait un vacarme épouvantable, surtout celui sur lequel était tombé Tyler. Clellan n'arrêtait pas de parler d'un ton rassurant : « Du calme. Calmez-vous. Faites entrer ces chiens et essayez de les calmer. » On sentait pointer son impatience.

Morrissey a sauté sur l'occasion pour suggérer de sa voix geignarde que sans leurs combinaisons protectrices, Tyler et lui seraient plus efficaces et de surcroît plus à l'aise. Soit, selon ses propres termes : « Si on pouvait enlever ces putains de costumes, on pourrait alpaguer l'enculé qui est là-dedans. »

Clellan n'était pas de cet avis. « Morrissey, tu vas garder ce putain de costume jusqu'à ce qu'on te dise de l'enlever. Et si tu dis encore un mot sur ce putain de costume, tu vas y rester si longtemps que tu en oublieras ce que c'est que de ne pas l'avoir. Tu vas y bouffer, y dormir, y pisser et y chier jusqu'à l'été. Tu as compris, Morrissey ? »

Morrissey, bien que sa réponse fût inaudible, a paru comprendre. Il n'a plus rien dit. La mauvaise humeur montait. Clellan s'est tourné vers Tyler. « Emmène ces chiens là-dedans et fais-les passer partout. Pigé ? »

Tyler a répondu en tirant sauvagement sur les laisses. Les chiens ont eu brusquement le cou serré par leur collier et ils ont réagi par des jappements de surprise. L'homme réussissait à rester impassible, mais il était visiblement en colère.

« Ces chiens vont venir faire une *promenade* », a-t-il annoncé. Il a enroulé les laisses plusieurs fois autour de son gant, si bien que sa main s'est pratiquement retrouvée sous le museau des bêtes, il a monté les marches et il est entré dans le bâtiment. Les pauvres chiens, à moitié étranglés, le museau en l'air, ont raidi leurs pattes de toutes leurs forces pour ne pas bouger, mais Tyler les a traînés derrière lui.

« C'est ça, chiens. Tous les trois, on va faire une promenade. » Il les a propulsés dans la réception et continué en contournant le meuble invisible. Sa rage contenue lui donnait des accents de folie. « Vous ne sentez rien ici ? Parfait. On va essayer un peu plus loin. »

Il est entré au pas de charge dans le bureau de Wachs, les chiens affolés dans son sillage, et en a fait le tour.

« OK, a dit Clellan, mal à l'aise. Vas-y doucement, Tyler. OK. » Tyler a remorqué les chiens, qui se tordaient dans tous les sens, jusqu'au couloir. « OK, Tyler. Arrête ! » Tyler s'est arrêté et s'est retourné lentement vers nous. « Tyler, tu vas attacher ces chiens quelque part. Ils vont peut-être s'habituer au bout d'un certain temps. Peut-être pas. On les laisse faire. En attendant on va ouvrir le laboratoire. »

Tyler a ramené les chiens dans le bureau et a noué leurs laisses à un pied de la table. Les pauvres bêtes, c'est compréhensible, étaient très malheureuses. Elles ne pouvaient pas voir la table, et en essayant de comprendre ce qui leur arrivait, l'une d'elles, l'autre aussi, je pense, s'est cognée au meuble. Elles ne paraissaient pas devoir s'adapter rapidement à leur nouvel environnement — ou à l'absence d'environnement.

Soudain, sans avertissement, un hurlement innommable, surnaturel, m'a glacé le sang, et pendant les quelques terribles secondes qu'il m'a fallu pour comprendre qu'il venait d'un des chiens, j'ai été persuadé qu'après tout j'étais mort, descendu aux enfers, et que ce cri affreux annonçait le châtiment éternel qui m'était promis. L'autre chien s'y est mis. Nous sommes tous restés figés un long moment, comme pétrifiés. Finalement le colonel a fait signe à Tyler de ramener les bêtes sur la pelouse.

Dix minutes plus tard, Gomez est arrivé en déroulant jusqu'au bord du cratère une grosse bobine de câble. Tyler et Morrissey ont pris le relais ; ils ont fait passer le câble par une fenêtre, à travers un bureau, et dans le couloir central. Là, ils ont branché une perceuse et Morrissey s'est mis à percer laborieusement des trous dans le vide pour forcer la porte du laboratoire. Je suis entré dans le couloir, sans bruit, et je me suis mis tout près de lui.

Morrissey avait des problèmes. La perceuse était très lourde, difficile à tenir avec des gants pareils. De temps en temps il s'arrêtait pour employer une petite scie électrique. Je comprenais mal ce qu'il faisait, mais je me souvenais que la porte était en acier, et qu'elle devait être épaisse. Il a travaillé pendant plus d'une demi-heure, trempé de sueur à l'intérieur de son scaphandre, sans pouvoir se servir convenablement des outils ni même savoir exactement où il en était. Il ne disait pas un mot et répondait à peine aux questions de Clellan.

J'ai attendu patiemment, derrière lui, pendant tout ce temps. J'aurais aimé lui faire quelques suggestions sur l'ouverture de la porte, mais malgré notre intérêt commun, je ne crois pas que nous aurions pu travailler ensemble harmonieusement. Il a aussi sorti un grand tournevis de sa caisse et l'a enfoncé devant lui, appuyant de tout son poids pour débloquer quelque chose — probablement la serrure — mais comme on ne voyait que lui et le tournevis, c'était une pantomime assez étrange. Enfin l'outil a tourné dans sa paume. Morrissey a donné un petit coup d'épaule, et un autre des deux mains. « Je l'ai eue. C'est ouvert », a-t-il annoncé.

Après une pause, pour écouter ce que lui disait Clellan par radio, il a ramassé son détecteur. En se redressant, il s'est tourné droit vers moi. Un instant déconcerté, je me suis retourné à mon tour et j'ai vu qu'il regardait Tyler, venu le rejoindre maintenant que la porte était ouverte.

Morrissey n'a pas attendu son collègue. Le détecteur dans la main droite, il a poussé la porte de la main gauche. Cette longue attente n'avait fait que renforcer le désir irrationnel que j'avais d'entrer dans le laboratoire, et j'ai décidé de suivre Morrissey. Quand il a franchi le seuil et laissé retomber le bras qui avait poussé la porte, quelque chose m'a violemment heurté sur tout le corps. J'ai surtout senti le choc sur mon front, mon nez, ma joue gauche et les orteils de mon pied gauche, mais c'est la surprise, autant que la force du coup, qui m'a complètement étourdi. Même si j'avais commencé à m'habituer, au fil des heures, aux effets de l'invisibilité, ce choc imprévu et sans explication visuelle m'a stupéfié, et je suis resté sur place, hébété, pendant de longues secondes, avant de comprendre qu'un ressort avait rabattu automatiquement vers moi la lourde porte en acier. D'une main engourdie, je me suis tâté le nez et la joue, qui me faisaient très mal. Douloureux, mais rien de cassé. Pas de sang, me semblait-il.

Pendant tout ce temps, j'avais gardé les yeux fixés sur Morrissey, et je l'avais vu se figer, instinctivement, au son que la porte avait fait en me heurtant, mais je l'avais complètement oublié jusqu'à ce que je l'entende chuchoter dans sa radio d'un ton pressant : « Il est juste derrière moi. Dans la porte ! »

Tyler, à quelques mètres, s'est élancé vers son collègue, malgré le poids et la raideur de sa combinaison, bras grands ouverts pour m'attraper. Au même instant, Morrissey a pivoté sur place, lâché son instrument et plongé sur moi. Ils me tenaient, et s'ils n'avaient pas eu ces scaphandres et ces gants, ils m'auraient facilement gardé prisonnier. Pris de panique, je me suis débattu de toutes mes forces. J'ai reçu un coup sur la tête, mais j'ai pu me dégager et reculer en titubant le long du mur, à l'intérieur du laboratoire. Mon cœur cognait comme celui d'un lapin pris au piège. Quand j'ai levé le bras pour toucher l'endroit où j'avais reçu un coup, j'ai senti que mes mains tremblaient. Je me suis redressé, me demandant ce qu'ils allaient faire. Dès qu'ils avaient perdu le contact avec moi, ils s'étaient séparés. Tyler s'est mis un peu de côté, et j'ai entendu la porte se refermer. Il a fait un pas en arrière et m'a barré le passage.

« On le tient, a dit Tyler dans son micro. On le tient dans le labo... Non, il peut bouger, mais je bloque la porte. C'est la seule, pas vrai ? Il ne sortira pas d'ici... Je ne bouge pas. Dites, quelle radioactivité on a là-dedans ? ... Rien ? Morrissey n'a pas tort, monsieur. On s'en sortirait mieux sans ces combinaisons... Oui, monsieur... Oui, monsieur... »

Ensuite il a regardé le milieu de la pièce et a commencé à parler d'une voix forte, peu naturelle. Je n'ai pas compris, au début, qu'il s'adressait à moi.

« Écoute, mon gars, on sait que tu es là. On est venus pour t'aider. »

Un silence. Je n'ai pas répondu.

« Écoute, il faut que tu nous dises où tu es. »

Encore un silence, plus long. Nous n'avions rien à nous dire.

Tyler est resté le dos contre la porte, guettant d'un air inquiet le moindre signe de ma présence. Morrissey s'est baissé, a repris son compteur et s'est avancé vers le centre de la pièce en l'agitant de droite à gauche. Je l'observais avec le plus grand intérêt, car il se dirigeait droit vers l'invention extraordinaire de Wachs, l'appareil qui avait produit cette situation absurde. Pas d'obstacles, semblait-il, ni meubles ni instruments : c'est en toute confiance qu'il s'est précipité dans le vide. Du moins, c'est ce qu'il a dû croire. En réalité, Morrissey a fait une chute d'environ trois mètres, et il a ensuite glissé un peu plus bas, comme sur un toboggan. Le compteur, qu'il avait lâché en tombant, a glissé à côté de lui.

Il est resté peut-être trente secondes immobile, puis il s'est mis à remuer, dépliant lentement bras et jambes jusqu'à se trouver étendu sur le dos, perché à égale distance du fond du cratère et du niveau où nous étions, Tyler et moi.

« Ouais, a-t-il dit, je vais bien. Je ne sais pas... Il y a un trou ici » — explication plutôt superflue, ai-je pensé.

Il a essayé de se lever, mais une jambe s'est dérobée sous son poids.

« Mon genou. Bon Dieu, ça fait mal ! »

En ménageant sa jambe, prudemment, il s'est avancé vers nous. Au bout de quelques pas, il s'est retrouvé sur une pente raide. Son pied a glissé, et il est redescendu à plat ventre jusqu'à son point de départ.

« Merde ! »

Il s'est relevé, lentement, s'est tourné dans l'autre sens, et a recommencé avec le même résultat. Il s'est relevé une fois de plus. Cette fois, il a décrit un petit cercle en boitant au fond du trou. Il s'est penché, a tâté le sol, s'est redressé et nous a regardés.

« Je suis dans un trou, a-t-il répété d'un ton chagrin, presque plaintif... On dirait qu'il est rond. L'intérieur me paraît complètement lisse. Je glisse. Je ne peux pas en sortir seul. Il faut que quelqu'un vienne me chercher. »

J'ai d'abord cru qu'une explosion ou un incendie avait détruit une partie du sol, et que Morrissey était tombé dans une sorte de cave. Mais les plans n'indiquaient aucune cave. Je suis allé au bord et j'ai passé les doigts à l'intérieur. La surface était polie comme du marbre. Je l'ai grattée avec mes ongles, et j'ai cru sentir une coupe transversale parfaitement régulière, avec d'abord du plancher, puis du béton, et ensuite une terre compacte. Le trou paraissait décrire un cercle complet, comme le bord du cratère où nous nous trouvions. J'ai rampé sur un tiers de la circonférence pour vérifier mon hypothèse. Effectivement, la sphère invisible qui nous entourait était évidée au centre, sur environ dix mètres de diamètre. L'appareil qui avait provoqué la catastrophe avait dû exploser ou imploser ou se désintégrer d'une façon ou d'une autre, créant la cavité sphérique où Morrissey était tombé.

Je me suis relevé, décidé à m'en aller. Pour moi, le laboratoire ne présentait plus aucun intérêt. Je voulais sortir.

Tyler ne bougeait pas de la porte, et il ne faisait rien pour aider son collègue, ce qui ne me facilitait pas les choses. Il avait les bras en avant, à moitié pliés, comme pour se défendre. J'ai compris, avec un certain plaisir, que l'adversaire en question, c'était moi. Morrissey était coincé dans son trou et Tyler, si je passais à l'attaque, se retrouverait seul. Or, il n'était pas évident qu'il puisse interdire la porte à un ennemi invisible. Pourtant, j'hésitais à l'affronter. J'aurais pu prendre une chaise, ou un morceau de bois, mais il était protégé par sa combinaison, et je voulais surtout éviter une empoignade pour ne pas risquer de me retrouver au fond du trou.

A ma grande inquiétude, Clellan a traversé la pelouse pour se diriger vers nous. Comme leurs compteurs n'avaient décelé aucune radioactivité, il allait peut-être entrer pour venir aider Tyler. Je sentais mes chances se resserrer autour de moi. Ce n'était plus le moment d'hésiter. Il fallait que je me décide et que je passe aux actes. J'ai mis la main dans ma poche et j'ai serré la crosse du revolver.

« Tyler ? »

Au son de ma voix, Tyler s'est figé. Il savait très bien que j'étais là, mais cette voix désincarnée a dû lui faire dresser les cheveux sur la tête. Il n'a pas répondu.

« Tyler ? Tu m'entends ?

— Je t'entends, mec. Est-ce qu'on peut t'aider ?

— Tyler, je veux que tu t'écartes de cette porte.

— Je ne peux pas faire ça, mec. Écoute, nous...

— Tyler, j'ai un revolver à la main. Je sais que tu ne peux pas le voir, alors je vais tirer une fois, juste pour que tu puisses l'entendre. »

J'ai tiré dans le mur, à côté de lui. Le bruit, d'instinct, l'a fait sursauter.

« Écoute...

— Maintenant, Tyler, si tu ne t'écartes pas de cette porte immédiatement, je vais te tuer. »

Morrissey, en entendant le coup de feu, avait commencé à ôter sa combinaison du plus vite qu'il pouvait, et Clellan était entré en courant à l'intérieur du bâtiment, un revolver à la main. C'était la première fois qu'il s'aventurait sur la surface invisible. Il avait du mal à courir, mais il allait tout de même assez vite, la main gauche en avant pour éviter de se cogner aux portes, le regard fixé sur les câbles et les fils qui signalaient les murs et les meubles. Il était déjà dans la réception, dans un instant il serait dans le couloir. Je n'avais plus guère de choix.

J'ai visé les jambes de Tyler — du moins j'ai essayé, mais sans voir où pointait le canon — et j'ai appuyé sur la gâchette. Une seconde après la détonation, du sang s'est mis à sortir par un petit trou de la combinaison, au niveau de sa taille. Horrible. J'avais voulu le blesser à la cuisse. Plus horrible, encore, il restait debout contre la porte, le regard vide.

« Bouge-toi ! » ai-je crié.

Le coup avait dû l'étourdir. Ou peut-être ne savait-il même pas qu'il était blessé. Clellan était dans le couloir. Je me suis vu braquer mon arme et appuyer une deuxième fois sur la gâchette. Cette fois, Tyler a poussé un petit cri et s'est affaissé vers l'avant, se tenant le genou. J'ai remis l'arme dans ma poche, je me suis approché de lui, et avant qu'il puisse se redresser, je me suis glissé par derrière, le dos contre la porte, et je l'ai poussé de toutes mes forces. Il est tombé à plat ventre. Les mains sous ses jambes, je l'ai soulevé jusqu'à ce qu'il tombe la tête la première dans le trou. Il a dégringolé au fond, renversant Morrissey au passage, et laissé derrière lui une petite traînée sanglante dans le vide.

Je me suis retourné pour voir Clellan arriver à la porte du laboratoire. J'ai tendu la main, trouvé le trou que Morrissey avait découpé, et tiré sur la porte juste au moment où Clellan tendait sa main gauche pour voir si elle n'était pas fermée — il avait toujours un revolver dans la main droite. Comme il ne trouvait rien, il s'est avancé d'un pas hésitant, a regardé d'abord Tyler et Morrissey, en bas, puis tout autour de lui, cherchant désespérément un signe de ma présence. Inquiet, il a fait un pas de plus et dépassé la porte que je tenais ouverte. Tyler, qui se débattait au fond du trou, a réussi à se relever, douloureusement, mais sa jambe a cédé et il s'est écroulé de nouveau. En se redressant, il a vu Clellan.

« Reculez ! » a-t-il crié d'une voix rauque.

Trop tard. J'ai tendu ma jambe gauche devant Clellan, j'ai appuyé ma main droite sur sa nuque et j'ai poussé un grand coup. Il a trébuché et il est allé rejoindre les autres. Son revolver est parti, et en arrivant au fond, il a renversé Morrissey avant de s'écraser contre Tyler. Les trois hommes se sont retrouvés pêle-mêle.

Au moment de sortir du bâtiment, je me suis rendu compte que je tremblais, à la fois d'horreur et de soulagement. Jusqu'ici, je n'avais jamais tiré sur personne, je n'avais jamais fait de mal à qui que ce soit, physiquement. Pas le temps de penser à ça. J'ai levé les yeux : sur la pelouse, immobile, impassible, le colonel regardait dans ma direction.

« Il faut que je lui parle, me suis-je dit. C'est le seul qui puisse me faire sortir par le portail. » Autrement, il ne me restait qu'à m'attaquer à la clôture, et j'ai vu en un éclair mon corps déchiqueté par les balles, accroché aux barbelés. « Vu », bien sûr, n'est pas le mot juste : c'est au toucher, uniquement, qu'ils pourraient identifier mon cadavre. Éventualité désagréable pour tout le monde. Mieux valait, de loin, tâcher de m'entendre avec le colonel. Sur l'élan que j'avais pris, me suis-je dit, j'avais une certaine crédibilité, venant tout juste de blesser Tyler et d'enfermer trois hommes dans un trou. J'ai senti une vague de dégoût en repensant au sang qui avait surgi sur la combinaison blanche. Je n'avais pas voulu cela. Pas le choix. Pas le moment d'y penser. Et il ne me restait que trois balles. De toute façon, si je ne réussissais pas à convaincre le colonel de me laisser partir, je pouvais toujours menacer de l'abattre.

Quand je suis arrivé près de lui, le colonel parlait par radio avec les hommes restés dans le bâtiment. En me retournant, j'ai vu qu'ils avaient formé une échelle humaine, Clellan debout sur les épaules de Tyler et Morrissey sur celles de Clellan. Morrissey avait les bras tendus et essayait de se hisser jusqu'au bord, tandis que Tyler, au fond, s'arc-boutait pour que le poids des autres ne le fasse pas glisser de l'autre côté du trou. Il y avait entre ses pieds une petite mare de sang qui flottait au fond de la sphère, tout autour des gouttelettes rouges, translucides, dans le vide, et des taches sur le visage et les vêtements des hommes. Ainsi alignés tous les trois, le ventre en avant, ils formaient comme un arc-en-ciel humain entre ciel et terre : on aurait dit des trapézistes pétrifiés en plein vol.

« Vous y êtes ? disait le colonel. Bon. Est-ce que vous pourrez sortir Tyler à vous deux ?... Je viendrai si c'est nécessaire, mais je préfère qu'autant que possible on reste dispersés... Comment va-t-il ? »

J'ai hésité, mal à l'aise. Il fallait que je me décide : plus j'attendrais, moins j'aurais de chances. Mais, même dans les circonstances les plus favorables, il est délicat d'engager une conversation avec un inconnu, et les circonstances actuelles étaient à tous points de vue les pires qu'on puisse imaginer. Tout de même, je voulais savoir comment se portait Tyler. Je n'ai pas entendu la réponse. J'espérais qu'il n'était pas mourant. En levant les yeux, j'ai vu que Morrissey avait pu remonter et que Tyler était allongé au fond du trou, Clellan à ses côtés.

« Très bien, a dit le colonel. J'ai prévenu l'antenne médicale. Mettez-le dans l'ambulance, faites-le sortir aussi vite que possible et revenez tout de suite après. Jusqu'à nouvel ordre, nous continuons le travail sur place. Gomez reste dans son véhicule. S'il m'arrive quelque chose, à moi ou à la camionnette, dispersez-vous et tâchez de regagner le portail au plus vite. Nous préférons l'avoir vivant, mais si on vous attaque, faites le nécessaire. Eh Morrissey ? ... Quand vous amènerez Tyler au portail, faites très attention. Notre premier devoir, c'est d'être certains que cet individu ne sorte pas de la zone sans que nous en ayons le contrôle. »

Le colonel a retiré son écouteur et l'a mis dans la poche de son veston. Ensuite il a pris son téléphone portatif, a commencé à faire un numéro, et s'est arrêté en voyant Morrissey défaire un rouleau de câble et l'envoyer au fond du trou.

C'était le meilleur moment pour lui parler. Pas un bon moment

— il ne pouvait pas y en avoir dans ces circonstances — mais le meilleur que je pouvais espérer.

« Hello ! » ai-je lancé.

Il a eu un sursaut, une sorte de frisson massif. Cette fois, je l'avais pris par surprise.

« Comment allez-vous ? »

Il parlait lentement, prenant le temps de s'habituer à la situation. Puis il m'a tendu la main.

« Et vous-même ? » ai-je répondu, gêné par sa main offerte. Pas question de lui donner la mienne.

« Très bien, merci. Je m'appelle David Jenkins. » Comme je n'ai rien dit, il a continué : « Avez-vous besoin de quelque chose dans l'immédiat ? Nous sommes là pour vous aider. »

Sa voix douce, insinuante, pleine de sérieux, n'hésitait plus. Lentement, il a retiré sa main. Pendant qu'il parlait, ses yeux cherchaient partout une trace visible de ma présence. A l'endroit où nous étions, l'herbe avait été longuement piétinée, je restais néanmoins absolument immobile, un peu sur le côté, à deux mètres de lui.

« Rien, vraiment. Merci. Je voulais seulement quelques minutes d'entretien, pour essayer de nous entendre. A propos, je regrette les ennuis que j'ai pu vous causer. »

D'un geste, il a montré que ces inconvénients, quels qu'ils soient, étaient insignifiants.

« Surtout d'avoir tiré sur Tyler, ai-je ajouté. Je ne...

— C'est autant notre faute que la vôtre. Je crains que nous ayons mal abordé la situation. L'important, maintenant, c'est de vous procurer immédiatement les soins dont vous avez besoin. »

Il a levé son téléphone.

« Un instant ! l'ai-je interrompu. En réalité, je n'ai aucun besoin d'être soigné. C'est ce dont je voulais vous parler. Il me semble qu'il vaudrait beaucoup mieux que cela reste entre nous. »

Son doigt était encore suspendu au-dessus du cadran. Ses yeux continuaient à fouiller les alentours.

« Je veux seulement appeler du personnel médical, a-t-il dit. Excusez-nous : ils devraient être sur place depuis longtemps. Parfois je me dis que nous avons tort de penser avant tout à la sécurité. Mais maintenant que vous êtes là, l'essentiel est de vous faire examiner sans délai.

— C'est bien là le problème, n'est-ce pas ? Me faire examiner ? Il n'est guère plausible que cela donne grand-chose. De toute façon, je suis en excellente forme, tout bien considéré, et je ne souhaite absolument pas...

— Il faut vous faire examiner immédiatement par des médecins qualifiés, a-t-il dit d'un ton suave, la main toujours au-dessus du cadran.

— Je doute qu'un médecin soit plus utile qu'un physicien. En fait, si on y pense, ni l'un ni l'autre ne servirait à rien. Mais, au cas où j'aurais un problème de santé, j'ai en ville un excellent praticien...

— Dans votre état, il nous faut des spécialistes.

— Je ne pense pas qu'ils aient déjà eu le temps de former des spécialistes pour mon état, n'est-ce pas ? Et si j'allais voir mon médecin, ce serait le meilleur spécialiste de mon état personnel, ne croyez-vous pas ? »

Je savais que la conversation s'égarait, mais je n'arrivais pas à en venir au but.

« Il n'y a aucune raison pour que votre médecin personnel ne fasse pas partie de l'équipe médicale. Donnez-moi son nom, et nous le ferons venir immédiatement. Voyez-vous, il me semble que vous avez quelques appréhensions. Après tout ce qui est arrivé, le contraire serait surprenant. Mais je veux surtout que vous compreniez que nous sommes là pour vous aider. Nous sommes prêts à faire tout ce qui est humainement possible. »

Il a modelé ses traits dans l'intention d'obtenir un sourire chaleureux, rassurant. Or, sans visage humain à qui l'adresser pour provoquer une réaction quelconque, et à peine exposé à l'air libre, ce sourire s'est évanoui.

« J'y suis profondément sensible, ai-je dit d'un ton plus ferme, mais vous devez comprendre que j'ai déjà décidé de me passer de votre aide. Ce que je désire...

— A propos, j'ignore votre nom. Comment vous appellez-vous ? Je suis David Jenkins. »

C'était dit de telle façon que, pris au dépourvu, je me suis senti obligé de lui répondre, et j'ai donné le premier nom qui m'est venu à l'esprit.

« Vous pouvez m'appeler Harvey. »

J'avais en tête l'image d'un lapin géant, invisible, assis à côté de James Stewart, et à peine le mot était-il sorti de ma bouche, que je regrettais de l'avoir prononcé. Inutile de l'indisposer, de le rendre encore plus méfiant. Mais Jenkins, si intelligent qu'il soit, prend toujours tout au pied de la lettre.

« Eh bien, Harvey, les dernières vingt-quatre heures ont dû être pour vous extrêmement pénibles et troublantes, et personne au monde ne peut vous blâmer d'avoir des doutes ou des inquiétudes, même dénués de tout fondement. En outre, Harvey, j'ai l'impression qu'en un sens, vous vous méfiez de nous, ce qui est également compréhensible, et il serait peut-être utile que je vous parle un peu de nous et de nos responsabilités. Notre propos est de coordonner la recherche, l'analyse et la synthèse des informations — et ensuite, ce qui est peut-être le plus important, de faire circuler l'information aux différents niveaux des organismes gouvernementaux et para-gouvernementaux.

— Un service de renseignements, voulez-vous dire ? » ai-je proposé.

Il a attendu un peu avant de répondre.

« J'hésite à employer ce mot, Harvey, car pour beaucoup trop de gens, il évoque des images d'agents doubles, de microfilms et d'assassinats. Si la recherche des informations peut effectivement comporter une part de travail sur le terrain, il faut comprendre que quatre-vingt-dix-neuf pour cent des résultats sont donnés par l'analyse patiente et laborieuse des journaux et des périodiques. »

Je n'ai rien dit, mais en voyant Clellan improviser adroitement un harnais pour Tyler avec du câble, j'ai essayé d'imaginer les trois hommes assis derrière des bureaux, occupés à étudier des publications scientifiques en russe.

« N'importe quelle société, même démocratique — surtout démocratique —, doit prendre des mesures pour obtenir et protéger les informations nécessaires à sa survie, et c'est vraiment la seule chose qui nous concerne. Pour moi, il se trouve que je me suis principalement orienté vers les sciences, et c'est probablement pourquoi l'essentiel de ma carrière a été consacré au renseignement scientifique et à la sécurité. Mais ce que vous devez comprendre, c'est que notre travail n'a rien de politique.

« Nous savons, bien sûr, que vous êtes probablement venu ici pour participer à une manifestation politique, et je veux que vous compreniez que cela ne nous gêne en rien, et que vous n'avez aucune raison vous-même d'en être gêné. Nous sommes là pour vous aider, et peu nous importent vos opinions politiques. Harvey, nous avons peut-être beaucoup plus de choses en commun que vous ne pourriez le croire à première vue. D'abord les gens qui entrent au service du gouvernement, dans le renseignement ou ailleurs, sont de toutes les tendances politiques imaginables, mais ils ont tous un point commun : ils ne sont pas poussés par l'appât du gain, ni par l'ambition de faire fortune, sans quoi ils iraient ailleurs. Que vous soyez d'accord ou non avec telle ou telle orientation politique, ce sont des gens qui travaillent pour leur pays, pour le bien de la société dans son ensemble ; des gens qui se sont engagés à servir une cause qui dépasse leurs intérêts personnels.

— Parfaitement, ai-je dit d'un ton aimable, même si pour le moment, mon intérêt personnel était surtout de franchir cette clôture. Je suis absolument d'accord — du moins en général. D'ailleurs mes opinions politiques sont beaucoup plus modérées que vous ne l'imaginez. » J'ai pensé judicieux de le rassurer sur ce point. « Extraordinairement modérées, en fait..

— Mais vous êtes bien venu avec le Mouvement pour un Monde meilleur ?

— Oh, oui, naturellement. » Je préférais qu'il reste sur cette fausse piste : peut-être serait-il moins porté à me faire confiance, en croyant que j'étais un des manifestants, mais si jamais je m'échappais, les recherches en seraient ralenties d'autant. « Tout le pouvoir au peuple, c'est mon sentiment. » Qu'est-ce que croyaient ces gens, au juste ? « A chacun selon ses moyens ; à chacun selon ses besoins », ai-je ajouté, écartant : « La propriété, c'est le vol », trop aigre, et : « J'aime Ike », hors de propos. « Pourtant, à l'intérieur de ce contexte, j'estime qu'il faut prendre ses responsabilités dans le système pour le réformer graduellement... Je suis très intéressé par ce que vous avez dit à propos du travail au service du gouvernement qui serait une sorte d'engagement pour une cause dépassant l'intérêt personnel.

— Exactement, a-t-il répondu, visiblement content d'avoir provoqué une réaction positive et impatient d'en profiter. Je dirais que la véritable récompense du service public, c'est d'y trouver l'occasion de s'élever au-dessus de l'avidité et de la mesquinerie qui semblent si répandues dans notre société. Et j'imagine que c'est quelque chose que vous pouvez respecter, Harvey, comme je respecte le fait que vous soyez venu avec la conviction d'œuvrer à l'avènement d'un monde meilleur et non pour en tirer un profit personnel. Et cet engagement vous a coûté terriblement cher. Terriblement. »

Normalement, ai-je pensé, il aurait aimé me regarder droit

dans les yeux en faisant ce genre de discours. Or, il ne pouvait même pas savoir exactement de quel côté se tourner, encore moins voir mes réactions, et quand je ne répondais pas immédiatement, il devait se demander si j'étais toujours là. Ce dialogue lui a sans doute paru pour le moins difficile.

« C'est vrai, ai-je renchéri. Quoi qu'il m'arrive, je veux être sûr de ne pas me tromper. Actuellement, j'essaye d'y réfléchir. Il me semble que j'ai soudain l'occasion de rendre un service unique à l'humanité.

— Eh bien, Harvey, cela ne fait aucun doute. Si horrible que ce soit pour vous, personnellement, c'est une position qui vous permet d'offrir au monde une extraordinaire contribution scientifique. Franchement, j'admire...

— Oh oui, bien sûr, il y a la science et ainsi de suite. Mais je veux être certain de ne pas être dispersé à tous les azimuts, si j'ose dire. En fait, je suis plus attiré par ce que vous avez dit sur l'importance des services de renseignement pour la survie d'une société libre. Vous et moi, nous devons essayer de tirer le maximum des circonstances où nous nous trouvons, de profiter du mieux possible de nos compétences et de nos positions respectives, et pour cela, il faut que nous examinions ensemble les moyens d'unir nos efforts. Le mieux serait que je devienne un agent de votre service de renseignement, vous ne pensez pas ? »

Il a froncé les sourcils, sans répondre.

« Plus j'y pense, plus c'est évident. Ici, malgré le caractère spectaculaire des événements, vous avez pu garder le secret d'une façon incroyable. Personne d'autre que vous et vos hommes ne soupçonne mon existence, et eux-mêmes n'ont pas besoin de savoir quels seront nos rapports à l'avenir. Naturellement, je serai obligé de m'en remettre entièrement à vous : sans vous, je ne saurais ni par où ni par qui commencer. Probablement, même, je n'y survivrais pas. Mais avec vous pour me guider, nous aurions accès quasiment à toute information, où qu'elle se trouve. J'ignore ce que cela implique, mais les possibilités me paraissent illimitées, ou presque. Ce que vous avez dit d'une cause qui dépasse l'intérêt personnel m'a vraiment frappé. J'y vois une chance de pouvoir être utile, et je ne dois pas la laisser passer.

— C'est en effet, a-t-il répondu lentement, une des voies qui nous sont ouvertes.

— Pour moi, David, c'est vraiment une chance que quelqu'un comme vous dirige les opérations, quelqu'un avec qui je puisse travailler, parce que la clef de la réussite, c'est que vous soyez le seul à connaître mon existence. Sinon, ils n'auraient probablement aucun mal à se protéger. De cette façon, tout simplement, vous deviendriez celui qui peut se procurer des informations extraordinaires. Une situation, bien sûr, qui ne serait pas sans entraîner de lourdes responsabilités. Vous occuperiez une place unique, et impressionnante, dans le monde du renseignement... » (Il me semblait me souvenir que c'était l'expression employée dans les journaux, mais je doutais que les mondanités y jouent un grand rôle.) « Avec vous pour me contrôler — c'est bien le terme que vous utilisez ? —, nous serions virtuellement omniscients. Plus j'y pense, plus cela me paraît passionnant. Et, comme vous dites, gratifiant. »

Ses lèvres se sont entrouvertes, comme s'il allait parler, puis se sont refermées. Plissant les yeux, il a regardé d'un air pensif le reste de son équipe. Morrissey hissait Tyler pour le sortir du trou, et Clellan poussait par en dessous. Ils ont réussi à l'amener sur le bord. Le blessé s'est couché sur le flanc et s'est mis en chien de fusil. J'aurais voulu savoir dans quel état il était.

Jenkins a repris la parole d'une voix douce, plus intense que jamais, m'a-t-il semblé. Mais j'ai toujours du mal à deviner ce qu'il a au fond du cœur — s'il en a un.

« Harvey, je crois que vous avez raison. Je suis d'accord avec vous. Et je tiens à vous le dire : s'il fallait que quelqu'un se trouve dans ce bâtiment, je suis heureux que ce soit quelqu'un comme vous. Je vous admire, Harvey, et je crois que nous allons faire du bon travail ensemble. Maintenant, a-t-il ajouté avec entrain, comme s'il s'agissait d'un détail mineur, la première chose, c'est de vous faire examiner convenablement pour savoir comment procéder au mieux...

— David, je pense que ce serait une très grave erreur. Si nous devons travailler ensemble, c'est à condition que personne ne connaisse mon existence. Autrement, ils trouveraient une parade, ou du moins sauraient à quoi s'en tenir. Le principal, c'est que nul autre que vous ne soit au courant, pas même les gens de votre service. Si vous alertez les médecins et les savants, l'occasion sera perdue. *Tout le monde* l'apprendra. Et en plus, nous perdrons le contrôle de la situation. C'est quelqu'un d'autre qui décidera où j'irai et ce que je ferai. Notre première urgence, me semble-t-il, c'est de me faire passer ce portail sans que personne ne s'en doute.

— Harvey, vous seriez étonné d'apprendre à quel point nous savons garder le secret et le contrôle de...

— David, la sécurité ne serait jamais à la hauteur de *nos* projets. Quant au contrôle de la situation, je crains d'en être totalement exclu, et bien que je sois sûr de pouvoir compter sur vous, David, je crois qu'un rapport de confiance mutuel serait mieux engagé si vous me permettiez de sortir librement et de rester autonome. Je suis prêt à me mettre entre vos mains : à vous de faire en sorte que je parte sans encombres. Peut-être pouvez-vous demander qu'on enlève une section de la clôture sous prétexte de la réparer. Quand vous me donnerez la possibilité de sortir, ce sera votre manière de sceller notre marché, une preuve de bonne foi. Et nous en avons besoin, si nous devons collaborer.

— Harvey, je veux que vous essayiez de comprendre. Vous avez besoin de soins, de façon urgente, et même si pour le moment vous ne vous rendez pas compte qu'ils vous sont indispensables, je dois m'assurer que vous puissiez les recevoir. Vous avez subi une dure épreuve, Harvey, et vous n'êtes peut-être pas en état d'en juger par vous-même, de sorte qu'il me revient de prendre certaines décisions pour votre bien, même si vous ne le voyez pas encore ainsi. De plus, Harvey, vous devez comprendre que je n'ai pas le droit de vous laisser partir dans la nature : si quelque chose tournait mal, s'il vous arrivait un ennui ou que vous changiez d'avis, je serais responsable. D'un seul coup, vous êtes devenu très important, pas seulement à vos propres yeux, mais à ceux de tous vos concitoyens — de l'humanité tout entière. Il va falloir prendre des décisions très importantes concernant votre avenir, les gens qui seront mis au courant, le travail qui vous sera confié, et ces décisions doivent être prises par des individus qualifiés, soucieux de vos intérêts et aussi de l'intérêt général. Il nous faut garder le contrôle de la situation, dans votre intérêt et celui de tous. Je crois que vous êtes capable de le comprendre.

— Eh bien, ai-je dit en essayant de ne pas laisser paraître mon impatience, je crains de devoir continuer à prendre moi-même ces décisions — du moins pour l'instant. La force de l'habitude, peut-être. Et il y a une chose que j'ai déjà décidée de façon définitive, ou presque, c'est que je n'ai aucun intérêt à devenir un animal de laboratoire. J'y ai pas mal réfléchi, et j'en ai conclu que cela ne mène nulle part. De ce côté-là, il n'y a vraiment aucun avenir. Ce n'est pas fait pour moi. Certaines personnes pourraient adorer ça, mais je m'en lasserais dès le premier jour. Et je n'ai pas plus envie d'être exhibé comme une attraction foraine. Je m'exhiberais mal.

— Harvey, je suis de tout cœur avec vous, a-t-il dit d'un ton pénétré en hochant la tête. Vous devez simplement comprendre que notre premier souci est de vous venir en aide.

— Eh bien, si vous désirez vraiment m'aider, vous pourriez commencer par m'aider à passer ce portail. Toutes ces précautions me paraissent un peu excessives — les barbelés, les armes automatiques et ainsi de suite. Inamical, si vous voulez le savoir.

— Harvey, ce n'est pas dirigé contre vous, ni contre quiconque. C'est seulement la procédure standard.

— Voulez-vous dire que vous avez une procédure standard prévue pour cette situation ?

— Tout cela est fait pour vous protéger.

— Si vous tenez à me protéger, vous n'avez qu'à dire un mot à vos gardes, et je m'en irai. J'ai vraiment envie de travailler avec vous, et il me semble que vous-même, mes concitoyens, l'humanité et ainsi de suite en tireront un profit énorme. Tout ce que je vous demande, c'est un coup de main à propos des barbelés, des soldats et de toutes les mesures que vous avez prises pour me protéger.

— Vous avez subi une épreuve terrible, Harvey, mais essayez de comprendre que vous ne pouvez pas partir d'ici sans aucune supervision.

— Je ne vois vraiment pas pourquoi. Cela me paraît tout à fait naturel et raisonnable. De plus, légalement, c'est mon droit. N'êtes-vous pas d'accord ?

— Eh bien, Harvey, pas nécessairement. » Sa voix devenait de plus en plus patiente et persuasive à mesure que ses paroles se faisaient plus menaçantes. « Vous devez comprendre que, même en mettant de côté la question de la sécurité nationale, il y a eu ici de graves dommages à la propriété privée, et probablement publique. En outre, ce qui est beaucoup plus sérieux, deux personnes au moins ont perdu la vie. Ces événements paraissent dus à l'emploi illégal de substances explosives en rapport avec la manifestation violente d'un groupe politique extrémiste. Aujourd'hui encore, un homme a été blessé, et nous ne connaissons pas la gravité de son état.

« A tout le moins, les autorités locales et fédérales ont clairement l'obligation de vous retenir aux fins d'interrogatoire.

Je pense, Harvey, que vous vous en rendez compte. Ensuite, qu'il doive ou non y avoir des poursuites pénales, je ne saurais le dire. Mais sur ce point, Harvey, je pourrais vraiment vous être utile. Quoi qu'il ait pu filtrer de la journée d'hier et d'aujourd'hui — et nous ne l'évaluerons peut-être jamais avec une certitude parfaite —, je crois, étant donné l'épreuve que vous avez subie et l'attitude positive que vous avez montrée au cours de cette conversation, et même si certaines de vos actions risquent de soulever des problèmes, que nous arriverons à trouver une solution raisonnable en y mettant chacun du sien. Mais ce qui est crucial, c'est de nous y prendre correctement dès le début, pour que toute l'affaire se présente sous son meilleur jour. Je crois être en position de pouvoir vous rassurer... »

Quand il avait parlé de Tyler, je m'étais retourné pour voir où en était le blessé. Les trois hommes étaient sortis du trou, Clellan et Morrissey avaient allongé Tyler sur une civière et traversaient la pelouse vers l'ambulance.

« Savez-vous comment va Tyler ? » ai-je demandé.

Le colonel a aussitôt sorti son casque de sa poche et l'a mis sur sa tête.

« Clellan, pouvez-vous me faire un rapport sur l'état de Tyler ? Je suis en train de parler avec l'homme qui a tiré sur lui... C'est ça. Il est avec moi... Non. Il est extrêmement inquiet au sujet de Tyler. »

Les brancardiers se sont arrêtés au milieu de la pelouse, se tournant vers nous. Tyler, sur sa civière, a lui aussi tourné la tête. Ils sont restés tous les trois sans bouger, puis Clellan a dit quelques mots dans son micro. Le colonel a retiré son casque.

« Impossible de se prononcer, au point où nous en sommes. Ils peuvent seulement dire que vous l'avez touché une fois à la cuisse, juste au-dessus du genou, et une fois au ventre. La balle est ressortie sans toucher la colonne vertébrale, mais ils n'ont aucun moyen de savoir si l'intestin ou un autre organe vital a été perforé. Voulez-vous parler vous-même avec Tyler ? »

Il m'a tendu le casque. Je n'ai pas répondu. Au bout d'un moment, il a rapproché le micro de ses lèvres. « Morrissey, conduisez Tyler au portail. Ensuite, revenez aider Clellan à l'intérieur du bâtiment. » Il a rempoché son appareil. « Vous êtes toujours là ? a-t-il demandé.

— Je suis là. Mais je m'en vais, maintenant, avec ou sans votre aide. C'est à vous de voir. J'ai un revolver pointé, du mieux que je peux, sur votre tête. Si vous ne faites rien pour ouvrir cette clôture, je vais tirer. Comme avec Tyler. »

Jenkins est resté impassible, sans trahir le moindre sentiment.

« Vous pouvez, a-t-il dit calmement. Je n'y crois pas, mais c'est possible. Cependant, vous devez comprendre que cela ne vous aidera pas à franchir le portail. En fait, ce sera probablement encore plus difficile. Et ensuite, quoi qu'il arrive, cela vous compliquera la vie. »

Absurde. Tout était absurde.

« David, je ne vais pas vous tirer dessus, bien sûr. J'espérais seulement vous contraindre à faire ce qu'à mon avis vous devriez faire de toute façon. Mais si vraiment vous ne voulez pas collaborer avec moi sur la base de mes propositions, je dois m'en sortir par mes propres moyens. Et le plus vite possible, me semble-t-il, avant que vous n'ayez perfectionné cette clôture.

— Harvey, si vous avez l'intention d'essayer, je ne peux pas vous en empêcher. Mais je suis horrifié à l'idée de vous voir approcher de ce grillage. Vous n'avez aucune chance de réussir, ce sera une vraie tragédie. J'espère que vous n'allez pas prendre ce risque.

— C'est un risque, apparemment, que nous devons prendre l'un et l'autre. Mais j'imagine que vous seriez très mal vu si j'étais abattu sans raison valable. Je suis un spécimen unique.

— Ce ne serait pas considéré comme un succès, certes. Par contre, on me tiendrait encore plus rigueur de vous avoir laissé partir. Et bien que je n'aime pas penser en ces termes, je suppose que votre cadavre aurait une certaine valeur pour la science. Alors que si vous disparaissez et que vous mourez cent mètres plus loin, il se peut qu'on ne le découvre jamais.

— Ce serait dommage.

— Eh bien, tout compte fait, je pense que oui. De toute façon, que feriez-vous après avoir franchi la clôture ? Où iriez-vous ? Comment espéreriez-vous survivre seul dans votre état ? Où habiteriez-vous ? Que mangeriez-vous ? Vous ne savez même pas ce qu'il vous faut pour rester en vie. Et si vous le saviez, que pourriez-vous faire ? Prendre un bus, un train ? Je suis sûr que vous ne pourriez même pas marcher dans la rue sans danger. Avant de commettre une folie, je voudrais que vous réfléchissiez sérieusement à tout cela.

— Si je rencontre des problèmes insolubles, j'entrerai en contact avec vous.

— Harvey, je ne vous menace en rien, comprenez-le bien. Je vous explique simplement ce que nous avons le devoir, ici, de mettre en œuvre. A la fin de la journée, nous aurons terminé un premier relevé du bâtiment et de son contenu et nous l'isolerons entièrement. Nous serons alors prêts à saturer la zone d'un gaz qui vous rendra inconscient, ainsi que quiconque dépourvu de masque à gaz. Ensuite nous passerons le terrain au peigne fin, centimètre par centimètre. J'insiste sur le fait que tout cela est avant tout dans votre intérêt, Harvey. A ce moment-là, je le crains, soit vous vous serez rendu, soit on vous aura appréhendé. Naturellement, si vous parvenez d'une manière ou d'une autre à franchir la clôture, nous nous lancerons à votre poursuite.

— Comment comptez-vous me suivre une fois que je serai sorti ? Je suis là, devant vous, en train de vous parler, et vous ne seriez même pas capable de me mettre la main dessus.

— Au pire, Harvey, je suppose que nous diffuserions un avis au public. Vous auriez alors à vos trousses les hommes, les femmes et les enfants du pays tout entier — du monde entier, même. Mais je ne pense pas que ce serait nécessaire. Vous avez raison, me semble-t-il, en pensant qu'en fin de compte il vaut mieux que personne ne connaisse votre existence. Pour ce qui est de retrouver les gens, nous avons une certaine expérience. Et dans ce cas, nous serions en mesure d'allouer des sommes substantielles à cette recherche.

— Aucun budget n'y suffirait. Et puis, justement, qui croirait à mon existence ? Nous en sommes presque venus à prendre, vous et moi, l'invisibilité comme allant de soi, mais un individu normal, raisonnable, bien informé, ne va accorder ni argent, ni soutien moral, ni même cinq minutes de son temps à la recherche d'hommes invisibles.

— Harvey, regardez donc ce bâtiment, a-t-il dit d'un ton suave. Remarquable, n'est-ce pas ?

Je l'ai regardé. Clellan avait trouvé l'escalier du premier étage et en gravissait les marches. C'était magique — on aurait dit qu'il montait au ciel. Remarquable, effectivement.

« Qui recevra la charge de cet endroit disposera d'un budget illimité. Que demain je fasse venir de Washington trois personnes bien choisies, et j'aurai de quoi en retrouver cent comme vous. Et ce ne sera qu'un début. »

Ce qu'il disait paraissait plausible. Le bâtiment était vraiment miraculeux. J'ai regardé Clellan s'asseoir sur un fauteuil invisible.

Il nous fixait d'un air féroce, comme un ange obèse, conscient de ma présence. Son air malveillant m'a rappelé que ma situation était de plus en plus dangereuse. J'avais beaucoup de choses à faire, et je perdais mon temps. Cette conversation était dans une impasse : nous n'avions aucune chance d'exercer la moindre influence l'un sur l'autre.

« Écoutez, David. Tout ce que vous dites est raisonnable, et je crois qu'au fond nous sommes d'accord. Ce serait probablement une folie d'essayer de franchir cette clôture, et je suppose que je vais devoir me rallier à votre point de vue. Mais j'aimerais seulement prendre une heure ou deux pour mettre tout ça au clair. Pour moi, la journée a été dure. Vous restez par ici, je suppose ?

— Je serai là quand vous aurez besoin de moi. Prenez votre temps et décidez-vous librement. Mais, dites-moi, Harvey ?

— Oui ?

— Avant de partir, j'aimerais seulement vous demander comment c'était.

— Comment c'était quoi ?

— Devenir invisible. Pour vous, cela a dû être horrible. Êtes-vous resté conscient jusqu'au bout ?

— Inconscient, la plupart du temps. Presque jusqu'à votre arrivée.

— A quoi avez-vous bien pu penser en reprenant vos esprits ? »

Son intérêt paraissait sincère.

« A beaucoup de choses, parfaitement idiotes, pour la plupart. Oh, pas plus ridicules, après tout, que l'état actuel des choses, en fin de compte. J'ai cru que j'étais mort, arrivé au ciel ou ailleurs.

— Et qu'avez-vous fait à ce moment-là ?

— Ce que j'ai fait ? »

Je ne comprenais pas.

« Oui. Vous avez prié ? Ou attendu une sorte de signe, de révélation ?... Vous avez dû, au moins à ce moment-là, tout voir sous un jour différent.

— J'imagine. Écoutez, David, je sais que nous devrions tous penser plus souvent à ces choses, mais, en théologie, je suis plutôt du genre à patauger. Un cancre. Et puis, juste en ce moment, je pense surtout à m'isoler un peu. Je vais bientôt revenir vous voir, et nous pourrons bavarder.

— Bien sûr », a-t-il acquiescé.

Au même moment, j'ai reculé prudemment d'un pas. Il s'était remis à fouiller la pelouse des yeux, et il m'a semblé qu'il regardait l'endroit précis où j'avais posé le pied. J'ai retiré l'autre jambe, vu l'herbe se redresser lentement, puis s'écraser où j'ai reposé mon pied. Le regard de Jenkins était braqué dans la même direction.

Il a fait un pas en avant, comme si de rien n'était. Je me suis baissé au ras du sol. Brusquement, il a lancé les deux bras en avant, la main droite ouverte comme pour serrer la mienne, l'autre tendue vers l'endroit où se trouvait mon torse un instant plus tôt, comme pour me donner une tape amicale sur l'épaule. Ne rencontrant que le vide, il a eu l'air un peu ridicule, mais il a gardé un moment les bras en l'air comme en geste de supplication. Toujours accroupi, j'ai tendu une jambe de côté, le plus loin possible, je me suis reposé dessus avec précaution, et j'ai recommencé. Ayant surmonté sa déception et son trouble, Jenkins s'était remis à examiner la pelouse pour deviner où j'étais passé.

« En tout cas, a-t-il dit d'un ton convaincu, souvenez-vous que nous sommes là pour vous aider. »

Je me suis encore écarté de quelques mètres avec prudence. Quand j'ai repris un pas normal, il étudiait toujours le sol.

Il fallait que je m'attaque au problème de la clôture. D'une manière ou d'une autre, je devais passer par-dessus, par-dessous ou au travers. Ce problème ne m'était pas sorti de la tête depuis le début de la journée, mais je me suis rendu compte que je n'avais aucun plan, aucune idée en vue pour le résoudre — rien qu'une image vague où je me voyais me glisser par le portail ou ramper sous le grillage comme un animal sauvage. Maintenant, juste au moment d'agir, tout me paraissait impossible. Cet endroit isolé du monde était gardé plus étroitement et plus sévèrement qu'un camp de prisonniers. En regardant autour de moi, je ne savais par où commencer. On allait m'abattre, ou bien me prendre et me mettre en cage. Je n'avais pas une minute à perdre.

La première chose à faire, avant de se décider, c'était d'examiner systématiquement la clôture. Trouver un moyen. Quelque chose pourrait se présenter. Je suis rentré dans le bâtiment. Clellan et Morrissey finissaient de délimiter le premier étage. Débarrassés de leurs combinaisons, ils allaient très vite, avec une adresse quasiment miraculeuse, accrochant leurs morceaux de câble dans le vide comme des magiciens. J'ai traversé la réception pour aller prendre l'escabeau du gardien dans son placard, et je l'ai rapporté sur la pelouse. Il mesurait environ un mètre cinquante. Parfait pour changer une ampoule, mais pas très utile pour escalader un grillage de trois mètres.

Je l'ai pris sur l'épaule, replié, et je suis allé vers le portail. J'ai posé l'escabeau sur le côté, à vingt centimètres du grillage, et je suis monté dessus, prudemment, en me balançant d'avant en arrière pour bien planter les pieds dans la terre. D'expérience, je sais qu'un escabeau n'est jamais assez stable. Pour y voir par-dessus la clôture, j'ai dû monter sur la dernière marche, de sorte que je n'avais plus rien à quoi me tenir. Je me suis senti vaciller, pris de vertige, et plutôt pour garder l'équilibre que pour m'y appuyer, j'ai serré un barbelé entre le pouce et l'index de la main droite, prenant soin de ne pas le remuer pour ne pas attirer l'attention des gardes qui étaient en bas.

Juste en face du portail, un terrain de dix mètres sur trois avait été entouré d'une barrière et recouvert de sable. Le sable était humide, et des hommes étaient en train de le ratisser. Au passage du râteau, chaque dent traçait une ligne d'une netteté parfaite. Chaque pas laissait une empreinte magnifique. A droite et à gauche, sur des estrades en planches, il y avait des hommes en uniforme munis de ce qui devait être des armes automatiques. Très rebutant. Répugnant, même.

Je n'y voyais pas très loin à cause de la courbure du périmètre, mais des deux côtés, le long de la clôture, le sol avait été dénudé sur une largeur de trois mètres, et on y répandait du sable. Je me suis demandé où ils en étaient, et le temps qu'il leur faudrait pour faire le tour du terrain. Un peu plus loin, j'entendais des tronçonneuses en action. Le bruit se rapprochait. Mes chances s'amenuisaient à vue d'œil. Derrière le grillage, chacun sur sa plate-forme, le fusil à la main, les gardes étaient en place. Mon sens de l'équilibre a paru s'évaporer, et je me suis senti chanceler. Je me voyais déjà tomber sur la pelouse en repoussant l'escabeau contre le grillage, attirant sur moi le feu des soldats.

Je me suis retenu au barbelé, et ensuite, lentement, j'ai plié les genoux jusqu'à pouvoir glisser un pied sur l'avant-dernière marche. Beaucoup mieux. Encore une marche, et j'ai posé les mains sur le haut de l'escabeau. Ensuite je suis descendu. Quel soulagement. J'ai failli éclater de rire. Mais il me restait à trouver le moyen de sortir.

J'ai replié l'escabeau et me suis mis à longer la clôture,

cherchant la moindre faille qui vaille la peine de prendre un risque, et tout spécialement un creux de terrain qui me permettrait de me glisser sous le grillage. J'espérais aussi rencontrer un ruisseau, mais en vain. Partout, le pas de la clôture était enterré dans le sol. Ils l'avaient très consciencieusement recouverte avec des bâches, et je n'ai pas trouvé la moindre fente où jeter un coup d'œil. Au bout d'une cinquantaine de mètres, comprenant que j'étais au niveau des tronçonneuses et des tondeuses, j'ai pris le risque de remonter sur l'escabeau pour voir la vitesse à laquelle ils avançaient. Arrivé en haut, j'ai mis un pied sur la dernière marche et je me suis redressé, un instant seulement, avant de reposer l'autre sur celle du dessous. Un coup d'œil m'avait suffi. Ils n'en avaient pas pour longtemps. La clôture passait surtout à travers champs, et il y avait très peu de débroussaillage à faire. A l'est, néanmoins, un petit bois les obligerait à ralentir. C'était là que j'aurais le plus de chances, et je suis allé dans cette direction en examinant soigneusement chaque mètre de la clôture.

Vingt minutes plus tard, j'ai trouvé ce que je voulais. J'ai fait une dernière ascension, brève et précaire, de l'escabeau, pour bien reconnaître le terrain. Cela ne me paraissait pas tellement prometteur, mais j'ai décidé que le risque valait la peine. Valait le coup, hélas, comme on dit. « Allez, ne t'arrête pas. »

J'ai posé l'escabeau juste en face du poteau le plus proche, pour être sûr de le retrouver. C'est extraordinaire, voire affolant, comme les objets les plus volumineux peuvent devenir introuvables quand on ne les voit pas. Demandez donc au colonel Jenkins !

Je suis retourné au bâtiment. Clellan, Morrissey et le colonel étaient à l'ouvrage, chacun dans une pièce, installés devant des bureaux invisibles. Clellan et Morrissey au premier, le colonel en bas — une troupe de mimes pratiquant la lévitation et imitant des employés de bureau dans un immeuble imaginaire. Ils établissaient des listes et classaient tous les objets de chaque pièce — une sorte d'instinct bureaucratique originel devait les y contraindre.

Je suis entré pour chercher des tables. Ils m'avaient grandement facilité le travail, étant donné les circonstances. Chaque chaise, table ou bureau était signalé par une jolie petite boucle de fil électrique au bas de chaque pied : je repérais ainsi du premier coup d'œil ce qui méritait d'être examiné de plus près, et emportais ce que je désirais sans me cogner aux murs et aux meubles. Je me déplaçais d'un pas tranquille, en faisant très peu de bruit, sans jamais entrer dans une pièce occupée.

La plupart des meubles ne me serviraient à rien. Les bureaux étaient trop lourds, les consoles de machine à écrire trop fragiles. J'aurais trouvé mieux dans le laboratoire, mais je ne voulais pas risquer d'y rester enfermé, pas plus qu'au premier étage. Au rez-de-chaussée, si par hasard ils m'entendaient et m'interdisaient la porte, je pourrais toujours m'enfuir par une fenêtre. Dans trois bureaux j'ai trouvé des petites tables, dont une mesurait plus d'un mètre de long sur soixante centimètres de large. Les deux autres étaient plus petites, mais du moins elles avaient toutes les trois la même hauteur. Dans la réception, en face du divan, j'ai découvert une splendide table basse, étroite, d'un mètre quatre-vingts. J'ai ôté les magazines, les téléphones, les ordinateurs, les tasses et les papiers qui les encombraient, et je les ai soigneusement posés en dessous des tables. Ensuite j'ai fait glisser les boucles de fil au bas des pieds, en conservant le mieux possible leur alignement. Enfin j'ai fait passer chaque table par la fenêtre la plus proche et je les ai apportées là où j'avais laissé l'escabeau.

Ne trouvant plus de tables utilisables, je suis allé prendre deux chaises pliantes en bois dans la salle de conférence. Finalement je suis revenu dans le bureau de Wachs, je me suis agenouillé pour soulever un coin de la moquette avec mon canif et je l'ai retourné. Dessous, il y avait une couche de caoutchouc épaisse de trois ou quatre millimètres. Exactement ce que je cherchais. J'en ai découpé plusieurs morceaux et j'ai remis la moquette en place le mieux que j'ai pu, mais je ne m'inquiétais guère : s'ils s'en apercevaient, peu importait ce qu'ils pourraient en penser. En revenant, j'ai fait un détour par ma cachette et j'ai fouillé mes sacs jusqu'à retrouver la pelote de ficelle. J'aurais préféré une vraie corde.

Arrivé à la clôture, j'ai essayé plusieurs manières d'empiler le mobilier que j'avais apporté, mais dès que j'ai posé une table sur l'autre, j'ai entendu un bruit sec qui m'a paru porter aussi loin que le marteau d'un commissaire-priseur. J'ai attendu plusieurs minutes, l'oreille tendue, pour savoir si j'avais alerté les gardes. Je ne pouvais pas me permettre des risques inutiles : il fallait que je prenne la peine de faire les choses convenablement. Découragé, j'ai emporté à grand-peine mes quatre tables vingt mètres plus loin, pour procéder à mes expériences dans une sécurité relative.

Un quart d'heure plus tard, j'étais prêt à recommencer. J'ai disposé deux tables bout à bout, parallèlement au grillage et à une vingtaine de centimètres, ce qui m'a donné une plate-forme de deux mètres de long. Avec de la ficelle, j'ai attaché deux par deux les pieds des tables, faisant au moins six tours autour de chaque pied. Ensuite j'ai ouvert une chaise pliante qui m'a servi de marchepied pour monter sur ma plate-forme. A l'endroit où les tables se touchaient, j'ai sauté sur place, plusieurs fois, pour enfoncer les pieds dans le sol. J'ai fait de même à chaque bout de la plate-forme. Je voyais nettement les trous que creusaient les pieds des tables. C'était la seule trace visible de mon travail. J'ai alors déroulé un grand morceau de caoutchouc sur la plate-forme, pour que l'étage suivant ait moins tendance à glisser. D'un côté, j'ai posé la plus grande de mes tables, de l'autre, la deuxième chaise, pour avoir une marche intermédiaire entre les tables superposées. Et j'ai installé par terre, à une extrémité, la chaise qui me restait, obtenant une sorte d'escalier composé d'une chaise, d'une table, d'une chaise sur table et d'une table sur table.

Je me suis servi de la ficelle pour tout attacher du mieux possible bien que je ne puisse voir ni les meubles, ni la ficelle, ni même mes doigts. Je ne savais pas si j'étais d'une efficacité quelconque, ni si cet assemblage atteindrait son but, mais je me sentais beaucoup mieux du fait même de m'être jeté à corps perdu dans un travail concret. Je n'avais qu'une vague idée de l'ensemble, et sans rien voir il m'était naturellement impossible de décider ce qu'il valait mieux assujettir, et à quoi, mais j'attachais tables et chaises à tous les endroits possibles en espérant empêcher un effondrement désastreux de la structure tout entière. Quand j'ai vérifié l'installation, j'ai vu que la plupart des liens s'étaient détendus. Mauvais présage. J'ai refait tous les nœuds.

Avec un autre morceau de caoutchouc, je suis monté sur la première table et je l'ai posé sur celle du dessus. Là, j'ai décidé de monter jusqu'en haut, à la fois pour tester la fiabilité de l'ensemble et pour jeter un coup d'œil de l'autre côté de la clôture. Le dernier niveau n'atteignait même pas deux mètres, mais j'ai eu l'impression qu'il en faisait soixante. Je crois que ma construction était relativement stable, pourtant je sentais le sol céder lentement sous son poids. Et je ne pouvais rien voir, ni moi, ni ce sur quoi j'étais. Mon sens de l'équilibre m'a fait défaut : je ne savais plus si j'étais debout ou en train de tomber. Je me suis mis à quatre pattes. « Garde ton sang-froid. Continue ce que tu as entrepris. Debout. Regarde les soldats. Toujours pas de tronçonneuses en vue. Ne pense pas à la chute. Oublie ta nausée Continue. »

Je suis redescendu et je suis allé chercher l'escabeau. Tout était de moins en moins plausible, mais il ne fallait pas que j'y pense. Je suis remonté sur le premier niveau, j'ai soulevé l'escabeau et je l'ai posé bien au milieu de la dernière table. Avec la ficelle, j'ai attaché les pieds de l'escabeau à ceux de la table. J'ai coupé un petit morceau de caoutchouc et j'en ai enveloppé les dernières marches. Mon escalier n'irait pas plus haut. En remontant sur la dernière table pour tout vérifier, j'ai constaté à mon grand soulagement, que l'ensemble dépassait de plusieurs centimètres le rouleau de barbelé qui surmontait la clôture.

Une fois de plus, je suis redescendu pour aller chercher la table basse. La tenant serrée contre moi, je suis remonté sur la table du haut, je me suis accroupi, j'ai soulevé un bout de la table et je l'ai posée, doucement, contre l'escabeau. Tout était en équilibre instable, et les minutes suivantes ont été affreusement désagréables. J'ai dû me mettre sur la deuxième marche de l'escabeau, lever lentement la table basse à la hauteur de ma poitrine, me tourner pour la faire passer au-dessus de la clôture, et enfin essayer de l'accrocher à une branche de l'érable qui était de l'autre côté. En soulevant la table au-dessus du grillage, je ne voyais pas où étaient les pieds, et j'étais terrifié en pensant qu'ils pourraient se prendre dans les barbelés. Sans même savoir si la table était assez longue pour atteindre la branche, je l'ai abaissée doucement. Tenue à angle droit, elle s'est mise à peser un poids presque insupportable ; j'ai eu peur, si je ratais la branche, de ne pas pouvoir la soulever et d'être obligé de la laisser tomber de l'autre côté.

J'ai senti le bout de la table toucher la branche. Là soulagé, j'ai fait une pause pour profiter de cette sensation merveilleuse, et j'ai lentement laissé descendre l'autre extrémité sur l'escabeau. La branche me paraissait un peu plus haute, il devait rester un intervalle suffisant, mais j'ai tout de même surveillé attentivement le barbelé. La table s'est posée sur le haut de l'escabeau. J'ai tendu la main et vérifié qu'il restait plusieurs centimètres entre la clôture et la table. Après un second moment de repos, j'ai tiré et poussé la table pour être sûr que les deux pieds s'étaient accrochés à la branche, et ensuite, même, je l'ai fait basculer sur la tranche et je l'ai avancée pour glisser un des pieds dans une fourche. De la main, j'ai revérifié la marge de sécurité. Au moins vingt centimètres.

La table était juste assez longue. De mon côté elle était à dix centimètres du bord de l'escabeau. J'avais peur, quand la branche plierait, qu'elle tombe dans le vide. J'ai encore passé dix minutes à ficeler mon assemblage. A mes yeux, c'était primordial. Je me voyais tomber sur le rouleau de barbelé, au sommet de la clôture, l'écrasant brutalement sous mon poids de façon spectaculaire. Les gardes trouveraient cela bizarre, mais ils ne se poseraient pas de question. Ils tireraient, très probablement, jusqu'à ce que le barbelé reprenne une allure convenable.

J'ai effectué un dernier essai de mon dispositif. Debout sur l'avant-dernière marche, je me suis retourné et je me suis cramponné aux bords de la table. Très lentement, je suis monté sur la surface invisible et je me suis avancé petit à petit, à quatre pattes, jusqu'au milieu. La vue n'avait rien pour me plaire. J'étais accroupi dans le vide, juste au-dessus des barbelés, avec de chaque côté, à quelques mètres, deux hommes armés qui avaient pour mission de m'abattre si je commettais la moindre erreur. Mon échafaudage, maintenant qu'il était accroché à un arbre, était plus stable, mais il oscillait à chaque mouvement de la branche. J'étais supporté par une structure que j'étais totalement incapable de voir, et qui n'avait donc pour moi qu'une existence hypothétique.

Il vaut mieux, souvent, agir que penser. J'ai passé les mains sous la table, juste au-dessus des barbelés, et je me suis balancé de haut en bas pour être sûr qu'il y avait toujours de la marge malgré le poids de mon corps. Plusieurs centimètres. Le soldat de droite a dû entendre le bruissement des feuilles. Il a levé les yeux, mais pas vraiment vers moi. J'ai attendu un peu avant de ramper jusqu'à la branche et de grimper sur l'arbre. Sain et sauf, et libre.

J'ai été tenté d'aller plus loin. Je me suis vu descendre jusqu'en bas, les mains libres, sans le moindre bruit. Ce serait fait. Je voyais ceux qui maniaient les tronçonneuses. Ils n'étaient plus qu'à cinquante mètres. Ils seraient bientôt là. Et ils allaient certainement abattre mon arbre. Mais je m'étais donné beaucoup de peine pour me procurer ce matériel. J'en aurais besoin. Sans lui, j'étais foutu.

En retraversant ma passerelle, j'ai rampé à reculons pour pouvoir poser les pieds sur l'escabeau. Une fois redescendu, j'ai vérifié que tous les éléments de la pyramide étaient en place et ne risquaient pas de glisser. Ensuite, bêtement, je me suis reculé comme pour admirer mon œuvre, pour laquelle j'éprouvais une admiration mêlée d'angoisse. L'après-midi touchait à sa fin. J'avais mené à bien un travail difficile, construit quelque chose que j'aurais pu contempler avec fierté. De fait, restant invisible, mon œuvre ne flattait que ma seule vanité, au lieu d'être un monument à la gloire de ma volonté et de mon ingéniosité. De toute façon je n'avais pas le temps. J'avais mis deux heures à installer mon échafaudage. J'étais fatigué, trempé de sueur, angoissé, terrifié. Les tronçonneuses se rapprochaient. D'un instant à l'autre le colonel pouvait deviner ce que j'étais en train de bricoler. Il ne fallait pas que je m'arrête.

J'ai fait trois ou quatre voyages jusqu'au grand hêtre pour rapporter les sept sacs remplis d'objets divers, la caisse à outils et le manche à balai. J'ai tout déposé au pied de mon édifice, gardant toujours un œil sur les hommes restés à l'intérieur du bâtiment, au cas où l'un d'eux aurait l'idée d'inspecter la clôture. J'étais prêt à tout laisser sur place et à m'enfuir.

Après avoir rassemblé toutes mes affaires, j'ai pris le plus petit des sacs et je suis monté le mettre sur ma passerelle. J'ai effectué la traversée en le poussant devant moi, très prudemment, et je suis redescendu dans l'arbre jusqu'à une branche d'où j'ai pu poser à terre mon sac, puis mes pieds. Je l'ai emporté dans la forêt, à une vingtaine de mètres, et je l'ai laissé au pied d'un pin particulièrement difforme, sûr de le retrouver. Pas le temps d'aller plus loin, ou de trouver une meilleure cachette. En marchant, je regardais le sol pour ne faire aucun bruit qui puisse alerter les gardes, mais le vacarme des tronçonneuses rendait probablement cette précaution inutile.

J'ai recommencé sept fois le même trajet, et tout mon butin s'est retrouvé à l'abri de la forêt. Il m'avait fallu près d'une heure, et la tronçonneuse la plus proche n'était plus qu'à vingt mètres. J'étais couvert de sueur, la tension me faisait trembler, mais j'exultais. J'avais presque fini.

Je suis repassé de l'autre côté et j'ai couru vers le bâtiment. L'étau se resserrait, pourtant j'avais encore quelque chose d'important à faire. Le colonel et ses hommes étaient à la même place, assis miraculeusement entre ciel et terre devant des bureaux invisibles. Ils marchaient dans le vide, prenaient et reposaient des objets dont il fallait imaginer la forme. Tous avaient rempli un dossier d'informations sur leur petit royaume enchanté. « Le colonel a raison, me suis-je dit. Ce sera une sorte d'empire. » Le spectacle que j'avais sous les yeux était irrésistible, capable de convaincre n'importe qui de la nécessité d'un budget énorme, d'un personnel immense, afin d'étudier ce phénomène extraordinaire. Et de s'emparer de l'homme invisible.

J'ai commencé par le bureau de Wachs, dont j'ai fermé les portes. Je faisais du bruit, mais cela n'avait plus d'importance. J'ai pris tout le papier que j'ai trouvé, le froissant à mesure, deux ou trois feuilles d'un coup, et je l'ai entassé sous le bureau. Ensuite j'ai retiré tous les livres des étagères, que j'ai ouverts et jetés sur le tas de papier. Plié en deux, j'ai sorti mon briquet de ma poche et je l'ai gardé près du tas jusqu'à ce que je sente la chaleur des flammes. J'ai fait le tour du bureau et recommencé de l'autre côté. Je pouvais sentir l'odeur de brûlé. J'ai attendu que la chaleur monte et que l'air forme des tourbillons et me brouille la vue.

Je suis sorti en refermant la porte derrière moi, et j'ai couru au bout du couloir. J'ai dépassé la pièce où le colonel était installé, ainsi que le laboratoire, et je suis arrivé dans un bureau, à l'autre extrémité du bâtiment. Cette fois j'ai traîné un meuble contre le mur avant d'allumer mon briquet pour être sûr que l'ensemble de la construction prenne feu. Je faisais beaucoup de bruit, et les trois hommes s'étaient tournés vers moi. En sortant j'ai encore allumé un incendie dans la réception, et j'ai emporté tout le papier que j'ai trouvé.

Arrivé devant la clôture, j'ai compris que les tronçonneuses étaient sur place. Pendant cinq ou dix minutes, j'ai froissé des feuilles pour en garnir mon échafaudage, et en l'escaladant pour la dernière fois, j'y ai mis le feu. J'ai emporté une des chaises dans l'arbre. Juste en dessous, des hommes étaient en train de faucher les broussailles. J'ai posé la chaise, je suis remonté sur la table pour couper les ficelles qui la retenaient à l'escabeau, et je l'ai ramenée dans l'arbre, sentant déjà la chaleur des meubles qui commençaient à brûler.

J'ai jeté un dernier regard sur le bâtiment. Les trois hommes s'étaient mis à courir, et à les voir on sentait qu'ils étaient au bord de la panique, même si leurs gesticulations, là-haut, paraissaient exagérées, presque ridicules. Morrissey était toujours au premier, et je me suis demandé s'il pouvait encore descendre. Au-dessus, on voyait tourbillonner l'air chaud. Quand j'ai sauté de mon arbre, deux hommes, la tronçonneuse en main, l'évaluaient du regard. J'ai retrouvé mon butin et je l'ai emporté plus loin, au milieu des bois, dans un endroit moins exposé. Après plusieurs voyages d'une cinquantaine de mètres, je me suis reposé quelques minutes, pratiquement sûr d'avoir réussi à leur échapper. La chance avait tourné de mon côté — du moins pour le moment.

On entendait des sirènes. Elles semblaient venir de l'intérieur de la zone interdite. A ce moment un grondement sourd, prolongé, s'est élevé, comme si quelque chose avait explosé, et le ciel, au-dessus de MicroMagnetics, a violemment frissonné. J'ai vu des flammes s'élancer à l'endroit où le feu avait dû gagner les arbres du monde visible, à partir du bâtiment, et j'ai espéré que l'incendie s'étendrait jusqu'à effacer toutes les traces de mon évasion. Je me suis remis au travail, déplaçant peu à peu mes affaires à l'autre bout de la forêt, et je les ai rangées soigneusement à trois mètres de la route.

Derrière moi, le ciel, déchiré par le fracas des tronçonneuses et des sirènes, s'est illuminé d'une lueur orange où se mêlaient les flammes et le soleil couchant. Seul, debout dans la forêt, le cœur battant, tremblant de peur et de fatigue, MicroMagnetics, ainsi que tout ce que j'avais vu — et non vu — d'extraordinaire, me paraissait déjà lointain, irréel, comme un rêve oublié. Il restait pourtant quelque chose d'absurde, de terrifiant, d'inévitable : le fait que j'étais invisible.

Pendant près d'une demi-heure, je suis resté au même endroit, sans arrêter de trembler, pour essayer de me reposer. Je me trouvais au bord d'une route qui ne paraissait pas assez importante pour mériter la ligne blanche et à demi effacée qu'on avait peinte au milieu. En face, la forêt continuait. A droite, la route devait revenir vers l'entrée de MicroMagnetics. A gauche, il n'y avait aucune raison de croire qu'elle menait où que ce soit. Pendant que j'étais là, je n'ai vu passer qu'un seul véhicule, une voiture de police qui se dirigeait lentement vers MicroMagnetics. Quelque temps après, elle a reparu, roulant dans l'autre sens et à la même vitesse. Dix minutes plus tard elle est repassée devant moi, et j'ai compris qu'elle surveillait la route.

J'avais les mêmes sentiments, j'imagine, que n'importe quel prisonnier évadé : heureux d'avoir escaladé les murs de ma prison, mais terrifié de n'avoir aucun refuge dans le monde extérieur. Il me semblait plus sûr (et presque rassurant) de repenser au sort auquel j'avais échappé que d'examiner l'endroit d'*où* je m'étais enfui.

En tout cas, j'avais provoqué une activité grandiose. J'entendais les sirènes se précipiter en hurlant dans la zone interdite et se taire brusquement l'une après l'autre. Ils devaient même hésiter à laisser passer les voitures des pompiers. Ils ne m'avaient pas oublié. Le miaulement des tronçonneuses ne s'était pas interrompu, ils continuaient donc à dégager le pourtour du terrain, et de temps en temps éclatait le bruit désagréable d'une rafale de mitraillette. Ils tiraient peut-être sur les animaux qui fuyaient devant l'incendie.

Je voulais que cet incendie soit une réussite, qu'il réduise en cendres le bâtiment et tout ce qu'il contenait d'invisible — tout ce qui pourrait faire croire à la réalité de mon existence. Une sorte d'explosion semblait s'être produite, ce qui était de bon augure. Qui allait croire le colonel, une fois le bâtiment disparu ? J'ai repensé aux incendies que j'avais vus et au peu qu'il en était resté : pas même les objets qu'on croit d'habitude incombustibles. J'espérais que le feu s'étendrait sur plusieurs kilomètres, au point qu'ils aient du mal à retrouver l'emplacement du bâtiment. Plus il y aurait de dégâts, plus la situation deviendrait confuse, plus je serais à l'abri. Quand les tronçonneuses s'interrompaient, j'entendais des gens crier, des camions manœuvrer. Et ce sinistre, du moins en son centre, poserait aux pompiers quelques problèmes inédits. Je me demandais comment le colonel allait réagir. Sans aucun doute, il s'acquittait de sa tâche du mieux possible, avec un sang-froid et une efficacité irréprochables — malgré sa déception qui devait atteindre une intensité inimaginable. Sans parler de sa fureur.

Certes, il restait des problèmes. Toute la journée, je m'étais dit que j'aurais toujours le choix. Que je pourrais changer d'avis à n'importe quel moment et me présenter devant les autorités. *(J'ai réfléchi. En fin de compte, j'ai décidé de m'en remettre à vous. Je n'en ai jamais sérieusement douté, mais j'avais simplement besoin de mettre un peu d'ordre dans mes idées, si vous voyez ce que je veux dire, et je regrette profondément les ennuis que j'ai pu vous causer...)* La question était là. Ces ennuis avaient atteint des proportions monstrueuses, en quelques heures. En regardant les flammes s'élever dans le crépuscule, je revoyais Tyler sur sa civière et je me demandais si les autres avaient pu échapper à l'incendie. La gamme des choix qui m'étaient offerts, après tout, n'était peut-être pas très étendue. J'ai frissonné, et un instant j'ai cru que j'allais vomir.

Je me suis relevé d'un seul coup et je suis allé jusqu'à la route. L'important, c'était de bouger. Qu'est-ce que Jenkins avait ressenti au moment où il avait compris que le bâtiment brûlait ? « Oublie ça, pour l'instant. Avance. » De la route, j'ai regardé l'endroit où j'avais laissé mes bagages invisibles, gravant dans ma mémoire la disposition des arbres et des buissons, l'angle que faisaient certaines branches. Je voulais être absolument sûr de le retrouver, même dans l'obscurité.

Ce dont j'avais besoin, de toute urgence, c'était d'une voiture pour transporter mes affaires. Les tronçonneuses ne s'arrêtaient pas, ce qui signifiait qu'ils me croyaient toujours à l'intérieur — mais d'un instant à l'autre, Jenkins pouvait découvrir les débris de ma passerelle, ou simplement décider, par prudence, que je m'étais peut-être enfui. Il commencerait par faire fouiller, ou cerner, une zone beaucoup plus étendue. Et quand ils auraient la preuve que j'avais franchi la clôture, ils ne mettraient pas longtemps à trouver ma cachette au bord de la route. Le mieux serait d'aller le plus loin possible pour chercher une voiture, mais je n'avais pas le temps. D'après l'aspect de cette route, je pourrais parcourir des kilomètres et des kilomètres en vain. Par contre je savais qu'il y avait une prodigieuse quantité de véhicules à MicroMagnetics, dont la plupart, probablement, ne seraient pas surveillés.

Je me suis dirigé vers l'entrée en restant sur ma gauche pour bien voir les véhicules arrivant en sens inverse. Personne n'allait donner un coup de volant pour m'éviter. Une camionnette rouge est arrivée par-derrière et m'a dépassé. J'étais content d'apprendre qu'on n'avait pas interdit la route à la circulation. Les deux occupants avaient les yeux fixés sur la lueur de l'incendie, au-dessus des arbres. La camionnette a ralenti et s'est mise à rouler au pas. A ce moment-là, la voiture de patrouille a reparu, ses clignotants ont pris un rythme menaçant et elle s'est placée derrière la camionnette, à vingt mètres de moi.

« *Continuez à rouler.* »

L'ordre a été donné d'un ton neutre, sans inflexion, mais amplifié au-delà de toutes proportions humaines, comme une injonction divine assenée du haut du ciel. Un frisson de terreur m'a traversé avant que je comprenne que la voix sortait d'un haut-parleur sur le toit de la voiture. La camionnette est repartie avec un sursaut et s'est éloignée à toute vitesse. Ainsi, même si je me procurais une voiture, je n'aurais pas beaucoup de temps pour charger mon matériel.

Une minute plus tard, après un virage, j'ai vu un peu plus loin une route qui prenait sur la gauche, à angle droit. Juste après le carrefour, il y avait un barrage composé de voitures de police et de grands fûts en plastique jaune. Il restait un passage, de la largeur d'un véhicule, gardé par un policier. Quand la camionnette rouge est arrivée au carrefour, il lui a fait signe de se ranger sur le bas-côté. Elle a obtempéré et s'est arrêtée au milieu d'une douzaine de voitures et de camions garés des deux côtés de la route. Leurs occupants attendaient, agglutinés près de leurs véhicules, regardant les lueurs de l'incendie ou essayant d'obtenir quelques renseignements du policier, lequel, cependant, semblait réticent et gardait ses distances. La voiture de patrouille, qui avait suivi la camionnette, a fait demi-tour au carrefour pour repartir en sens inverse. Je me suis écarté, lui laissant toute la place, et je me suis remis à marcher.

En approchant cette petite communauté d'êtres humains, qui tous ignoraient ma présence, j'ai eu soudain conscience de mon étrangeté, de mon isolement. Par prudence, je suis resté au milieu de la route, surveillant tous ceux qui m'entouraient de peur que l'un d'eux, sans prévenir, veuille passer là où j'étais, ou pire, démarre et risque de m'écraser. Chaque fois que je passe un moment à proximité de mes semblables, c'est dans l'angoisse. Je dois guetter constamment tout mouvement brusque, tout écart imprévu pouvant provoquer une collision ridicule ou estropier de façon grotesque mon corps. Et quand certains de mes semblables dirigent au gré de leurs caprices un animal ou une machine, c'est encore pire. Je commençais à comprendre ce qu'allait être mon existence.

Peu avant le carrefour, je me suis arrêté pour jeter un regard d'envie sur les voitures garées devant le barrage. Inutile de penser en emprunter une. Leurs propriétaires étaient sur place, sans aucun doute. Je me suis dit alors que je ne devais pas seulement trouver une voiture, mais en voler une. Plus loin, au-delà du barrage, il y avait certainement des terrains couverts de véhicules, et quelques-uns, peut-être, avec la clef sur le tableau de bord. Pour que je puisse en tirer profit, il ne me restait plus qu'à découvrir le moyen de contourner ou de franchir le barrage.

J'ai traversé le carrefour en me tenant à une distance respectueuse du policier, et me suis approché pour me rendre compte de la situation. Derrière le barrage, cinq ou six policiers bavardaient en buvant du café dans des tasses en polystyrène expansé. Plus loin, à cent mètres, j'apercevais l'allée de MicroMagnetics, et encore plus loin, à travers les arbres qui longeaient l'allée, je devinais le grand pré que j'avais vu, à un moment de la journée, et qui semblait grouiller d'hommes et d'engins divers. Que pouvaient-ils avoir en tête ? C'était le crépuscule, bientôt la nuit, et j'avais du mal à les distinguer, mais leur animation, curieusement, paraissait n'avoir aucun rapport avec le siège — l'ex-siège — pourtant voisin, de MicroMagnetics, dissimulé par les bâches tendues sur la clôture. Je voyais jaillir dans la zone interdite des flammes oranges et blanches qui venaient lécher la cime des arbres et je sentais le parfum délicieux de la fumée. C'était très beau : limité, enclos de toutes parts, encadré par les activités rationnelles des hommes et des machines, l'incendie évoquait plutôt quelque gigantesque fonderie qu'une fureur destructrice et incontrôlée.

Les indigènes, derrière le barrage, avaient l'air de partager mon enthousiasme. Le groupe des policiers, par contre, là où je me trouvais, prenait soin de regarder le moins possible dans cette direction. Leur dignité professionnelle, bien évidemment, leur interdisait d'accorder le moindre intérêt au drame qui se déroulait. Ils parlaient très peu, sans jamais élever la voix. L'un d'eux, parfois, poursuivait un dialogue incompréhensible avec la radio d'une de leurs voitures. Je me suis mis sur le côté, à la hauteur où les véhicules étaient obligés de s'arrêter, pour glaner quelques renseignements sur les mesures qu'ils avaient prises. Mais il n'est arrivé aucune voiture, sauf celle des policiers, et je n'ai rien appris. Au bout d'un quart d'heure, il m'est venu à l'esprit que plus loin, sur la route, après MicroMagnetics et le pré rempli de soldats et d'engins militaires, il devait y avoir un autre barrage qui ne laissait passer que les véhicules officiels. Mais quelqu'un, sûrement, était attendu ici, sans quoi ils auraient complètement bloqué la route.

J'étais sur le point d'abandonner et de repartir, quand, bravant les signaux du policier, un break au dernier degré de la décrépitude s'est arrêté en face du barrage. Un garçon de dix-sept ou dix-huit ans qui essayait de se laisser pousser la moustache était au volant. Les yeux mi-clos, il a fixé le policier sans dire un mot.

« Je regrette, mais cette route est barrée.

— Je passe, a dit le jeune homme d'un ton provocant.

— La route est barrée. Vous devez faire demi-tour.

— J'habite sur cette route. J'y passe tous les jours. »

Le policier gardait un ton parfaitement uni. « Sortez votre permis et votre carte grise de votre portefeuille et donnez-les-moi, je vous prie. »

Le jeune homme a protesté une fois de plus : « Je prends cette route tous les jours », mais il a sorti ses papiers et les a tendus au policier.

Un homme en civil, que je n'avais pas encore remarqué, s'est avancé et le policier les lui a donnés sans même les regarder. L'homme les a examinés, a feuilleté une liasse de documents et est allé vérifier la plaque à l'arrière de la voiture. En revenant il a hoché la tête et rendu les papiers au policier qui les a remis au jeune homme.

« Merci, a dit le policier en inclinant la tête, sans sourire.

— J'ai passé ma vie ici. Je prends cette route tous les jours. »

Le policier a esquissé un signe pour lui dire d'avancer et s'est écarté. Le break est passé.

Tant mieux pour lui, mais pas très encourageant pour moi. Que feraient-ils si le permis et la carte grise s'envolaient et restaient en l'air en attendant qu'ils les prennent ? Pourtant je voulais attendre un peu plus pour voir ce qui se passait quand un véhicule ressortait de la zone interdite.

Dix minutes plus tard un vieux fourgon est sorti en bringuebalant. J'ai observé très attentivement. Personne n'a paru s'y intéresser. Il a ralenti en passant entre les fûts en plastique, et un deuxième jeune homme, ressemblant beaucoup au premier, a crié : « Reilly ! Kevin Reilly ! » Le policier, posté au bord de la route pour s'adresser aux nouveaux arrivants, lui a jeté un vague coup d'œil et lui a fait signe de continuer. Le fourgon, sans même s'être arrêté, a traversé le carrefour et accéléré.

Voilà qui était mieux. Le coup était à tenter. En supposant même qu'ils m'arrêtent et qu'ils soient un peu troublés de ne voir personne à la place du conducteur, j'aurais tout le temps de m'enfuir. Ma situation avait peu de chances d'empirer.

J'ai mis le cap sur l'activité confuse qui se déroulait à l'arrière-plan, en quête d'une sorte de parking. La route, à cet endroit, passait en terrain découvert, et j'apercevais sur ma droite la clôture qui dissimulait le site de MicroMagnetics. Tout en marchant je regardais l'incendie qui commençait à tomber. A l'entrée de l'allée ombragée qui menait au bâtiment, j'ai fait halte. Le passage était barré par un grillage et l'allée déserte, puisque l'équipe du colonel avait ouvert une autre route un peu plus loin. Mais tout de suite à gauche, dans un pré, juste en face de l'allée condamnée, il y avait environ deux douzaines de véhicules garés sans ordre et personne pour les surveiller. Aucun, apparemment, n'appartenait à la police ou à l'armée. Et ils me rappelaient vaguement quelque chose.

Quand j'ai reconnu la camionnette grise, une sorte de vertige m'a soulevé : c'était celle de Carillon. A peine trente-six heures plus tôt, j'étais arrivé ici dans cette voiture, et je ressemblais quasiment à n'importe qui. Maintenant je ne ressemblais plus à personne. Trente-six heures. Plutôt une éternité, comme dans les légendes. Ou rien, pas une minute, juste une coupure abrupte, dénuée de sens, dans le flot du temps. A y penser, tout était de la faute de Carillon. « Connard. Va au diable. » Mais on pouvait aussi bien dire, peut-être, que c'était de la faute de Wachs. Ou de personne, si vous préférez. En fait, j'aimerais autant n'attribuer aucun rôle, à l'un ou à l'autre, dans l'événement prodigieux à l'origine de ma condition présente. Tout ressentiment à leur égard, en outre, aurait manqué son effet : ils en avaient souffert tous les deux plus que moi.

J'ai de nouveau été assailli par la vision de ces deux hommes, sur la pelouse, transformés en brasier.

« Bouge, c'est tout ce qui compte. » J'ai quitté la route pour inspecter les véhicules éparpillés au hasard en bordure du pré. On aurait dit qu'à un moment donné, au milieu de ces tribulations grotesques, on avait remorqué précipitamment toutes les voitures du parking pour les abandonner ici. Leurs propriétaires avaient sûrement été refoulés, et d'après l'allure que prenaient les événements, il se passerait un certain temps avant qu'on leur rende leurs véhicules. Je pouvais faire mon choix dans tout un assortiment : des voitures de sport, des breaks, des limousines, et même une vieille décapotable.

C'est la camionnette de Carillon que je voulais. Je l'ai compris tout de suite. D'abord, elle était assez grande pour contenir mon matériel. Il y avait une porte latérale à glissière, très pratique, et une autre derrière, à deux battants, pour me faciliter la tâche. Ensuite, et surtout, c'était celle de Carillon — ou du moins son nom y serait très vite associé. Qu'ils l'arrêtent au barrage ou qu'ils la retrouvent plusieurs kilomètres plus loin, quand je n'en aurais plus besoin, ils croiraient qu'un des amis de Carillon s'en était emparé. Jenkins, en l'apprenant, penserait tout de suite à moi, bien sûr, et mon appartenance au Mouvement pour un Monde meilleur en serait confirmée. Je me suis surpris à espérer que le MMM devienne un mouvement de masse, obtienne un immense succès, reçoive des adhésions innombrables, et que ça prenne des années pour retrouver tous les militants. Face à un problème aussi vaste, on ne penserait peut-être plus jamais à enquêter sur Nicholas Halloway.

Autre chose, encore, au sujet de la camionnette. Je revoyais clairement Carillon debout dans le parking, le matin précédent, jeter négligemment les clefs par la porte arrière.

Le véhicule avait été déposé devant la route, en biais. J'ai d'abord regardé tout autour de moi, très attentivement. Il faisait presque nuit, et à première vue il n'y avait personne aux environs. J'ai posé une main sur la poignée, doucement, et j'ai tiré. La portière n'a pas bougé. J'ai tiré de plus en plus fort et elle s'est ouverte d'un coup avec un affreux grincement. Au même instant le plafonnier s'est allumé, illuminant la camionnette comme un signal d'alarme en plein milieu du pré. Terrifié, je suis resté pétrifié. Une seconde après j'ai bondi pour l'éteindre et je suis retombé à genoux sur le plancher métallique, le cœur battant.

Je suis ressorti et j'ai attendu un quart d'heure environ au cas où quelqu'un viendrait. Plus loin, j'entendais toutes sortes de bruits et d'agitation, mais autour de moi c'était le silence. Pas une feuille ne bougeait. Je suis remonté et me suis mis à quatre pattes pour chercher les clefs. Ensuite je me suis installé au volant et j'ai essayé une des clefs. Elle a tourné, et des petites lumières rouges sont apparues sur le tableau de bord. J'ai coupé le contact, sans ôter la clef, et j'ai commencé à tout vérifier. Prudemment, j'ai ouvert et refermé les portières avant et arrière pour voir si elles n'étaient pas verrouillées. Il m'a fallu supporter une deuxième fois l'affreux grincement, mais c'était indispensable.

Pas de cartes dans la boîte à gants. J'aurais aimé en avoir une du New Jersey. Muni d'un solide grattoir en plastique, je suis allé derrière et j'ai donné des coups dans l'ampoule qui éclairait la plaque jusqu'à ce qu'elle se brise.

Le bruit des tronçonneuses s'est arrêté.

Je me suis remis au volant et j'ai baissé ma vitre. J'ai attendu quelques instants, pour me donner du courage. « N'y pense pas. Mets le contact et démarre. Bouge, ne reste pas sur place. Desserre le frein à main. En première, et embraye. » J'ai pris la route, lentement, tous phares éteints. Je voulais qu'ils me voient le plus tard possible.

Quand j'ai aperçu le groupe que formaient voitures et policiers, j'ai allumé les phares et j'ai accéléré. Je suis passé entre eux sans ralentir et j'ai freiné brusquement, le plus près possible du barrage pour que cela reste vraisemblable.

« Reilly ! » ai-je crié par la portière. Ce qui, espérais-je, serait le seul compte que j'aurais à leur rendre. Mais un policier — pas le même — s'est avancé lentement vers la camionnette, une grosse lampe torche à la main. Sur ses talons, l'homme en civil et sa liasse de papiers sont passés derrière la voiture pour regarder la plaque.

D'un instant à l'autre le policier allait découvrir avec stupéfaction que la place du conducteur était vide. Devais-je attendre, compter sur la chance, envers et contre tout ? Embrayer et foncer ? Abandonner la voiture et me sauver en ouvrant l'autre portière ? « Décide-toi. »

« Merci ! » ai-je crié d'une voix aimable, comme si l'autorisation espérée avait été accordée. J'ai embrayé et démarré à une vitesse normale, sans excès. J'ai aperçu le visage du policier, à la fois surpris et indécis. Trente mètres plus loin, je me suis penché par la portière pour jeter un coup d'œil : il était toujours à la même place, hésitant, et sa lampe torche dessinait sur la route un petit cercle lumineux : il me regardait partir.

Il pouvait choisir de ne rien faire, de m'ignorer. Ou bien, d'une seconde à l'autre, me poursuivre, ou encore, c'était le plus probable, appeler les voitures de patrouille pour qu'elles s'en chargent. Et d'abord celle qui surveillait cette route. Il fallait que je la quitte, de toute façon. Trop dangereux.

Je guettais l'endroit où j'avais caché mes affaires. A gauche, dans la lumière des phares, j'ai reconnu l'alignement des arbres. J'ai continué, sans oser m'arrêter. Maintenant, je surveillais ma droite, en espérant que la voiture de patrouille n'arriverait pas trop tôt. La route passait de nouveau à travers bois. A quatre cents mètres sur la droite, il y avait un chemin de terre. Je me suis arrêté juste après, j'ai coupé les phares et reculé dans le chemin. Quand j'ai aperçu la voiture de police, j'avais bien parcouru vingt mètres. J'ai éteint les lanternes et coupé le contact.

Les policiers, à petite vitesse, ont continué en direction du barrage. S'ils prenaient la peine de surveiller la route, ils regardaient sûrement de l'autre côté, vers MicroMagnetics. Leurs feux rouges se sont éloignés. J'ai attendu. Quelques minutes plus tard, ils sont repassés dans l'autre sens. Quand leurs lumières ont disparu pour la deuxième fois, j'ai remis le contact, démarré le moteur, et me suis obligé à compter jusqu'à dix. « Ne te presse pas. Ne prends pas de risque inutile. » J'ai mis pleins phares, passé la première. J'ai foncé et tourné à gauche. Arrivé à ma cachette, j'ai roulé encore quelques mètres, fait demi-tour, et me suis garé du côté gauche pour tourner le dos au barrage. Il n'était plus question de repasser par là. La camionnette était légèrement inclinée, deux roues sur le bas-côté. J'ai laissé le moteur en marche et les phares allumés pour voir où je posais les pieds.

Je suis descendu sans fermer ma portière et j'ai couru ouvrir à l'arrière. Ensuite j'ai plongé vers le matériel, saisi le premier sac qui m'est tombé sous la main et je suis revenu le jeter le plus loin possible au fond de la camionnette. J'avais au moins six ou sept minutes devant moi, peut-être plus. Un à la fois, et puis deux à la fois, j'ai chargé les sacs. Sept. J'étais sûr qu'il y en avait sept. La caisse à outils, la table et le manche à balai. Il a fallu que je le cherche. J'ai dû mettre trente secondes à le trouver. J'ai refermé les portes arrière. Pas de voiture en vue. Je suis reparti en courant et j'ai tâté le sol de tous les côtés, à quatre pattes, au cas où un objet quelconque serait tombé d'un sac. Mes mains ont glissé sur un morceau de bois dur et lisse. La chaise pliante. Je l'avais oubliée.

Au même instant, loin devant moi, j'ai vu une lueur grandir en haut de la côte, projetée par les phares de la voiture de patrouille. J'ai bondi vers la camionnette et j'ai jeté la chaise par la portière en sautant sur le siège. La lueur s'est changée en deux faisceaux lumineux braqués droit sur moi. « Desserre le frein à main. Débraye, passe en première, embraye doucement — ce n'est pas le moment de caler. » J'ai démarré en biais pour me remettre à droite. Ils étaient encore à plus de cinquante mètres. Ils n'avaient aucune raison de penser que je m'étais arrêté : pour eux, je devais venir directement du barrage.

J'ai accéléré régulièrement. Avec mes phares dans les yeux, ils ne pourraient pas remarquer que ma place était vide. Quand nous nous sommes croisés, je faisais déjà du soixante. Trop rapide pour distinguer quoi que ce soit. J'ai vu, ou cru voir, dans le rétroviseur, leurs feux stop s'allumer. Terrifié, j'ai tout de même réussi à ne pas accélérer. J'ai gardé les yeux fixés sur le rétroviseur. Pas de phares à ma poursuite.

Au bout d'une éternité, probablement cinq minutes, je suis arrivé à un carrefour. Aucun panneau indicateur. J'ai pris à gauche, uniquement parce que j'avais l'impression de m'éloigner encore plus. Au carrefour suivant, j'ai de nouveau changé de route, toujours sur la gauche. Et j'ai continué comme ça un quart d'heure, complètement au hasard, jusqu'à ce que j'aie retrouvé mon calme. Il n'y avait aucune raison de penser que la police avait décidé de rechercher cette camionnette.

Tout à coup, je me suis retrouvé à l'entrée d'une ville. Au premier feu rouge, je me suis cru sous le faisceau d'un projecteur. J'ai freiné brutalement, fait demi-tour sur les chapeaux de roues et suis reparti dans l'autre sens. J'imaginais le spectacle imbécile que j'avais failli offrir. Un couple de retraités, sortant d'un quelconque hôtel des Colonies, aurait écarquillé les yeux en voyant passer une camionnette sans conducteur. Ou les jeunes qui traînaient sur la place du village. Ou encore un membre de la police locale, garé au bord de la route, tous feux éteints. Il y aurait eu des cris, des bras tendus. Une poursuite.

Au croisement suivant, toujours au hasard, j'ai changé de route. Où cela me menait-il ? Jusqu'où pourrais-je aller, dans n'importe quelle direction, sans tomber sur une ville, des feux rouges, des gens ? Qu'invisible, j'attire tous les regards, alors que dans mon état normal je serais passé inaperçu, me paraissait injuste et grotesque. A quoi me servirait de tourner en rond en plein milieu du New Jersey jusqu'à tomber en panne d'essence ?

Aussitôt après, j'ai dû m'arrêter devant un feu rouge. En face, une voiture, dont les phares étaient braqués sur moi. J'étais sûr que le conducteur me regardait. Ou regardait mon absence. Comment réagirait-il ? Que ferait-il ? Soudain j'ai compris que je ne connaîtrais jamais sa réaction : parce que je ne pouvais pas le voir. Son pare-brise me montrait uniquement le reflet de mes phares. Le feu est passé au vert, et en le croisant, j'ai tourné la tête, sans rien distinguer qu'une surface noire, vitreuse, traversée d'ombres mouvantes, informes, laissant deviner la silhouette indistincte du chauffeur. Pourquoi, jusqu'à ce jour, n'avais-je pas remarqué qu'on ne voyait pratiquement pas, la nuit, les occupants d'une voiture ? Les gens, par bonheur, font très rarement attention — c'est l'unique raison qui m'a permis de rester en liberté. J'ai relevé ma vitre.

Cette fois encore, je me suis calmé. « Réfléchis ! » J'avais une camionnette pleine d'objets irremplaçables. L'idéal serait de les apporter chez moi. L'ennui, c'est que j'habitais de l'autre côté de l'Hudson, et que pour traverser le fleuve, il faut s'arrêter devant un péage très bien éclairé et donner deux dollars à un employé. J'avais en poche environ cent cinquante dollars en billets invisibles, que je devais penser à détruire à la première occasion. Mais même si je me procurais des dollars visibles, d'une façon ou d'une autre, je ne voyais pas comment passer ce péage. Ou faire le plein d'essence. Il fallait que je trouve un entrepôt provisoire de ce côté-ci du fleuve. Un endroit où je puisse arriver avec un réservoir à moitié vide.

Tout devenait plus clair, quand j'y pensais, et maintenant je savais où aller. A ce détail près, me suis-je dit, que je n'avais pas la moindre idée de l'endroit où j'étais.

Cette fois, à chaque carrefour, j'ai pris la route qui me paraissait la plus importante. Comme celui, perdu dans la nature, qui suit les cours d'eau : il trouve toujours la civilisation ou l'océan. Un peu plus tard j'ai eu la chance de voir le numéro d'une route. Malheureusement, je ne la connaissais pas. Mais elle allait vers le sud. J'ai ralenti, vérifié qu'aucune voiture ne venait vers moi, et fait demi-tour. J'ai continué sur la même route jusqu'à un carrefour très bien signalé, avec une flèche indiquant la route 202. J'étais sûr que c'était la bonne. J'ai pris la 202 vers le nord.

La circulation était beaucoup plus dense, des voitures me doublaient, et j'ai dû contourner un rond-point géant, éclairé comme en plein jour, avec des voitures tout autour de moi. J'ai traversé des villes. Personne n'a semblé remarquer mon « absence » et ma panique insensée n'était plus qu'une angoisse qui me serrait le ventre. Je me suis rendu compte que j'étais penché en avant, crispé sur le volant, et je me suis forcé à m'adosser au siège pour essayer de me détendre.

En trois quarts d'heure à peine, je suis arrivé à Basking Ridge, et quelques minutes plus tard j'ai trouvé la maison de Richard et Emily. D'après mes souvenirs il n'y avait pas de voisins à portée de vue, mais j'ai tout de même éteint mes phares avant d'entrer dans l'allée, traversé la pelouse et garé la voiture derrière la maison pour qu'on ne puisse pas la remarquer de la route.

Il faisait frais, et il m'a fallu plusieurs minutes pour dénicher mon blouson au fond d'un sac. Grâce à la lampe électrique, j'ai trouvé les clefs de la maison et de la grange, cachées sous une marche du perron. Je les ai mises dans ma poche et j'ai commencé à examiner les lieux. Il y avait la maison elle-même, une petite grange, un cabanon pour la chaudière et une vieille glacière. Je me suis décidé pour la glacière. Elle était vide et dépourvue de serrure. Quelques vieilles planches étaient restées par terre, dans la sciure. Je suis allé chercher une échelle dans la grange et j'ai installé ces planches dans la charpente, hors de portée, au cas où un gardien ou un enfant passerait par là. On aurait dit qu'elles y étaient depuis toujours. Ensuite j'ai reculé la camionnette jusqu'à la porte. Vingt minutes plus tard, tout mon matériel était à l'abri, dissimulé par la charpente, et j'avais balayé la sciure pour ne laisser aucune trace de mon passage. Je pensais revenir le chercher dans quelques jours. De toute façon, à moins d'une malchance extraordinaire, il resterait introuvable aussi longtemps qu'il le faudrait. Richard et Emily, quand ils étaient aux États-Unis, venaient pour le week-end, mais la maison était vide la plus grande partie de l'année. Si personne n'avait vu entrer la camionnette, Jenkins n'avait aucun moyen d'apprendre l'existence de cet endroit.

Je me suis mis au volant et je suis reparti, n'allumant mes phares que cinq cents mètres plus loin.

En m'éloignant de Basking Ridge, sur la route de New York je me suis senti, pour la première fois, presque en sécurité. J'avais réussi à m'enfuir, à mettre mes affaires en lieu sûr, et dans une heure ou deux, quand j'aurais retrouvé mon appartement, je ne manquerais plus de rien. Après quelques jours de repos, j'irais récupérer mon matériel, et je pourrais dès lors rester tranquillement chez moi. Par rapport à mon travail, il faudrait que j'invente quelque chose. Et que je refuse toutes les invitations. Triste. Mais à condition de me montrer discret, je vivrais confortablement dans mon coin, libre de toute surveillance. Le colonel Jenkins, lancé aux trousses des étudiants, n'aurait aucune raison de s'occuper de moi.

Sauf si quelqu'un signalait ma disparition.

Anne, par exemple. Car, en fait, j'avais disparu depuis trente-six heures déjà. Pourquoi n'y avais-je pas pensé ? Je n'avais pas encore les idées bien claires. Sur le moment, elle n'avait rien dit, sinon Jenkins se serait douté de mon identité dès le début. Donc elle avait cru que j'étais sorti du bâtiment et que j'étais parti sans elle. Il devait y avoir une confusion généralisée. Mais cela faisait un jour et demi que je n'avais pas donné signe de vie. Elle allait commencer à s'inquiéter. Ou du moins à se demander ce que j'étais devenu.

Brusquement, voyant une station-service fermée, j'ai freiné et je me suis arrêté près d'une cabine téléphonique. J'ai appelé le *Times* en donnant le numéro de ma carte de crédit, et demandé Anne Epstein. Il devait être onze heures du soir, et j'étais à peu près sûr qu'elle n'y serait plus.

« Steve Beller, a dit une voix masculine impatiente et inamicale.

— Bonsoir. Je cherche à joindre Anne Epstein.

— Elle n'est pas là.

— Avez-vous une idée de l'endroit où je pourrais la trouver ? Je l'ai cherchée toute la journée.

— Nous ne pouvons pas donner de numéro personnel. Rappelez demain.

— J'ai son numéro. J'essaye de la joindre depuis ce matin. Pourrais-je lui laisser un message ? Je comprends que c'est...

— Quel message ? a-t-il coupé d'un ton sec.

— Si vous pouvez simplement lui dire : « NICHOLAS HALLOWAY A CHERCHÉ À VOUS JOINDRE TOUTE LA JOURNÉE », ai-je articulé lentement, dans l'espoir qu'il inscrive mon message sans rien y changer.

J'ai pensé l'appeler chez elle, et lui parler, mais il aurait fallu que je sache quoi lui raconter.

Peu après, je suis entré à Newark, un peu anxieux de voir les rues si bien éclairées. Comme elles étaient presque vides, j'ai essayé de ne plus y penser. Pendant une vingtaine de minutes, j'ai tourné en rond, regrettant de ne pouvoir demander mon chemin à personne. J'ai fini par apercevoir une voie surélevée que j'ai suivie jusqu'à la gare, et à partir de là, j'ai cherché un endroit pour garer la camionnette. J'étais sûr de trouver ce qu'il me fallait.

Je me suis arrêté devant une bouche d'incendie, presque au milieu de la rue, et j'ai laissé les clefs sur le contact. L'endroit était désert, mais un peu plus loin j'avais aperçu un groupe de gens, probablement des adolescents, installés sur le perron des maisons ou adossés aux voitures en stationnement. Sur l'une d'elles ils avaient posé une radio portable — la plus grosse radio, en fait, que j'avais jamais vue. Ils buvaient de la bière, fumaient, et de temps en temps criaient, en espagnol, pour accompagner la musique. Quand je me suis garé, plusieurs ont tourné la tête vers moi.

Plié en deux, je suis allé jusqu'aux portes arrière et je suis sorti sans faire de bruit. Un parfum de marijuana flottait dans l'air et j'entendais des éclats de rire se mêler à la musique. Avec mon canif, j'ai dévissé la plaque minéralogique. Quand elle est tombée sur l'asphalte, je l'ai poussée à coups de pied jusqu'à une grille d'égout. Maintenant les jeunes avaient tous les yeux fixés dans ma direction.

Quelques-uns s'étaient levés pour mieux voir. J'ai traversé la rue pour les regarder. Deux jeunes s'approchaient sans se presser. L'un a regardé par la portière ouverte, l'autre a fait le tour de la camionnette.

« Ça va, là-dedans ? » a dit le premier.

Ne recevant pas de réponse, il a donné deux grands coups sur la tôle.

« Il y a quelqu'un ? »

L'autre, à l'arrière, inspectait l'intérieur d'un œil méfiant. Je leur ai tourné le dos et je suis parti. Il était peu plausible qu'on retrouve jamais le véhicule de Carillon. Je me demandais seulement s'il serait désossé sur place ou revendu en état de marche. Dans les rues de cette ville, une voiture trahissant la moindre faiblesse — un pneu à plat, une portière mal fermée, une plaque en moins — était comme un animal blessé dans une mer infestée de requins. Après la ruée des prédateurs, il n'en restait que le squelette.

Je suis revenu à la gare et j'ai trouvé le quai où s'arrêtait le train pour New York. J'étais épouvanté à l'idée de passer une heure mêlé à la foule des transports en commun, mais il était presque minuit, et j'ai pu facilement éviter de me heurter aux autres voyageurs. Une fois sûr qu'ils étaient bien installés, je me suis même offert le luxe de m'asseoir.

A la gare de Pennsylvania j'ai attendu que le train soit vide et je suis monté à pied, sans prendre l'escalier mécanique. Au moment où je grimpais péniblement les dernières marches, un adolescent a surgi en hurlant comme un possédé et s'est mis à descendre l'escalier quatre à quatre. Rien de particulièrement surprenant pour un New-Yorkais, mais je me suis souvenu juste à temps que c'était maintenant à moi de l'éviter et de me cramponner à la rampe.

En arrivant dans la grande salle j'ai eu l'impression de retrouver New York après un voyage de plusieurs années. Je me sentais soulagé, presque joyeux, mais en même temps complètement isolé, coupé des humains éparpillés dans cette immense caverne et dont aucun ne se rendrait compte de mon existence. Ce n'étaient plus des gens à qui j'aurais pu parler, que j'aurais pu connaître : ce n'étaient plus que des objets en travers de mon chemin, aux mouvements imprévisibles, constituant un certain danger et m'obligeant à rester sur mes gardes.

Au prix d'un ou deux détours pour éviter la démarche zigzagante des ivrognes, je suis allé jusqu'à l'entrée de la ligne IRT côté ouest, j'ai escaladé le tourniquet et je suis monté dans le dernier wagon d'un métro moribond. Le train était presque vide, et j'étais épuisé, mais je suis resté debout. A la 42e Rue, j'ai changé et pris la navette vers l'East River. Il y avait plus de monde, et beaucoup de gens entraient par le dernier wagon pour marcher jusqu'à la tête du train. Obligé de les éviter, j'ai fini par me mettre debout sur un siège pour les laisser passer. A l'IRT côté est, j'ai attendu l'express. Cette fois il y avait moins d'allées et venues à l'intérieur des wagons. Je suis descendu à la 88ᵉ et j'ai attendu que le quai soit désert avant d'attaquer les deux étages qui me séparaient du niveau de la rue. J'étais très fatigué. Encore quelques centaines de mètres.

C'est sur la 88ᵉ que mon aventure a failli se terminer par un beau gâchis. Au feu rouge, j'ai voulu traverser. Au même instant, un taxi garé le long du trottoir, voyant que le carrefour était dégagé, a foncé sur Lexington Avenue en brûlant le feu rouge. Son rétroviseur m'a accroché et projeté sur une voiture en stationnement. J'ai poussé un cri de surprise et de douleur, croyant d'abord que j'avais le bras arraché. En fait, c'est mon bras qui avait arraché son rétroviseur. Le chauffeur a donné un violent coup de frein, et il est descendu en laissant son taxi au milieu du carrefour. Sa graisse lui donnait presque une sorte de majesté, mais bien qu'il ait dû trouver l'incident parfaitement inexplicable, il paraissait plus belliqueux que surpris. Sa vie quotidienne était probablement remplie d'événements mystérieux. Il a ramassé son rétroviseur et regardé autour de lui d'un air hostile. Sur Lexington, le feu était passé au vert et un concert de klaxons montait des voitures bloquées par son taxi. Il est reparti d'un pas lourd, s'est remis au volant en claquant la portière, et s'est éloigné.

Mon bras me semblait intact. Debout, me tenant l'épaule d'un air stupide, j'ai senti que je tremblais — plus en raison de mon énervement et de ma fatigue que du coup que j'avais reçu, pensais-je. Mais je ne pouvais plus me permettre de frôler sans cesse la catastrophe. Encore quelques pâtés de maisons. En remontant sur le trottoir, j'ai trébuché et failli tomber. Mes erreurs s'accumulaient. Il fallait que je fasse attention aux moindres détails. Au croisement, je suis passé derrière les voitures qui attendaient le feu vert. « Attention en traversant la rue. Arrête-toi, écoute et regarde », comme on me le répétait sans arrêt à l'école. Complètement épuisé. Arrivé en bas de mon immeuble, j'ai constaté que je tremblais encore.

Mon appartement occupait le niveau supérieur d'un petit bâtiment situé entre la Cinquième et Madison. Les trois étages à monter étaient parfois déprimants, mais j'avais une grande terrase exposée plein sud, inondée de verdure et de soleil, et je pouvais me croire en pleine nature. On entrait dans l'immeuble par deux portes vitrées séparées par un petit vestibule où se trouvaient les boîtes aux lettres, les sonnettes et les interphones.

J'ai regardé dans tous les sens, pour être sûr que la rue était vide, ouvert la première porte juste assez pour m'y glisser, et je suis entré dans le vestibule. Par habitude, j'ai pris mes clefs et ouvert ma boîte à lettres — ce qui était moins évident depuis que la petite clef était invisible. Uniquement des prospectus. Je les ai mis dans ma poche. Il m'a fallu encore plusieurs minutes pour trouver la bonne clef et ouvrir la seconde porte. Puis, j'ai entrepris de monter péniblement les étages.

Juste avant d'arriver au premier, j'ai baissé les yeux et vu le spectacle insolite que je devais offrir. N'importe qui, de la rue ou d'un des appartements, aurait pu apercevoir un petit paquet blanc, le courrier que j'avais empoché, sautiller à un mètre des marches en montant l'escalier. Je me suis accroupi pour regarder par les portes vitrées. Personne en face de l'immeuble, semblait-il. Il fallait que je m'éclaircisse les idées. C'était la fatigue. Un de mes voisins avait-il pu m'observer, à travers un judas ? D'abord, faire moins de bruit, pour ne pas leur donner l'idée de jeter un coup d'œil. J'ai pris mon courrier à la main, je me suis plié en deux pour le garder au ras du sol, et j'ai continué à monter dans une position très inconfortable.

L'escalier débouchait sur un palier, en face de ma porte. Il me restait deux serrures à ouvrir. J'en mourais d'envie. J'avais besoin de manger, de boire, de m'allonger, de dormir. D'être en sécurité. « Trouve la bonne clef — une Medeco, taillée en biais, guide-la du doigt dans le trou, et tourne. L'autre, ensuite — la suivante, mais laquelle ? Ne lâche pas la Medeco et essaye les deux. » La première n'est pas entrée. La seconde oui, et elle a tourné. La porte s'est ouverte. J'ai fait deux pas, allumé la lumière, retiré les clefs de la serrure et refermé la porte.

Chez moi.

Ivre de joie, j'ai failli m'évanouir. J'étais en lieu sûr, à l'abri entre quatre murs, ma porte bien fermée. Rien ne pouvait plus m'arriver. Ils ne viendraient pas me chercher ici. Une inquiétude, soudain, m'a traversé l'esprit : et s'ils avaient découvert la bonne piste ? Auraient-ils pu me devancer, m'attendre ici ? Pas encore. Ils ne savaient toujours pas qui j'étais. J'étais en sûreté pour un bout de temps, peut-être même pour longtemps. Voire pour toujours. Comment découvriraient-ils mon identité ? En tout cas, pour l'instant, j'étais tranquille, sur mon propre terrain. Je pouvais m'asseoir, prendre un verre et penser à la suite des événements. Cette idée m'a fait monter l'eau à la bouche. En plein délire, je suis allé dans la cuisine, j'ai jeté le courrier sur la table et j'ai posé mes clefs par-dessus, comme d'habitude.

L'air sentait le renfermé. Attention. Avant d'ouvrir la fenêtre, il fallait éteindre la lumière. Sinon un voyeur des environs verrait le store se relever tout seul, mystérieusement. A la réflexion, il verrait pas mal de choses bizarres : le courrier voler à travers la pièce et atterrir par magie sur la table, par exemple. Les New-Yorkais, qui vivent au-dessus, au-dessous et tout autour les uns des autres, prennent des précautions extraordinaires pour éviter toute intimité avec leurs voisins, refusant même de les rencontrer, de leur adresser la parole, mais ils sont sans cesse en train de s'observer, de s'espionner.

J'ai éteint la lumière et j'ai fait le tour de l'appartement pour tirer les rideaux et baisser les stores. Puis je me suis précipité vers le réfrigérateur avec impatience, et en l'ouvrant je me suis vaguement souvenu que je n'avais pas bu une goutte d'eau de la journée ni rien mangé depuis presque quarante-huit heures. De la bière. J'ai pris une bouteille, que j'ai décapsulée d'une main tremblante. Elle m'a paru d'une fraîcheur merveilleuse, et l'alcool m'a procuré un bien-être si aigu que j'ai cru m'évanouir. L'euphorie, alliée à la fatigue, me donnait le vertige. « Assieds-toi. Tu es chez toi. A l'abri. Tu as tout le temps de réfléchir. » Une sensation merveilleuse m'a envahi.

Peu après — mais j'étais presque en transe, me rendant à peine compte du temps qui passait —, je suis allé prendre une seconde bière et voir ce qu'il y avait à manger. Un carton à moitié vide de porc aux pousses de bambou. Il devait être là depuis plusieurs jours, mais comme ça je n'avais rien à préparer. J'ai pris des baguettes dans le tiroir et j'ai arraché le couvercle en carton. La vue et l'odeur de la nourriture ont fait exploser la faim qui me tenaillait, et j'ai senti la salive me couler dans la bouche. J'ai avalé le contenu du carton presque sans mâcher, sans pouvoir m'arrêter. Ensuite j'ai bu la deuxième bouteille de bière et je me suis remis à fouiller le frigidaire. Sans bouger de place, j'ai arraché l'emballage d'une glace au café que j'ai engouffrée à grands coups de cuiller. Du coin de l'œil je voyais vaguement que j'en avais renversé sur ma chemise, mais sans m'arrêter pour autant. Je devrais prendre le temps de nettoyer cette chemise, me suis-je dit un peu plus tard. L'important, c'est de rester invisible. J'ai posé la glace sur la table pour aller me laver à l'évier.

En baissant les yeux, j'ai découvert que je n'avais rien renversé. J'avais simplement déversé dans mon œsophage invisible une horrible mixture, jaune et marron, composée de porc aux pousses de bambou, de bière et de glace au café. Ce mélange boueux s'accumulait dans mon estomac, un organe dont jusqu'à présent l'existence m'avait toujours paru douteuse.

J'étais devenu un sac plein de vomi et de matières fécales. En y repensant, je peux me dire que ce n'était pas nouveau, mais jusqu'alors la nature ne m'avait pas obligé à considérer la condition humaine sous un jour aussi cru. Les vérités les plus gênantes étaient restées discrètement dissimulées par l'opacité de ma chair. Désormais je n'étais plus qu'un réceptacle invisible, plein de merde et de vomi. Je ne saurais vous dire à quel point cela m'a déplu. Et découragé.

C'était effrayant. Jusque-là j'avais supposé, et même je m'étais fait à l'idée que même si je ne ressemblais plus à personne, j'étais du moins parfaitement invisible. Tous mes espoirs de rester en liberté étaient fondés sur cette hypothèse. Il s'avérait désormais que non seulement mon invisibilité était sujette à caution, mais qu'encore je ne me manifesterais aux yeux du monde que sous la forme d'un appareil digestif. Grotesque.

Je ne pouvais détourner les yeux du miroir. Ça — c'était vraiment le pronom approprié — devenait de plus en plus affreux. Répugnant. Après tout, je devrais peut-être livrer ma personne à la science. Bon Dieu ! Ma seule envie, c'était de tout vomir. Mais j'avais besoin de me nourrir. Ou peut-être que non. Mon corps — tel qu'il s'était transformé — était peut-être incapable de digérer une nourriture normale. J'étais peut-être en train de mourir. Comme tout le monde. La condition humaine et ainsi de suite. Horrible, la façon dont les aliments tournaient au ralenti dans mon estomac, changeant peu à peu de consistance et de couleur. Infect.

Il m'est venu une idée un peu plus encourageante. Je me souvenais d'avoir lu quelque part — sans doute dans un manuel de biologie — que l'organisme humain renouvelle plusieurs fois ses cellules au cours de son existence. Combien de fois ? A quel rythme ? A mesure que je mangerais, que je boirais, que je respirerais, mon corps allait-il graduellement se reconstituer avec de la matière normale, visible ? Peut-être devrais-je manger le plus possible ? Accélérer le processus ? En quelques semaines, j'aurais de nouveau l'apparence d'un être humain. Il me suffirait de rester terré chez moi jusqu'à ce que les choses redeviennent normales. Une idée réjouissante. Mais pas très réaliste, me suis-je dit en revenant sur terre d'un seul coup. La vie — surtout les mauvaises surprises qu'elle nous réserve — est rarement aussi simple et logique. Le plus probable, c'était que je ne serais ni visible ni invisible, que je garderais l'aspect d'un sac d'ordures vaguement translucides. Les techniciens des laboratoires finiraient peut-être par s'habituer à ce spectacle.

Je n'arrivais toujours pas à détourner les yeux. Le lendemain matin, je saurais peut-être quelle apparence m'était destinée. Ou quelle non-apparence. Je me suis servi un verre de scotch et je suis allé dans ma chambre. Au milieu de la pièce, debout, j'en ai avalé une grande gorgée et je l'ai regardée glouglouter en bas de l'œsophage et rejoindre l'égout qu'était devenu mon estomac. Atroce. Mon état m'inspirait un dégoût innommable, insurmontable. En même temps, c'était ridicule. Difficile à prendre au sérieux. J'avais presque envie d'éclater de rire, mais j'avais peur de me mettre à vomir. « Encore un peu de scotch. Du calme. Demain, tu auras tout le temps d'y penser. Allonge-toi un peu sur le lit. Sans issue. Je devrais me déshabiller. Commencer par me reposer. Fermer les yeux une minute. Rien à faire, je vois à travers mes paupières. Absurde. Les yeux fermés, c'est tout de même mieux. Pas sans issue. Grave, mais pas désespéré. Comme les Prussiens et les Autrichiens : la situation est grave mais pas désespérée. Désespérée mais pas grave. Merde. Je devrais me déshabiller. Grave, mais pas désespéré... mais pas grave... Merde. »

Au matin le soleil est entré par la fenêtre et m'a pénétré de ses rayons. C'était merveilleux. Même si je m'étais écroulé tout habillé. J'avais dû trop boire — fallait que je m'en empêche — et dormir une éternité, sans même me couvrir. Abruti.

Je sentais le couvre-lit râpeux contre ma joue. Le lit, vide, n'avait pas été défait.

Vide !

Le lit était vide !

Invisible ! J'étais invisible ! Mon réveil a été terrible, explosif, et j'ai su immédiatement où j'étais, où j'en étais.

Mon Dieu !

Je tremblais. Combien de fois allais-je me réveiller de cette façon, avec le même choc ? « Si tu as de la chance, si tu fais attention, si tu gardes ton sang-froid, tu peux durer longtemps. Si tu veux résister, tu dois rester calme. »

Et la nourriture dans mon appareil digestif ? Second degré de la panique. Je me suis regardé, sans savoir ce que j'allais voir. N'importe quoi m'aurait fait peur, je suppose. En fait j'ai aperçu deux petits filaments translucides à l'endroit présumé de mon gros intestin. Une fibre ou un cartilage impossibles à digérer. Probablement le porc aux pousses de bambou. A part ça, j'étais redevenu invisible. D'une manière ou d'une autre, pendant la nuit, mon corps avait su convertir les aliments et leur communiquer les particularités chimiques ou physiques qu'il avait acquises. Ou sa structure. Ou quoi que ce soit. Ce que j'étais devenu. Toute l'affaire — l'état où je me trouvais — était incompréhensible. Saugrenue. J'ai eu envie de me laisser aller à gémir. Je l'ai peut-être fait.

Il fallait que je me ressaisisse, que je reprenne le contrôle de moi-même, que je réfléchisse à ce que je devais faire. Calmement, et à fond.

Mon invisibilité était presque entièrement revenue. J'essayais de me demander si c'était un bien ou un mal, mais je n'arrivais pas à me poser clairement le problème. Bien ou mal, c'était ainsi. A partir de là, je devais me décider. Envisager la suite des événements. Calmement.

D'abord, j'ai ôté mes vêtements sales, qui sentaient la sueur. J'ai mis mon costume dans la penderie et le reste dans un sac à linge sale. Il fallait que je note soigneusement l'emplacement de toutes mes possessions invisibles. J'ai vidé un tiroir de la commode et disposé à l'intérieur le contenu de mes poches. Qu'est-ce que j'avais pu laisser traîner, la veille au soir ? Je suis allé dans la cuisine et j'ai exploré la table à tâtons, trouvant mes clefs sur la pile de prospectus. J'ai tout rangé dans le tiroir.

Assis sur le siège, en train d'uriner, je me demandais si quelqu'un remarquerait les débris de nourriture restés au fond de mon intestin. Combien de temps me faudrait-il pour les éliminer ? Je suis allé boire presque un litre d'eau au robinet, et j'ai regardé le liquide dégringoler dans mon estomac. Combien de temps demeurerait-il visible ? Et puis, en me brossant les dents devant le miroir de la salle de bains, j'ai eu la surprise de voir le dentifrice mousser et dessiner en l'air un sourire féroce, comme celui du chat de Cheshire. Vite, me rincer la bouche. Le sourire s'est effacé, laissant son fantôme tracé en pointillé par les traces de dentifrice. Ma vie quotidienne était un vrai Palais du Rire. Quelque part, il devait y avoir un rasoir électrique. Sous l'évier, dans le placard. Je me suis attaqué à ma barbe de deux jours, m'interrompant plusieurs fois pour me tâter les joues et le menton. Sans voir les poils ni la peau, cela m'a semblé encore plus long et ennuyeux que d'habitude. De toute façon, je n'avais jamais aimé les rasoirs électriques. Maintenant, apparemment, j'y étais condamné. Me raser était peut-être inutile, mais je suis tout de même allé jusqu'au bout. Du moins je n'aurais plus à me demander si mes pattes étaient de la même longueur.

Sous la douche, en me savonnant, j'ai soudain aperçu les contours de mon corps apparaître sous la mousse, et je me suis frotté avec fureur. Absurde. Je me suis essuyé. Les derniers restes de sourire du chat de Cheshire disparaissaient, et dans mon estomac l'eau n'était plus qu'un brouillard indistinct. Je me suis dit qu'il serait hautement improbable que quiconque remarque les minuscules filaments restés dans mon intestin.

Après m'être lavé, je me suis senti mieux, et j'aurais aimé enfiler des vêtements propres. Mais il aurait été étrange de les voir déambuler dans l'appartement sans personne dedans : il faudrait garder les rideaux tirés toute la journée. Mes seuls vêtements invisibles étaient ceux dans lesquels j'avais transpiré pendant deux jours. Bon, un problème pratique que je pouvais résoudre. « Fais une chose à la fois, et ne t'endors pas. » J'ai vidé mon sac de linge sale dans la baignoire, j'ai ouvert le robinet d'eau froide et j'ai versé du détergent par-dessus.

Résigné, je suis retourné dans la cuisine. Je devais manger. Des œufs au bacon seraient parfaits, et cette idée me faisait venir l'eau à la bouche. Mais si je mangeais, me suis-je dit tristement, j'aurais l'air d'une poche d'aliments à moitié digérés pendant toute la journée. Combien de temps, en réalité ? Moins de neuf heures. Il était dix heures dix-sept, d'après le réveil de la cuisine, et j'avais mangé vers une heure du matin. Pour ne courir aucun risque, il fallait que je jeûne toute la journée, que je ne mange rien avant la tombée de la nuit, quand j'aurais moins de chance de rencontrer quelqu'un. Était-ce possible ? Peut-on ne faire qu'un seul repas par jour ? J'ai regardé mon ventre en me demandant une fois de plus si j'avais assimilé la nourriture que j'avais absorbée. Valait-il mieux manger maintenant et sortir la nuit, au moment où la moindre opacité de mon corps risquerait moins d'être remarquée ? Et quelles raisons avais-je de sortir, de toute façon, le jour ou la nuit ? Pour quel motif, dans quel espoir ferais-je autre chose que rester tapi dans ma tanière jusqu'à ce qu'ils viennent me chercher ?

J'essayais de penser à ce que je devais faire. Une chose à la fois. Je me suis installé à la table de la cuisine, et, automatiquement, j'ai ouvert mon courrier. Des offres d'abonnement à *Newsweek* et *Kiplinger Letter.* A jeter. Un appel pour sauver les baleines. Des catalogues de chez L. L. Bean et Talbot. Pourquoi insistaient-ils ? Je ne me souvenais pas d'avoir jamais rien acheté sur catalogue. Et cela ne risquait pas de m'arriver : je n'aurais plus besoin de bottines en daim ni d'une toque de trappeur. Non, un instant — désormais, si je devais acheter quelque chose, ce serait par correspondance. Ou par téléphone. J'ai mis de côté les catalogues. Des appels personnalisés signés par Ronald Reagan, Edward Kennedy, Jesse Helms et Coretta King, m'ayant choisi en tant que citoyen concerné et m'honorant d'une lettre écrite par un ordinateur. Les notes du téléphone, de l'American Express, de Manhattan Cable. Fallait-il les payer ? Quelle différence ? J'avais été expulsé du système économique. De toute la race humaine. Non. Il était absolument nécessaire de les payer. C'était mon seul espoir. Continuer à payer mes factures, à remplir mes obligations, à traiter le monde extérieur comme si j'en faisais toujours partie, comme si j'étais resté à la même place. Rien de changé. Je pourrais alors durer indéfiniment, habiter tranquillement chez moi comme n'importe qui. J'ai rangé les factures avec les catalogues. « Je les réglerai plus tard. Non. Paye-les maintenant. Ne faiblis pas. Traite les problèmes au fur et à mesure. Autrement tu vas contempler tes intestins jusqu'à ce qu'ils viennent frapper à ta porte. »

J'ai pris les factures, je suis allé remplir les chèques sur le bureau de ma chambre et j'ai refermé les enveloppes. Comment les mettre à la poste ? Attendre minuit et me faufiler jusqu'à la boîte aux lettres du coin de la rue ? Stupide. Un jour ou l'autre, je me ferais prendre. Bon Dieu. Il faudrait que j'y réfléchisse. Plus tard. J'ai empilé les enveloppes sur le bureau. Les problèmes allaient s'accumuler, et une quantité de détails quotidiens, sans intérêt, devenir quasiment insolubles.

J'avais besoin d'aide. Le problème, c'était de savoir si je pouvais compter sur Anne pour garder le silence. De toute façon, je devais lui téléphoner. Mais que lui dire ? Dans quelle mesure la mettre au courant ? Elle savait peut-être déjà ce que faisaient Jenkins et son équipe. Tout prévoir avant. Et sans rien avoir prévu, j'ai appelé le *Times*. Anne était sortie. J'ai laissé un message et essayé chez elle. Pas de réponse. Je me suis rendu compte que j'avais très envie de lui parler. Je la voyais déjà se précipiter pour me venir en aide.

J'ai bu un verre d'eau, observé d'abord l'apparition de mon œsophage, celle de mon estomac, puis leur disparition graduelle. Avec l'eau, tout allait très vite. Il faudrait que je me renseigne sur le processus de la digestion. Cela me paraîtrait peut-être moins répugnant si je pouvais le considérer d'un point de vue scientifique. Je me suis souvenu du spectacle horrible offert par mon repas de la veille et j'ai préféré attendre d'être prêt à dormir avant de recommencer. Jenkins allait systématiquement rechercher toutes les personnes présentes à la conférence de presse, et je ne pouvais surtout pas me permettre d'avoir l'estomac plein si le gouvernement envoyait quelqu'un enquêter à mon domicile. Bien sûr, j'avais toujours la possibilité de ne pas ouvrir, de faire comme si je n'étais pas là. Mais s'ils savaient que j'étais rentré ? Ils téléphoneraient avant de venir. Est-ce que je devais répondre ? Anne allait appeler d'un moment à l'autre, et je voulais lui parler. Ils essaieraient probablement de me joindre d'abord à mon travail. Qu'est-ce qu'on leur dirait ? C'était le problème le plus urgent. Ça, et ce que je mangerais quand j'aurais épuisé mes maigres provisions. Le plus urgent, c'était de savoir par où commencer. Pour l'instant je me contentais d'aller et venir sans but, à moitié halluciné, gouverné par la panique, incapable de penser clairement. Comme dans ces cauchemars où on doit courir pour échapper à un danger mortel, mais où on n'arrive pas à remuer les jambes. Il fallait que je parle avec quelqu'un. Que je reprenne contact avec le monde des humains. Que je me calme.

J'ai appelé mon bureau.

« Ici le bureau de M. Halloway », a répondu ma secrétaire. Le son de sa voix m'a réconforté, et j'ai cru que j'allais me mettre à pleurer.

« Bonjour, Cathy.

— *Bonjour!* Où êtes-vous passé ? J'ai pensé que vous n'alliez pas venir du tout.

— Que voulez-vous dire ? »

J'étais surpris à la fois par sa question et par l'urgence qu'exprimait sa voix. En général j'arrivais après dix heures, et souvent je ne venais pas de la journée : mon absence n'avait rien d'inhabituel. Quant à la veille, je lui avais dit que je ne serais probablement pas en ville.

« Un certain MacDougal vous attend.

— MacDougal ?

— Gordon MacDougal. Des pétroles Hartford. Votre rendez-vous de dix heures.

— Bon Dieu ! »

Je l'avais complètement oublié. Qui était-ce, au juste ? Je me souvenais seulement que je n'avais pas très envie de le voir mais que je n'avais pas voulu le froisser. J'avais retardé notre entrevue autant qu'il était décemment possible de le faire. Une histoire quelconque qu'il tenait à me vendre. J'avais probablement eu l'intention de repousser indéfiniment cette corvée dans l'espoir qu'elle finirait par tomber dans un abîme sans fond.

« Celui-là, je l'avais complètement oublié... En fait, je ne me sens pas très bien. Je suis chez moi, au lit. Voyons voir... vous feriez mieux de me le passer... Non, attendez. Vous m'avez prévu autre chose pour aujourd'hui ? Je n'ai pas mon agenda.

— Non, rien pour aujourd'hui. Mais Roger Whitman voulait trouver un moment pour vous rencontrer dans l'après-midi. Il dit qu'il cherche une solution pour le gaz naturel, un moyen de le transporter ou je ne sais quoi. Lundi...

— Écoutez, passez-moi MacDougal, que je lui présente mes excuses. Dites-lui que j'ai la grippe. Excusez-vous aussi. Et tâchez de savoir qui c'est et pourquoi j'ai pris rendez-vous avec lui. Précisez-lui que vous ne m'avez jamais vu manquer un rendez-vous et fixez-lui une autre date — la plus éloignée possible, sans qu'il le prenne mal. C'est moi qui me déplacerai. Ensuite, quand vous aurez réglé cette question, rappelez-moi. Je suis chez moi. »

Il y a eu un déclic, on m'a mis en attente, et puis une voix d'homme, dissimulant un soupçon d'intonation revendicative s'est adressée à moi.

« Allô, Gordon ? » Il a essayé de répondre, mais j'ai enchaîné. « Bonjour, c'est Nick Halloway. Je suis vraiment désolé de vous avoir fait faux bond. » Il a voulu m'interrompre pour m'assurer que ce n'était pas grave. Je ne l'ai pas écouté. « Je viens de me réveiller avec une fièvre de cheval. A franchement parler, je n'ai pas arrêté de dormir. J'ai dû attraper une sorte de grippe. Je suis tout disposé à venir vous retrouver, mais je ne voudrais pas vous faire attendre plus longtemps. Et, tel que je me sens, je ne sais pas si je pourrais être utile à grand-chose. » A m'entendre, a-t-il dit, je devrais rester couché. « J'ai vraiment honte de vous avoir fait faire tout ce chemin pour rien. » Il a dit que ce n'était pas grave, qu'il devait venir à New York de toute façon. Bon Dieu ! D'où sortait-il ? Je me suis demandé s'il pouvait y avoir une compagnie pétrolière à Hartford. Ou bien Hartford, mais au Texas. « En tout cas, c'est moi qui regrette de vous avoir manqué. Je m'intéresse vraiment beaucoup à ce que vous faites là-bas. C'est une situation des plus intéressantes. »

J'ignorais tout de ce qu'ils faisaient, comme de leur situation, mais tout le monde trouve sa situation particulièrement intéressante. La mienne, ai-je pensé, était même horriblement intéressante. Il fallait que je mette fin à cette conversation.

« Écoutez, Gordon, j'ai demandé à ma secrétaire de convenir avec vous d'un autre jour qui vous convienne. Je dois probablement m'absenter toute la semaine prochaine — à condition d'être à nouveau d'aplomb — mais ensuite, quand vous voudrez. »

J'espérais qu'il ne passait qu'un seul jour à New York, et qu'il devait repartir d'où il venait. Hartford, en Oklahoma ? « En fait, j'aimerais vraiment avoir l'occasion de venir sur place pour me rendre compte de vos activités. » Au nord ? Au sud ? Hartford, en Alaska ? « Convenez plutôt d'un jour avec Cathy : je n'ai pas mon agenda sous la main... Oui, je regrette vraiment... Oui, je l'espère aussi... Au revoir. »

C'était vrai : je n'avais pas mon agenda. Le petit calepin noir que j'avais toujours sur moi, avec tous mes rendez-vous, professionnels et personnels, cinquante pages de noms, adresses et numéros de téléphone, plus une série d'anniversaires, de dates importantes, de dépenses à déduire de mes impôts, et des listes de choses à faire. Absolument invisible, illisible, inutilisable. Peu importait, désormais. J'allais avoir des occupations totalement différentes, et je n'imaginais plus avoir l'occasion de composer les numéros inscrits sur ce carnet.

J'ai décroché à la première sonnerie.

« Allô ?

— Nick, c'est Cathy.

— Comment va MacDougal ? Il a fait des difficultés ?

— Tout va bien. Vous avez rendez-vous avec lui ici, le 23 à deux heures.

— Bon. Désolé de vous mettre dans cette situation. Vous pouvez me donner les messages des deux derniers jours ?

— Bien sûr, une seconde. M. Peters, de Badlands Energy, en réponse à votre appel. Un certain Riverton aussi — il n'a laissé ni message ni numéro, il a dit que c'était personnel.

— Bill Riverton. Très bien. Il veut seulement jouer au squash.

— Lester Thurson, de Spintex. Et Roger Whitman voudrait vous voir...

— Bon. Je vais l'appeler. Personne d'autre ? Même sans laisser de nom ?

— C'est tout ce que j'ai. Je leur ai dit que vous étiez absent de New York. C'est ce que vous vouliez, non ?

— C'est parfait. Écoutez, je me sens un peu patraque. Je ne pense pas venir cet après-midi, à moins d'aller nettement mieux...

— Je suis désolée pour vous. C'est grave ?

— Non, non. Ce n'est rien. Je me sens un peu faiblard, c'est tout. Écoutez...

— Vous avez vu un médecin ? »

Dans la vie de Cathy, ses visites à divers médecins tenaient une grande place. Quant à moi, cela faisait des années que je n'en avais pas vu un seul.

« Non. Je ne pense pas qu'un médecin serait... En fait, j'irai peut-être me faire examiner un peu plus tard.

— Dois-je dire que vous êtes malade ?

— Non, non. Je préfère que vous disiez que je suis venu et que j'ai dû repartir. Que cela va continuer toute la journée, et que je serai difficile à joindre. Prenez les messages, je les rappellerai moi-même.

— OK.

— Écoutez, Cathy. Pourriez-vous me rendre un énorme service ? J'ai honte de vous le demander, en fait, mais je n'ai vraiment pas le courage de me lever. J'aimerais que vous m'apportiez un certain nombre de choses pour que je puisse travailler chez moi.

— Pas de problème. Que voulez-vous ?

— Mettez simplement le courrier et les messages dans une chemise. Attendez, je vais vous dire : regardez dans le tiroir en bas et à gauche de mon bureau. Il devrait y avoir le petit agenda noir de l'an dernier. Prenez-le. Je crois que j'ai perdu celui de cette année, avec tous mes rendez-vous et mes numéros. Et pourquoi ne pas photocopier sur votre bloc-notes les rendez-vous des prochaines semaines ? Est-ce qu'il y a quelque chose d'important dans les jours qui viennent ?

— Attendez une seconde. Non. Lundi, vous aviez prévu d'aller à Houston. Et n'oubliez pas le bilan mensuel de jeudi. »

Ce serait le seul vrai problème. La seule réunion où j'étais tenu d'assister.

« Ce jour-là, je serai rétabli. Probablement dès demain. Je me demande seulement si j'aurai envie de quitter la ville. Annulez donc Houston. A la place, je passerai peut-être au bureau. Dites-moi, y a-t-il un peu d'argent liquide — ou même auriez-vous deux cents dollars sur votre compte ? Je suis complètement à court de liquide et je n'ai pas le courage d'aller jusqu'à la banque. Le frigidaire est vide. Je vous donnerai un chèque en échange.

— Pas de problème. Je passerai par ma banque en venant. Combien voulez-vous ?

— Deux cents, ce serait bien — ou même deux cent cinquante, si vous pouvez.

— Vous êtes OK ? Voulez-vous que je vous apporte de quoi manger, ou quoi que ce soit ?

— Non, non. Je vais très bien. En fait, si vous pouviez me prendre le *Journal* et le *Times*, ce serait génial. Vous me rendez vraiment service. Je pense que ce n'est qu'une question de vingt-quatre heures. A très bientôt. Vous avez mon adresse, n'est-ce pas ?

— Quatre-vingt-neuvième Rue est, au 24. Vous ne voulez vraiment pas que je vous prenne quelque chose à la pharmacie ?

— Ça va bien. Oh, avant de partir, n'oubliez pas de dire à qui va répondre au téléphone que je viens de sortir et que je repasserai dans l'après-midi. Pas question de maladie.

— Très bien. Je serai là dans moins d'une heure.

— A tout de suite, alors. Merci beaucoup, Cathy. »

Après avoir raccroché, j'ai réfléchi quelques instants. Mieux valait tout régler le plus vite possible. J'ai fait le numéro du siège et j'ai demandé Whitman.

« Allô, Roger ?

— Nick. Merci de me rappeler. Je me demandais si on pourrait se voir dans la journée — quelque chose qui se présente. Vingt minutes, pas plus.

— Aucun problème, sauf qu'aujourd'hui, je suis très pris. En fait, à l'heure actuelle, je ne suis même pas au bureau et je ne sais pas quand j'y passerai. Et si on remettait à la semaine prochaine ?

— J'ai promis une réponse à quelqu'un pour lundi matin... Cela te convient ? On pourra peut-être régler ça par téléphone.

— Bien sûr. Pour moi, ce serait d'ailleurs plus pratique.

— Je m'occupe d'une affaire en Indiana. Les industries Deltaland.

— Phosphates et produits chimiques ?

— C'est ça. Des engrais. Une petite société, mais intéressante. Bénéfices à plat pendant des années, se vendent à six fois environ, mais ils ont des parcs à bestiaux, la plupart fermés, en fait...

— Exact, ai-je dit. J'en ai entendu parler récemment, ou je l'ai lu quelque part. Une sorte d'immobilisation fictive.

— C'est ça. Les parcs ne sont inscrits qu'à leur prix d'achat, et ils ont en plus acquis des réserves de gaz naturel... »

Tout en parlant, j'ai remarqué une fois de plus l'aspect de l'écouteur, suspendu par magie au-dessus de ma chaise. Ce spectacle, auquel j'aurais dû m'être habitué, m'a soudain donné la nausée. Il aurait mieux valu que je fasse attention à ce que disait

Roger : il énumérait les prix de base, les échéances des contrats, et je comprenais bien pourquoi il m'avait appelé. Il a horreur des chiffres et des calculs. Comme de lire tout ce qui est en petits caractères et sans illustrations. J'aime bien Roger, mais parfois je me demande pourquoi il exerce un métier pareil. Il doit sa place au fait que ses tantes, inexplicablement, lui avaient permis d'administrer d'énormes quantités d'argent, et qu'avec ses commissions, il pouvait payer des gens comme moi, capables d'effectuer des divisions interminables et de lire les caractères minuscules des contrats. Il m'a posé une question sur la dérégulation des gaz naturels.

« Toute la question de la dérégulation et de son influence sur les prix est extrêmement complexe », ai-je répondu prudemment sans avoir bien compris ce qu'il me demandait.

Au silence qui a suivi, j'ai vu que ma réponse était inadéquate.

« Et à quel ordre de grandeur, actuellement, estimerais-tu les réserves ? ai-je ajouté dans l'espoir de me remettre en selle.

— C'est là-dessus que j'essayais d'obtenir ton aide, a-t-il répondu d'un ton un peu étonné, avec un soupçon d'agacement. Je tombe mal, peut-être ?

— Non, non, pas du tout. J'ai seulement la tête pleine de toutes sortes de choses. Désolé de te paraître un peu distrait. Je me demandais seulement si tu avais jeté un coup d'œil aux chiffres. Aujourd'hui, je ne suis pas très en forme. Un peu de grippe.

— Rien de grave ?

— Non, non. Écoute, Roger, je ne veux pas te donner une réponse prématurée. Avec les incertitudes de la réglementation et le contexte politique en pleine mutation, tout le secteur des gaz naturels peut devenir extrêmement risqué. Extrêmement. Écoute, je vais travailler chez moi jusqu'à ce que je me débarrasse de cette grippe, d'ailleurs Cathy doit m'apporter un certain nombre de documents. Donne-lui ce que tu as, et je te rappelle dès que j'y aurai jeté un coup d'œil.

— D'accord, Nick. Je te remercie. Mais si tu ne te sens pas bien, ne...

— Je vais très bien. Trop de vin, de femmes et de chansons, probablement. »

Avec ça, Whitman serait content. Il suffisait de le faire rire.

« C'est la meilleure recette. Et si tu dois te rationner, commence par les chansons. A propos, la fille avec qui tu as déjeuné au Palm, l'autre jour... »

Anne.

« Anne Epstein, ai-je dit. Mais ce n'est pas une fille, et donc tu n'as quasiment aucune chance. C'est une *personne*. En fait elle est journaliste au service économie du *Times*.

— Mon Dieu, j'ai vraiment cru que c'était une fille, Nick. Encore plus fille, même, que toutes celles qui me viennent à l'esprit. Si tu t'aperçois qu'elle n'est pas faite pour toi, un jour ou l'autre, dis-lui toujours que je quitterais femme et enfants pour la suivre au bout du monde.

— J'essaierai d'y penser, mais cela ne l'intéressera pas. Les exploiteurs capitalistes au service du fascisme international ne sont pas son type. Peut-être même votes-tu républicain ?

— Et toi, alors ? Tu votes communiste, ces temps-ci ? Pourtant, elle avait l'air de s'ennuyer un peu avec toi. Elle a probablement besoin...

— Je n'ai jamais voté. Je me réserve pour un candidat bien sous tout rapport. Il faut que je me sauve, mais je passerai probablement cet après-midi. Et je te retéléphone à propos de — comment s'appelait cette action ? — de la question des gaz naturels.

— OK. Merci, Nick. Cela me fait plaisir. A bientôt. »

Je devrais rappeler Anne. Et manger, aussi. Je mourais de faim. Littéralement. Je me suis demandé à nouveau si on pouvait survivre en ne prenant qu'un repas par jour. Avec Anne, j'y arriverais. Sauf qu'elle voudrait peut-être, pour m'aider, écrire un article sur moi. Victime tragique de la technologie nucléaire.

Une chose après l'autre. Cathy serait bientôt là. Il fallait que j'arrange sa visite en détail, sans commettre une seule erreur, sans rien oublier. J'ai pris un stylo et du papier dans le tiroir de mon bureau, et je lui ai écrit un mot, toujours stupéfait de voir danser le stylo au-dessus de la feuille.

> Cathy,
>
> J'ai dû faire un saut chez le médecin. Clefs de l'immeuble et de l'appartement incluses. Désolé de vous obliger à grimper si haut. Il y a un chèque de 250 dollars sur la table basse. Laissez le courrier et l'argent n'importe où. A cet après-midi. Merci.
>
> Nick.
>
> P-S : prière de laisser les deux clefs à l'intérieur.

J'ai soigneusement enveloppé les doubles de mes clefs dans la feuille et glissé le tout dans une enveloppe où j'ai inscrit « Cathy Addonizio ». En sortant sur le palier, j'ai été frappé, une fois de plus, par le ridicule de la scène : l'enveloppe sautillait toute seule en l'air. C'était un jour de semaine, il était déjà tard, et il y avait peu de chance que mes voisins espionnent le vestibule désert, néanmoins je ne voulais prendre aucun risque. Le secret de la survie, sans parler du succès, c'est de prendre les risques indispensables, mais pas un de plus. J'ai avancé la main et lâché l'enveloppe. Lestée par les clefs, elle a descendu les trois étages et atterri avec un plop au milieu de la moquette de l'entrée. Même si quelqu'un l'avait entendu, il n'aurait vu là rien d'extraordinaire.

Après un rapide coup d'œil à mon système digestif pour m'assurer que mon dernier verre d'eau s'était entièrement évaporé, je suis descendu en m'arrêtant à chaque étage pour écouter si mes voisins donnaient signe de vie. Rien. J'ai attendu qu'une femme, son chien en laisse, ait dépassé l'immeuble, j'ai ouvert la porte d'entrée, poussé du pied l'enveloppe sur le sol avant de la ramasser et de la coincer dans la fente de ma boîte aux lettres, laissant visible le nom de la destinataire.

Une fois remonté chez moi, j'ai été surpris par l'intensité du soulagement que j'ai ressenti, et aussi d'entendre battre mon cœur à toute vitesse : après tout ce qui s'était passé la veille, cette simple tâche, pas vraiment dangereuse, aurait dû me paraître insignifiante. Mais l'anxiété me rongeait : la peur, à chaque instant, de commettre une erreur minuscule et d'être découvert. A la première faute, ma présence serait connue, et je serais fichu.

Sur la table basse de la première pièce, j'ai posé le chèque de deux cent cinquante dollars avec ceux que j'avais adressés à Bloomingdale et à l'American Express. Il ne me restait plus qu'à attendre Cathy. Pour m'occuper, j'ai pensé rincer les vêtements invisibles qui trempaient dans la baignoire. Non, il ne valait mieux pas : je ne l'entendrais pas entrer. Et si elle se servait de la salle de bains ? Si, pour quelque raison, elle plongeait une main dans la baignoire ? Je suis allé prendre un vieux couvre-lit et je l'ai jeté au fond, par-dessus mes vêtements. Il y avait trop de choses à prévoir, trop de possibilités à calculer. Combien de temps pourrais-je éviter de me montrer au bureau ? Il faudrait que je m'arrange avec Whitman pour travailler chez moi. Au pire, je démissionnerais. Combien de temps mettraient les autorités à venir ? C'était la seule vraie question. Ici, je n'étais toujours pas en sécurité. Inutile d'y penser pour l'instant. Trouver le moyen de les retarder. Plus tard : les avertissements ne manqueraient pas.

J'avais soif, envie de boire, ne fût-ce qu'un autre verre d'eau. Mieux valait attendre la visite de Cathy. Je me suis mis à penser que toutes les portes devaient rester ouvertes, au cas où elle s'avancerait vers moi, par hasard, et m'obligerait à sortir de la pièce. Et si elle m'entendait bouger ? Respirer ? La veille, j'avais côtoyé des gens, mais en plein air, dans des endroits publics, bruyants : des gares, des rues, le métro. Dans un appartement vide, on entend tout. De même qu'on devine la présence de quelqu'un dans l'obscurité. L'espace d'un instant, j'ai été persuadé d'avoir provoqué moi-même la catastrophe en faisant venir Cathy. Dès qu'elle entrerait, elle saurait que j'étais là, ou du moins qu'il y avait quelque chose d'anormal. C'était comme si j'avais engagé des tueurs pour m'éliminer, et que j'attendais sans bouger qu'ils montent l'escalier.

Malgré tout, je me suis senti soulagé d'entendre des pas suivis par le bruit d'une clef dans la serrure. La porte s'est ouverte, et Cathy est entrée. J'étais posté devant la cuisine, de façon à l'observer tout en étant capable de quitter la pièce au moindre incident. D'emblée, j'ai été surpris par la façon dont elle a commencé à jauger mon intérieur, pas du tout comme si le propriétaire avait été là pour la recevoir. Elle est allée poser sur la table basse la grande enveloppe et les journaux qu'elle tenait sous le bras. De son sac, elle a sorti une enveloppe plus petite — l'argent, sans doute — qu'elle a mise sur le reste, pris mon chèque et mon courrier qu'elle a examiné avant de le glisser dans une poche extérieure de son sac. Parfait. Tout avait marché comme prévu. Dans un instant, elle s'en irait et refermerait la porte.

Mais, curieusement, elle a posé son sac avant d'aller jusqu'à la porte, l'a fermée à double tour avec la chaîne de sûreté. Jamais, depuis que j'habitais cet appartement, je ne m'étais servi de cette chaîne. Qu'est-ce qu'elle pouvait bien faire ? De quoi avait-elle peur, tout d'un coup ? Elle s'est retournée et s'est avancée droit vers moi. J'étais abasourdi. On aurait cru qu'elle savait exactement où j'étais. Fini de jouer, comme on dit. Pris de court, j'ai failli lui parler.

« N'abandonne jamais. »

J'ai reculé dans la cuisine. Elle est passée devant moi et s'est plantée au milieu de la pièce, avec le même regard critique, avant de se rendre dans la chambre à coucher, où je l'ai suivie, restant à l'entrée pour l'éviter quand elle voudrait sortir.

Elle a commencé par ouvrir la porte de la penderie pour en examiner soigneusement le contenu. De toute évidence les autorités avaient déjà retrouvé ma piste et se servaient de ma secrétaire pour m'espionner. Mais que cherchait-elle, au juste ? Sortant de la penderie, elle s'est intéressée à la commode et a ouvert un des tiroirs. Mes objets invisibles étaient dans celui du dessous. Que pourrais-je faire, quand elle les trouverait ? L'esprit ailleurs, elle a refermé le tiroir et a tourné le dos à la commode. Ce n'était pas une fouille systématique. Si elle travaillait pour la police, elle exerçait bien mal son métier. Elle a regardé une photo de moi, avec quelques amis, prise pendant les vacances, cinq ans plus tôt, sur une véranda de Cape Cod.

J'ai enfin compris. Ce n'était que de la curiosité. Cathy était une fouineuse. J'étais à la fois soulagé et furieux. Elle n'avait visiblement aucun scrupule, aucun respect pour les règles dont ont besoin les gens civilisés pour protéger leur intimité et celle d'autrui. J'étais surpris, car je la connaissais depuis plusieurs années et je ne l'aurais jamais crue capable d'agir ainsi. Mais je la voyais cette fois dans une situation où elle était sûre qu'on ne la découvrirait pas.

Devant le bureau, elle a posé un doigt expert sur une pile de lettres et feuilleté les enveloppes de l'autre main. Rien d'intéressant pour elle. S'emparant de mon carnet de chèques, elle a fait l'inventaire de mes revenus et de mes dépenses des deux dernières années. Cela m'a mis en rage, et j'ai pensé émettre un bruit quelconque, dans l'autre pièce, pour l'effrayer. Je me suis retenu. « Laissons-la faire. Quelle importance, après tout ? » De toute façon, ma vie passée n'avait plus aucun rapport avec ma situation. Je commençais probablement à voir le peu d'intimité dont nous jouissons, les uns et les autres. On se dit qu'on a quelques secrets, or ce n'est pas notre intimité que respecte et protège notre entourage, seulement son illusion. Tout le monde en sait plus long qu'on ne croit, suffisamment pour vous faire mourir de honte, mais les gens civilisés n'en laissent rien paraître — et on leur rend le même service.

Cathy a regardé ce qui restait sur mon compte, à la fin du carnet, et elle a ouvert le tiroir du milieu qu'elle s'est mise à fouiller. Une lettre manuscrite a attiré son attention. Elle l'a prise, délicatement, et sortie de son enveloppe. C'était une lettre d'une de mes grand-tantes, m'expliquant mes futurs devoirs d'exécuteur testamentaire à propos d'un héritage dont je n'aurais aucune part. Eh bien, voilà qui était un des rares avantages de ma situation : elles devraient trouver quelqu'un d'autre. Cathy s'en est vite désintéressée et l'a repliée pour la ranger.

Tout au fond et à gauche du tiroir, elle a trouvé quelques Polaroïd d'une fille que j'avais connue. Les photos montraient toutes à peu près la même chose : une femme nue allongée sur le divan de la première pièce et souriant d'un air lubrique. Cathy a longuement examiné chaque image. De la voir faire, soudain, m'a poussé à me rapprocher d'elle, et j'ai avancé prudemment de quelques pas dans sa direction. Elle paraissait fascinée. Il y avait une photo que j'avais toujours préférée aux autres : Pam, une jambe en l'air, appuyée au dossier du divan, la tête en arrière, le regard provocant, la bouche entrouverte. Cathy s'est arrêtée sur la suivante, où on apercevait sur le bord un morceau de ma jambe, très flou. Je l'ai vue s'humecter les lèvres du bout de la langue, et j'ai entendu le bruissement de sa robe quand elle a fait passer le poids — respectable — de son corps d'une jambe sur l'autre. Je ne m'étais jamais senti attiré par elle — non, on ne peut pas dire, ou très rarement, qu'on n'a jamais été sexuellement attiré par quelqu'un qu'on côtoie journellement : certains jours, selon notre humeur, nos pensées et nos désirs papillonnent dans l'atmosphère aussi naturellement que des ombres passagères. Envers Cathy, c'est à peine si j'en avais eu conscience. De toute façon, il est beaucoup plus facile de trouver une partenaire de lit qu'une bonne secrétaire, et associer les deux entraîne parfois des situations très délicates : les innocents plaisirs charnels qu'on espérait découvrir peuvent soudain croître et embellir de manière incontrôlable, susciter des émotions et des obligations capables d'empoisonner d'excellents rapports professionnels.

Mais à ce moment-là, en regardant Cathy revenir à la photo où apparaissait ma jambe, j'ai caressé avec délice l'idée de la prendre par les épaules et de la pousser sur le lit. Quelle surprise elle aurait ! Elle a remis les photos dans le tiroir et s'est penchée pour mieux voir ce qui restait. Dans l'espoir d'en trouver d'autres, j'imagine. Puis, refermant doucement le tiroir, elle a regardé le reste de la pièce. Soudain elle a levé le bras, consulté sa montre, et s'est brusquement avancée vers moi. Je n'ai pas eu le temps de faire un geste. Ses vêtements m'ont frôlé, son parfum m'a rempli les narines, mais elle n'a rien remarqué et elle est entrée dans la salle de bains où elle a baissé sa culotte sur ses genoux, relevé sa jupe jusqu'à la taille et s'est assise sur le siège des cabinets.

Par la porte ouverte, je l'ai entendue uriner dans la cuvette. Habituellement, ce n'est pas un bruit qui m'intéresse outre mesure. Il y avait, bien sûr, le spectacle de ses jambes nues, mais surtout j'étais fasciné par le fait de pouvoir observer quelqu'un qui ne s'en rendait absolument pas compte — et surtout d'aussi près. Les gestes spontanés, les vêtements qu'on rajuste, l'expression naturelle, à l'abri de tout regard — toute une personnalité nouvelle. Finalement, de voir Cathy se montrer aussi indiscrète, n'avoir aucun respect pour mon intimité, m'a davantage étonné que mis en colère.

Un peu dégoûté, mais toujours avec intérêt, je l'ai vue soulever le bord de sa jupe, se regarder et essuyer les gouttes d'urine avec du papier hygiénique. A moitié relevée, elle a remonté sa culotte et tiré la chasse. Ensuite, face au miroir, les mains toujours sous sa jupe, elle a tendu le tissu de son corsage sur ses seins volumineux. Une dernière fois, de profil, elle a rajusté sa robe avant de sortir de la salle de bains. Je l'ai laissée passer et je l'ai suivie, d'abord jusqu'au divan, où elle a repris son sac, puis à la porte d'entrée. Elle s'est retournée pour jeter un dernier regard, s'attardant sur la table basse : avec son efficacité coutumière elle devait tout vérifier — les journaux, le courrier et les messages dans la grande enveloppe, les deux cent cinquante dollars, les clefs — pour s'assurer d'avoir accompli son devoir à la perfection. Elle a ouvert la porte, s'est avancée sur le palier, a refermé la porte et tourné la poignée des deux côtés en poussant pour être certaine qu'elle était verrouillée. De la fenêtre, je l'ai vue sortir de l'immeuble et repartir vers Madison Avenue.

Quand elle a disparu au coin de la rue, je me suis précipité dans la cuisine. La faim et la soif, ce serait mon principal problème. Du moins, si je me faisais prendre, je pourrais de nouveau manger normalement. Pas sûr. Peut-être devrais-je me nourrir à petites doses, essayer tous les aliments possibles en notant le nombre de calories, les graisses saturées ou non, la quantité de zinc, et ainsi de suite. Qu'est-ce qu'une graisse non saturée, au juste ? C'était une des choses que j'aurais sans doute l'occasion d'apprendre.

J'ai pris un autre verre d'eau et je l'ai regardé sans plaisir galoper au fond de mon estomac. Il me faudrait dix minutes ou un quart d'heure pour retrouver une invisibilité convenable. L'ennui, avec l'eau, en quelque quantité que ce soit, c'est qu'elle n'apaise en rien la faim. Seigneur, comme j'avais faim !

Je me suis assis derrière mon bureau et j'ai cherché le numéro du supermarché au coin de Madison. Une voix terne, avec l'indifférence brutale des New-Yorkais, m'a répondu.

« FoodRite.

— Bonjour. Je voudrais passer une commande.

— Nom ?

— Halloway. J'ai...

— Adresse ?

— 89e Rue est, au 24. Je...

— Numéro d'appartement ?

— Au troisième étage.

— Il me faut le numéro. »

J'ai pensé expliquer qu'il n'y avait qu'une porte à mon étage, mais mieux vaut ne jamais se laisser empêtrer dans ce genre de dialogue. « Trois, ai-je répondu.

— Trois quoi ? »

Je me suis dit que j'allais appeler un autre magasin. « Trois A.

— Vous voulez quoi ?

— A propos, je me demande si on peut régler par chèque.

— Vous avez une autorisation enregistrée à cette succursale ?

— Non, mais je viens toujours chez vous — dans votre succursale, en fait — et j'aimerais...

— Présentez-vous en personne au magasin avant cinq heures pour remplir une demande.

— Je ne me sens pas très bien, aujourd'hui. Pas en état de sortir : je paierai cash. Mais ajoutez tout de même un formulaire à ma commande...

— Vous voulez quoi ?

— Voyons... Je crois que j'aimerais quelques-uns de ces petits bouillons cubes.

— Bœuf, poulet ou légumes ?

— Lequel est le plus clair ?

— Clair ?

— Oui, le plus clair. Lequel est le plus transparent ?

— J'en ai aucune idée. Peut-être le poulet. Ils sont tous pareils.

— Mettez-m'en un... Ils se présentent comment ?

— En carton de vingt-cinq.

— Donnez-m'en un de chaque. Et une caisse de Canada Dry.

Plus quelques packs de tonic — quatre de six. Des citrons. Et des citrons verts... Un petit paquet de chaque. Et, dites-moi, la gélatine ? »

Je me souvenais qu'il y avait toujours de la gélatine dans la cuisine de ma mère, bien que son emploi me parût obscur.

« Quoi, la gélatine ? Vous en voulez, on en a.

— C'est parfaitement clair, n'est-ce pas ?

— Clair, qu'est-ce que c'est que ça ? On a de la gélatine si vous en voulez. C'est pour quoi faire ? a-t-il demandé d'un ton soupçonneux.

— Je cherche des aliments clairs. Incolores, et faciles à digérer. C'est mon médecin : il m'a dit de manger les nourritures les plus claires.

— Écoutez, venez plutôt au magasin. On a tout un rayon d'aliments diététiques. Sans insecticides ni conservateurs artificiels. Je ne dis pas que c'est donné, mais au moins, vous savez ce que vous achetez. Et vous pouvez être tranquille. Que ce soit pour la santé ou la religion, tout est naturel.

— En fait, il n'y a que la couleur que je suis censé...

— Je vous l'ai dit : pas de colorants ni de conservateurs artificiels. Vous désirez des céréales ? On a aussi du lait non pasteurisé. Comme vous voudrez.

— Mettez-moi un paquet de gélatine. Et ces nouilles chinoises transparentes, vous en avez ?

— Bien sûr. Un paquet de nouilles brillantes. C'est quel genre, votre médecin, au fait ? Un chiropracteur, pas vrai ?

— Ce genre-là. Si vous pensez à autre chose de clair... ou seulement de particulièrement facile à digérer... Blanc, de préférence, je suppose, à défaut d'être transparent.

— Écoutez, je ne suis pas là pour digérer, seulement pour vendre. Vous devriez passer au magasin. Je vois que vous avez des problèmes, mais comme ça, vous pourrez prendre votre temps, choisir ce que vous voulez. On n'a que trois téléphones, et il y a un tas de gens qui passent des commandes.

— Bien sûr. Vous avez parfaitement raison. » FoodRite avait perdu douze millions de dollars l'an dernier. Avec un peu de chance, ils fermeraient bientôt ce magasin et ce type serait viré. « J'ai horreur de vous faire perdre votre temps. Envoyez-moi donc un peu de poisson, une livre d'un poisson vraiment très clair, et un petit sac de pommes de terre...

— C'est tout ?

— Oui. Je vais d'abord essayer ça, et...
— Y a quelqu'un tout l'après-midi ?
— Oui. Combien...
— Le livreur aura la facture. »
Clic.

J'ai appelé le marchand de vins, où un employé beaucoup plus aimable et accommodant a promis de m'envoyer deux caisses de vin blanc et trois bouteilles de gin. Le pharmacien a paru perplexe quand je me suis enquis de la transparence des comprimés vitaminés, mais il m'a dit qu'il ferait de son mieux.

Le livreur du marchand de vins est arrivé le premier. Il a sonné en bas, j'ai appuyé sur le bouton de l'entrée et j'ai entrouvert la porte de l'appartement. Ensuite j'ai ouvert le robinet de la douche et je me suis mis à la porte de ma chambre. Quand il a sonné, j'ai crié : « Entrez ! » La poignée a tourné et le livreur est apparu, de profil, portant deux caisses et un sac en papier. Il a poussé la porte de l'épaule, et regardé autour de lui d'un air interrogateur.

La main devant la bouche, pour étouffer ma voix, j'ai crié : « Je suis sous la douche. Laissez tout ça par terre. Il y a un chèque sur la table. Les deux dollars sont pour vous. »

Il a posé les caisses, le sac, s'est approché de la table, a empoché les deux dollars, et après avoir attentivement comparé mon chèque avec la facture, il l'a plié en quatre et mis dans la poche de sa chemise. « Merci ! » a-t-il répondu. En même temps, il examinait avec intérêt une petite boîte ancienne en argent, qu'il avait prise sur la table. Après l'avoir reposée, il a tranquillement regardé tout ce qu'il y avait dans la pièce.

« Merci ! lui ai-je crié. Au revoir ! » surpris, une fois de plus, de voir comment les gens se conduisent quand ils se croient à l'abri des regards.

En se dirigeant vers la porte, il s'est arrêté pour regarder les photos accrochées au mur. « Au revoir ! » a-t-il répondu, mais il s'est encore attardé quelques instants avant de sortir.

Le second livreur, celui de la pharmacie, était petit, blanc et timide. Il n'a rien touché, à part le chèque que je lui avais laissé, mais il n'a pas cessé de lancer des regards furtifs de tous les côtés, et il s'est penché pour essayer de lire le courrier apporté par Cathy, que j'avais laissé à demi ouvert sur la table. Je me suis demandé si j'étais aussi indiscret, aussi sournois, quand je me trouvais seul dans un endroit que je ne connaissais pas. Et j'ai pensé soudain que ma façon d'observer ce gamin, à l'abri de mon invisibilité, était tout aussi indiscrète et sournoise. De plus, j'étais un analyste financier : un espion professionnel. Toujours la main devant la bouche, en criant, je lui ai dit que j'étais sous la douche, malade de surcroît, et demandé s'il voulait bien descendre les ordures au bas de l'escalier.

Finalement, un jeune Latino grassouillet de dix-sept ou dix-huit ans est arrivé avec mes provisions. Il portait un pantalon noir trop serré et un tee-shirt encore plus moulant, orné d'une inscription incongrue : « HARVARD ». Il avait aussi autour du cou une chaîne en or où étaient accrochées plusieurs médailles et une bague à la gloire de cette université. Après avoir claqué la porte, il est resté debout, passif, le sac de provisions au creux de son bras. Son regard m'a traversé, dirigé vers la salle de bains d'où venait le bruit de la douche. Il a fait deux pas en avant, sans détourner les yeux.

« Laissez tout ça dans le salon ! ai-je crié. L'argent est sur la table. Prenez deux dollars sur la monnaie qui restera. »

Il a longuement fixé la porte de la salle de bains avant de me répondre.

« Je peux vous le mettre dans la cuisine. »

Sa voix n'avait pas encore fini de muer.

« Laissez ça là-bas. »

Pourtant, sans tenir compte de ce que je disais, il s'est avancé vers moi. Incapable de l'en empêcher, j'ai reculé pour le laisser passer. Il est allé directement dans la cuisine, mais en passant devant la salle de bains il a ralenti et jeté un coup d'œil. Le rideau de la douche était tiré, et la pièce, à force, s'était remplie de vapeur, comme une étuve, toutefois sa curiosité maladroite m'a rendu nerveux. Il a posé les provisions sur la table, est ressorti de la cuisine, et cette fois, il s'est arrêté juste en face de la salle de bains pour regarder.

Il voulait me voir en train de prendre ma douche. J'étais partagé entre la colère et la répulsion.

« Les provisions sont sur la table de la cuisine », a-t-il dit à voix basse, attendant une réponse.

Comme j'étais derrière lui, alors qu'il me croyait devant, sous la douche, il ne m'était guère possible de parler. Doucement, du bout des doigts, il a ouvert la porte un peu plus grand et tendu le cou pour mieux regarder.

« Y a-t-il autre chose que je puisse faire pour vous ? »

Il n'y a rien d'aussi grotesque que de voir s'exhiber un désir sexuel qu'on ne partage pas. Les regards se fixent ou glissent furtivement sur les seins, les renflements génitaux des vêtements, la lingerie, les images, les enfants, les animaux, Dieu sait quoi, et trouvent de petites images du désir jusque dans les motifs des tapis.

Le jeune homme ne bougeait pas, les yeux braqués sur la salle de bains inoccupée et pleine de vapeur. Il fallait que j'y mette fin. J'ai glissé un bras, tiré la poignée et claqué brutalement la porte. Il a sursauté — peut-être à cause de ce refus muet, ou de la façon étrange dont il s'était manifesté. Alors qu'il m'avait cru sous la douche, il devait en conclure que je m'étais trouvé tout près de lui, caché derrière la porte. Il est encore resté quelques instants, caressant son pantalon d'un geste machinal.

Ensuite il a fait demi-tour, est retourné dans la première pièce, a trouvé l'argent et compté la monnaie à me rendre. Lui aussi, avant de sortir, a examiné les photos. Je me sentirais peut-être mieux si je décrochais du mur toutes mes photos personnelles.

Dès qu'il est parti, j'ai refermé à clef et je suis allé dans la cuisine déballer mes provisions. Cet assortiment n'avait rien d'extraordinaire, mais la nourriture m'attirait comme un aimant. J'étais bien décidé à ne rien manger avant le soir, même si je n'avais pas l'intention de sortir, ni de faire venir quelqu'un, car je trouvais plus sûr de ne pas compromettre mon invisibilité avant la nuit. On ne sait jamais. J'ai rangé soda, tonic et poisson dans le réfrigérateur avant d'ouvrir les paquets de bouillon et de gelée sur la table pour les examiner à loisir, en me disant que j'organisais le repas du soir. Je ne savais plus quand j'avais bu du bouillon pour la dernière fois, mais j'avais dû y goûter au moins une fois dans ma vie, car la vision pitoyable de ces petits cubes enveloppés de papier aluminium m'a fait venir l'eau à la bouche. Je n'avais rien avalé depuis deux jours, à part le porc au bambou et la glace au café de la veille. Au diable la prudence ! Je mourais de faim. J'ai mis un peu d'eau à chauffer et choisi de commencer par le bouillon de bœuf — dont le nom évoquait quelque chose d'un peu plus substantiel. Étant donné les circonstances, il était exquis.

J'avais maintenant un peu moins de dégoût en voyant ce liquide couleur d'eau de vaisselle s'accumuler dans mon estomac. On peut presque s'habituer à tout. Il faudrait plus longtemps que pour de l'eau pure, mais il pâlissait et se dissolvait déjà. Puisque j'étais allé jusque-là, autant essayer les autres. Je suis revenu dans la cuisine et je me suis préparé un bouillon au poulet. Délicieux, lui aussi, d'un goût sublime.

Je me sentais mieux, mais j'avais très envie d'un plat plus consistant. Mieux valait ne pas tenter le sort. Si je pouvais vivre de bouillon et de vitamines, je ne serais jamais visible plus de quinze ou vingt minutes de suite. Ce qui m'a fait penser que je ne devais pas oublier les vitamines : j'ai ouvert le flacon, et avalé deux gélules ambrées que j'ai regardées descendre par à-coups dans mon organisme et se dissoudre peu à peu. L'une d'elles a fini par se trouer, et son contenu s'est écoulé lentement dans l'estomac, comme une tache sur un buvard. Un spectacle absolument fascinant. Dommage, en un sens, qu'il n'y ait personne d'autre pour en profiter.

Plein d'impatience, j'ai ouvert le paquet de gélatine où j'ai trouvé des petits sachets en papier pleins de poudre. Je ne savais pas trop ce que c'était, et l'étiquette ne m'a pas appris grand-chose, sauf que ça contenait des protéines, ce qui me paraissait un bon point, et les recherches prouvaient que grâce à la gélatine, sept femmes sur dix voyaient s'améliorer l'état de leurs ongles, ce qui était moins palpitant. On me proposait aussi une brochure gratuite décrivant son effet reconstituant sur les ongles friables, fendus ou cassants. Et une autre avec des recettes fabuleuses, faciles à réaliser. J'avais presque envie de la demander, mais les recettes proposées en exemple, l'aspic de tomates et la mousse de poulet, m'ont découragé. « Trois façons merveilleuses de renouveler vos menus. » Je me suis préparé un autre bol de bouillon et j'y ai versé un sachet de poudre — aucune différence, sinon que c'était moins bon, je commençais peut-être à me lasser du bouillon. J'ai pris le paquet de nouilles brillantes et je l'ai regardé avec amour. Non. Il fallait que j'arrête de manger.

Je suis revenu dans ma chambre et j'ai rappelé le bureau. Cathy a répondu :

« Ici la secrétaire de M. Halloway.

— Salut, Cathy. Merci de m'avoir apporté tout ça.

— C'est avec plaisir. Comment allez-vous ? Qu'a dit le médecin ?

— Je vais très bien. J'avais seulement pensé qu'il valait mieux que je me fasse examiner... au cas où. Désolé de vous avoir manqué. Vous n'avez pas eu de problèmes avec les clefs ou autre chose ?

— Aucun problème. J'ai simplement tout laissé sur la table. Qu'a dit le médecin ?

— Juste un virus. Dites-moi, est-ce qu'on m'a appelé ?

— Simon Cantwell du trust Bennington...

— Vous pouvez le mettre au panier. »

Je ne serais plus obligé de perdre mon temps en lui donnant des conseils gratuits : toujours ça de pris.

« Et un certain David Leary de la Commission nationale d'enquête sur la Sécurité industrielle. » C'était ça. Une vague de peur m'a parcouru. « On dirait une sorte de service officiel, a-t-elle ajouté.

— Quand a-t-il appelé ?

— Il y a vingt minutes. A deux heures cinquante-cinq.

— Qu'est-ce qu'il a dit ?

— Rien. Il voulait convenir d'un rendez-vous, je crois. J'ai son numéro.

— Qu'est-ce qu'il a dit, précisément ? Mot pour mot, si vous pouvez.

— Je ne sais pas. Il voulait vous parler, c'est tout. Je lui ai dit que vous n'étiez pas dans votre bureau, et je lui ai demandé son nom. Il a répondu qu'il était David Leary, de la Commission nationale d'enquête sur la Sécurité industrielle, qu'il aimerait vous rencontrer quelques minutes, et s'il y avait cet après-midi un moment où il pourrait vous trouver. Je lui ai dit que vous étiez extrêmement occupé, que vous seriez très difficile à joindre cet après-midi et absent de New York la plus grande partie de la semaine prochaine. Il a précisé qu'il était très important qu'il vous voie et que cela prendrait seulement quelques minutes et il m'a donné un numéro. Vous voulez que je le garde ou que je le mette au panier ? »

Au panier. Fais comme s'il n'existait pas. Bon Dieu !

« Donnez-le moi, ai-je dit.

— Cinq neuf quatre trois un deux zéro.

— A-t-il dit autre chose ? Quoi que ce soit ?

— Non. »

Cathy paraissait intriguée.

« Comment vous a-t-il paru ?

— Que voulez-vous dire ? Il m'a paru... C'est quelque chose de grave ?

— Non, non. Ce n'est rien. Assommant, c'est tout. J'ai juste... Il y a eu une sorte d'incendie dans la boîte que je suis allé visiter mercredi, et je n'ai tout simplement pas envie d'être mêlé à une enquête quelconque... Des questions sans fin, témoigner que...

— Vous parlez de cette grande explosion dont la télévision a parlé ? Où les manifestants se sont fait sauter eux-mêmes ? Vous l'avez vue ?

— Il n'y avait vraiment pas grand-chose à voir. C'était...

— Vous voulez dire que c'est cet endroit — MicroMagnetics — qui a sauté ? C'est incroyable ! Je l'ai vu à la TV ! C'était au journal de onze heures ! Je n'ai jamais fait le rapprochement — ils n'ont pas donné le nom de la boîte. C'est stupéfiant ! Vous avez vraiment vu les gens se faire tuer ?

— Non. Ou oui. Je les ai à peine aperçus. » Je les aurais eus devant les yeux, à ce moment-là, si je ne m'étais pas forcé à écarter la vision de leurs visages en train de fondre. « J'étais à l'extérieur du bâtiment, très loin. Je n'ai pas pu voir grand-chose.

— Incroyable. MicroMagnetics. Penser que je leur ai parlé juste la veille, pour prendre rendez-vous. Êtes-vous sorti du bâtiment à cause d'un pressentiment ?

— Non, ai-je dit, un peu agacé. Je suis parti parce qu'ils faisaient évacuer l'endroit... En réalité, je suis même sorti un peu avant, c'est pourquoi je n'ai presque rien vu. » Il faudrait que je prenne le temps de mettre mon histoire au point. Pourquoi n'y avais-je pas pensé avant ? « Je suis sorti sans raison précise — je ne me sentais pas très bien.

— C'est incroyable ! C'est exactement comme une très bonne amie à moi qui aurait dû se trouver dans un de ces petits avions qui vont à Nantucket et qui a décidé à la dernière minute, sans aucune raison, de ne pas y monter, juste parce qu'elle avait une drôle de sensation, et l'avion s'est écrasé sans...

— Oui, le sort nous joue sans cesse de ces tours, semble-t-il. » J'ai regardé le combiné qui flottait en l'air, et j'ai eu la nausée. « Si Leary rappelle, dites-lui que je lui téléphonerai.

— Rien d'autre ?

— Non ! Prenez simplement les messages. Attendez. Dites à tout le monde que je passerai plus tard dans l'après-midi. Je vous rappellerai en fin de journée.

— Très bien. »

Elle avait l'air fâchée.

« Cathy ?

— Oui ?

— Merci encore de m'avoir apporté tout ça. Je vous en suis très reconnaissant.

— C'est avec plaisir. J'espère que vous vous sentez mieux. Vous avez dû passer par des moments terribles. »

Mon Dieu !

« Non, rien de bien mémorable. Au revoir.

— Au revoir. »

Eh bien, ils étaient sur ma piste. Naturellement, il n'y avait jamais eu aucun doute là-dessus. Le coup de téléphone du dénommé Leary, en fait, aurait dû me rassurer : cela signifiait qu'ils ne savaient pas encore exactement de qui il s'agissait. Sinon ils n'auraient pas appelé mon bureau : ils seraient devant ma porte, et l'immeuble serait cerné. Pour l'instant, Nicholas Halloway n'était encore qu'un nom — probablement peu plausible — sur une longue liste de noms à vérifier. Mais c'était tout de même déprimant. Comme si une balle avait traversé de part en part les murs de mon refuge. D'avoir attendu ce coup de feu toute la journée n'en avait qu'aggravé l'effet.

Maintenant, c'était une question de temps. Combien de temps réussirais-je à donner le change, à garder mon nom au bas de la liste ? Grâce au téléphone, si je m'y prenais bien, je pourrais peut-être les maintenir indéfiniment sur une fausse piste, les empêcher de découvrir que j'étais celui qu'ils recherchaient. En tout cas, j'avais intérêt à ce que cela dure le plus longtemps possible. Je devais continuer à donner l'impression que tout était normal, que ma vie n'avait changé en rien. Que j'étais simplement terriblement occupé, obligé de quitter la ville à l'improviste, d'annuler mes rendez-vous, que je venais de partir chaque fois qu'on me téléphonait. Combien de temps y arriverais-je ? Peut-être qu'avec beaucoup d'adresse, mes collègues, mes amis et les autorités cesseraient peu à peu de s'intéresser à moi.

D'abord, il me fallait décider si j'attendais lundi pour rappeler Leary. Ce qui n'aurait rien d'inhabituel : on était vendredi après-midi. Mieux valait gagner le plus de temps possible à chaque étape. « Non. Mieux vaut s'en occuper maintenant. Fixer un rendez-vous dès aujourd'hui. » Je ne pouvais pas me permettre de voir débarquer ces gens au bureau sans prévenir. Ou chez moi. Et plus je me montrerais disposé à leur répondre, moins ils s'intéresseraient à moi. Mais l'idée de leur téléphoner me terrifiait.

Je devais d'abord penser à tout, imaginer en détail ce que j'étais censé avoir fait ces deux derniers jours. C'était une précaution élémentaire. Je ne pouvais pas me permettre de laisser une de leurs questions sans réponse. J'ai pris un stylo, du papier, et j'ai inventé tout un emploi du temps, heure par heure, avec des noms. Il ne résisterait peut-être pas longtemps à un examen poussé, mais j'ai pris garde de n'inscrire aucune conversation téléphonique ou activité susceptible d'être clairement démentie par un simple coup de fil.

Les journaux ! Cathy m'en avait apporté deux. Il s'y trouvait peut-être des informations importantes, à connaître absolument avant d'appeler Leary. Je suis allé chercher le *Journal* dans l'autre pièce, mais on n'y mentionnait nulle part les événements de MicroMagnetics. Extraordinaire. J'ai toujours pensé que la presse couvrait très mal l'actualité. Enfoui dans les profondeurs du *Times*, j'ai trouvé un article intitulé « UN LABORATOIRE CONÇU AU MÉPRIS DE TOUTE SÉCURITÉ ». Par Anne Epstein.

> « Le procureur du comté de Mercer, enquêtant sur l'incendie fatal d'un laboratoire de recherches à Lamberton, New Jersey, a suggéré aujourd'hui que ce laboratoire avait pu être construit en violation du code de l'urbanisme et des règles de sécurité... Deux morts... Un porte-parole des pompiers a refusé de commenter l'hypothèse selon laquelle ces violations auraient pu entraîner... Un fonctionnaire local a déclaré que les manifestants avaient dû endommager les lignes électriques... Le porte-parole des enquêteurs fédéraux a refusé de commenter les rapports selon lesquels... Les autorités affirment qu'aucun matériel radioactif ne se trouvait... Néanmoins, mesure considérée comme inhabituelle pour ce genre d'accident, les autorités ont fermé... »

Pas la moindre information. Zéro.

Pourquoi ne m'avait-elle pas rappelé ? Elle savait certainement quelque chose d'utile. J'ai téléphoné au *Times*. Sortie. Pas joignable. Lundi. Je pouvais laisser un message. J'ai donné mon nom.

Appeler Leary.

J'ai décroché l'appareil, composé le numéro. Je me suis raclé la gorge et j'ai essayé de rester calme. Ma voix, surtout, ne devait pas trembler. Si je m'en tirais, c'était un week-end de gagné, et peut-être plus.

« Cinq neuf quatre trois un deux zéro », a répondu une voix de femme.

Toujours rassurant d'entendre répondre par un numéro. Très humain.

« Allô, c'est bien la Commission nationale d'enquête sur la Sécurité industrielle ?

— A qui désirez-vous parler ?

— Je voudrais M. Leary, s'il vous plaît. »

Elle n'a pas demandé qui j'étais. Il y a eu un grésillement et une voix d'homme a dit : « Leary.

— Bonjour. Ici Nicholas Halloway, en réponse à votre appel. »

Le ton juste, me suis-je dit : calme, poli, sans rien d'empressé. Il ne fallait surtout pas montrer que j'accordais une importance quelconque à cet appel. Indifférent.

« Merci de rappeler, monsieur Halloway. Je vous ai téléphoné du service régional de la Commission nationale d'enquête sur la Sécurité industrielle en rapport avec l'enquête sur l'incident survenu mercredi au centre de recherches de MicroMagnetics, à Lamberton dans le New Jersey. Je voudrais la confirmation de votre présence sur les lieux à cette date. »

Il parlait d'un ton mécanique, monotone — presque comme s'il lisait, avec difficulté, un texte tout préparé — au point qu'il m'a fallu un moment pour comprendre qu'on m'avait posé une question. Non, voulais-je répondre, je n'y étais pas, pas ce jour-là, ni aucun autre. J'étais à l'autre bout de l'État. Il y avait erreur. Adieu.

« Oui, ai-je dit. Terrible, cette histoire. Horrible. Mais à vrai dire, je crains de ne pouvoir vous être très utile. Je n'ai pas prêté grande attention à ce qui se passait — je veux dire, après l'évacuation du bâtiment. Je ne me sentais pas très bien, et je n'ai pas vu l'explosion ni quoi que ce soit. Je risque fort de vous faire perdre votre temps.

— Nous avons besoin d'une déclaration signée par tous les gens présents au moment de l'incident, d'autant qu'il semble que personne n'ait recueilli votre déclaration immédiatement après...

— Je n'étais vraiment pas en forme, ce jour-là, avec la pluie et tout ça, et je suis reparti avec la première voiture que j'ai trouvée — des gens d'une université, d'une faculté ou autre. Très gentil de leur part.

— Nous ne voulons pas vous déranger plus qu'il n'est

nécessaire, monsieur Halloway. Si vous êtes au bureau, je peux faire un saut et vous débarrasser de cette formalité. Quelques minutes devraient suffire.

— Ce serait parfait, mais j'étais justement sur le point de sortir, et à vrai dire je suis même un peu en retard...

— Je peux être là en quelques minutes, monsieur Halloway, si...

— Vraiment ? ai-je dit. Où êtes-vous ? Je trouverai peut-être un moment pour passer vous voir.

— Ce n'est pas nécessaire, monsieur Halloway. Si vous pouvez m'accorder...

— Laissez-moi juste regarder mon agenda. Vous préférez que ce soit le plus tôt possible, si je comprends bien... Voyons voir, je suis en déplacement presque toute la semaine... Vous êtes sûrement obligé de courir après pas mal de gens... Et la semaine d'après ? Je peux vous réserver tout le temps que vous voulez, disons jeudi en huit...

— Je peux venir cet après-midi ou à n'importe quel moment de la soirée, dès que vous serez libre.

— Ou — attendez une minute — en fin de semaine prochaine ? Vendredi en début d'après-midi, avant que...

— Je peux aussi me rendre chez vous pendant le week-end.

— C'est extrêmement aimable de votre part. Malheureusement, je passe le week-end ailleurs. Je vois que vous tenez vraiment à faire vite, et je cherche à vous rendre service... Seulement, c'est une période extrêmement chargée, pour moi... Mais, après tout, je viens de penser que nous pourrions peut-être nous y mettre tout de suite, par téléphone. Il m'est possible de prendre quelques minutes pour répondre à vos questions.

— Monsieur Halloway, sans vouloir vous déranger, il m'est nécessaire de vous rencontrer un instant personnellement. Je peux vous voir ce soir, avant votre départ, ou dimanche soir. Où serez-vous pendant le week-end ?

— C'est trop aimable, mais laissez-moi consulter mon emploi du temps pour savoir si je ne peux pas arranger quelque chose qui nous convienne à tous les deux. Dites-moi — j'ai mon agenda sous les yeux —, quand vous faut-il avoir réglé cette affaire, au plus tard ?

— Au plus tard, mercredi matin. Je...

— Laissez-moi voir... Je vais simplement déplacer quelques

rendez-vous pour trouver du temps... Vous pensez qu'une demi-heure suffira ?

— Ce sera plus que...

— Je vais nous donner une heure entière pour être sûr. Mardi à deux heures, dans mon bureau.

— Mardi deux heures, donc. Voulez-vous me confirmer votre adresse : 325, Park Avenue, vingt-troisième étage, Shipway & Whitman ?

— C'est ça. Je vous attends mardi. Très impressionnant, la manière dont vous réglez cette affaire aussi vite. Dites-moi si je peux vous être utile d'une façon ou d'une autre.

— Il y a quelque chose que vous pouvez faire en ce moment même.

— Quoi donc ? ai-je répondu, inquiet.

— Nous indiquer le nom de toutes les personnes que vous connaissez et qui étaient sur les lieux de l'incident. »

Des noms pour compléter leur liste. J'ai eu envie de lui en donner quelques-uns imaginaires, pour lui compliquer la tâche, mais j'ai décidé que c'était une tactique trop risquée.

« Bien sûr.. Il y avait Anne Epstein, du *Times*. C'est avec elle que je suis venu. D'ailleurs, c'était la seule personne que je connaissais.

— Avez-vous rencontré quelqu'un ou entendu le nom de quelqu'un alors que vous étiez sur les lieux ? »

Inutile de mentir. Anne avait dû leur parler.

« Vous avez raison de me poser cette question. J'ai vu l'étudiant qui s'est fait sauter, Carillon. Je ne lui ai pas vraiment parlé. Anne l'a interviewé. Et puis Wachs, bien sûr. Je me suis présenté à lui dans la réception avant qu'il n'aille donner sa conférence de presse. »

Magnifique. Les seuls à qui j'avais parlé étaient les plus dingues de tous. Et cela s'était passé juste avant qu'ils ne soient incinérés. Si ce type connaissait son travail, il allait insister pour me rencontrer immédiatement.

« Encore une chose, monsieur Halloway. Pensez-vous qu'il soit resté quelqu'un à l'intérieur du bâtiment, après l'évacuation, ou qu'ensuite il ait manqué quelqu'un ?

— Pas que je sache. Mais j'étais un des premiers à sortir. L'évacuation m'a paru très bien menée. Bien sûr, vous vous demandez s'il n'y a pas eu d'autres victimes.

— Merci, monsieur Halloway. Je vous verrai mardi. »

Non, tu ne me verras pas. Ni mardi ni jamais. Personne ne me verra plus.

Au revoir. Au revoir.

En un sens, j'étais soulagé. J'avais au moins jusqu'à mardi après-midi, presque cinq jours. A moins que. Leary savait-il vraiment ce qu'il cherchait ? Plusieurs Leary devaient se partager cette liste. Leur avait-on dit qu'il s'agissait d'un homme invisible ? Peu probable. Mais si ce Leary était au courant, il allait rappeler aussitôt mon bureau. Car si j'avais vraiment été là, sous les yeux des secrétaires, des hôtesses et des collègues, sa question aurait trouvé une réponse. J'ai repris l'appareil pour téléphoner à Cathy.

« Cathy, je viens de parler avec votre ami Leary du ministère du Sabotage industriel ou je ne sais quoi. Parfaitement rasoir et très collant. Il n'a pas rappelé, par hasard ?

— Non.

— Bon, s'il le fait, dites-lui que je viens de sortir, que je serai absent pour l'éternité, et que si jamais je reviens je n'aurai pas une minute à moi. En fait, je lui ai donné rendez-vous mardi à deux heures, au bureau, mais je ne veux surtout pas perdre encore du temps à lui parler d'ici là. S'il retéléphone, dites bien que je viens de sortir. Je serai chez moi tout l'après-midi. S'il insiste, ou si quelqu'un m'appelle, donnez-moi un coup de fil. Merci. Et bon week-end, si on ne se rappelle pas. »

Il était quatre heures. Une heure plus tard, le téléphone n'ayant pas sonné, j'ai su que j'étais tranquille jusqu'à mardi. Sans raison, je me suis senti réconforté. J'avais seulement repoussé le problème de quatre jours. C'était mieux que rien.

Je suis allé dans la cuisine fêter ça en me versant un gin tonic. Ils ne viendraient sûrement pas me chercher ce soir. J'ai repensé à Cathy, qui avait vu l'incendie au journal télévisé, et j'ai allumé la TV pour les nouvelles locales de six heures, tout heureux de rester assis et de retrouver les visages familiers, aimables, de l'équipe de Metro News. Je commençais même à prendre un certain plaisir à observer mon verre se déverser dans le vide et donner une forme liquide, éphémère, à mon œsophage. J'espérais un reportage complet, des images dramatiques des terribles événements de MicroMagnetics. Les journaux étaient trop absorbés par les choses sérieuses, comme la politique, mais je savais que l'équipe de Metro News n'avait jamais manqué un incendie. J'attendais avec impatience. Je me sentirais presque fier en regardant ces images. Et toute l'affaire me paraîtrait peut-être un peu moins irréelle, cauchemardesque, si je l'entendais décrite par d'autres personnes.

J'ai vu le maire visiter un quartier où cohabitent malaisément des Juifs hassidiques et des Jamaïquains, parler d'harmonie interraciale à un petit groupe de passants renfrognés. Au Liban, la navette perpétuelle des sous-secrétaires d'État durait toujours. A Queens, une maison de repos célébrait une fête traditionnelle ukrainienne. On a prédit le temps, joué au base-ball et au basket.

Ensuite j'ai entr'aperçu des flammes derrière des arbres et entendu la voix de Joan : « Un incendie s'est déclaré pour la deuxième fois en deux jours dans un petit laboratoire près de Princeton, New Jersey, quand les restes mal éteints du premier brasier ont mis le feu à une cuve de gasoil. Un porte-parole de la police locale a déclaré que ce laboratoire effectuait bien des recherches ayant trait à la fusion nucléaire, mais qu'il ne contenait aucun matériau radioactif et qu'il n'y avait aucun risque de contamination. Néanmoins, par mesure de précaution, les autorités interdisent toujours l'accès de la zone. » Les flammes et les arbres ont disparu, laissant la place aux journalistes de Metro News installés à leurs bureaux. Joan s'est tournée vers John, très sérieuse : « John, cet incendie semble avoir été déclenché par l'explosion accidentelle d'un engin apporté par les manifestants antinucléaires, et comme nous l'avons annoncé hier, il a fait au moins deux victimes, un manifestant et un savant. Les autorités déclarent que la fouille des ruines se poursuit, mais que la liste définitive des victimes ne sera pas connue avant un certain temps. La police recherche plusieurs manifestants, car on pense qu'ils sont au courant des circonstances de l'explosion. Actuellement, aucune inculpation n'a encore été prononcée. Nous ferons le point sur cette affaire dès que l'enquête aura progressé. »

Joan a froncé les sourcils d'un air solennel.

« Merci, Joan », a dit John.

C'était tout. J'ai regardé le journal jusqu'au bout : encore des sous-secrétaires d'État envoyés au Liban — ils seraient bientôt assez nombreux pour former leur propre parti et demander à participer au gouvernement ; des récoltes inondées quelque part ; quelque chose à propos de la Bulgarie ; le Dow Jones industriel en hausse de presque douze points à la fermeture. Quelle importance, maintenant ? Mes idées tournaient en rond. J'étais invisible. Pourquoi ne parlaient-ils pas de ma catastrophe ? Même sans moi, elle paraissait passionnante : des extrémistes, un sabotage, le feu, la mort, et une sorte de découverte scientifique — j'aurais aimé savoir laquelle, exactement. Or ils étaient passés à côté de tout ce qu'il y avait d'intéressant, et s'étaient trompés sur la plupart des détails sans intérêt. Ils avaient sans doute raison : ce n'était qu'un incendie de plus.

Après le journal, j'ai essayé de regarder une sorte de comédie familiale, mais comme j'avais du mal à me concentrer, j'ai éteint le poste. Il faisait plus froid, ce qui m'a rappelé que j'étais nu. Désagréable de rester déshabillé toute la journée. Je suis allé baisser les stores, tirer les rideaux de toutes les pièces, et j'ai enfilé ma robe de chambre, bien serrée, la ceinture autour de ma taille. Elle était très longue, et je me suis senti un peu plus substantiel. Une forme humaine. J'ai mis les mains dans les poches pour ne pas voir le vide au bout des manches. Et mes pantoufles, pourquoi pas. Tant qu'on ne se regarde pas dans un miroir, on ne se rend pas compte qu'on n'a pas de tête. Je me suis versé un autre gin tonic. Amusant, la façon dont les glaçons planaient à travers la pièce jusque dans mon verre. Maintenant, sans problème, je pouvais manger les nouilles et le poisson.

En faisant la cuisine, j'ai rallumé la télévision. Sur la 13, il y avait une sorte de débat politique. Ensuite j'ai trouvé un match de base-ball. La nourriture m'a paru délicieuse, bien qu'elle formât une sorte de masse visqueuse dans mon estomac. Pâle et luisante, comme une grosse larve. J'ai ouvert une bouteille de vin blanc et j'ai fermé le col de ma robe de chambre pour ne plus rien voir. Demain, j'essaierais vraiment de m'en tenir au bouillon et aux vitamines ; c'était juste une question d'habitude. Pourquoi Anne ne rappelait-elle pas ? La bouteille finie, je me suis versé un autre gin tonic.

J'ai appelé Anne chez elle. Elle a décroché à la première sonnerie.

« Allô !

— Bonsoir, Anne. Comment vas-tu ?

— Oh ! c'est toi. Je suis contente que tu me téléphones, Nick. J'avais envie de te parler.

— J'avais peur que tu appelles pendant que j'étais sorti ; la raison pour laquelle j'ai cherché à te joindre...

— Je suis désolée que tu aies eu tant de mal. Je travaille sur cette histoire du MMM.

— MMM ?

— Le Mouvement pour un Monde meilleur. Tu sais bien : Robert Carillon, MicroMagnetics. C'est une histoire incroyable.

— J'ai vu ton article dans le *Times* d'aujourd'hui.

— C'est terrible. Ils essayent d'étouffer toute l'affaire. Une obstruction systématique. Le papier d'aujourd'hui, c'était juste pour maintenir la pression. Mais tu as vu ce que j'ai écrit hier ?

— Hier, je n'ai pas lu le journal. Trop occupé...

— En première page !

— C'est génial, Anne. J'ai...

— As-tu la moindre idée de l'importance fantastique de cette histoire ?

— Je...

— Personne ne sait ce qui s'est vraiment passé là-bas. C'est absolument incroyable. Ils ne laissent rien filtrer, mais je vais tout étaler au grand jour.

— Qu'est-ce que tu...

— Ils veulent tout étouffer ! Tu as vu les communiqués officiels ? Ils prétendent que c'était seulement un incendie. Et par-dessus le marché, ils accusent les manifestants. Mais on ne peut pas étouffer une histoire pareille ! Quand j'aurai les preuves de ce qui s'est réellement passé, j'étalerai tout sur la place publique. Le *Times* me soutient à cent pour cent. Peu importe s'il me faut un an...

— Qu'est-ce que tu as trouvé jusqu'ici ?

— Te rends-tu compte que c'est la catastrophe la plus importante de l'histoire de l'énergie nucléaire ?

— Vraiment ?

— Deux morts. *Deux victimes !* Voilà pourquoi ils gardent un secret complet. Sais-tu qu'ils ont entièrement interdit l'accès de la zone ? On ne peut même pas approcher. Ils veulent tout étouffer. Le gouvernement envoie des enquêteurs interroger toutes les personnes présentes sur les lieux, et en même temps ils disent que ce n'est qu'un incendie. Ces gens, là-bas, étaient entièrement financés par le gouvernement, et ils n'avaient aucun permis d'aucune sorte — jamais d'inspections pour la sécurité. Rien. Ils enfreignaient toutes sortes de règlements fédéraux, nationaux et locaux. C'est une histoire fantastique.

— Je m'en rends compte.

— Il y a aussi une dimension humaine. » Je ne l'avais jamais vue s'exciter à ce point. « Il y a ces deux hommes, à l'opposé l'un de l'autre : le premier, malgré sa naissance privilégiée, est devenu un altruiste, luttant pour une politique plus juste ; le second, d'origine plus modeste, a fait le choix inverse, celui du profit personnel, jusqu'à se consacrer à l'énergie nucléaire. Et ils meurent tous les deux dans cet accident nucléaire, alors qu'ils sont presque en train de se battre — mon Dieu, je donnerais tout ce que j'ai pour une photo ! C'est vraiment une histoire incroyable.

— Un peu des « vies parallèles », pour ainsi dire, ai-je répondu d'un ton absent, revoyant une fois de plus les deux hommes qui s'affrontaient sur la pelouse.

— C'est ça. C'est peut-être même un bon titre, « Vies parallèles ». Ce serait parfait pour le supplément du dimanche. C'est vraiment un miroir de l'âme américaine dans les années quatre-vingt : l'altruisme contre l'avidité, la morale contre la science, la non-violence contre l'énergie nucléaire, le contraste de leurs origines sociales, et même leurs aspects physiques très différents. Tu n'as vu personne là-bas avec un appareil photo, par hasard ?

— En fait, non.

— Et je suis sûre qu'il faut absolument en tirer un livre.

— Eh bien, je suis content de t'y avoir emmenée. Pour toi, ça a plutôt bien tourné.

— Tiens, c'est vrai ! C'est toi qui as eu cette idée. J'avais oublié. En tout cas, c'est une chance incroyable pour moi. Qui va mener à tout un tas de choses. Il ne m'est jamais rien arrivé d'aussi important.

— C'est génial. D'ailleurs, je voulais te parler de quelque chose en rapport avec... l'accident.

— A propos, il faut que je te dise, ton rôle est très important dans tout ça.

— Je suis heureux de l'apprendre. Je...

— Tu es une des dernières personnes qui aient parlé avec Carillon. Je veux tout ce dont tu peux te souvenir : son état d'esprit, les déclarations politiques qu'il avait l'intention de faire. Tout ce qu'il t'a raconté. Ça pourrait être très...

— Anne, je sais qu'en ce moment tu ne penses qu'à cette histoire, mais... Je voudrais te parler d'autre chose, si tu as un instant.

— Bien sûr, a-t-elle répondu d'un ton dubitatif.

— Toi et moi...

— Qu'est-ce qu'il y a, Nick ? »

Était-ce de l'intérêt, ou de l'impatience ?

« Il est difficile de savoir par où commencer. Je veux d'abord te poser une question. Si importantes que soient pour toi cette histoire, ta carrière, et je ne sais quoi, suppose que je te demande, aujourd'hui même, si tu es prête à tout laisser tomber pour partir avec moi ? Pour de bon. Tous les deux. Ce soir.

— Il y a quelque chose qui ne va pas, Nick ?

— Non. Je te fais une proposition, simplement. Maintenant ou jamais. On abandonne tout et on part ensemble.

— Nick, on ne pourrait pas en reparler la semaine prochaine ? Il faut que je rentre ce soir à Princeton. Je suis tellement prise par cette histoire que pour l'instant, il m'est absolument impossible de penser à autre chose. Comprends-moi, je tiens beaucoup à toi... Il t'est arrivé quelque chose ?

— Non, non. Rien. Ecoute, Anne, c'est peut-être ce qui s'est passé l'autre jour... D'avoir vu mourir ces deux types, ou je ne sais quoi... En tout cas, cela m'a obligé à réfléchir, à me demander ce que je voulais vraiment faire de ma vie... et il est important que je sache exactement où tu en es. Tu es la seule personne...

— Nick, as-tu parlé de ces idées en thérapie ?

— Quoi ?

— As-tu parlé de ces choses à ton psychanalyste ?

— Je n'ai pas de psychanalyste.

— Eh bien, tu devrais, tu sais. C'est important de pouvoir parler de tout ça à quelqu'un. Il y a des choses qu'on n'arrive pas à régler tout seul. Nick, peux-tu me décrire précisément ce que tu as vu au moment où l'incendie a éclaté ? D'après eux, tu sais, ce n'était qu'un incendie ordinaire. Mais qu'est-ce qui est arrivé exactement à Wachs et Carillon quand il a éclaté ? C'est vraiment important.

— A ce moment précis, je ne regardais pas. Anne, je pense que tu as raison : nous devrions peut-être en discuter la semaine prochaine. J'aurai eu le temps de mettre mes idées en ordre et je te serai plus utile.

— C'est une bonne idée. De toute façon, en ce moment, je suis un peu pressée par le temps.

— Je voudrais encore te demander quelque chose, pendant que j'y suis. J'ai reçu aujourd'hui un coup de fil d'une sorte d'enquêteur gouvernemental qui cherche...

— Ne leur dis rien.

— Ils t'ont interrogée ?

— Bien sûr. Ils sont allés voir tous ceux qui étaient sur les lieux.

— Ils t'ont posé des questions sur moi ?

— Bien sûr. Sur tout le monde. Pourquoi ?

— Qu'est-ce que tu leur as dit ?

— Je ne leur ai rien dit sur personne. Ils ne t'ont pas interrogé sur place, juste après l'accident ? Es-tu un de ceux qui sont partis tout de suite ?

— Je suis parti juste après t'avoir dit au revoir. Tu te souviens ?

— Oui, bien sûr, a-t-elle répondu d'un ton vague. C'était une telle maison de fous, il fallait que je voie tout. C'est une histoire incroyable.

— Oui, vraiment. Je ferais mieux de te dire bonne nuit.

— Bonne nuit, Nick. Porte-toi bien. »

En raccrochant, j'ai vu que la télévision était restée allumée. Un match de basket. Du mal à me concentrer. Ridicule de mettre tous ses espoirs en quelqu'un d'autre. Juste une manière de ne pas affronter les problèmes qu'on est seul à pouvoir résoudre. Mardi. « N'y pense pas. Induis-les en erreur d'une façon ou d'une autre. » Cette existence s'annonçait plutôt solitaire. « Va te faire foutre, Anne ! » De quel droit aurais-je compté sur sa loyauté ? Qu'est-ce que j'avais fait pour elle, qui puisse lui donner envie de réorganiser sa vie autour de moi ? Samedi, dimanche, lundi, mardi. Quatre jours. Trois et demi. Quand on est dans le besoin, on se met à croire que les autres ont besoin de vous. Ce n'est pas vraiment le genre de situation où on peut se confier à quelqu'un. (Charley ? C'est Nick... Nick Halloway. Tu te souviens ? Je t'appelle parce qu'il m'arrive un petit ennui. Est-ce que tu pourrais me rendre service ? Je viens de devenir totalement invisible et je suis aussi recherché par les autorités pour des crimes divers. Je me demandais si tu pourrais m'héberger quelques années, jusqu'à ce que je meure, que je me fasse prendre ou Dieu sait quoi. Oh, je te serais vraiment reconnaissant de ne parler de cet appel à personne.) « Va au diable, Anne ! »

Un autre gin tonic m'aiderait à m'endormir. Je n'étais déjà plus très d'aplomb. « Ivre » était peut-être même le mot juste. La bouteille magique s'inclinait d'elle-même vers un verre magique. Des tours de magie extraordinaires. Je pourrais devenir le plus grand magicien de tous les temps. Stupéfier le public, captiver les foules. Non. Sans intérêt. Des trucs, mais pas de magicien. Personne à applaudir. Rien qu'on puisse aimer.

Je me souvenais d'un film... l'image d'une tête enveloppée de pansements. Une seule bande, très longue. Il m'en fallait une. Mais, dans la vie, est-ce qu'il y a vraiment des blessés qu'on enveloppe de cette façon ? Un cliché, ces pansements. Autant porter une pancarte « Homme invisible ». Je me rappelais l'avoir vu — du moins je croyais me le rappeler — défaire son pansement (au début, il y a la surface d'un être humain) en déroulant la bande, un tour après l'autre... Le linceul. A quoi bon ? On a beau dérouler, il n'y a rien dessous.

Samedi ? Encore ? Je me suis réveillé très tôt et je suis resté longtemps sans bouger, tourné vers le mur, à broyer du noir. Difficile de se rendormir quand on a des paupières transparentes. Cette conversation avec Anne. Ne jamais toucher au téléphone quand on est sous l'influence de l'alcool. J'ai essayé de me souvenir en détail de ce dialogue ridicule pour savoir si je m'étais trahi d'une façon ou d'une autre. Comment avais-je pu croire que je pourrais la mettre dans le secret ? Mon aventure serait déjà en première page du *Times,* distribuée dans le monde entier. Anne se verrait offrir une carrière splendide, et je serais en cage. Très clairement, je ne pouvais rien demander à personne. Ce n'avait été qu'une illusion. Et imaginer que je m'en sortirais seul en était peut-être une autre. « Attends mardi, tu verras bien. »

Ce ne serait peut-être pas tellement pire, si j'étais pris. Le mieux que je pouvais espérer, c'était de vivre caché, tremblant, au fond de mon appartement. Ce serait presque un soulagement de me faire prendre. On s'occuperait de moi. Ce serait comme si je passais le restant de mes jours dans un hôpital. *(C'est l'heure de notre bain. Et ensuite, nous allons avoir des visites très importantes.)* Il y aurait probablement un défilé ininterrompu de visiteurs importants, venus regarder à travers moi. *(Peut-on le regarder manger ? On a le droit de lui parler ?)* Et après tout ce que j'avais fait, ils n'auraient guère envie de m'accorder la moindre liberté.

Il fallait que je me lève. Que je ne reste pas au lit à ressasser mes idées noires jusqu'à ce qu'ils viennent me chercher. Même si je ne voyais pas très bien comment lutter.

Finalement, c'est un besoin pressant d'uriner qui m'a poussé à me lever. Je suis resté une demi-heure sous la douche et je me suis traîné jusqu'à la cuisine. J'ai fait chauffer une grande casserole d'eau et j'y ai jeté une douzaine de cubes de bouillon. Pourquoi, bêtement, en préparer une tasse, puis une autre ? Si je me limitais au bouillon, je devais au moins en boire suffisamment pour me sustenter. J'ai avalé un bon litre de liquide sur place, devant la cuisinière, toujours en robe de chambre pour ne pas voir mon estomac en pleine activité.

Désœuvré, je suis allé dans l'autre pièce allumer la radio, mais la musique n'était qu'un bruit de plus. J'ai éteint le poste et suis retourné me verser un autre bol de bouillon. Combien de temps pouvait résister un être humain à ce régime ? L'esprit périrait d'inanition avant le corps. C'était malsain de rester enfermé ainsi sans prendre d'exercice. J'ai enlevé ma robe de chambre et j'ai commencé à tourner en rond sur la terrasse au petit trot, mais je me suis vite découragé.

De retour dans la cuisine, j'ai ouvert le réfrigérateur. Sinistre. J'ai attrapé un demi-citron racorni que je me suis mis à sucer, par désespoir. C'était acide, presque douloureux, mais merveilleusement différent du bouillon. Dans le placard j'ai trouvé un pain de mie coupé, pas entamé mais un peu moisi, qui était là depuis le dimanche précédent. J'en ai pris un petit morceau que j'ai littéralement dévoré ; c'était délicieux, et je n'ai pas pu m'empêcher d'avaler le reste de la tranche. J'ai baissé la tête pour la suivre des yeux. Elle m'a paru disparaître très vite — beaucoup plus vite que le poisson de la veille. Vraiment, je devrais chronométrer tout ça. Employer ces quelques jours de répit à mieux connaître mon état. Et, me disant que j'effectuais une expérience importante, montre en main, j'ai englouti une deuxième tranche de pain.

Je me suis bientôt installé devant le grand miroir avec un crayon et du papier, pour évaluer le temps de digestion de tout ce qui se trouvait dans la cuisine. Du pain, je suis passé à la confiture de fraises, au miel, au sucre, au sel et à la farine. J'ai fait cuire une pomme de terre, un oignon, quelques haricots verts congelés, et une douzaine de petits pois. J'ai ingurgité du thon et des sardines en boîte. J'ai même essayé des tomates en conserve, avec un résultat visuel pire que ce que j'aurais pu imaginer. Chaque fois je mâchais soigneusement une bouchée de nourriture, puis j'attendais qu'elle soit bien descendue et qu'elle ait commencé à se désagréger pour passer à la suivante. Peu à peu, j'ai goûté à tout ce qu'il y avait de comestible dans l'appartement, avec de plus en plus de méthode, jusqu'à finir par mesurer les aliments en portions égales, à la petite cuiller, et à noter soigneusement les résultats de chaque essai. Tout cela me procurait des informations précieuses, et de quoi m'occuper. C'était une façon de rester plus ou moins sain d'esprit, de ne plus penser au mardi suivant.

En ce temps-là, je ne faisais guère la cuisine, et mon garde-manger n'était pas très fourni, de sorte qu'à midi j'ai vu qu'il me faudrait élargir le champ de mes expériences scientifiques. J'ai rappelé FoodRite.

« Je me souviens de vous, a dit la même voix, des aliments clairs, non ?

— Oui, c'est ça, sinon qu'actuellement, je me sens prêt à essayer...

— J'ai pensé à votre problème, et j'ai quelques idées pour vous, a-t-il continué.

— C'est très aimable. Pourquoi ne pas ajouter tout cela à ma commande ainsi que...

— Vous avez déjà goûté au melon d'hiver ?

— Je ne pense pas. Donnez-m'en un, en tout cas. Et aussi un de chaque sorte.

— Chaque sorte de quoi ?

— Chaque sorte de melon. De fruit, en fait. Et un peu de chaque légume frais. On peut laisser les conserves et les congelés pour la prochaine fois.

— Toutes les sortes de fruits et de légumes ? Et les aliments clairs ? Où en est votre santé ?

— Je me sens beaucoup mieux, merci. Vous pouvez aussi ajouter une petite quantité de chaque sorte de viande à cette commande. Vous voyez, un petit morceau de porc, de bœuf, peut-être aussi de la viande hachée, et du poulet, un peu d'agneau — une côtelette, disons. Et du poisson. Le poisson est une bonne idée. Pourtant toutes les espèces de...

— Savez-vous combien de sortes de fruits nous avons en magasin ? » Il avait l'air troublé. « Et les aliments clairs ?

— Je suis toujours extrêmement intéressé par les aliments clairs. En fait, ils devraient composer la base de mon régime. Le poisson se présente habituellement en petits paquets, n'est-ce pas ? Prenez simplement le plus petit paquet de chaque...

— Savez-vous que quelqu'un doit peser et emballer chaque fruit de cette commande ? Vous en avez parlé à votre médecin ?

— Je change de médecin. L'autre m'a paru un peu rigide. Si vous pouviez ajouter aussi le *Times* et *Barron's*.

— Mais qu'est-ce que ça veut dire : un fruit de chaque ? Vous voulez un seul raisin ? Un pois ?

— Bon, c'est à vous de juger. Je vous en serais reconnaissant. Côté boulangerie, j'aimerais un peu de pain : du pain blanc, du pain de seigle et les autres, plus tous les gâteaux ou biscuits que vous avez. Si vous voyez autre chose qui puisse convenir, ajoutez-le à la commande. Je vous fais absolument confiance. »

Mon tube digestif tout entier s'était rempli de tourbillons multicolores. J'ai dû m'enfermer dans la salle de bains au moment de la livraison, mais je me suis aussitôt remis au travail sur mes nouveaux échantillons. J'ai mangé sans interruption tout l'après-midi, mâché, digéré, noté les temps, jusqu'à avoir un torticolis à force de regarder les pépins de pomme naviguer dans mes intestins, et l'esprit plein d'un brouillard de chiffres.

A mesure que je m'habituais à la laideur extraordinaire du processus, je m'intéressais de plus en plus à mes entrailles que je trouvais stupéfiantes. C'est une honte, vraiment, le peu qu'on nous apprend à l'école sur notre propre corps. J'ai été triste et surpris de découvrir à quel point j'ignorais tout de la digestion, n'ayant qu'une vague idée de ma plomberie interne et ne sachant strictement rien des processus chimiques qui transforment les aliments selon les besoins de l'organisme. En fait, il y a étonnamment peu de données scientifiques dans ce domaine, et il reste de nombreux mystères. J'ai moi-même consacré beaucoup de temps à étudier ces questions, bien que mon travail incline plutôt vers la pratique que vers la théorie, dans l'espoir limité mais vital de me nourrir et de rester en vie.

Pourtant, dès ce jour-là, malgré ma méconnaissance des réactions chimiques mises en jeu, j'ai pu déterminer les principes scientifiques fondamentaux qui allaient déterminer mon régime alimentaire. D'abord et avant tout, *éviter les fibres.* Je sais que d'aucuns sont d'un avis différent à cause de leur rôle diététique, mais sur ce point, une abstinence totale est indispensable à ma survie. Pépins et noyaux en tout genre doivent également être écartés à tout prix, de même que la peau des fruits. Un pépin mal digéré peut rester plusieurs jours dans le gros intestin, offrant un spectacle des plus inconvenants. Il faut aussi faire extrêmement attention aux légumes feuillus. Les sucres et les féculents, par contre, sont la base de mon régime. Le corps les assimile à une vitesse extraordinaire. Je consomme une énorme quantité de pâtisseries, quoique je doive constamment guetter la noix ou le raisin qui peut s'y dissimuler. Je tire les protéines du poisson, plutôt que des viandes, et j'essaye d'éviter les colorants divers — bien que les produits naturels soient pires, si possible, que les artificiels.

Une autre règle que j'ai dû instaurer dans ma vie, c'est de mâcher soigneusement chaque bouchée. En général, je me suis aperçu qu'une grande partie des conseils reçus dans mon enfance étaient parfaitement corrects. Si vous pouviez voir une seule fois ce que j'ai vu si souvent : le véritable fonctionnement du système digestif, vous mâcheriez avec le plus grand soin. Après chaque repas, éliminer est aussi une de mes priorités. De ce point de vue, les impératifs de la propreté — comme de se curer les ongles — ne sont jamais exagérés ; dans mon cas, bien sûr, de petites négligences auront moins l'effet de me déprécier que de constituer mon unique apparence. Fort heureusement, mon corps et mes vêtements invisibles ne maintiennent pas avec les substances visibles ce que les ingénieurs appellent un « lien mécanique durable » ; autrement dit, bien que j'aie souvent du mal à marcher sans glisser, la boue et la poussière ne restent pas collées à moi, et je peux ainsi ne pas trop m'éloigner de la propreté idéale à laquelle je me dois d'aspirer.

Ce jour-là, j'ai encore fait une découverte intéressante. En début d'après-midi, dans mon appartement assombri par les rideaux et les stores, alors que j'essayais de déterminer avec précision le temps de dissolution du chocolat blanc, il m'est venu l'idée d'ouvrir la porte de la terrasse et d'examiner ce phénomène à la lumière du soleil. Au premier abord, il m'a semblé plus difficile à observer. Ou bien était-ce que soudain le magma se dissolvait beaucoup plus vite ? A cause du soleil ? J'ai absorbé plusieurs bouchées, faisant alterner l'ombre et la lumière, et découvert que les rayons lumineux accéléraient effectivement le processus qui se déroulait dans mes entrailles. J'ai continué pendant une heure, inscrivant sur deux colonnes les performances de divers aliments, jusqu'à ce que le ciel se couvre et me renvoie à l'intérieur de mon appartement.

J'étais plongé dans mes recherches, comme un maniaque, au point de ne pas me rendre compte que je m'empiffrais, et en fin d'après-midi, je me suis trouvé au bord de la nausée. C'est avec bonne conscience, ayant le sentiment d'avoir fait une bonne journée de travail, que j'ai mis de côté mes provisions et que je me suis versé un gin tonic. Un repos bien gagné, après ce dur labeur.

Je me sentais beaucoup mieux — en partie, sans doute, parce que je n'avais plus faim pour la première fois depuis plusieurs jours — et le gin n'a fait qu'ajouter à mon bien-être. J'étais en sécurité, et j'avais encore devant moi la plus grande partie du wek-end. Je me suis installé à la table de la cuisine pour lire les journaux. Pourquoi, Dieu du ciel, avais-je demandé *Barron's* ? A quoi, désormais, pourrait-il me servir ? J'ai feuilleté le *Times* en cherchant des nouvelles de MicroMagnetics. Bizarre, il n'y avait rien sur le sujet.

J'ai allumé la TV, me souvenant de la promesse de Metro News : « Faire le point dès que l'enquête aura progressé. » Rien. J'ai regardé les nouvelles locales pendant une éternité. Pas un mot sur mon affaire. D'autres incendies faisaient rage : dans des HLM de Brooklyn, dans des clubs de jeunes du Bronx, et même dans un immeuble de bureaux à Manhattan. Il y avait des morts. On interviewait des gens en robe de chambre. Naturellement, il leur fallait des images fraîches, des flammes et des belles-sœurs en larmes. Je me sentais abandonné par le monde entier.

Je me suis versé un autre gin tonic et j'ai changé de chaîne jusqu'à ce que je trouve un film. Quel plaisir d'être chez soi ! Pas la peine de penser à Leary. J'avais le temps. A la fin du film, je me suis senti un peu paniqué et j'en ai tout de suite cherché un autre. Je ne sais plus combien j'en ai vus avant d'aller m'écrouler sur mon lit.

Je me suis réveillé au bruit du *Sunday Times* qu'on jetait contre ma porte. En titubant, je suis allé le ramasser. J'ai pensé à me préparer un peu de bacon pour le petit déjeuner, mais en voyant des fibres et des cartilages dans mon intestin, j'ai changé d'avis. Il ne me restait que deux jours et demi de répit, après quoi il fallait que je m'attende au pire. Et que je sois d'une clarté parfaite, au cas où. Je me suis fait quelques tartines et j'ai regardé le journal. Au milieu du premier fascicule j'ai trouvé un article titré : « LE DRAMATIQUE INCENDIE DE PRINCETON REMET EN QUESTION LA SÉCURITÉ DES RECHERCHES NUCLÉAIRES. » Par Anne Epstein. Je l'ai lu deux fois de suite. Étaient cités toutes sortes de gens : fonctionnaires du gouvernement, universitaires, porte-parole de groupes d'action civique, mais il n'y avait aucune espèce d'information sur ce qui s'était passé à MicroMagnetics. J'étais à la fois soulagé et déçu.

J'ai passé un disque de Haydn et j'ai continué à lire le journal, sans finir un seul article ni rien comprendre à ce que je lisais. Pas vraiment parce que j'avais faim, plutôt pour m'occuper, j'ai mis ce qui restait de la pêche et de la banane dans le mixer et j'ai avalé le mélange. Affreux, mais exquis. J'ai contemplé ma digestion avec l'idée de la chronométrer, puis j'ai laissé tomber. Trop compliqué. Repos. Derrière les rideaux, je voyais qu'il faisait beau. Si je pouvais sortir, je me sentirais mieux. J'ai fait l'effort de me lever et d'aller jusqu'à la porte de la terrasse. Par un temps pareil, il devait y avoir des milliers de gens dans les rues et à Central Park.

L'après-midi j'ai allumé la télévision, regardé un tournoi de golf, un match de tennis en différé, quelques passes de base-ball, et je ne sais plus quoi. A un moment, plus tôt que d'habitude, je me suis mis à la bière, et ensuite au gin tonic. La télévision m'énervait, mais j'ai continué jusque dans la soirée, avant d'aller me coucher comme un somnambule.

Lundi matin, je me suis réveillé à l'aube, d'un seul coup, et j'ai compris que j'étais de plus en plus terrifié à mesure qu'approchait l'heure de mon rendez-vous avec Leary. J'ai essayé de me rassurer en évoquant la possibilité de le reporter — je n'ai jamais entendu parler d'un rendez-vous qu'on ne peut pas remettre au moins une fois. De plus j'étais censé avoir affaire à une sorte de bureaucratie : un organisme qui se déplace lentement et la plupart du temps dans la mauvaise direction. Ils passeraient sans doute des années à courir après les amis de Carillon. Mais on avait dit à Leary, c'était un fait, qu'il devait rencontrer chaque individu personnellement. Si je m'y prenais bien, je repousserais notre entrevue indéfiniment — peut-être à jamais — mais dès demain, quand j'aurais annulé ce rendez-vous, il faudrait que je sois prêt à toute éventualité. Que je m'attende à ce qu'ils arrivent d'un instant à l'autre. Ce qui entraînerait une certaine tension.

Je me suis levé et j'ai déambulé dans l'appartement, nettoyant une partie des saletés que j'avais accumulées pendant deux jours avec mes expériences diététiques. J'étais nerveux. Bien sûr, je pouvais toujours abandonner ce logement. L'ennui, c'était que je n'avais nulle part où aller. J'avais besoin d'un endroit pendant la nuit pour digérer un repas, quel qu'il fût, à l'abri des regards, et dormir sans qu'on risque de me marcher dessus. Le colonel avait raison : livré à moi-même, j'aurais beaucoup de mal à m'en sortir.

Le mieux, en y pensant, serait de sortir tout de suite — juste pour me promener, m'éclaircir les idées. Je devenais un peu fou, enfermé depuis plusieurs jours. Non. Quitter mon refuge en ce moment était absurde, d'autant que les portes de l'immeuble s'ouvriraient mystérieusement sous les yeux des passants. Je ne pourrais rien faire sans attirer l'attention. Reste là et prépare-toi.

J'ai regardé le dossier que m'avait envoyé Roger Whitman, et à neuf heures et demie je lui ai téléphoné pour lui dire ce qu'il voulait savoir sur les gaz naturels et la déréglementation, compliquant suffisamment les choses pour qu'il s'en désintéresse le plus vite possible. Je lui ai dit aussi que ce jour-là je travaillais à la maison.

« J'ai un peu de retard, et j'y arrive mieux ici, sans être interrompu par le téléphone. »

Et si je m'arrangeais pour tout régler de chez moi ? En faisant mon travail, en répondant au téléphone, je continuerais indéfiniment sans que personne ne se rende compte qu'on ne me voyait jamais. Au pire, j'aurais une réputation d'excentrique. Une sorte de Nero Wolfe de la finance. Ce qui pourrait me donner le prestige d'une intuition à contre-courant. L'essentiel, c'est de travailler. Les gens supportent beaucoup de choses quand on fait son travail.

« De toute façon, ai-je ajouté, la semaine va être dure. Je dois m'absenter presque tout le temps.

— Tu seras là jeudi pour le bilan, quand même, non ? a demandé Roger.

— Oh, bien sûr. Absolument. On se verra jeudi. A bientôt. »

Bon Dieu, il faudrait que j'annule plus tard. Mercredi matin. Ce serait plus difficile que je ne l'avais cru.

J'ai fini de nettoyer la cuisine et je suis allé faire mon lit. Passer sa vie dans un appartement de trois pièces risquait de devenir parfaitement assommant. Avec la peur comme seule distraction.

J'ai appelé Cathy pour savoir s'il y avait des messages. Pas mal, en fait. La plupart pour solliciter un rendez-vous. Cathy, elle aussi, voulait me montrer quelque chose qu'elle avait rédigé. Elle se demandait quand je viendrais.

« Je travaille chez moi toute la journée, ai-je dit. Et il se trouve que je dois m'absenter jusqu'à la fin de la semaine.

— Et votre rendez-vous avec M. Leary ? Voulez-vous que je l'annule ?

— Non. Il vaut mieux que je m'en charge. Dites simplement à tout le monde que je suis en voyage. Vous ne savez pas quand je rentrerai. Dites que je suis à Los Angeles.

— OK. Et pour le bilan mensuel de jeudi ?

— J'appellerai Roger pour lui en parler. »

J'ai raccroché, réfléchi plusieurs minutes, et rappelé Roger Whitman.

« Oh, Nick. C'est gentil de me téléphoner. J'ai une idée que je voulais te soumettre avant jeudi. Il y a presque une semaine que je ne t'ai pas vu, et je...

— Avant d'entrer là-dedans, Roger, il y a quelque chose dont nous devons discuter... Tu as un peu de temps ?

— Bien sûr. Je t'écoute.

— Eh bien, Roger, il s'est passé tout d'un coup un certain nombre de choses... Actuellement, en fait, je me suis mis à réfléchir à ma situation, et j'en ai conclu qu'au point où j'en suis, je dois envisager un changement radical...

— Tu parles de quitter les pétroles ? Je sais ce que tu en penses, mais nous avons déjà...

— Roger, je ne parle pas seulement de vendre quelques actions. Je pense me retirer entièrement du marché...

— Tout réaliser ? Tu crois que la baisse va être générale ?

— Non. Le marché va retomber. Un jour ou l'autre. Comme toujours, tôt ou tard. Ce que je veux dire, c'est que je ne prétends pas savoir ce que va faire le marché. D'abord il est très efficace, et il est probablement impossible d'en prédire les fluctuations avec une précision suffisamment fiable. Et puis j'ai décidé de ne plus rien essayer de prédire.

— Autrement dit, de viser au hasard sur les cotations, comme ces opérateurs stochastiques ?

— Ce n'est pas ce que je veux dire. J'ai l'intention d'abandonner ce genre d'activité pendant un certain temps.

— Mon Dieu, Nick, je devine très bien ce que tu ressens. Dieu sait que je me suis souvent demandé à quoi rimait tout ça. Il y a des années où on n'arrive même pas à faire mieux que la loi des probabilités. Mais ces idées ne mènent nulle part. D'abord, il y a tout ce fric qu'il faut bien utiliser. Je veux dire qu'on ne peut pas le rendre à ces gens en leur disant qu'on ne veut plus s'en occuper. On a besoin des commissions. Et en plus, de mon point de vue, les prix ont un bon bout de chemin à faire avant d'arriver aux revenus auquels on peut s'attendre l'an prochain. On en est peut-être aux premiers stades d'une dépression classique. Je ne dis pas qu'il n'y aura pas des corrections intermédiaires, mais je crois que les taux d'intérêt ont encore une sacrée marge, et il y a tous ces capitaux étrangers qui entrent et poussent l'ensemble vers... »

Quelquefois, Roger s'égare, comme s'il était redevenu un agent de change en train de parler à un dentiste. Je l'ai interrompu.

« Roger, il y a beaucoup de choses dans ce que tu dis...

— Tu le penses vraiment ? » Il avait l'air surpris. « Génial. Écoute...

— Roger, ce que j'essaye de te dire, c'est que j'ai décidé de démissionner. A partir de maintenant.

— Démissionner de quoi ?

— De mon poste chez Shipway & Whitman. Partir.

— Qu'est-ce que tu veux dire, Nick ?

— Je m'en vais, pour " suivre une autre vocation ", comme on dit. C'est tout.

— Nick, est-ce que tu veux bien me dire où tu vas ? Combien ils t'ont offert ? Mon Dieu, Nick, on se connaît depuis longtemps. Je ne comprends vraiment pas pourquoi tu n'es pas venu me voir avant pour en discuter. » Il avait l'air vraiment blessé. « Je serais le premier à te conseiller de choisir au mieux de tes intérêts, a-t-il continué, et je ne dis pas que nous pourrions forcément égaler...

— Roger, je ne vais nulle part, et on ne m'a fait aucune offre. Je pars, c'est tout. Si jamais je reviens vers l'analyse financière, tu seras le premier à qui je m'adresserai. En fait, puisque tu en parles, j'aimerais même mieux ne pas démissionner. Je préférerais un congé sans solde, si c'est possible.

— Eh bien, je suppose... Bien sûr, pourquoi pas ?... Nick, tu veux bien me dire pourquoi tu prends une décision aussi soudaine ?

— Roger... Franchement, je ne sais pas comment répondre à cette question. C'est... Il y a eu dans ma vie des changements fondamentaux.

— Que veux-tu dire, Nick ? C'est peut-être quelque chose qui peut s'arranger ?

— Je ne crois pas être déjà en mesure d'en discuter.

— Nick, après tout ce que nous avons vécu... C'est en rapport avec la firme... ou avec moi, personnellement ?

— Non, rien de ce genre, Roger. Ce serait trop long à expliquer.

— Dieu sait que j'ai tout le temps, Nick. C'est quelque chose de personnel ? Je veux dire, y a-t-il un problème financier ? Quelque chose que je...

— Roger, ce n'est rien qui... Bon Dieu ! Écoute, Roger, je vais te dire ce que c'est. J'ai soudain perçu une nouvelle dimension spirituelle. Je me suis retrouvé à un autre niveau de conscience, et j'ai besoin d'oublier quelque temps les soucis matériels pour reconsidérer ma place dans la sphère céleste.

— Mon Dieu, je ne savais pas que tu pensais des choses pareilles, Nick.

— Moi non plus, Roger. C'est tout à fait récent.

— Tu es vraiment sérieux quand tu...

— On ne peut plus sérieux. Écoute. L'autre jour, j'ai vécu une expérience qui m'a ouvert les yeux et brusquement projeté sur un autre plan spirituel. J'étais dans le New Yersey, à MicroMagnetics...

— C'était dans les journaux. L'endroit où il y a eu un incendie... On m'a dit que tu y étais quand...

— J'étais là-bas, oui. Quelque chose de stupéfiant. Qui a changé ma vie, je t'assure. Au moment où tout a sauté, je regardais ces deux types en face du bâtiment qui se disputaient au sujet de je ne sais quelles contingences terrestres — le commerce, la politique, n'importe — et soudain, pouf ! Plus rien. A peine un peu de fumée. Cela m'a fait réfléchir — ça et d'autres aspects de cet incident. Ça a complètement changé mon point de vue sur les choses. Voilà pourquoi je veux prendre un peu de temps pour faire l'inventaire de la situation cosmique, si tu vois ce que je veux dire.

— Mon Dieu, Nick, prends tout le temps qu'il te faut. Mets tout ça en ordre.

— Il y a une chose que tu peux faire pour moi, ai-je ajouté.

— Tu n'as qu'un mot à dire, Nick.

— J'aimerais qu'on n'en parle pas, pendant quelque temps. C'est une sorte d'affaire privée entre moi et le cosmos, tu comprends. Veille seulement à ce qu'on prenne mes messages sans dire que j'ai quitté la firme ni rien. Et puis, entre-temps, si tu peux trouver quelque chose pour Cathy ; c'est une secrétaire de premier ordre...

— Absolument. Sans problème. Nick, j'espère que tu iras mieux... Je veux dire, j'espère que tu auras bientôt réglé tout ça. Dans ta tête. A ta convenance. Préviens-moi seulement...

— Écoute, Roger, je suis très sensible au service que tu me

rends. Je savais que tu serais la seule personne capable de me comprendre, vraiment. J'ai toujours pensé que tu avais en toi une sorte de dimension spirituelle méconnue. Un jour, j'aimerais qu'on prenne le temps de discuter ensemble de ton karma. On pourrait peut-être même commencer tout de suite...

— Je te remercie d'y penser, Nick, mais je dois filer...

— Un tas de gens ne se rendent pas compte du caractère éphémère et fragile du monde matériel...

— Nick, si un jour je peux te venir en aide, préviens-moi.

— Roger, merci encore de ta compréhension. Au revoir. »

Adieu mon travail. Adieu Roger.

Dans un coin de ma chambre, une échelle en métal conduisait à une trappe. C'était la seule façon d'accéder au toit de l'immeuble. Plusieurs fois par an, je devais laisser entrer chez moi un inspecteur municipal ou un ouvrier pour qu'ils vérifient un câble, une gouttière ou autre. Je n'y étais jamais allé, mais cette fois je suis monté sur l'échelle, j'ai déverrouillé la trappe, je l'ai soulevée un peu pour être sûr qu'elle s'ouvrait, j'ai jeté un coup d'œil sur le toit et je l'ai rabaissée sans remettre le verrou. Si les choses tournaient mal et qu'ils arrivent sans prévenir, ce serait ma sortie de secours. Par les toits je pouvais passer sur les immeubles voisins et faire le tour du pâté de maisons. De ma terrasse j'avais repéré plusieurs manières d'accéder aux jardins intérieurs, et j'en trouverais sûrement d'autres une fois là-haut. Si je restais sur le qui-vive, j'aurais tout le temps de m'éclipser.

Ensuite je suis allé d'un bout à l'autre de l'appartement pour ramasser systématiquement toutes les traces de mes liens avec le reste du monde : lettres, carnets de notes, reçus des impôts, chèques annulés, relevés de banque. J'ai vidé les tiroirs du bureau, décroché les photos des murs, fouillé les poches de mes vêtements, et tout entassé au milieu de la cuisine. Par poignées, j'ai froissé les papiers et je les ai mis dans le four. S'ils se lançaient à mes trousses, ils reconstitueraient probablement tout mais au moins cela les ralentirait.

Ce fut plus difficile que vous ne pourriez l'imaginer de brûler ces photos, de voir les visages des gens que j'avais bien connus ou aimés, fondre et disparaître dans les flammes comme s'ils disparaissaient également de ma vie. Ce qui était le cas, en fait. Il est facile de se mettre à pleurnicher, dans ce genre de situation. De plus le papier dégageait en brûlant une fumée âcre, malodorante. J'avais peur qu'un voisin ne le remarque et appelle les pompiers. Il fallait que j'aille lentement, ce qui me laissait le temps d'un dernier regard sur mon passé.

Il y avait aussi une pile de petits agendas noirs, reliés en cuir, contenant chacun une année de rendez-vous personnels et professionnels, le montant précis de mes dépenses en voyage ou pour une soirée, avec à la fin des noms, des adresses et des numéros de téléphone. L'agenda de cette année avait disparu à jamais, invisible, mais j'avais là un abrégé des douze dernières années de ma vie. Il en manquait certaines, je m'en souviens — sans que je sache pourquoi. Je devrais, me suis-je dit, les revoir et apprendre par cœur les noms et les numéros qui pourraient m'être utiles. (Utiles comment ?) *Olsen, Orr, Ovinsky.* Étrange, cet entrecroisement de gens qu'on connaît à peine — rencontrés une ou deux fois pour affaires — et de ceux qu'on connaît et qu'on aime depuis toujours. *Paulsen, Parker, Petersen.* Ce sont ceux qu'on a connus au lycée dont on se souvient le mieux, même ceux qu'on ne voit plus, ou qu'on n'aurait jamais envie de voir. Le dingue avec qui on a volé le battant de la cloche du collège ou autre exploit de ce genre. La fille couchée sur l'herbe, à côté de vous, une nuit de printemps, qu'on a aimée follement, au-delà de toute raison. On n'a plus jamais des amitiés pareilles — moi, bien sûr, je n'aurais probablement plus aucune sorte d'amis —, et même si ces sentiments résistent mal au regard critique d'un adulte, on peut sentir des larmes couler sur son visage chaque fois qu'on y repense. Dans mon cas, naturellement, les larmes et le visage auraient quelque chose d'hypothétique. Le bruit d'un arbre qui tombe au fond de la forêt.

La tension peut provoquer en nous de terribles sautes d'humeur.

Pourtant je n'ai pas pu m'empêcher de relire ces carnets, de revoir les contours de mon existence : chaque déjeuner d'affaires (avec le prix, le mode de paiement, les personnes présentes, le sujet de la discussion), chaque dîner (avec le nom et le numéro des nouvelles rencontres m'ayant intéressé), chaque week-end à la campagne (avec les heures des trains ou du dernier ferry). Et toujours le prix du taxi ou du billet. *19 décembre. 5 h 30 squash Club U/Carstair 7 h 30 (LG) dîner/Simons (procurations GU) taxis : 3,75 $ 4,50 $ dîner : am.ex.76,00 $.* Et, dans le coin : *Martha Caldwell 850-8632.* Fini. Cela peut être poignant, de voir ainsi toute sa vie réduite à des chiffres — des heures, des adresses, des numéros de téléphone, des dépenses annexes. Principes moteurs : la solitude, le désir. Organisation structurelle : payer le moins d'impôts possible. Cela peut vous paraître une vie banale — comme j'ai souvent dû le penser moi-même — mais à cet instant il m'a semblé qu'elle avait été magnifique, et qu'elle avait disparu à jamais. Eh bien, c'est ce qu'ont en commun toutes les vies : elles passent. On vieillit et on meurt. Avec un peu de chance. Et je risquais de ne même pas avoir cette chance si je continuais à m'attarder sur le passé.

Au feu, tout ça. J'ai lu et j'ai brûlé, tout en buvant, jusqu'au soir. A partir du lendemain je ne pourrais plus boire autant. Ma dernière nuit de tranquillité. Ensuite, tourner la page. Je me suis couché tôt, essayant d'ignorer la vision désagréable des couvertures flottant sur une absence de forme humaine. J'ai rêvé toute la nuit de téléphone et de sonneries à la porte d'entrée.

Mardi matin, encore, je me suis réveillé tôt, mais cette fois je me suis levé immédiatement et je me suis activé avec une efficacité mêlée de terreur. Je me suis lavé soigneusement, j'ai mis mon costume invisible, j'ai ouvert le tiroir de la commode et rempli mes poches de tous mes objets invisibles. A partir de maintenant, je garderais tout sur moi. J'ai inspecté le revolver, enlevé le chargeur, remis le chargeur, vérifié le cran de sûreté pour être certain de pouvoir tirer en cas de besoin. Trois balles.

Je n'avais absolument pas faim, mais je suis allé dans la cuisine, j'ai coupé quelques fruits en morceaux que le mixer a transformés en une purée épaisse, homogène, et je me suis forcé à manger, cuillerée par cuillerée, toute la matinée. Mes intestins avaient retrouvé leur apparence, et de cette manière je ne serais visible que par brèves périodes. Un outil indispensable, le mixer.

Il était encore trop tôt pour téléphoner à qui que ce soit. J'ai fait mon lit, balayé l'appartement. Impossible de lire ou d'écouter de la musique. Téléphoner à Leary me remplissait de terreur, pourtant j'avais hâte d'en finir. Il ne se mettrait pas en route avant plusieurs heures, mais je ne pouvais pas attendre la dernière minute. Il fallait absolument que je le joigne avant son départ, et il n'allait peut-être pas rester toute la matinée à son bureau. Son travail, en principe, était de faire des enquêtes. Qu'il crève. Le plus tôt serait le mieux.

J'ai appelé à neuf heures cinq. La même voix féminine et impénétrable a répondu au numéro que je venais de composer, j'ai demandé Leary, et après le même grésillement, Leary a répondu en disant son propre nom.

« Leary.

— Allô, monsieur Leary ? C'est Nick Halloway. » J'ai marqué une pause pour lui laisser le temps de répondre. Comme il n'a rien dit, j'ai continué : « Nous avons un rendez-vous prévu pour deux heures, n'est-ce pas ?

— C'est exact, monsieur Halloway.

— Eh bien, je crains d'avoir à vous demander de le déplacer. Je regrette, vraiment, et j'ai bien compris que vous étiez pressé, mais il y a du nouveau et je suis en route pour l'aéroport. Dites-moi, avez-vous un moment de libre à la fin de la semaine ? »

Il y eut un silence désagréable.

« Le mieux serait que je vienne vous voir immédiatement. Quelques minutes suffiront. Vous êtes à votre bureau ?

— Mince alors, ai-je dit en tâchant de garder mon sérieux. C'est très aimable de votre part, surtout dans un si bref délai, mais ce n'est vraiment pas possible. Je dois partir à la minute même. Pourquoi pas vendredi à la première heure ? Neuf heures et demie. Ou préférez-vous que je vous rappelle jeudi, à mon retour, pour fixer un jour ?

— Vendredi neuf heures et demie, ça ira. A votre bureau ? »

Il avait changé de ton, et son obligeance m'a paru plus menaçante que l'insistance qu'il avait manifestée jusqu'alors.

« A mon bureau. Vous avez l'adresse ?

— J'ai l'adresse. Merci, monsieur Halloway.

— Au revoir. »

Bien. Je l'avais repoussé de trois jours. Jeudi, Cathy appellerait pour lui dire que je ne rentrerais pas avant la semaine suivante. Tout le monde finit par abandonner. Le plus difficile, dans ces situations, ce sont les premiers coups de téléphone. Au bout d'un certain temps, ils prennent l'habitude. Leary pourrait très bien se laisser faire. Pourtant, cette conversation me laissait une mauvaise impression. Surtout qu'il ait si facilement accepté d'attendre jusqu'à vendredi. Au minimum, en tout cas, j'avais gagné un jour. La première chose que ferait Leary serait d'appeler à mon bureau pour qu'on lui confirme mon absence. Cathy confirmerait. J'étais tranquille pour la journée. Je pouvais même boire un verre.

Mais je m'en suis abstenu. Bien que je me sois habitué depuis quelques jours à vivre nu, je suis resté assis dans mon costume en me demandant avec inquiétude comment un être humain entièrement invisible pourrait vivre tranquillement et sans se faire remarquer. Une question qui n'avait rien de trivial, je vous l'assure, et qui me préoccupait de plus en plus à mesure que j'y pensais. Tant que j'avais un appartement et un compte en banque, il m'était possible de commander des provisions, manger et dormir en paix. Mais si je devais fuir, comment faire ? Où aller ? Cela paraît facile, mais quand on y réfléchit, les niches et les recoins confortables de la planète ne manquent pas d'habitants. Certes, on pouvait imaginer pire ; être mourant, par exemple. Je me suis demandé une fois de plus si j'étais en train de mourir à cause des radiations ou autres qui m'avaient touché. Je me sentais bien. J'étais peut-être en train de mourir au même rythme que n'importe qui. Et si je partais tout de suite, si je changeais de ville. De pays. Où ?

J'ai dû passer plusieurs heures à ruminer laborieusement. J'étais resté enfermé trop longtemps, à ressasser sans cesse les mêmes idées. J'aurais dû sortir prendre l'air. En fait, sur le moment, je n'ai même pas entendu les coups de sonnette. Ou plutôt je me suis rendu compte qu'on sonnait, mais sans savoir depuis combien de temps, ni exactement où. Actuellement c'était dans l'appartement du dessous, mais j'étais presque sûr qu'on avait d'abord sonné au fond, au même étage, et peut-être même avant chez les Coulson. Normalement, pendant la journée, il n'y avait personne dans l'immeuble, sauf parfois ma propriétaire, Eileen Coulson, et, dans une maison vide, on entend les sonneries du téléphone ou de l'entrée.

Soudain, j'étais en alerte. Quelqu'un sonnait chez tous les habitants de l'immeuble. Il devrait donc sonner chez moi. J'ai attendu, crispé, mais rien n'est venu. Si c'était pour une vente à domicile ou pour une livraison, on sonnerait partout. Je me suis levé de mon fauteuil, je suis allé à la fenêtre de la rue et j'ai regardé en bas. Un homme d'un certain âge, trapu, en imperméable trois quarts, sortait de l'immeuble. J'ai soulevé le panneau vitré, doucement, je me suis mis à genoux et me suis penché pour mieux voir. Arrivé sur le trottoir, il s'est retourné et a levé les yeux vers moi. J'ai dû faire un effort pour me souvenir qu'il ne pouvait pas me voir. Il a regardé l'entrée, les immeubles voisins, s'est retourné pour regarder ceux d'en face, sans paraître vraiment satisfait. A ce moment-là, Eileen Coulson a dépassé le coin de la rue, lancé un regard soupçonneux à l'homme en imperméable et est entrée dans l'immeuble. Elle portait deux grands sacs à provisions. L'homme l'a suivie. Je voyais le haut de son crâne pendant qu'il lui parlait, debout devant la porte. Un instant plus tard il est entré avec elle.

Je me demandais si c'était Leary. J'ai eu un accès de panique en pensant qu'ils allaient monter tous les deux chez moi. Mais les

Coulson n'avaient pas la clef de mon appartement. Leary, ou qui que ce soit, lui poserait seulement des questions. J'avais eu tort de repousser ce rendez-vous. J'aurais dû renoncer et partir. Mais où ? Ils se renseignaient probablement sur tout le monde. Cela ne voulait peut-être rien dire. Et qu'est-ce qu'Eileen Coulson leur apprendrait ? Naturellement, si cette dame avait le moindre renseignement qui puisse me porter tort, elle ne se gênerait pas pour le donner, car ses sentiments à mon égard oscillaient entre la désapprobation et l'aversion. Plutôt la désapprobation, je suppose. J'offensais son sens hypertrophié des convenances. Elle aurait dû être surveillante dans un pensionnat très strict. Je l'entendais souvent, en entrant ou en sortant de chez moi, cachée derrière sa porte, l'œil collé au judas. Qu'elle aille au diable. Mais Leary n'avait probablement aucune envie de savoir si je rentrais à des heures régulières ou si un membre du sexe opposé passait parfois la nuit chez moi.

Pourtant, il avait dû apprendre quelque chose, car il n'a pas reparu avant une demi-heure, ou presque. Cette fois il est parti sans regarder autour de lui, se dirigeant vers l'est. Eileen ne savait rien qui pût servir à qui que ce soit. Et puis ces enquêteurs posent toutes les questions possibles à tout le monde jusqu'à ce qu'ils soient à court de questions et de personnes à interroger. Reviendraient-ils ? A l'évidence, ils ne venaient pas encore me chercher. Ils reviendraient peut-être pour interroger mes voisins, mais ceux-ci étaient rarement chez eux — Eileen Coulson le leur aurait dit. Logiquement, ils allaient vouloir parler à quelqu'un de mon bureau. Mais dès qu'ils essaieraient, Cathy me préviendrait. Il fallait que j'évite de m'énerver à ce point. Ces gens ne sont que des bureaucrates : ils ont sans doute du mal à retrouver les gens, même visibles. Et ils ne se diraient probablement jamais que c'était moi qu'ils devaient rechercher. Ils enquêtaient de la même manière sur tous ceux qui s'étaient rendus à MicroMagnetics ce jour-là. En plus, pour me rassurer, j'avais toujours en tête la sortie de secours que j'avais prévue au cas où les choses tourneraient mal.

C'est pour cela que j'ai réagi aussi vite en entendant marcher sur le toit. Il y avait moins d'une heure que Leary, si c'était lui, avait disparu au coin de la rue, et il paraissait inconcevable qu'ils soient déjà là. C'étaient peut-être des enfants qui jouaient là-haut, ou des ouvriers. Mais j'ai compris instantanément que je devais imaginer le pire et agir sans perdre un instant. Je n'avais plus d'issue de secours, l'autre n'était peut-être pas encore bloquée, et il fallait que je m'en assure au plus tôt.

J'ai couru à la porte, prenant un instant pour regarder par le judas. Personne de visible dans l'entrée. J'ai ouvert, jeté quelques regards anxieux sans rien voir, et j'ai dévalé l'escalier en courant, quatre à quatre : personne, mais plus bas, j'entendais des gens bouger et chuchoter.

J'ai traversé le palier du second en courant, la main sur la rampe pour ne pas perdre l'équilibre, j'ai encore descendu deux marches et je me suis arrêté net. En bas de l'escalier, se dirigeant droit vers moi, il y avait cinq hommes, dont Clellan, Gomez et Morrissey. Ils se dépêchaient, occupant toute la largeur de l'escalier, sans me laisser la place de passer. Il ne me restait qu'à faire demi-tour et à revenir sur mes pas.

J'ai retiré ma main de la rampe, car certains d'entre eux y avaient posé la leur, et j'ai marché sans faire de bruit. Ils montaient au pas de course. Voix de Clellan : « Souvenez-vous, maintenant, quand on entre, la porte se ferme et reste fermée jusqu'à ce que vous m'entendiez dire à haute et intelligible voix que je vais l'ouvrir. Et si vous la voyez s'ouvrir sans que j'aie dit que j'allais l'ouvrir, vous tirez, compris ? »

J'ai entendu un murmure d'assentiment se mêler aux halètements de la meute.

« Au moment où elle s'ouvre, vous attendez pas de voir sur quoi vous tirez, compris ? Ce type a une arme, et il s'en est déjà servi. Gomez va essayer de l'avoir avec une balle anesthésique, mais s'il arrive à sortir, vous le descendez avec ce que vous avez. »

Arrivé au troisième, j'ai dépassé ma porte et je me suis retrouvé dans un cul-de-sac. Derrière moi, les hommes se sont regroupés sur le palier. Impossible de passer à côté. Sur un signe de Clellan, l'un d'eux s'est dirigé vers moi. Pour l'éviter, j'ai enjambé la rampe et je me suis pendu par les mains au-dessus de la cage d'escalier. Il a continué pour inspecter une autre porte, condamnée depuis plusieurs années. Accroché à la rampe, j'ai progressé lentement vers ses collègues. La rampe oscillait de façon horrible sous mon poids, mais ils étaient trop intéressés par la porte pour s'en apercevoir ; l'un d'eux s'était accroupi et s'occupait de la serrure.

Quand j'ai atteint l'endroit où la rampe tournait à cent quatre-vingts degrés pour entamer la descente vers le deuxième étage, je l'ai enjambée dans l'autre sens et je me suis retourné vers le groupe des cinq. L'homme de la serrure s'est relevé, a hoché la tête en direction de Clellan, et s'est reculé. Ils ont tous sorti de leur poche intérieure une arme bizarre, avec un canon plus gros et plus long que la normale. Clellan a fait un signe, et la porte s'est ouverte d'un seul coup. Morrissey, Gomez et Clellan se sont précipités à l'intérieur — chez moi — et la porte a été claquée immédiatement après. Les deux autres, dehors, ont gardé leurs revolvers braqués.

J'ai entendu courir à travers l'appartement, et la voix de Clellan qui s'adressait à moi.

« Monsieur Halloway, ne bougez pas. Nous sommes là pour vous aider. Vous êtes cerné par des hommes armés qui ont l'ordre de tirer au moindre bruit ou au moindre mouvement. Dites-nous exactement où vous êtes et nous viendrons à votre secours. *Surtout, ne bougez pas.* Nous sommes là pour vous aider. »

Quand on y pense, c'est extraordinaire l'envie que ces gens avaient de me venir en aide. Toutes ces armes, juste pour me protéger. Sur le moment, je n'ai pas pris le temps d'y réfléchir. Sans lâcher la rampe, j'ai redescendu l'escalier deux par deux, aussi vite que possible, sans faire de bruit. Au rez-de-chaussée, il y avait encore deux hommes dans le vestibule, entre les deux portes. Même si je les abattais, leurs corps me bloqueraient la sortie. Et plus loin, dans la rue, d'autres attendaient, avec des walkies-talkies. Dont Jenkins.

Je me suis arrêté au milieu des marches. J'étais pris au piège. La sortie était barrée. Le toit aussi. Mon appartement ne m'appartenait plus. Les voisins étaient absents. Madame Coulson, pourtant, était là. Je suis descendu prudemment jusqu'à la première porte vitrée, juste en face des deux gardes. La porte des Coulson se trouvait sur ma droite. Dès qu'ils ont regardé de l'autre côté, j'ai appuyé avec rage sur le bouton. Les deux hommes ont entendu une sonnerie et ont levé la tête, perplexes. J'ai gardé le doigt sur le bouton pour qu'ils ne le voient pas sautiller sur place. Où était-elle ? J'ai collé mon oreille contre la porte pour guetter son arrivée, la tête de côté pour surveiller en même temps les deux gardes. Malgré la sonnerie ininterrompue, j'ai entendu quelqu'un remuer tout au fond de l'appartement. Dans le vestibule, les hommes commençaient à s'agiter. Ils étaient en pleine discussion, face à la porte vitrée, fouillant du regard le bas de l'escalier ; s'ils avaient su quoi chercher, ils m'auraient découvert. L'un des deux est ressorti par l'autre porte pour consulter ceux qui attendaient dans la rue. »

J'ai entendu des pas chez les Coulson. Que cette femme se dépêche, bon Dieu. Plof, plof, plof. Le deuxième garde discutait sur le trottoir, quand il y a eu une sorte de bousculade et un homme s'est précipité vers l'entrée. C'était Jenkins. Eileen Coulson était maintenant derrière la porte, et elle parlait : « Vous êtes sûr que je peux ouvrir, maintenant ? »

Je me suis souvenu à temps qu'il ne fallait pas qu'elle reconnaisse ma voix. J'ai mis une main devant la bouche et répondu aussi calmement que possible : « Oui, ma'ame. On a fini, par ici. Je voudrais juste emprunter votre téléphone un instant, s'il vous plaît. »

Ouvre cette foutue porte, je t'en prie.

Jenkins avait franchi la première porte, il repoussait le garde d'un coup d'épaule. J'entendais le cliquetis des serrures actionnées par la main maladroite d'Eileen Coulson. Heureusement que son mari n'était pas là. Il aurait pu ne pas ouvrir du tout. Vite, pour l'amour du ciel ! Jenkins avait découvert que la seconde porte était fermée à clef. D'un ton cassant, il a ordonné au garde de la déverrouiller. Sa voix était calme, retenue, mais je voyais la colère déformer son visage. Ses petits yeux étroits.

En face de moi la porte s'est entrouverte et s'est bloquée net. Elle avait mis la chaîne de sécurité, cette vache imbécile ! Dans l'entrebâillement, ses yeux voletaient de droite à gauche, dans un effort inutile pour me voir.

« Êtes-vous absolument sûr que je peux ouvrir ? a-t-elle demandé. On m'a dit de ne surtout pas...

— Oui, ma'ame », ai-je dit pour retenir son attention.

Je ne voulais surtout pas qu'elle referme. Pendant que le garde tripotait la serrure de l'entrée, Jenkins, impatient, a relevé la tête et a vu la porte des Coulson entrouverte. Il s'est mis à crier : « Fermez cette porte ! Que cette porte reste fermée !

— C'est tout à fait exact, ma'ame », ai-je crié moi aussi pour couvrir la voix de Jenkins.

Le regard d'Eileen Coulson est devenu encore plus indécis. La porte vitrée s'est ouverte. Jenkins est passé. J'ai fait très vite deux pas en arrière, tombant presque dans ses bras, et je me suis jeté sur la porte des Coulson, l'épaule en avant, de toutes mes forces. La porte a cédé, arraché la chaîne au chambranle et projeté le corps massif de ma propriétaire contre le mur de son entrée. Je l'ai aperçue au passage, écroulée par terre, le visage en sang.

J'ai traversé le couloir d'un bond, jusqu'au salon, Jenkins sur les talons. Mais il ne connaissait pas les lieux, ne savait donc pas exactement où me chercher, et quand il s'est trouvé au milieu d'une grande pièce, il a ralenti pour regarder autour de lui. Cela m'a donné le temps d'ouvrir les grandes portes en verre du fond et de passer dans le jardin. Le jardin — il n'y a qu'un New-Yorkais pour lui donner ce nom — était un petit rectangle pavé, désert, sans vie, avec des chaises en fer, entouré d'une haute palissade en bois le séparant d'autres jardins similaires. J'ai attrapé une chaise, l'ai jetée contre la palissade, et j'ai secoué les planches avec violence.

Jenkins était tout près. Certain que j'étais sur la chaise, en train de passer de l'autre côté, il a foncé, les deux bras tendus. Sans lui laisser le temps de se reprendre, je lui ai envoyé un violent coup de poing dans le cou, sur le côté. Il s'est écroulé contre la palissade et son corps a pivoté, me faisant face. Je l'ai frappé une seconde fois, durement, en visant le plexus solaire. Il s'est plié en deux et s'est mis à vomir.

J'ai installé la chaise dans un coin, là où une traverse me facilitait l'escalade, et j'ai sauté dans le jardin adjacent. Si je pouvais sortir par un des immeubles voisins, je tomberais sur la 88e Rue, à un bloc des hommes du colonel. J'ai regardé en face de moi. Deux fenêtres et une porte, fermées. J'ai escaladé une deuxième palissade, moins haute, mais qui a vacillé dangereusement sous mon poids, et j'ai cru un instant qu'elle allait s'écrouler. En pivotant pour poser les pieds de l'autre côté, je me suis trouvé juste en face de Morrissey, qui regardait par-dessus la palissade des Coulson. Son visage a disparu. Il savait où j'étais. Il fallait que je m'en aille. Sur le toit de mon appartement, Gomez, les yeux fixés sur la palissade que j'avais presque détruite, mettait le fusil à l'épaule.

En me retournant, j'ai failli heurter une femme d'une cinquantaine d'années, en peignoir de bain. Elle venait de se lever d'une chaise en plastique près d'une table où se trouvaient une tasse de café et une cigarette allumée. Le visage déformé par la rage, elle s'avançait à grands pas vers moi. Soudain elle s'est mise à hurler — un hurlement si violent et si féroce que sa voix s'est éraillée.

« Arrêtez ! Arrêtez ça tout de suite ! »

Un instant, j'ai cru qu'elle me voyait, et j'ai courbé l'échine. Et puis je me suis rendu compte que son regard me traversait, fixé sur la palissade, et que c'était son seul sujet d'inquiétude. Elle pensait que quelqu'un, de l'autre côté, essayait de la renverser. J'ai fait un pas de côté, et elle a continué d'un air belligérant jusqu'à la frontière de son domaine.

Il y a eu un bruit sourd, une petite détonation venue de ma terrasse, et j'ai vu un trou à la base de sa nuque. Le sang s'est mis à couler sur son épaule, et elle s'est écroulée à mes pieds.

J'ai couru, poussé la porte-fenêtre de son appartement. D'autres détonations ont suivi. Des éclats de verre m'ont frappé les chevilles. J'ai traversé la première pièce en deux bonds, trouvé un petit couloir et je me suis précipité à l'autre bout en espérant qu'il menait à la rue, mais il se terminait par une porte fermée à clef. Bon Dieu. Ils seraient là d'un instant à l'autre. Jenkins et son équipe. Frénétiquement, j'ai fait demi-tour et grimpé un escalier jusqu'au salon, lequel donnait sur une entrée. J'ai ouvert une porte, une deuxième, et débouché sous une marquise. Quelques marches en meulière descendaient jusqu'au trottoir. Un homme, que je n'avais jamais rencontré, montait les marches avec une expression sévère, tendue, qui s'est changée en consternation quand il a vu la porte de l'immeuble s'ouvrir comme par magie, hésiter un instant, et puis se refermer. Tant que Jenkins se refuserait à expliquer précisément à ses hommes ce qu'ils devaient chercher, ils auraient du mal à m'attraper. Mais Clellan montait les marches à sa suite. Lui savait très bien ce qu'il cherchait. Il gardait les deux bras écartés pour m'empêcher de passer.

Au-delà des rampes en métal qui bordaient les marches, de chaque côté il y avait un espace enclos de grilles qui aurait fait une excellente cage. La rampe était trop étroite pour s'y tenir en équilibre, mais j'ai tout de même grimpé sur un des tubes et je me suis élancé à toute vitesse, pour être propulsé jusqu'au trottoir, même si je tombais d'un côté ou d'un autre. J'ai atterri sur l'asphalte avec un claquement sec et je me suis écroulé presque au bord du caniveau.

Clellan a tout de suite compris ce qui s'était passé. Malgré son goût déplorable pour les chapeaux texans et les chemises de cowboy, il n'est pas stupide. Il a pivoté sur ses talons et s'est précipité au bas des marches, fouillant désespérément des yeux le trottoir pour repérer le moindre signe de ma présence. Je me suis remis debout tant bien que mal, j'ai reculé très vite sur la chaussée de quelques pas, et je me suis retourné pour voir ce qu'il allait faire.

Clellan, accroupi devant l'immeuble, s'est lancé dans une danse étrange, décrivant des cercles du pied pour découvrir l'endroit où j'étais tombé sans pouvoir me relever, espérait-il. L'autre, sur le perron, le regardait d'un œil sceptique et se demandait visiblement s'il n'était pas devenu fou.

Brusquement, s'apercevant qu'il était trop tard, Clellan s'est arrêté. Je lui avais échappé. Il a attendu une minute, l'oreille tendue, le regard aux aguets. Puis, tournant le dos à son subordonné, il a dit à voix basse : « Vous êtes là, Halloway ?

— Oui », ai-je répondu au bout d'un certain temps, lui évitant de poursuivre son espèce de danse de moujik. A voix basse, moi aussi, pour que l'autre, qui regardait Clellan avec une curiosité grandissante, ne m'entende pas.

« Vous allez bien ? » a-t-il demandé.

Ils avaient une sollicitude extrême pour ma santé.

« Oui, merci.

— Il y a quelque chose que je peux faire pour vous ?

— Me laisser tranquille. Je souhaiterais, notamment, que vous n'essayiez plus de me tuer. A quoi ça peut servir ?

— Personne ne veut vous tuer. Vous ne comprenez pas.

— Eh bien alors, j'aimerais que vous ne tuiez pas les passants quand je suis dans le voisinage. Comme cette femme dans son jardin.

— Cette femme n'a probablement rien de grave. Ce n'était pas une balle ordinaire. Vous n'avez pas été touché, n'est-ce pas ? »

J'ai cru sentir un certain espoir dans sa voix.

« Non. Je suis difficile à toucher. Je comprends pourquoi vous avez préféré viser cette femme. Elle faisait une bien meilleure cible.

— Monsieur Halloway, pourquoi agissez-vous ainsi ? Qu'est-ce qui peut en sortir de bon ? Pourquoi ne pas vous éviter, et à nous aussi, un tas d'ennuis, et me suivre ? Pour vous, cela vaudrait beaucoup mieux. »

Deux hommes venaient de dépasser le coin de Madison Avenue et se rapprochaient rapidement de Clellan.

« Je ne pense pas, ai-je dit. Pas pour le moment. »

Je me suis retourné : d'autres hommes avançaient sur le trottoir de l'autre côté.

« Qu'est-ce que vous voulez au juste ? » a-t-il demandé.

Je n'ai pas répondu. Une voiture noire venue de la Cinquième Avenue se dirigeait vers nous.

« Parlez-moi donc, a insisté Clellan avec son accent campagnard. Dites-moi ce que vous voulez. Quoi que ce soit, on est les mieux placés pour vous le procurer. »

Ceux qui étaient sortis de la Cinquième Avenue se trouvaient presque à ma hauteur. Pour les éviter, je me suis mis entre deux voitures en stationnement.

« Halloway, vous n'avez nulle part où aller. Halloway ? Vous commettez une erreur, a poursuivi Clellan d'une voix plus forte. De toute façon, on vous aura. On va vous avoir, c'est sûr. Halloway ? »

Essayez. Mais ce ne sera pas aussi facile que vous le croyez, me suis-je dit.

Clellan, debout sur le trottoir, l'œil vague, parlait dans le vide. L'homme resté sur le perron ne le quittait pas des yeux, ahuri par son comportement bizarre. Les deux groupes qui arrivaient de chaque côté les regardaient d'un air troublé.

Je me suis retourné et je suis parti vers la Cinquième Avenue. A mi-chemin, j'ai dû me glisser entre deux voitures pour laisser passer la voiture noire. A l'intérieur, comme au ralenti, j'ai vu flotter le visage impassible du colonel Jenkins derrière la vitre arrière gauche. J'ai eu un sursaut de haine et de défi. Cet homme m'avait chassé de chez moi. Et coupé de tous ceux que je connaissais.

Quand il est arrivé à ma hauteur, j'ai sorti mon revolver, le tenant par le canon, comme un marteau, et je l'ai abattu de toutes mes forces sur la vitre. Le verre s'est instantanément fragmenté en une myriade de petits carrés, mais n'a pas cédé. Stupide. Je devais m'attendre à ce que le chauffeur, pris de terreur, appuie sur l'accélérateur, et que les passagers se tassent sur la banquette. Les quatre portières se sont ouvertes d'un seul coup, comme un diable sortant d'une boîte, et il y a eu soudain quatre hommes autour de moi. L'un d'eux, Gomez, a pris négligemment son arme bizarre et inspecté la rue du regard. Un autre, Jenkins, s'est mis à parler.

« Halloway, nous sommes là pour vous aider. »

Je me suis écarté sans bruit, en prenant soin de ne rien bouger qui trahisse ma présence.

« Halloway ? »

A dix mètres, je leur ai tourné le dos et j'ai marché tranquillement jusqu'au bout du pâté de maisons. Je les ai regardés une dernière fois. Ils étaient toujours à la même place, sans savoir que faire, sauf Jenkins. Il avait compris la situation et se dirigeait vers Clellan. J'ai traversé la Cinquième Avenue et j'ai longé Central Park vers le sud.

Mon cœur battait à grands coups, et je me suis rendu compte que je tremblais. J'allais marcher le temps de m'éloigner de ceux qui me poursuivaient, de me calmer un peu. Ensuite je pourrais penser à ce que je devais faire. Mais je me suis aperçu que d'avoir à louvoyer entre des adolescents désœuvrés, des clochardes et des joggers était déjà une tâche épuisante et risquée, toujours surpris de constater à quel point ces gens me paraissaient lointains. Leurs regards me traversaient et ils ne soupçonnaient même pas mon existence. J'avais passé les cinq derniers jours isolé, caché dans mon appartement, les rideaux tirés, et maintenant que j'étais brusquement projeté sous la lumière crue du soleil, tout me paraissait trop grand, trop lumineux. Je passais comme dans un rêve au milieu de gens et de choses qui tourbillonnaient autour de moi, imprévisibles et dangereux.

A la 85e Rue, j'ai sauté en arrière juste à temps pour éviter un gamin à vélo qui a jailli du parc et foncé sur moi. Il ne suffisait plus de regarder devant soi : il fallait que je m'exerce à regarder de tous les côtés à la fois. Un peu plus tard, un petit chien d'allure indécise a traversé le trottoir, menaçant de me prendre les pieds dans la laisse qui le reliait à son propriétaire. Dans mon état, survivre exige une vigilance de chaque instant. Il faut que je surveille particulièrement les patineurs branchés sur leur walkman dont la trajectoire oblique coupe la rue et le trottoir pour s'infléchir brusquement en une large courbe, ou qui se mettent à virer comme des toupies, une jambe ou un bras tendu pour me faucher. Pire encore, les coureurs qui arrivent par-derrière, sans faire de bruit, et menacent de me renverser. Le plus dangereux, c'est encore la foule, ou un petit groupe de gens debout ou se déplaçant dans le même sens. Aujourd'hui encore, alors que j'ai appris à parcourir les rues avec plus d'assurance, je fais un détour en apercevant un groupe, si réduit soit-il.

Au niveau de la 72ᵉ Rue, j'ai compris que j'avais intérêt à suivre la bordure du trottoir, entre les arbres et les voitures. Il y passait moins de monde et je pouvais toujours m'enfuir sur la chaussée ou même grimper sur le toit d'une automobile. Je me demandais ce que Jenkins faisait. Fouillait-il mon appartement ? J'avais eu de la chance. En repensant à ma course éperdue à travers les jardins, j'ai senti mon cœur se remettre à cogner. Ils devaient examiner tout ce que je possédais, démonter ma maison pièce par pièce. Je n'avais plus de maison, me suis-je dit alors, et de plus il n'était guère pensable que j'en aie jamais une autre. Brusquement découragé, je me suis assis sur un banc en lisière du parc.

J'y suis resté assez longtemps. Peut-être une heure. J'imaginais Jenkins et ses hommes en train de tripoter mes vêtements, d'inspecter le contenu de mon bureau, et j'ai regretté de ne pas avoir brûlé plus de choses. Et ensuite, qu'est-ce qu'ils allaient faire ? Qu'est-ce que j'allais faire ? Jenkins avait absolument raison : j'aurais beaucoup de mal à survivre tout seul. L'après-midi s'avançait. Il y avait de plus en plus d'enfants : l'école était finie. Des hommes en survêtement. Un plus grand nombre de passants. Je n'appartenais plus à ce monde. Sans issue.

Un vieil homme aux vêtements crasseux, puant l'urine, est arrivé en traînant les pieds devant mon banc. Il a tourné la tête, lentement, comme s'il m'examinait. Y avait-il quelque chose d'accroché à mon pantalon ? Non, il devait regarder le banc. De son pas imprécis, il m'a tourné le dos et a commencé à s'asseoir tranquillement sur moi. Je me suis écarté en vitesse, comme j'ai pu, et je me suis levé au moment où il s'installait à ma place, soufflant un peu après un tel effort. C'était une bonne chose, en fait. Cela m'a remis en marche. L'important, c'est de continuer.

En descendant vers le centre, j'ai compris où je pouvais aller. J'irais là où se rendent traditionnellement ceux qui ne peuvent ou ne veulent rentrer chez eux : à mon club. Si je n'y avais pas pensé plus tôt, c'est que de nos jours les clubs n'évoquent plus d'emblée cette possibilité, mais c'est pourtant dans cet esprit, assurément, qu'on les avait jadis construits, et ce point de vue, tout d'un coup, me convenait admirablement. Les clubs masculins du centre ville, dans ma situation, étaient l'endroit idéal. Il s'y trouvait de vastes cuisines, des bars immenses, des salons profonds comme des cavernes, des bibliothèques, des salles de billard, des douches, des piscines et des chambres individuelles. Il y avait suffisamment d'allées et venues pour pouvoir entrer ou sortir sans être remarqué, et en même temps les conditions exigées pour s'y inscrire, les règlements intérieurs et le montant des cotisations me garantissaient que la majorité de leurs membres étaient trop vieux ou vivaient trop loin pour s'y rendre très souvent. Et comme ceux qui prenaient cette peine venaient surtout déjeuner ou faire une partie de squash, c'était encore mieux.

Le centre de Manhattan regorge de ce genre de clubs, et vu mon état, je n'avais plus vraiment à me soucier d'être inscrit ou non : je pouvais même choisir celui qui convenait le mieux aux particularités de mes besoins actuels. Néanmoins, je me suis décidé pour celui dont j'étais membre : le club de l'Académie — parce qu'il m'était familier, certes, mais aussi à cause de sa taille, qui me rassurait. C'était un immeuble de six étages, vaste et de belle apparence, sur Madison Avenue, conçu il y a soixante-quinze ans par McKim, Mead et White, avec des salles immenses qui n'ont pas été remplies depuis plusieurs générations. Un endroit où je ne risquais pas d'être pris dans une foule.

On y entre en montant quelques marches abritées par un auvent en toile. Juste après la porte, sur le côté, il y a un bureau, d'où Bill surveille les entrées, et sur le mur, derrière lui, un grand panneau avec le nom des membres du club. Bill, à votre arrivée, vous salue — il n'oublie jamais un nom — et se tourne de côté pour faire glisser une petite cheville de droite à gauche sur le panneau d'affichage, signalant ainsi votre présence. Il se flatte de connaître de vue chacun des membres, et bien que la moitié au moins passent leur vie à Palm Beach ou à Londres — il a donc rarement l'occasion de graver leurs visages dans sa mémoire —, je ne l'ai jamais vu se tromper. Ce jour-là, j'ai dû attendre plusieurs minutes à l'entrée jusqu'à ce qu'un homme que j'avais souvent rencontré au club sans savoir son nom, monte les marches, pousse la porte et franchisse le seuil. Je me suis glissé derrière lui en m'efforçant de ne pas le toucher et j'ai eu à peine le temps de me faufiler avant que la porte ne se referme automatiquement. (Un exercice que j'exécute désormais avec beaucoup d'adresse.) Bill a levé les yeux. « Bon après-midi, monsieur Ellis », a-t-il dit en faisant coulisser la cheville correspondante. Au moment où je suis passé furtivement devant son bureau, son regard s'est à nouveau fixé sur l'entrée, et je me suis rendu compte que la courtoisie de son accueil, depuis tant d'années, m'avait toujours fait plaisir, et que d'en être privé me donnait l'impression d'être exclu. Comme si, discrètement mais sans appel, j'avais été rayé de la liste des membres. Aucune parole désagréable ne serait prononcée : ma présence, tout simplement, serait ignorée.

J'ai suivi le couloir. Sur la droite, on pouvait accéder à des salles à manger privées. Sur la gauche, il y avait un grand salon, très haut de plafond, avec des fauteuils en cuir au dossier surélevé et de longues tables où s'étalaient magazines et revues. Le sol en marbre était recouvert d'épais tapis d'Orient, et le mur d'en face percé de hautes fenêtres donnant sur la rue. Le club se remplissait. On servait le thé, et les bénéficiaires d'emprunts d'État, qui avaient passé l'après-midi sur un court de squash, savouraient à petites bouchées civilisées leurs muffins anglais. Ils allaient bientôt partir, pour échapper à la ruée sauvage des agents de change — le premier groupe des affiliés à quitter leur bureau — qui raflaient les muffins au passage et n'en faisaient qu'une bouchée en se rendant au bar ou aux courts de squash. Puis les hommes de loi et les banquiers, qui se vantaient de travailler tard, arriveraient à leur tour. Cette grande pièce, conçue pour le confort, absorbait aisément les conversations. Je voyais des gens que j'avais bien connus. Si je m'étais laissé aller, la mélancolie m'aurait gagné : désormais je ne pourrais plus les rejoindre.

J'ai pris l'escalier sans m'arrêter au premier étage, où se trouvaient la grande salle à manger, le bar et les salles de billard, et je suis arrivé au second, occupé par les salles de jeu, les salles de conférences et la bibliothèque : les endroits les moins fréquentés du club. Pour une raison quelconque, peut-être à cause du nom que portait ce club, quelqu'un s'était mis en tête — et d'autres semblaient plus ou moins s'en tenir à cette idée — que les membres avaient besoin d'une bibliothèque spacieuse et bien garnie. Cette opinion parfaitement absurde faisait mon bonheur : personne, semblait-il, n'accorde la moindre attention aux livres ni à la dépense, et la bibliothèque était presque toujours vide, sauf l'entrée, où quelques bureaux et fauteuils servent de retraite à certains pour échapper à l'opprobre qui devrait théoriquement échoir à ceux qui ouvrent leur serviette ou traitent des affaires dans l'enceinte du club.

Deux d'entre eux s'y trouvaient à mon arrivée, penchés sur un texte juridique quelconque. Sans leur prêter attention, j'ai fait le tour de la bibliothèque, composée d'un labyrinthe de petites alcôves séparées par les rayonnages. Tout au fond, dans un coin, j'ai choisi un grand fauteuil en cuir entouré de livres. Je m'y reposerais quelque temps. Après, je lirais un peu, jetterais un coup d'œil aux journaux. Je ne courais aucun risque. Je pourrais ensuite retourner à la grande table de la salle de lecture, où s'alignaient sagement tous les périodiques de langue anglaise publiés dans le monde, et en rapporter un ou deux. Un peu plus tard, je trouverais bien quelque chose à manger. Vers six heures et demie ou sept heures, le club commencerait à se vider, et à neuf heures, il serait quasiment désert — à part quelques retardataires dans les vestiaires ou au bar, et les invités dans les chambres du troisième. Je me suis demandé s'il y avait une sorte de veilleur de nuit ou de gardien ou seulement quelqu'un à l'entrée. C'était d'un calme extraordinaire. Si, Dieu sait pourquoi, quelqu'un s'aventurait jusque-là, j'aurais largement le temps d'aviser... Très loin — à des kilomètres, me semblait-il — j'entendais de temps en temps le ronronnement antique de l'ascenseur...

Quand je me suis réveillé, il faisait complètement noir. Il devait être... Quelle heure, au juste ? Environ le milieu de la nuit. J'étais dans la bibliothèque du club de l'Académie. Invisible. Tout était éteint. Plus un bruit. Je me rappelais avoir vu une lampe près du fauteuil. J'ai cherché à tâtons, trouvé l'interrupteur et appuyé. La lumière ne s'est pas allumée, mais le double déclic m'a paru résonner comme un coup de feu. Il fallait que je reste tranquille, calme, que j'écoute. Que je sois sûr qu'il n'y ait personne. Le seul bruit que j'entendais était celui du fauteuil, chaque fois que je bougeais. L'obscurité totale me rendait claustrophobe. Il devait y avoir un interrupteur général quelque part.

Je me suis levé et j'ai avancé en trébuchant jusqu'au milieu de la salle, gardant une main sur les rangées de livres pour me guider. En émergeant des rayonnages, j'ai vu qu'il y avait tout de même un peu de lumière : à l'autre bout, au lieu d'une obscurité parfaite, je distinguais des ombres. J'ai fait une pause, aux aguets du moindre bruit, et je suis reparti lentement vers la faible lueur que j'avais aperçue. Arrivé à l'entrée de la bibliothèque, j'ai constaté que cette lueur provenait de la cage de l'escalier qui, au milieu du bâtiment, montait en spirale jusqu'au dernier étage.

Descendre les marches en marbre et trouver la cuisine. Je n'avais rien mangé depuis le matin, et si je devais rester ici, avec toutes les allées et venues de la journée, c'était la seule occasion que j'avais d'absorber quelque nourriture avant la nuit suivante. J'ai éprouvé un choc, pourtant, en me rendant compte que j'avais fréquenté ce club depuis que j'avais l'âge adulte, que j'y avais mangé un nombre incalculable de fois, mais que je ne savais pas où était la cuisine. Je m'étais toujours dit, vaguement, qu'elle était au premier, à côté du bar et de la salle à manger, mais en arrivant dans cette pièce j'ai tout de suite compris que c'était impossible : elle occupait l'étage entier. Les portes-fenêtres donnant sur la rue laissaient filtrer assez de lumière pour que j'atteigne sans encombre les portes battantes d'où j'avais si souvent vu apparaître et disparaître les serveurs. Au-delà, j'ai trouvé une petite pièce avec des tables chauffantes, des dessertes, et un escalier obscur que j'ai descendu.

J'ai progressé à tâtons pendant plusieurs minutes dans ce qui m'a semblé un dédale de comptoirs et d'étagères, jusqu'à trouver la poignée d'un antique réfrigérateur, dont j'ai ouvert la porte. La petite ampoule intérieure a soudain rayonné dans l'immense cuisine, découvrant un ensemble d'ombres gigantesques, de tables interminables et d'instruments culinaires datant de l'avant-guerre. Le réfrigérateur était rempli de bouteilles de jus de fruit. J'ai d'abord avalé un litre de jus de pamplemousse, ensuite j'ai exploré la cuisine en laissant la porte ouverte pour m'éclairer. Un coup d'œil à mon estomac, changé en un sac plein de liquide jaunâtre, m'a inquiété : et si des gens venaient, la nuit, dans cette cuisine ? Je n'aurais pas dû boire avant d'avoir reconnu les lieux. Trop tard. Je n'y pouvais plus rien.

J'ai inspecté systématiquement la cuisine, ouvrant tous les tiroirs, tous les placards, sûr d'y découvrir tous les aliments consommés par l'espèce humaine. Car si les plats servis au club de l'Académie sont loin d'être exquis, leurs menus sont tout de même très variés. Mais je n'ai trouvé que des portes fermées, des placards verrouillés, des réfrigérateurs cadenassés. Rien, semblait-il, n'était accessible, sinon d'innombrables piles d'assiettes et de plats, des amoncellements de plateaux, des râteliers hérissés de verres. Pour vivre ici, il me faudrait les clefs. Finalement, quand je suis tombé sur un casier rempli de petits pains, j'en ai dévoré trois sans me soucier de l'aspect qu'ils auraient dans mon estomac. Ensuite, sur un comptoir, j'ai trouvé une grande coupe en métal pleine de salade de fruits trop sucrée, écœurante, qu'on avait oublié de ranger. Je l'ai engouffrée sans hésiter : cela m'a paru un délice incomparable.

L'aspect nettement détérioré, mais l'appétit satisfait, je me suis à nouveau inquiété d'une présence quelconque dans l'immeuble.

Il devait au minimum y avoir quelqu'un à l'entrée toute la nuit, à cause des invités qui dormaient au troisième. Et peut-être aussi d'autres employés. A condition d'éviter le rez-de-chaussée et le troisième, je pourrais donc explorer sans problème mon nouveau domicile. J'ai remonté les marches, avec l'intention de commencer par le bar. Là aussi, tout était sous clef. Naturellement, l'alcool est la première chose qu'on met à l'abri. Où trouverais-je un trousseau de clefs ?

J'ai retraversé la salle à manger et l'immense salon obscur. Avec ses énormes fauteuils et canapés en cuir, ses tables massives, et la lueur fantomatique qui tombait des hautes fenêtres en projetant sur les murs des ombres pâles, démesurées, on aurait dit l'antre d'une tribu de géants funèbres, et j'avais l'impression d'être un petit garçon en faute. Par une des fenêtres, j'ai jeté un coup d'œil dans l'avenue déserte, à peine éclairée. Pas un bruit, ni dehors, ni dedans.

Les salles de billard, où s'alignaient des formes massives, rectangulaires, ne présentaient aucun intérêt. On peut se sentir étonnamment seul dans des pièces aussi vastes. Je suis remonté par le grand escalier en marbre, le seul endroit qui restait éclairé toute la nuit. Sur le palier, j'ai regardé la vieille pendule. Deux heures du matin. Je ne sais pourquoi, cela m'a démoralisé, à moins que ce ne fût la pendule elle-même. J'ai écouté son tic-tac et observé les petites saccades de la grande aiguille en face des chiffres romains. Du coin de l'œil, j'ai aperçu un mouvement : c'était, un peu plus bas, la boue marron et jaune accumulée dans mon estomac. Il ne fallait pas que je reste dans la lumière.

A l'étage j'ai pris un couloir obscur qui devait, me suis-je dit, éviter la bibliothèque et mener à un escalier de service dont je me souvenais vaguement, mais plusieurs tournants inexplicables m'ont fait perdre tout sens de l'orientation. Voyant sur ma droite un petit escalier en marbre avec une rampe métallique, je l'ai monté ; après plusieurs tours sur lui-même, il donnait sur un couloir, probablement au troisième, et n'allait pas plus loin. C'était pire : ce couloir était éclairé sur toute sa longueur, et n'importe qui aurait pu me voir. Je suis passé très vite devant une série de portes numérotées, sans doute les chambres des invités. J'ai pensé avec envie à ceux qui les occupaient, bien à l'abri derrière une porte fermée à clef et dans des draps propres. Un peu après l'angle du couloir je suis tombé sur une porte en fer où était marqué « SORTIE » : j'ai poussé le vantail, l'ai refermé doucement derrière moi, et trouvé un escalier de secours. J'ai continué.

Complètement désorienté, j'avais déjà oublié mon intention d'inspecter l'ensemble du bâtiment : j'espérais seulement découvrir un recoin obscur où attendre de redevenir invisible. J'ai ouvert la première porte que j'ai vue, me retrouvant dans une petite salle de bains carrelée, toute en longueur, avec des lavabos et des cabines de douche. Je savais qu'à cet étage, outre la salle de bains principale, il y avait d'autres pièces, mais je n'avais jamais vu celle-ci. A l'autre bout s'ouvrait un couloir étroit, plus obscur, puis une seconde porte ouverte et une pièce donnant sur la rue, mieux éclairée, meublée de tables, de chaises et de miroirs. Pourquoi tout me paraissait-il si peu familier ? Comment avais-je pu venir si souvent sans jamais entrer dans ces pièces ? Le couloir continuait, tournait à angle droit et s'arrêtait net. J'étais dans le noir le plus complet. Tâtant le mur avec les mains, j'ai senti une porte. Fermée à clef. Sur l'autre mur, une autre porte. Elle s'est ouverte et j'ai senti du carrelage sous mes pieds.

Je n'y voyais absolument rien. Parti pour fouiller méthodiquement un immeuble que je connaissais déjà, j'en étais réduit à errer lamentablement, sans but. Pourquoi était-ce un tel labyrinthe ? Continuer ainsi, dans l'obscurité, était absurde. La plupart du temps, je ne savais pas où j'étais, et la moitié des portes étaient fermées à clef. « Garde ton calme. Essaye de savoir où tu es. » Je suis resté sur place, l'oreille tendue. Pas un bruit, nulle part. J'ai glissé une main le long d'un chambranle, et trouvé l'interrupteur. La lumière a jailli. Je me trouvais dans une petite pièce dont le sol et les murs étaient recouverts de carrelage blanc, et j'ai reconnu l'antichambre du sauna. La porte de droite conduisait sans doute à la piscine, celle d'en face au sauna, et à gauche il devait y avoir une autre pièce avec des lampes à bronzer et des tables de massage. Au-delà, un couloir ramenait vers la salle de bains principale.

J'ai regardé les horribles courants de vomi qui remplissaient mes entrailles, et soudain, me rappelant mes expériences des jours passés, une idée m'est venue. Jetant un dernier regard à la pièce pour bien situer la porte de gauche, j'ai éteint et je suis allé dans le noir jusqu'à la salle de massage. J'ai rallumé pour examiner les lampes à bronzer. Il y en avait deux longues rangées, fixées à une barre suspendue au-dessus des tables par un système de poulies et de contrepoids, et j'ai vu sur le mur un tableau avec des minuteries et des cadrans différents pour l'ultraviolet et pour l'infrarouge. J'ai tout mis en marche, abaissé l'ensemble le plus possible, et je me suis allongé sur la table.

Je n'ai ressenti qu'une chaleur douce, pas désagréable, mais l'effet visuel a été immédiat, spectaculaire. La boue a commencé à disparaître de mes intestins à vue d'œil, comme de la glace dans de l'eau bouillante. Il n'est bientôt resté que de vagues remous colorés, et puis, en quelques minutes, plus rien. C'était une découverte splendide. J'allais pouvoir manger et redevenir invisible presque à volonté. Dommage que les lampes ne soient pas situées plus près de la cuisine, mais j'ai repris de l'assurance. Je me sentais quasiment invulnérable.

Je me suis déshabillé, en repassant par l'antichambre, j'ai posé mes vêtements en tas en haut d'un placard où on ne devait jamais rien mettre et je suis entré dans la salle sans fenêtres où se trouvait la piscine. Une série d'interrupteurs était installée près de la porte. J'en ai relevé un et une rangée de projecteurs s'est allumée sur le mur d'en face, illuminant un petit rectangle d'eau bleue, sentant le chlore. M'agenouillant sur le carrelage, je me suis doucement laissé glisser dans la fraîcheur de l'eau. C'était une sensation merveilleuse. J'ai traversé le bassin à la nage une fois, deux fois, presque sans effort, comme si mon corps flottait mieux qu'avant. Chaque geste me donnait une impression de puissance.

Pour un observateur, néanmoins, l'effet aurait été très différent. Je creusais dans l'eau une sorte de cavité, une grande bulle qui, au cours de ses déplacements heurtés à la surface de l'eau, se dilatait et se contractait dans une série de convulsions rythmiques. Extrêmement bizarre. Fait pour attirer l'attention du premier qui entrerait. Quand je suis ressorti, l'eau, sur mon corps, a immédiatement formé des gouttelettes qui se sont mises à glisser, à créer, comme par magie, une cascade miniature qui est retombée sur le carrelage. Des empreintes apparaissaient sur le sol à chacun de mes pas. J'ai éteint et je me suis rhabillé, revigoré par mon bain, beaucoup plus calme, l'esprit plus clair. Abandonnant toute idée d'exploration nocturne, je me suis allongé sur un des grands divans en cuir de la salle de bains et je me suis laissé aller à un sommeil serein.

Vers sept heures, j'ai été réveillé par des portes qui claquaient dans les profondeurs de l'immeuble. Ont suivi des voix, et les cliquetis lointains de l'ascenseur. Les employés seraient bientôt là, ainsi que les membres du club venus faire une partie de squash ou nager un peu avant d'aller travailler. Je me suis levé, je me suis débarbouillé et j'ai pris l'escalier qui montait au cinquième au moment où les aspirateurs entraient en action aux étages inférieurs.

Maintenant qu'il faisait jour, je pouvais poursuivre mon exploration ; à midi j'avais visité tous les locaux qui m'étaient accessibles. Il y avait un peu partout des placards et des offices fermés à clef, surtout au dernier étage et au sous-sol. En me déplaçant, je devais rester sur mes gardes car les employés s'étaient dispersés dans tout l'immeuble pour nettoyer, effectuer des réparations ou ouvrir leurs domaines respectifs : la boutique de cigares, la salle de massage, le bar, la blanchisserie, l'échoppe du coiffeur. Et comme les grands espaces ouverts au public cachaient tout un dédale de petites pièces, de couloirs et d'escaliers, j'ignorais toujours ce que j'allais découvrir derrière les portes. Il me faudrait plusieurs jours avant de bien comprendre la disposition des lieux, et encore plus longtemps pour reconnaître les douzaines d'employés, et savoir à peu près où ils se trouvaient selon les jours. Les membres du club, par contre, me posaient moins de problèmes. Ils étaient peu nombreux, et leurs déplacements facilement prévisibles. Aucun d'eux n'allait soudain se précipiter dans une pièce vide pour épousseter les meubles ou changer une ampoule.

Le matin, quand j'avais commencé mon inspection, une vingtaine de personnes, peut-être, étaient venues prendre le petit déjeuner ou profiter des installations sportives avant d'aller travailler, mais elles étaient reparties presque aussitôt. Pendant les quelques heures suivantes il n'y en a jamais eu plus d'une poignée à la fois : la plupart lisaient les journaux dans le grand salon. Mais, vers onze heures et demie, ils sont arrivés par petits groupes, puis en masse. Sachant que l'affluence durerait environ deux heures, je me suis retiré sur le toit, assis au bord du parapet, et j'ai regardé les voitures et les passants.

A deux heures, le club s'étant largement vidé, je suis redescendu au premier. Derrière le vestiaire et le bureau du portier, il y a un petit couloir avec des boîtes aux lettres, un comptoir où les membres peuvent changer un chèque, réserver une chambre ou une salle à manger particulière, et ensuite un fouillis de petits bureaux où travaillent le gérant, la standardiste et les secrétaires. J'ai passé l'après-midi à observer la procédure des réservations et à essayer de déterminer dans quel ordre le ménage des chambres était fait.

Vers quatre heures et demie, quand le club a recommencé à se remplir, je me suis glissé prudemment dans le bureau du gérant, lequel était occupé à recopier des chiffres sur un registre. Malgré mes précautions, il m'a entendu entrer — ce qui arrive souvent — et a levé la tête. Ne voyant rien, il est retourné à ses comptes. Je me suis assis par terre, dans un coin, et j'ai attendu. Il a travaillé pendant des heures. Je ne saurais vous dire l'ennui horrible de ce genre de situation : devoir attendre sans bouger ni tousser ni me racler la gorge, sans rien pouvoir faire d'autre que de regarder cet individu scribouiller ou se mettre les doigts dans le nez. Même un coup de téléphone aurait été une diversion bienvenue. Je priais avec une ferveur croissante pour qu'il se lève et s'en aille.

Juste avant sept heures moins le quart, brusquement, il s'est levé, a ramassé les papiers sur son bureau, les a fourrés dans une serviette et a décampé. La clef a tourné dans la serrure, ses pas se sont éloignés, et j'ai pu enfin me redresser et étirer mes membres. Ensuite, assis dans son fauteuil pivotant, j'ai fouillé dans les tiroirs du bureau.

Au moment où j'ai compris que la serrure avait été rouverte, j'ai à peine eu le temps de les repousser. Le gérant est entré comme une bombe et s'est précipité vers le bureau. Quand on est pris de court, qu'on a peur, on oublie facilement qu'on est invisible — même aujourd'hui, je ne suis pas sûr d'en être pleinement conscient. En le voyant se jeter sur moi, j'ai levé le bras droit, d'instinct, prêt à lui envoyer mon poing dans la figure. Le bras toujours levé dans une pose imbécile, je l'ai vu attraper une pile de lettres au bord du bureau, me tourner le dos et repartir à toute vitesse.

J'ai attendu plusieurs minutes avant de me remettre à fouiller. C'est extraordinaire, le nombre de gens qui reviennent dans un endroit un instant après l'avoir quitté — souvent plusieurs fois de suite — parce qu'ils ont oublié quelque chose. Quand on passe sa vie à se faufiler d'un lieu à l'autre, on remarque ce genre de choses.

En bas et à gauche du bureau, au fond d'un tiroir, j'ai trouvé deux boîtes en carton pleines de toutes sortes de clefs, certaines regroupées sur des anneaux, d'autres non. Les étalant sur le bureau, j'ai d'abord éliminé deux clefs d'automobiles, et ensuite plusieurs doubles. Il m'en restait onze, que j'ai enfilées sur un anneau et empochées. Problème : elles planaient ridiculement à un mètre du sol. Des gens sortaient encore. Il me faudrait attendre que le club se soit vidé.

Pour passer le temps j'ai inspecté les papiers du gérant, notamment les dossiers du personnel et l'emploi du temps des employés selon l'heure, le jour de la semaine et la saison, y découvrant un seul renseignement important : pendant la plus grande partie de la nuit il ne restait sur place que deux personnes, le portier de nuit et un veilleur âgé de soixante et onze ans.

Un peu après neuf heures, n'entendant plus de voix ni de bruits de pas, j'ai ouvert la porte du bureau, lentement, et je suis allé à l'angle du couloir jeter un coup d'œil dans l'entrée. Le portier de nuit, derrière son comptoir, lisait furtivement quelque chose qu'il tenait hors de vue.

D'abord je suis revenu sur mes pas et j'ai essayé les clefs jusqu'à trouver celle qui ferme le bureau du gérant. Ensuite, empruntant les escaliers d'incendie et les couloirs de service, je suis remonté par un chemin détourné tout en haut de l'immeuble, et je suis redescendu en essayant d'ouvrir toutes les portes fermées à clef que je croisais. Connaissant assez bien les lieux, je n'avais plus peur d'allumer les lumières, mais il m'a tout de même fallu près de cinq heures, parce que je devais passer la moitié de mon temps à guetter le veilleur de nuit, qui faisait une ronde toutes les heures. A deux heures du matin, j'avais identifié un passe qui paraissait ouvrir toutes les serrures de l'immeuble — sauf les chambres des invités, le bureau du gérant, quelques placards et autres cadenas —, y compris d'innombrables offices et magasins de tailles diverses contenant toutes sortes de marchandises inimaginables : des serviettes, des produits d'entretien, des articles de sport, des cigares, de la papeterie, du vin, des vêtements, des planches, de la nourriture, des meubles, de tout. Et au sous-sol j'ai découvert un atelier apparemment inutilisé, mais pourvu de tous les outils pouvant servir à l'entretien de l'immeuble et de ses installations. Le club était un endroit plus surprenant que je ne l'aurais jamais imaginé : il paraissait conçu comme un petit monde autonome, se suffisant presque à lui-même à l'instar des paquebots de jadis, et j'étais de plus en plus convaincu de pouvoir m'y assurer une existence tranquille.

Deux des chambres du haut, seulement, étaient vides. Une même clef ouvrait les deux serrures. Concluant qu'elle ouvrirait aussi les autres, je l'ai glissée dans la doublure d'une chaise, au bout du couloir, pour la retrouver en cas de besoin. Les autres clefs ne servant à rien, semblait-il, je les ai rapportées dans le bureau du gérant.

Le passe à la main, je suis retourné à la cuisine, où j'avais repéré un débarras avec au mur un coffret en métal où étaient accrochées les clefs des placards et des réfrigérateurs. J'ai disposé sur un plateau un dîner exquis, à mes yeux, et rapide à digérer, composé de pain, de gâteau et de fromage, avec une bouteille de vin blanc bien frais, et je suis remonté au quatrième. Si quelqu'un venait, je m'éclipserais en laissant le plateau sur place. Abandonné par terre, il aurait l'air bizarre, mais sûrement pas inexplicable. J'ai tout installé sous les lampes à bronzer, comme pour un pique-nique. Ensuite, après un plongeon dans la piscine, je suis descendu au troisième, j'ai choisi la moins luxueuse des deux chambres libres, je me suis enfermé et je me suis couché dans des draps propres pour la première fois depuis deux jours.

Les semaines suivantes, je me suis installé dans une routine confortable. Chaque soir, je me préparais un repas copieux que je montais au cinquième, sous les lampes à bronzer. Après je me lavais et je me rasais — le travail le plus difficile de la journée. Près du vestiaire il y avait un cabinet de toilette avec des lavabos et des étagères remplies de rasoirs, ciseaux, peignes, brosses, plus toutes sortes de savons et de lotions — mais pas de rasoirs électriques. Ma peau retenait mal la mousse à raser, j'en mettais donc une quantité énorme — ce qui m'aidait à voir où se trouvait mon visage — je regardais intensément le miroir et je raclais la mousse suspendue en l'air. Ensuite, comme le bruit de la douche aurait résonné dans tout l'immeuble, et de plus m'aurait empêché de rien entendre, je me lavais debout devant un lavabo.

Après ma toilette, je faisais plusieurs longueurs de piscine dans l'obscurité. Curieusement, je me suis mis à beaucoup nager, ce que je n'aimais guère quand j'étais petit. Solitaire, ennuyeux, mais agréable et rafraîchissant.

Toutes les semaines, à peu près, je me coupais les cheveux tant bien que mal et je les jetais dans les cabinets. Et tous les deux ou trois jours je lavais mes vêtements.

Je me renseignais quotidiennement sur les chambres retenues par les invités, et quand il y en avait une de libre je prenais des draps propres dans l'armoire à linge pour refaire mon lit au matin avant de m'enfermer pour la nuit. Quand elles étaient toutes prises, ce qui arrivait souvent en milieu de semaine, je me couchais sur un divan ou sur un tas de serviettes venu de la blanchisserie.

Le jour, j'allais dans la bibliothèque choisir mes livres de bon matin, quand il n'y avait personne, pour les ranger sur les étagères de mon recoin favori. J'ai entrepris d'étudier sérieusement la physique — plus précisément la physique des particules —, un sujet plus proche, à mon avis, de la théologie que de la science, et qu'il vaut mieux éviter sauf si, comme moi, on lui cherche une application dans sa vie quotidienne. Les sciences n'étaient pas le point fort de la bibliothèque du club de l'Académie, mais un débutant pouvait y trouver son compte. Je passais de longues heures enfoui dans des encyclopédies et des revues scientifiques. Quand je m'ennuyais, je parcourais les journaux, mais ce qu'ils décrivaient semblait avoir de moins en moins de rapport avec mon existence. Ou bien je grimpais l'escalier d'incendie et je m'endormais au soleil.

Au début je me suis obligé à sortir une fois par jour, en général à midi, quand le club se remplissait. Chez moi, à force de rester enfermé, j'étais devenu presque cinglé. J'avais perdu le sens des réalités, et attendu beaucoup trop longtemps avant de partir. Désormais j'étais décidé à prendre l'air et à faire un peu d'exercice pour garder la tête claire. Continuer à voir les choses sous leur vrai jour.

D'habitude je remontais Madison Avenue, ce qui était déjà épuisant, jusqu'à la tranquillité relative de Central Park. L'espace libre et quasiment désert du parc — du moins comparé aux rues de la ville — me permettait de marcher plus facilement, et, me croyant presque en sûreté, j'ai pris l'habitude de m'y promener longuement, attendant le soir pour rentrer au club.

Certain après-midi, alors que le temps était couvert, je me suis installé sur un banc en bordure des pelouses qui s'étendent au nord de la transversale, la 79e Rue. J'avais choisi un banc qui me paraissait sûr — il manquait une des lattes — mais dès qu'un petit groupe d'écoliers s'est approché, je suis allé sur la pelouse. J'évite toujours les groupes, surtout les enfants. Justifiant mes précautions, un des écoliers a sauté sur mon banc et marché jusqu'à l'autre bout. Ils étaient cinq ou six, en majorité des Noirs, aucun n'ayant plus de quatorze ans. Ils riaient, se lançaient des blagues, feignaient parfois de se battre en lançant des coups dans le vide.

« Dis-moi, monsieur, mon garçon. Je suis ton père, le sais-tu ? »

Je ne faisais pas très attention à eux. Le ciel s'était brusquement assombri, et je me disais qu'il serait très désagréable d'être pris sous une averse à des kilomètres du club. Stupide même, d'être sorti par un jour pareil. Pendant que je réfléchissais au meilleur moyen de rentrer, il s'est mis à pleuvoir à pleins seaux, et j'ai été immédiatement trempé jusqu'aux os. Je suis resté debout, me demandant vaguement ce que je devais faire, à peine conscient des gosses qui criaient dans mon dos.

« Meeerde, mec ! T'es mouillé ?

— Et toi alors ? Merde ! »

Deux d'entre eux avaient couru sous un arbre, mais leurs vêtements étaient déjà trempés. Les autres, comme moi, restaient sur place, indécis, sous l'eau qui tombait du ciel.

« Hé ! Regardez ça ! Une trombe ! »

Je me suis tourné vers eux.

« Regardez ! Ça bouge ! »

Il m'a fallu un long moment pour comprendre qu'ils parlaient de moi. Horreur. La pluie rebondissait sur moi et coulait le long de mon corps, signalant une forme étrange mais nettement visible.

« Regardez ça ! Putain, c'est quoi ?

— Hé, c'est vivant !

— Un genre d'animal.

— On dirait quelqu'un. Merde ! »

Nous sommes restés face à face un bon bout de temps, sans parler ni bouger. Il fallait que je me sorte de là. J'ai fait demi-tour et j'ai traversé la pelouse en quête d'un abri quelconque.

« Ça se remet à bouger ! »

Soudain, une vingtaine de mètres plus loin, j'ai senti un coup violent dans mon dos. Je me suis retourné, apeuré, croyant trouver quelqu'un devant moi, mais il n'y avait que les garçons, dix mètres plus loin, qui me suivaient. Ils se sont arrêtés, méfiants.

« Vous avez vu ça ? Je l'ai eu ! Je l'ai eu ! »

L'un d'eux a levé le bras. Ils me lançaient des pierres !

« Ça s'est arrêté ! »

Ils avaient tous les yeux fixés sur moi, sans bouger.

« Qu'est-ce que c'est, Bobby ?

— Un animal.

— Non, regarde ! Il a des bras ! C'est quelqu'un !

— C'est juste une trombe. Qui a l'air d'un animal. »

Un autre a fait un pas et m'a jeté quelque chose.

« Je l'ai encore touché ! Ce putain de caillou a rebondi dessus ! »

Plusieurs avaient des cailloux dans les mains. J'ai légèrement reculé, et ils se sont tous avancés.

« Ça bouge encore ! Allons-y ! »

La peur est remontée dans ma gorge comme une nausée. Je me suis mis à courir. Ils ont couru après moi.

« Il se sauve !

— Attrapez-le ! »

J'ai senti un objet pointu me frapper la nuque. Sous le coup de la douleur, j'ai compris que j'étais complètement paniqué. Il fallait que je trouve une idée. Courir ne servait à rien : ils pouvaient courir aussi vite que moi, et cela les excitait encore plus. Où aller ? Désespéré, je leur ai fait face, les bras levés pour me protéger.

« Ça s'est arrêté !

— Attention ! »

Lentement, ils ont continué à aller de l'avant. L'un d'eux avait trouvé quelque part une branche morte, courte mais solide, et il la tenait en l'air, prêt à m'assommer. Prudents, ils ont voulu m'encercler. J'ai hésité, affolé. Chaque fois que je reculais, cela les attirait. Je me suis forcé à avancer. Ils ont reculé à leur tour, déconcertés, sans dire un mot. J'ai progressé encore d'un pas. Ils ont reculé plus loin. Un des gosses m'a lancé une pierre, sans conviction. Celui qui tenait la branche l'a levée au-dessus de sa tête. J'ai couru vers eux en agitant les bras. Deux ont détalé. Mais le porteur de massue a bondi, m'a donné un grand coup sur l'épaule gauche et a sauté en arrière. J'ai poussé un gémissement.

« Tu l'as eu !

— Ça a crié ! Vous entendez ? Ça a crié ! »

J'ai trébuché en arrière, stupéfié par la douleur.

« Attrapez-le ! »

Le garçon à la branche s'est rapproché. J'ai tâché de me protéger avec mon bras infirme. La branche m'a frappé de côté, violemment. Sous le coup, j'ai trébuché à nouveau, mon pied a glissé, et je me suis étalé sur la pelouse.

« Il est tombé ! Il est tombé !

— Attrapez-le ! »

Instantanément, ils m'ont encerclé et bombardé de cailloux. En voyant la branche se dresser au-dessus de ma tête, j'ai roulé sur l'herbe pour me mettre à quatre pattes, frénétique, cherchant à me redresser. La branche s'est abattue sur ma jambe droite. Je me suis mis à courir comme si ma vie en dépendait.

« Il s'en va ! Il se sauve ! »

La meute a bondi derrière moi en hurlant.

« Suivez ses traces ! Attrapez-le ! »

C'était vrai. En courant, je laissais des empreintes, mes pieds s'enfonçaient dans la terre mouillée, et pour les égarer, j'ai sauté sur une allée pavée. Un groupe de quatre personnes, juste devant moi, s'était immobilisé, inquiet et troublé par cette agitation. J'ai distingué une femme en imperméable rouge vif, avec un chapeau assorti, quelqu'un en ciré jaune canari, et un grand parapluie à motifs imprimés. Ce n'était pas moi qu'ils regardaient, mais les jeunes Noirs, derrière, qui fonçaient dans leur direction.

Un des garçons a crié : « Arrêtez cette chose ! Elle m'a volé mon vélo ! »

Ces gens, si bien préparés pour la pluie, ont paru regarder vers moi, sans rien comprendre.

« Arrêtez-la ! Faites-la tomber ! »

J'ai quitté l'allée et obliqué vers le sud. Soudain, je me suis trouvé au bord de la 79e Rue, qui traverse le parc dans une tranchée : la chaussée était cinq mètres plus bas. Ils arrivaient. J'ai à moitié sauté, à moitié glissé en bas du mur, heurté durement le trottoir et trébuché jusqu'au milieu de la route.

« C'est descendu dans le trou !

— C'est là, sur la route ! Allons-y ! »

Un des garçons se laissait déjà glisser au bas du mur. Il a atterri sur ma gauche. Je suis arrivé à me remettre sur mes pieds et j'ai détalé comme un fou vers la droite, revenant vers le centre du parc. Un autre descendait et le reste me suivait en courant en haut du mur. Devant moi j'apercevais le tunnel par où la route croisait l'allée centrale.

« Ça va dans le souterrain ! C'est dans le souterrain ! Bloquez la sortie ! »

A l'abri de la voûte en ciment, j'ai vu la pluie glisser sur moi, comme si j'étais en verre, en laissant quelques gouttes isolées. Je me suis secoué comme un chien. Deux de mes poursuivants m'avaient déjà rejoint, et regardaient de tous les côtés. Un autre était descendu sur la route un peu au-delà du souterrain et venait à leur rencontre, la branche d'arbre à la main. J'étais redevenu invisible, mais j'étais dans un piège.

« Tu le vois ?

— Rien n'est sorti par là.

— C'est là-dedans. Je le sens. »

Comme d'habitude, une grosse mare qui s'était formée au-dessus d'un égout bouché occupait presque toute la largeur de la route. Je ne pouvais pas la traverser sans me trahir, alors je suis resté, frissonnant, sur le trottoir.

Avec son bâton, le garçon inspectait la voûte.

« Ne bougez pas d'ici, et ne laissez rien sortir. »

J'étais parfaitement immobile. Le garçon s'est avancé dans la mare en donnant des coups de pied dans l'eau.

« Putain, c'est drôle.

— C'est juste que c'est fini, a dit un autre. Comme une petite tornade. C'est juste fini.

— Je l'ai cogné avec la branche. C'est vivant. »

Il était passé de l'autre côté et inspectait le mur.

« C'est peut-être passé dans l'égout.

— Rien ne passe là-dedans, même pas la flotte, a répondu celui qui m'avait frappé.

— Bon, mais il n'y a plus rien là-dessous », a dit un autre, mal à l'aise.

Je ne bougeais toujours pas.

« Putain, c'est drôle, a répété le premier. Ça vit peut-être dans l'eau ? » s'est-il demandé en regardant la mare.

Il s'est mis à donner des grands coups dans l'eau avec son bâton.

« Regardez si ça se lève pas », a-t-il dit.

Il faisait des moulinets sauvages dans l'eau et sur les murs du souterrain. Le trottoir me laissait très peu de place pour manœuvrer, et tôt ou tard il allait finir par m'atteindre. Ou me forcer à ressortir sous la pluie.

Une Mercedes, ses essuie-glaces cliquetant à toute allure, a émergé du torrent et ralenti, presque au pas, pour traverser la mare. Le garçon a reculé sur le trottoir pour la laisser passer. Je me suis glissé le long du mur, près de lui, et quand l'arrière de la voiture est passé, je suis monté sur le pare-chocs et me suis jeté à moitié sur le coffre et sur la lunette arrière, les mains agrippées aux rebords des portières. Sous mon poids, la voiture s'est abaissée, et j'ai produit un bruit métallique en heurtant le coffre. Le conducteur a tourné la tête et vu un garçon abattre d'un air féroce un gros bâton sur sa carrosserie.

« La voiture ! C'est sur la voiture ! »

Un autre courait vers lui en faisant de grands signes.

« Arrêtez ! Arrêtez ! Arrêtez la voiture ! »

Le conducteur a brutalement accéléré, je me suis cramponné de toutes mes forces, la voiture a bondi et laissé les garçons loin derrière.

Au premier feu rouge, de l'autre côté du parc, j'ai lâché la Mercedes et j'ai dégringolé dans le métro. Mon cou et ma joue saignaient, apparemment, et tout le corps me faisait mal. Avec l'impression d'être un rat presque battu à mort par des gamins, je me suis assis sur un banc, au bout du quai, pour essayer de reprendre des forces. Plus tard j'ai pris un métro jusqu'au coin de la Sixième Avenue et de la 52e Rue, où j'ai encore tremblé misérablement au bas des marches pendant une demi-heure avant que la pluie cesse et que je puisse boitiller jusqu'au club.

Il était plus de cinq heures, et le club était bondé. Dangereux d'aller dans une des chambres. Je me suis blotti au fond d'un office, au quatrième, sur des piles de serviettes propres, et j'ai voulu savoir à quel point j'étais blessé. Rien de cassé, semblait-il, sauf peut-être mon épaule ou une côte. J'ignorais si je saignais encore, mais j'ai tamponné mes blessures et je me suis passé une serviette autour du cou. Après quoi je me suis roulé en boule et me suis endormi.

Je ne me suis réveillé qu'au matin, ayant perdu l'occasion de manger. Deux jours entiers sans rien avaler. J'avais mal partout, et des élancements à chaque respiration. En me levant j'ai senti que j'avais le genou droit très enflé, et ce soir-là je me suis traîné avec peine jusqu'à la cuisine. Je suis resté endolori plusieurs semaines, et mes côtes m'ont fait mal pendant des mois.

Bien que j'aie continué à me forcer à sortir régulièrement, j'avais le cœur serré chaque fois que je quittais le club. A l'intérieur, dans le calme rassurant de ces grandes pièces, je me sentais beaucoup plus en sécurité. Pas de foules, personne pour crier, courir ou me bousculer. A fil des semaines, je me suis habitué à cette vie : si étrange qu'elle fût, elle me paraissait de plus en plus normale. Je disposais de tout ce qui est nécessaire à l'existence, et d'un grand nombre de luxes. Certes, je ne faisais qu'un seul repas par jour, mais je m'y étais presque accoutumé, d'autant que je me composais des menus extraordinairement variés et que je puisais dans une cave mieux garnie que toutes celles que j'aurais pu me composer. Il y avait des livres, des journaux, l'eau fraîche et reposante de la piscine, le cuir accueillant des fauteuils et des canapés.

A l'origine, les innombrables escaliers et couloirs de service du club étaient conçus pour permettre à une armée de domestiques — désormais hors de prix — de se déplacer discrètement dans tout l'immeuble, et j'en ai bientôt exploré les moindres recoins. Je connaissais tous les employés, les endroits où ils se trouvaient à chaque moment de la journée, je savais quand on passait l'aspirateur dans la bibliothèque, quand le personnel de la piscine et des bains montait sur le toit fumer une cigarette de marijuana, à quelle heure les cuisiniers terminaient leur travail. Je savais aussi quel membre du club s'endormirait le nez dans son journal, après déjeuner, lequel resterait toute la soirée. Et ainsi je parcourais l'immeuble à volonté, parfaitement sûr de moi.

Quant au colonel Jenkins, je n'y pensais plus guère. Je devais me dire qu'il avait abandonné, ou que son enquête était dans une impasse. Ils croyaient peut-être que j'étais mort. De toute façon, ils n'avaient aucune raison de penser que j'étais au club de l'Académie. Et s'ils l'apprenaient, par le plus grand des hasards, je ne voyais pas ce qu'ils pourraient faire. Parfois, tout de même, le fait qu'il n'y avait que deux issues me tracassait un peu : ils risquaient de m'empêcher de sortir. Mais jamais, dans ce labyrinthe à trois dimensions, ils ne seraient capables de mettre la main sur moi. A moins d'y envoyer une petite armée et d'expliquer précisément à chacun ce qu'il devait chercher.

Et il était inconcevable de faire envahir le club par un commando. Ses membres ne le toléreraient pas : pour eux, cet endroit est une sorte de lieu saint, et la plupart n'ont pas l'habitude d'être contrariés. De plus, la moitié sont des hommes de loi. On ne réussirait sans doute pas à y faire entrer un seul policier en uniforme sans déclencher une avalanche de procès et de lettres dans les journaux. Des gens comme Anne Epstein écriraient des articles sur les excès de la police ou l'irresponsabilité des services spéciaux, et je ne voyais pas Jenkins ou quiconque inventer une explication qui puisse les satisfaire le moins du monde. En tout cas, le colonel éviterait à tout prix d'attirer l'attention sur lui ou de rendre public le fait que j'existais : pour lui, je n'avais de valeur qu'aussi longtemps que le secret était maintenu. Dans l'immeuble, je me félicitais d'avoir eu l'intelligence de choisir ce refuge, et je pense que je comptais même y passer le restant de mes jours.

Il y avait aussi la proximité des amis et connaissances. Je trouvais un certain réconfort — du moins au début — à côtoyer des visages familiers. Néanmoins, quand on passe des semaines sans parler à personne — toujours à l'arrière-plan, en évitant les rencontres —, on perd tout sentiment humain, on oublie ce que signifie la compagnie d'autrui. La natation ou les promenades n'y font rien. Les visages ne sont plus que des masques sans signification, les conversations deviennent une espèce de fond sonore. Il n'y a plus que des formes vagues, qui passent. Et on ne s'en rend pas vraiment compte. On croit n'avoir pas changé, être resté le même.

Je me souviens, un jour, dans l'entrée, m'être trouvé soudain face à Peter Wenting. Je le connaissais depuis toujours. Ce n'était pas un de mes intimes, mais nous avions été pensionnaires dans le même lycée après avoir fréquenté la même école. En fait, j'étais sorti une fois avec Jennifer sa femme, longtemps avant qu'il ne la rencontre. Normalement, je l'aurais dépassé sans y penser, mais cette fois, alors que je le regardais dans les yeux, il a dit à son voisin que j'avais déjà croisé sans savoir vraiment qui il était (on se met à oublier les noms) : « Nick Halloway ? Non, cela ne l'intéresserait pas. De toute façon, on raconte qu'il a tout laissé tomber pour entrer dans une sorte de secte. Les moonistes ou autres.

— Nick Halloway ? Je ne le connaissais pas vraiment, mais...

— Ça montre qu'on ne peut jamais être sûr de rien en ce bas monde. » Il y a eu un silence. Peter réfléchissait. « Je l'ai toujours bien aimé, avec des hauts et des bas. Je sais que ce n'est pas le cas de beaucoup de gens.

— Les moonistes !

— Ou Hari Krishna — une secte quelconque... En tout cas, a dit Peter en revenant au sujet dont ils discutaient, ça aurait pu aller d'un côté ou de l'autre.

— C'est comme tout.

— On devrait se voir. Dis à Marion d'appeler Jennifer.

— Je n'y manquerai pas. Porte-toi bien. »

Entendre parler de soi, même si c'est peu de chose, et que les interlocuteurs n'ont pour nous aucune importance, vous oblige toujours à dresser l'oreille. Pourtant, cette fois, j'ai senti des larmes couler sur mes joues, persuadé malgré moi que cette conversation avait été extraordinairement émouvante. Étrange : alors que j'accomplissais ma routine quotidienne avec un calme et un équilibre apparemment parfaits. J'étais pris d'une rage inexplicable ou saisi d'une profonde nostalgie, et je commençais à craindre de perdre la raison à force de passer mes journées à me cacher dans les coins. L'idée me venait que des amis étaient en train de bavarder dans la pièce voisine, et je croyais de plus en plus souvent entendre citer mon nom. Pourtant, quand je m'approchais furtivement, il s'agissait toujours d'autre chose. Et je ne supportais pas que le regard de Bill me traverse, indifférent, chaque fois que je passais la porte. Il avait un nouvel assistant, ai-je remarqué, qui restait près de lui pour apprendre le nom des membres. Jamais il ne saurait le mien. Une vie étrange, au milieu des gens, mais entièrement séparé d'eux.

Il y avait aussi une inquiétude lancinante de tous les instants. Peuvent-ils entendre l'eau couler dans le lavabo ? Vont-ils voir qu'il manque de la nourriture, que des livres ont été déplacés, que le lit est fait d'une certaine façon ? On devient paranoïaque. Et quand on croit qu'effectivement ils commencent à remarquer quelque chose, on ne sait plus à quel point on peut encore se fier à son propre jugement. Le veilleur de nuit avait changé l'heure de ses rondes, et il arrivait au quatrième au moment où je voulais me laver. Les bonnes s'étaient mises à inspecter les chambres non retenues, comme si elles savaient qu'on venait y dormir. Et un soir, j'ai entendu le portier demander au veilleur de nuit : « Il est là-haut ? »

Cela pouvait signifier n'importe quoi. Il faut garder une certaine mesure. Mais à certaines heures, on entendait le moindre bruit du haut en bas de l'immeuble, et peut-être étaient-ils conscients de ma présence. J'ai multiplié les précautions, porté chaque jour tous mes vêtements et tous mes objets invisibles. Le soir, en me couchant, j'en faisais un ballot bien serré pour être capable de l'emporter d'une seule main à la moindre alerte. Il fallait que je sois prêt, à chaque instant, à sortir de la pièce ou de l'immeuble.

Les semaines passaient, juin se rapprochait, et il y avait de moins en moins de monde au club, surtout pendant les week-ends. Les ouvriers se sont mis à peindre, à entreprendre des réparations, ce qui était un peu déroutant : le matin, en descendant, je trouvais une partie du bâtiment occupée par les peintres. Impossible d'y entrer pendant plusieurs jours. Ensuite ils ont bloqué l'entrée principale avec des grandes plaques de contre-plaqué pour réparer la porte. Il ne me restait que l'entrée de service, donnant sur une ruelle à l'arrière de l'immeuble, ce qui était très désagréable : pour y accéder, il faut passer par un vestibule fermé à clef à chaque extrémité et rétréci d'un côté par un comptoir et quelques étagères pour les livraisons. Derrière le comptoir, sur un tabouret, il y a un portier, et une fois à l'intérieur, pour sortir, on doit attendre qu'il appuie sur un bouton pour déverrouiller une des portes. Plutôt que de risquer de m'y faire enfermer, je ne suis pas sorti pendant trois jours, avec l'impression d'être prisonnier.

Un matin, en descendant, quand j'ai vu qu'ils avaient finalement enlevé leur contre-plaqué, je me suis senti grandement soulagé, et même impatient de sortir. Ils avaient accompli un travail considérable : ils avaient posé de la moquette neuve dans l'entrée et remplacé l'ancien portail par une porte à tambour. Pour moi, c'était un problème inédit, mais j'ai imaginé tout de suite une solution. Il faudrait que j'attende que quelqu'un s'en approche, seul, de l'autre côté. Dès qu'il la pousserait, je sauterais dans le quart de cercle dégagé, suivrais le mouvement et passerais de l'autre côté sans pousser ni me faire pousser par les panneaux vitrés. (Maintenant, je réussis ça tous les jours, mais toujours avec aussi peu de plaisir.)

J'ai traversé l'entrée en direction de la porte, marchant le long du mur, sur le marbre, pour ne pas laisser de traces sur la moquette neuve. Bill gardait un œil sur la porte, et je savais qu'il consacrerait toute son attention au prochain arrivant. Son apprenti, par contre, regardait le plafond avec un ennui évident. Il ne semblait pas prendre son travail très à cœur, et il était peu probable qu'en fin de compte il soit jugé apte à l'emploi de portier du club de l'Académie.

J'ai attendu près d'un quart d'heure qu'un membre se présente, un certain Oliver Haycroft. Il a monté les trois marches du perron, puis hésité devant la porte à tambour, comme si un secteur de son mécanisme mental assez rudimentaire avait vaguement perçu que cette entrée, où il passait régulièrement depuis vingt ans, avait quelque chose de changé. Il aurait aimé en être sûr : s'il avait déterminé avec certitude un changement quelconque, il se serait plaint aussitôt. Cette hésitation ne fut qu'une anomalie passagère : quoi qu'il y eût dans le passé, il y avait maintenant sans aucun doute une porte à tambour, et il s'est avancé résolument. Je n'ai pas perdu de temps. J'ai posé la pointe d'un pied sur la moquette pour être prêt dès que la porte serait dans la position adéquate. Haycroft a poussé de son côté et j'ai opéré un déplacement symétrique, jetant en même temps un coup d'œil au bureau où j'avais perçu une certaine activité. L'assistant de Bill brusquement s'était penché en avant, crispé, les mains bizarrement tendues sous le comptoir et les yeux fixés sur la porte. Bill, de profil, le regardait d'un air consterné.

Ça n'allait pas.

Quand Haycroft a continué à pousser, je me suis reculé, manquant y perdre un pied, et j'ai sautillé sur la moquette. Le tambour a pivoté de quatre-vingt-dix degrés et s'est arrêté brutalement avec un bruit sec, le déclic des verroux qui claquaient dans leurs gâches, coinçant Haycroft en plein milieu. Il a d'abord poussé, plusieurs fois, de tout son poids, puis s'est rejeté en arrière pour pousser dans l'autre sens. En vain. Il était pris, comme j'aurais dû l'être.

Bill a pris un air de martyr en voyant Haycroft crier de colère et envoyer de grands coups dans sa cage de verre. Soudain Morrissey est apparu. Évaluant la situation, il a donné quelques instructions à l'assistant, lequel a inséré une sorte de clef en haut et en bas de la porte, du côté de Haycroft. Un des panneaux de verre a pivoté, et Haycroft est sorti en tremblant.

« Bon Dieu de porte ! a-t-il dit d'un ton qu'il voulait courroucé, mais qui avait quelque chose de plaintif.

— Oui, monsieur, a dit Bill. Je regrette profondément, monsieur. Elle est neuve. Elle ne fonctionne pas correctement. » Il a regardé avec rancune son prétendu assistant. « Je suis sûr que cela ne se reproduira pas.

— Je l'espère bien. Je ne vois pas ce que pouvait avoir l'ancienne porte. »

Haycroft regardait Morrissey d'un œil noir. Il se demandait visiblement qui c'était et de quel droit il était là, mais craignait de perdre sa dignité en posant une question. Voyant que ni Morrissey ni l'assistant ne lui témoignaient aucune déférence, ni même le moindre intérêt, il s'est dirigé vers l'escalier.

« Je serai au premier, a-t-il dit.

— Oui, monsieur, a répondu Bill d'une voix contrainte.

— J'ai suivi exactement les ordres, disait l'assistant à Morrissey, et je ne comprends pas. La sonnerie s'est déclenchée toute seule. J'ai bloqué la porte quand même, comme on m'a dit, mais ce type était dehors quand ça a sonné. Personne ne s'est approché de la moquette, et ça a sonné. »

Il paraissait surtout inquiet à l'idée qu'on puisse le blâmer. Morrissey l'ignorait, et parlait dans une sorte de téléphone.

« On le tient... Dans la grande porte... Ouais, à quatre-vingt-dix-neuf chances sur cent... Il doit y être... Sûr. L'autre issue est étanche. On le tient. »

Une idée m'est venue : quoi que je fasse ensuite, il valait mieux que je l'encourage. Je me suis penché, prenant bien garde de ne plus toucher à la moquette, et j'ai poussé la porte, plusieurs fois, la faisant cliqueter.

« Il y est, à cent pour cent. Je l'entends. »

Dehors, une camionnette a reculé sur le trottoir, devant les marches, et plusieurs hommes habillés en ouvrier se sont mis à édifier une sorte d'enceinte en contre-plaqué autour de l'entrée. J'ai reconnu Clellan. A l'intérieur, d'autres ouvriers ont surgi et ont commencé, dirigés par Morrissey, à déplier un paravent en travers du couloir. Au dernier moment, j'ai encore pu voir, sur le trottoir, qu'on traînait un engin ressemblant à une cage, de la taille d'un homme, vers la porte du club.

D'un instant à l'autre, ils allaient ouvrir l'autre panneau vitré, croyant me trouver prisonnier, et à ce moment-là, me suis-je dit, si je n'étais pas sorti de l'immeuble, je n'en aurais peut-être plus jamais l'occasion. Malheureusement je ne pouvais pas demander au portier d'appuyer sur le bouton si personne ne se présentait.

J'ai couru le long du couloir, sur le marbre, et rejoint Haycroft qui était presque arrivé au premier.

« Au feu ! » ai-je crié aussi fort que possible sans que Morrissey l'entende. Encore secoué par son aventure, Haycroft a sursauté et s'est retourné. De voir l'escalier vide n'a fait qu'ajouter à son trouble. J'ai mis mes mains en porte-voix, espérant qu'il croirait qu'on criait depuis l'entrée, et j'ai répété : « Au feu ! Vous êtes prié de vous rendre directement à l'entrée de service et de quitter l'immeuble aussi vite que possible. »

Haycroft est resté immobile, ahuri.

« Pour l'amour de Dieu, Haycroft, il y a des gens en train de mourir là-haut ! Cours ! »

Son esprit a fini par enregistrer et il a dévalé les marches.

« Vite, pour l'amour de Dieu ! Tout le monde dehors ! » Il ne fallait pas qu'il s'arrête. « C'est horrible, les gens meurent brûlés vifs ! »

Je l'ai suivi en bas des marches et j'ai traversé derrière lui la porte du vestibule. Le panneau métallique s'est refermé derrière moi, nous laissant tous les deux bloqués dans l'étroit couloir. Haycroft s'est tourné vers le portier pour qu'il le fasse sortir.

Derrière le comptoir, Gomez avait pris la place du portier. Il a levé les yeux et dit, sans se montrer particulièrement déférent : « Cette porte est fermée.

— Eh bien, ouvrez-la ! Je sais qu'elle est fermée !

— Cette porte ne peut être ouverte actuellement.

— Je ne sais pas ce qui se passe ici — Haycroft hurlait — mais je suis membre de ce club, et vous feriez mieux d'ouvrir cette bon Dieu de porte immédiatement ou... »

Gomez a compris qu'il allait s'attirer des ennuis, et, plus malin que Haycroft, a aussitôt changé de ton : « C'est exact, monsieur. Je suis désolé, vraiment désolé. » Il parlait avec le plus grand sérieux, et son accent, habituellement presque inaudible, était soudain très prononcé. « Nous avons un problème de sécurité, monsieur. Une personne entrée sans autorisation dans l'immeuble. Nous avons l'ordre de fermer toutes les issues tant qu'il n'est pas appréhendé. Si vous voulez bien attendre au premier, monsieur, ce n'est qu'une question de minutes.

— L'immeuble est en feu ! Ouvrez-moi cette porte ! »

Gomez a eu l'air surpris. Sans quitter Haycoft des yeux, il a décroché l'interphone, tourné deux fois le cadran et attendu. Haycroft, angoissé, ne criait plus.

J'avais sorti mon canif et j'essayais de déplier la petite lame.

« Allô, c'est Gomez. » Le canif ouvert, j'avais commencé à couper le fil du téléphone au bout du comptoir, là où il traversait le mur. « J'ai ici quelqu'un qui dit qu'il y a le feu au... Allô ? Allô ? »

Gomez secouait l'appareil. « Allô ! » Il n'allait pas remarquer la petite coupure sur le câble. Sans quitter Haycroft du regard, il a reculé jusqu'à un petit bureau en bois et décroché un autre téléphone.

Haycroft s'est remis à crier : « Le téléphone est coupé ! Pour l'amour de Dieu, faites votre travail et ouvrez la porte avant qu'on soit coincés ici ! »

Gomez l'a regardé d'un œil méfiant, sans répondre. Il a composé un numéro.

J'ai pris le comptoir à deux mains, sauté par-dessus et me suis accroupi de l'autre côté. Les deux boutons n'étaient pas loin, un pour chaque porte. L'ennui, si j'ouvrais la porte, c'est que Haycroft sortirait et que la porte se refermerait avant que je puisse l'atteindre. Toujours avec mon canif, j'ai creusé à travers trente ans de peinture jusqu'à trouver les fils, que j'ai arrachés. Ensuite j'ai rapproché les bouts dénudés. Un choc électrique m'a secoué les doigts, le vibreur s'est mis en marche, Haycroft a poussé la porte et disparu. J'ai tordu les fils l'un sur l'autre et bondi par-dessus le comptoir.

« Hé, bougez pas ! » criait Gomez, toujours à l'intention de Haycroft, semblait-il, regardant la porte sans rien comprendre. Quand je suis retombé sur le sol et que je me suis précipité vers la sortie, il a très bien compris ce qui se passait. Il s'est lancé à ma poursuite, une arme à la main. Lorsque je me suis accroupi pour ouvrir la porte, il y a eu une détonation, et deux autres pendant que je courais jusqu'au bout de la ruelle.

En descendant Park Avenue, je tremblais. J'avais eu beau remâcher mes inquiétudes, depuis quelques semaines, je n'avais jamais vraiment douté de pouvoir vivre indéfiniment au club, et je n'avais pas réfléchi une seule fois à un autre endroit où aller. C'est donc sur un arrière-fond de panique que je me suis demandé ce que j'allais faire.

Cette panique, j'imagine, m'est venue en comprenant que tout n'avait été qu'illusion. Jenkins n'avait jamais interrompu ses recherches, je n'avais jamais été en sécurité au club, et il n'avait jamais été possible que j'y reste. J'avais pensé que c'était une retraite idéale, Jenkins aussi. Pire, je ne voyais rien de mieux que d'essayer un autre club — exactement ce à quoi ils s'attendaient. Je comprenais que c'était sans espoir, mais quel choix me restait-il ? Où pourrais-je dormir, manger, m'abriter des intempéries ? Il y avait bien les hôtels, mais ils seraient encore plus dangereux que les clubs : mieux éclairés et plus encombrés. Rentrer chez moi, ou prendre le risque de me confier à quelqu'un me paraissait également insensé.

J'aurais peut-être pu rester au club de l'Académie avec une chance de leur échapper. Je n'étais pas sûr qu'ils auraient réussi à me prendre. Mais j'étais secoué par le degré de coopération qu'ils avaient obtenu des membres. Une honte. Je devrais écrire au conseil d'administration. Ou faire écrire par Anne un article dans le *Times :* « OPÉRATION ILLÉGALE D'UN SERVICE SECRET DANS UN CLUB SÉLECT DE MANHATTAN. » Je me suis dit alors que j'ignorais complètement pour quel service travaillait Jenkins. D'ailleurs, était-ce son vrai nom ? Je n'avais rien à offrir à Anne. Je ne savais même pas quels étaient mes poursuivants.

J'ai été pris, soudain, d'un besoin urgent de parler à Jenkins. Je devais faire front, me disais-je. J'expliquerais, raisonnablement mais fermement, que je n'avais d'autre choix que de lui présenter une alternative : soit il me laissait en paix, soit je le tuais. J'en avais les moyens, et il faudrait bien qu'il me prenne au sérieux. Après tout, me suis-je rappelé, j'avais tiré sur Tyler. Et puis, que cette menace produise ou non un effet, je me sentirais mieux après l'avoir contacté. Je me rendrais compte de ce qu'ils pensaient et de ce qu'ils préparaient. Tel que j'étais, errer dans la ville sans rien savoir serait insupportable. Il fallait que je parle avec quelqu'un. En fait, il y avait un mois que je n'avais pas adressé la parole à un être humain. Or, tout bien considéré, Jenkins était la seule personne au monde avec qui je pouvais parler ouvertement.

Je me suis souvenu que je n'avais aucun moyen de le joindre, rien, sauf peut-être le numéro de Leary. Bon, ils le savaient. Ils penseraient que je m'en servirais si je voulais lui parler. Ils espéraient sûrement que je les appelle. Ce numéro aboutissait peut-être même dans le bureau de Jenkins. En tout cas, ils sauraient comment le joindre ou lui passer la communication. Jenkins ne voudrait pas manquer cet appel. J'imaginais sa stupéfaction, quand on lui dirait que j'étais au bout du fil, et j'étais presque impatient d'entendre le ton joyeux qu'il prendrait.

Bien sûr, la ligne serait surveillée : j'aurais aimé avoir d'autres informations que celles glanées dans les films sur cette procédure et savoir le temps qu'elle prenait. Mais si vite qu'ils remontent au numéro d'où j'appellerais, il leur faudrait un certain temps pour arriver ; or, je choisirais un endroit difficile à cerner, d'où il serait facile de sortir. J'ai continué vers l'ouest jusqu'au club central d'athlétisme. Passé l'entrée, j'ai contourné le grand escalier et trouvé une petite salle avec quatre cabines téléphoniques dans un cul-de-sac. Des vraies cabines avec une chaise, une tablette pour écrire et une porte vitrée qui allumait une ampoule intérieure quand on la fermait. Il y en avait d'autres, un peu partout dans le bâtiment, mais c'étaient les plus proches de la sortie. Je suis entré dans celle du bout, j'ai arraché une page du bloc-notes mis à la disposition des membres, écrit « EN DÉRANGEMENT » et glissé la feuille entre la vitre et le châssis pour qu'elle soit visible de l'extérieur. Ensuite j'ai dévissé l'ampoule, tourné la chaise pour avoir le temps de raccrocher si quelqu'un venait, et composé le numéro de Leary.

La même voix de femme a répondu : « 594-3120.

— J'aimerais parler à M. Leary, je vous prie. »

Mais, au lieu du grésillement habituel suivi par la voix de Leary, la femme a repris la parole :

« Désolée. Nous n'avons pas de Leary chez nous.

— Pas de Leary ? Avez-vous un autre numéro où je puisse le joindre ? C'est important.

— Je regrette, mais je n'ai aucun Leary sur mes listes.

— Mais je l'ai déjà appelé à ce numéro. Il y a quelques semaines. Il doit y avoir un nouveau numéro. Ou quelqu'un à qui je puisse m'adresser.

— Désolée de ne pouvoir vous aider. Veuillez vérifier le numéro que vous avez composé.

— 594-3120, ai-je répondu, impatient. Dites-moi, à quoi correspond précisément ce numéro ?

— Ici 594-3120.

— Oui, mais quelle organisation êtes-vous ? Qui...

— Nous n'avons ici personne du nom de Leary.

— Avez-vous un David Jenkins ?

— Non, pas de Jenkins non plus.

— Je peux absolument vous garantir qu'ils tiennent à avoir de mes nouvelles. Dites-leur que mon...

— Il n'est pas prévu d'accepter de message pour des personnes ne figurant pas sur nos listes. »

J'ai raccroché, abasourdi. Il m'avait paru si évident qu'ils auraient envie de me parler. Que c'était même la première chose qu'ils voudraient. Leur seul travail, pour ce que j'en savais, c'était de me trouver. Ils auraient dû garder quelqu'un au téléphone en permanence, au cas où j'appellerais, suspendu au moindre de mes mots. Au lieu de quoi, inexplicablement, ils avaient coupé les ponts. J'ai cherché à comprendre pourquoi. Supposons que je veuille me livrer ? Comment les trouverais-je ? Curieusement, j'étais beaucoup plus démoralisé qu'après m'être fait chasser du club de l'Académie. Bon, de toute façon, ce coup de fil était une idée idiote. Je me racontais des histoires. C'était seulement la solitude qui m'avait poussé — tout le reste n'était que des ratiocinations. En réalité, ils m'avaient rendu service en m'obligeant à m'en rendre compte. Je ne devais parler à personne. Personne au monde. J'étais seul.

« Bouge, ne t'arrête pas. Tu y penseras plus tard. »

En sortant du club d'athlétisme, j'ai retrouvé la Cinquième Avenue. Trop de piétons à cette heure-ci. Il fallait que je trouve un lieu où aller, et je cherchais désespérément un endroit plus sûr qu'un autre club. Il y en avait tellement, pourtant, qu'ils auraient du mal à tous les surveiller. Si j'étais prudent, si je disparaissais au premier signe de danger, ça devrait aller. J'ai décidé, presque au hasard, d'essayer le Seaboard. Il était plus petit que le club de l'Académie, mais la cuisine était bonne et il disposait de quelques chambres. « Entrons dans le piège. »

Devant l'entrée de la 48ᵉ Rue est, j'ai noté avec soulagement qu'il y avait une porte normale, à un seul battant, qui devait être là depuis un demi-siècle, et aucune trace de système d'alarme ou même d'un changement quelconque effectué au cours des deux dernières générations. Le portier, visible à travers le panneau vitré, avait dans les soixante-dix ans. Je suis entré derrière un membre qui paraissait encore plus âgé et je me suis faufilé dans un escalier de service pour entreprendre, sans grand enthousiasme, ma reconnaissance des lieux.

Avec l'idée que j'allais peu à peu retrouver les mêmes habitudes régulières et la sécurité du club de l'Académie, et dans ce but, j'ai voulu apprendre la géographie du bâtiment, connaître son personnel et mettre la main sur les clefs indispensables. J'ai effectivement réussi à pénétrer dans la cuisine, mais j'ai dormi trois nuits de suite sur un canapé du grand salon, sans avoir pu accéder aux chambres. A la fin de la troisième nuit, je me suis réveillé en voyant des ouvriers condamner les fenêtres du rez-de-chaussée, et je suis sorti sans attendre une minute.

Dans le club suivant, je suis resté deux jours et demi, jusqu'au moment où, alors que j'attendais patiemment devant la porte du gérant l'occasion d'entrer dans son bureau, j'ai vu Tyler s'avancer en boitillant dans ma direction. Je crois que j'ai dû être soulagé de le voir vivant, mais je me suis précipité dans la rue la peur au ventre.

J'ai continué, de club en club, mais chaque fois on posait de nouvelles serrures dans les cuisines, on installait des portes neuves et on engageait des gardes supplémentaires. Dans les profondeurs du club Republic, sur un panneau d'affichage, à côté d'un imprimé sur l'assurance maladie, j'ai trouvé cet avis :

> A tout le personnel du club Republic :
>
> Plusieurs clubs du centre ville ont récemment signalé l'usage illicite des installations par un inconnu après l'heure de fermeture. Cet intrus semble pouvoir s'introduire de jour dans les clubs en se faisant passer pour un

membre ou pour un invité, et rester sur place la nuit sans être découvert. On pense que cet intrus est un mâle de race blanche âgé d'environ trente ans.

Tout le personnel du club Republic est invité à signaler immédiatement au directeur toute trace d'usage illicite des installations du club et tout vol de nourriture ou objets appartenant au club. Il est rappelé au personnel que le règlement intérieur exige que tout invité soit constamment accompagné par un membre du club. *Nul, qu'il soit membre ou invité, n'est autorisé à rester dans les locaux après 23 heures. La responsabilité de l'équipe du soir est de s'assurer que les locaux sont vides avant de partir.*

Presque tous les soirs, désormais, je changeais d'endroit pour dormir. Sans vraiment savoir si mes poursuivants se rapprochaient, j'avais l'impression qu'ils étaient sur mes talons et que les gens s'apercevaient immédiatement de ma présence. Ils remarquaient les serviettes sales, les draps froissés, la nourriture qui manquait. Ils entendaient des portes se fermer, des robinets couler, des chasses d'eau se déclencher au milieu de la nuit dans l'immensité des immeubles. Chaque fois que je posais un objet, le petit clac me faisait sursauter comme si c'était un coup de feu. Chacun de mes pas me paraissait creuser une empreinte horriblement visible, dessiner la forme parfaite d'une semelle. La moindre fibre translucide, mal digérée, restée dans mon intestin, me faisait l'effet d'un drapeau grotesque flottant à hauteur d'homme. Chacun de mes gestes, de mes bruits me semblait affreusement grossier, évident, la pire des erreurs, et partout je voyais des gens lever les yeux, tendre l'oreille.

Je passais beaucoup plus de temps dans les rues, à force de me faufiler d'une cachette à une autre, et j'apprenais à mieux circuler parmi mes semblables, contournant d'un bond leurs trajectoires prévisibles. Mais pour moi ils étaient aussi lointains et irréels qu'un rêve. Ils auraient aussi bien pu être des robots ou des créatures d'un autre monde, hostiles et malveillants. Cela faisait sept, ou même huit semaines — j'essayais de compter les jours, mais on perd pied assez vite, et il devient difficile de se concentrer sur un calcul — que je n'avais parlé à personne. Dans ce genre de vie, c'est ce qu'il y a de plus dur : ne jamais échanger quelques mots avec un être humain, ne plus avoir aucun contact. Les choses semblent se défaire, perdre leur substance, leur perspective, comme si on ignorait si le mur d'en face est à des kilomètres ou assez près pour le toucher de la main. Le monde se remplit de vos propres pensées, gigantesques et sinistres, et quand on essaye de réfléchir clairement, on a l'impression de courir au fond de l'eau.

Je savais que je devais agir, sinon tout serait bientôt dépourvu de sens. Je ne pouvais pas continuer à ramper d'une cachette à une autre comme un rongeur qui se glisse dans les trous et grignote des restes moisis, alors qu'ils bloquaient toutes les issues, fouillaient partout, me traquaient et m'affamaient, jusqu'à me faire prendre.

Obligé de courir les rues de Manhattan, je voyais autour de moi, sur des kilomètres, des immeubles énormes pleins de chambres et d'appartements où les gens pouvaient s'enfermer, se mettre à l'abri du monde, manger, boire, se baigner, faire de la musique, dormir — cachés aux yeux du monde. Je repensais à mon appartement, où je ne remettrais jamais les pieds. De plus je ne pouvais pas non plus en louer un autre. J'avais besoin d'aide, mais je n'osais me fier à personne. Cette aide, il fallait que je l'obtienne par la ruse. Comme Jenkins devait surveiller plus ou moins étroitement mes amis et mes collègues de travail, il fallait que je m'adresse à quelqu'un qu'il ne puisse pas relier à moi, quelqu'un que j'avais à peine connu, ou il y a très longtemps.

J'ai passé plusieurs heures au club Ivy à compulser les listes d'anciens élèves et les annuaires, où j'ai trouvé quelques noms assez prometteurs. Et même si je ne croyais pas que leurs lignes seraient surveillées, j'ai appelé chaque fois d'un club différent, pour plus de sûreté.

J'ai commencé par un certain Charles Randolph, que j'avais peut-être rencontré une douzaine de fois dans ma vie et avec qui j'avais dû parler en tout une vingtaine de minutes, probablement de golf et de taux d'intérêts. Mais nous avions quelques amis communs, et il m'avait laissé l'impression d'un caractère ouvert et jovial. Il reconnaîtrait probablement mon nom, mais ce n'était pas certain. J'ai donc appelé Swanson Pendleton, le cabinet juridique où il travaillait, et une voix féminine m'a répondu.

C'était la première fois qu'on me parlait depuis des semaines — des mois — et cette voix me parvenait avec une clarté extraordinaire, presque tangible, comme un objet que j'aurais pu toucher, mais je n'arrivais pas à me concentrer sur le sens des mots qu'elle prononçait. Elle avait dit le nom de la firme, et maintenant elle répétait sans arrêt : « Allô ? Allô ?...

— Allô », ai-je dit.

Attendait-elle depuis longtemps ? Elle m'a demandé à qui je voulais parler.

« Pourriez-vous me passer M. Randolph, je vous prie ? »

Une nouvelle voix. Le bureau de Randolph. On me posait une question.

« De la part de Nicholas Halloway. »

Il y a eu un bref silence, et une voix masculine a résonné dans l'appareil.

« Nick Halloway ! Nom d'un chien ! Bon Dieu, comment vas-tu ?

— Bonjour, Charley.

— Je suis vraiment content que tu m'appelles. Je pensais justement à toi l'autre jour. »

Sa démonstration d'amitié me déconcertait. Je lui téléphonais justement parce que nous nous connaissions à peine.

« Il y a des mois que je ne t'ai vu, disait-il.

— En fait, ces derniers temps, je n'ai pas vu grand monde. La pression des événements, un problème après l'autre. J'ai pas eu beaucoup l'occasion de sortir...

— Hé, pendant que j'y pense : nous avons quelques amis qui viennent boire un verre le 27. Vers six heures et demie. Si tu es encore en ville, passe nous voir.

— Merci beaucoup. Je serai probablement reparti, mais sinon ce sera avec plaisir. Dis-moi, je t'appelle pour te demander un service. Comme je suis la plupart du temps sur la côte Ouest, j'ai décidé il y a un mois de sous-louer mon appartement. Or il se trouve que je dois passer quelques mois à New York, et je me demandais par hasard si tu ne connaîtrais pas un appartement vide quelque part. Je serais ravi de payer un loyer raisonnable...

— Sur l'instant, je ne vois pas... Laisse-moi réfléchir... Il y a sûrement quelqu'un qui va s'en aller pour l'été. Donne-moi donc un numéro où te joindre, et je vais demander autour de moi.

— En fait, il sera plus simple que je te rappelle. Je te remercie...

— A propos, qu'est-ce que tu fais, au juste ? On m'a raconté toutes sortes de choses. D'abord que tu avais rejoint les Hari Krishna, et ensuite le FBI m'a cuisiné à ton sujet. Il faut un certificat de loyauté pour entrer dans les Hari Krishna, de nos jours ? »

Mon Dieu !

« Le FBI ? ai-je demandé, bêtement.

— Je pense que oui. En tout cas, c'était pour des questions de sécurité. C'est bien le FBI, non ? Ils ont dû m'interroger pendant une heure. " Quand l'avez-vous rencontré pour la première fois ? Pour la dernière fois ? Quels sont ses amis ? " Surtout ça : le type a noté les noms de tous ceux à qui j'ai pensé que tu avais pu dire à peine bonjour. Incroyable. Est-ce que tu t'es infiltré dans les Hari Krishna, ou quoi ? Tu te promènes vraiment avec une robe ? J'aimerais voir ça.

— Charley, il faut que je me sauve, mais...

— J'imagine que tu ne peux pas en parler. Mais je peux te dire que tout le monde est vraiment curieux de savoir ce que tu fais. Tu es devenu célèbre. Essaye donc de venir le 27. Il y aura plein de gens que tu...

— Je crois que je dois justement repartir ce jour-là. C'est dommage...

— Bon, passe quand même si tu es dans le coin. Et je vais demander pour un appartement. Dis-moi, y aurait-il des allées et venues d'Hari Krishna ? Ça pourrait avoir une importance.

— Absolument pas. Écoute, Charley, merci encore. Je te rappellerai. »

En raccrochant, j'ai mentalement rayé la plupart des noms de ma liste. Jenkins était plus consciencieux que je ne l'aurais cru. Pourquoi un interrogatoire de sécurité ? Pourquoi ne pas dire que j'étais recherché pour un crime quelconque ? Incendie volontaire, par exemple. Attaque à main armée. Peut-être était-ce une manière d'obtenir une meilleure collaboration et de moins attirer l'attention. En tout cas, j'avais quelques noms qu'ils auraient du mal à dénicher.

La seconde fois je me suis adressé à un certain Ronald Maguire : « Vous ne devez pas vous souvenir de moi, je m'appelle Nick Halloway. » J'ai marqué une pause, lui donnant l'occasion de parler, mais je n'ai entendu qu'un silence impénétrable. « Nous avons passé ensemble un été à peindre des maisons à Cape Cod.

— J'ai passé effectivement un été à Cape Cod, a-t-il répondu.

— Magnifique endroit. C'était le bon temps. Un été merveilleux.

— Oui. Que puis-je faire pour vous ?

— C'était vraiment le bon temps. Je vous dirais, Ron, que je pense souvent à cette époque, et que j'ai plusieurs fois failli prendre le téléphone pour savoir ce que vous étiez devenu. » Aucune réaction. Courageusement, je me suis lancé : « A propos, qu'est-ce que vous faites ces temps-ci ?

— Je dirige le service financier des chaussures Gurney. »

Il a parlé sans aucune inflexion, de sorte qu'on ne pouvait dire s'il y avait de quoi s'en réjouir ou s'en désespérer.

« Oh, c'est super, Ron. Vraiment passionnant.

— Il y a quelque chose que je peux faire pour vous ? »

Salopard.

« Pendant que je vous ai au bout du fil, autant en profiter pour vous poser la question : vous ne connaîtriez pas par hasard à Manhattan un appartement vide que je puisse sous-louer un mois ou deux cet été ?

— Je crains n'avoir aucune information de ce genre.

— Bon, c'est sans importance. J'ai juste pensé que vous auriez pu entendre parler de quelque chose de ce genre. » J'allais lui dire adieu quand il m'est venu une idée. « Fichtre, Ron, j'allais presque oublier pourquoi je vous téléphonais. J'effectue pour le gouvernement un travail qui exige une enquête de sécurité, et quelqu'un va peut-être vous appeler pour vous poser quelques questions. La routine. Par simple courtoisie, je voulais vous en avertir et m'excuser de ce dérangement. »

Il y a eu un silence.

« Quel est votre nom, déjà ?

— Nick Halloway. Vous vous rappelez...

— Oui, c'est ça. Quelqu'un m'a déjà téléphoné à votre sujet. Il y a plusieurs semaines. Je leur ai dit que je ne pouvais leur être d'aucune utilité. A franchement parler, je ne me souviens pas de vous.

— Cela fait des années, n'est-ce pas ?

— Ils m'ont demandé de les prévenir si j'entendais parler de vous.

— Eh bien, prévenez-les, sans problème, Ron. C'était bien de bavarder avec vous après si longtemps. »

Me sentant de plus en plus impuissant, j'ai encore essayé Fred Shafer, avec qui j'avais pris des leçons de tennis à l'âge de douze ans, qui m'avait également oublié, et ne voulait m'aider d'aucune manière, et un certain Henry Schuyler qu'un membre du FBI venait d'interroger à mon sujet quelques jours plus tôt. Lui aussi devait les prévenir si j'appelais : devait-il le faire, car tout ça était un peu bizarre, non ?

« Absolument. Appelez-les tout de suite. »

Tout était inutile. Jenkins avait envahi mon passé, il me l'avait entièrement confisqué, et je sentais la panique monter comme si j'étais déjà physiquement pris au piège. C'était vrai. J'étais dans le piège. Simplement ils n'avaient pas encore tendu le bras pour m'en sortir.

« Reste calme. Essaye de voir ce qui se passe. »

J'ai appelé mon bureau — mon ancien bureau — et demandé Cathy.

« Nick ! Hello ! Comment allez-vous ? »

Elle avait l'air tout excitée. Le son de sa voix, qui avait été si familier — jamais très important, mais inextricablement mêlé à ma vie quotidienne —, a brusquement fait refluer le sang de ma tête.

« Hello... comment ça va ? »

Elle m'a raconté ce qu'elle faisait, avec qui elle travaillait, pendant que j'essayais de lui parler. Il fallait que je m'asseye un instant pour m'éclaircir les idées. D'où est-ce que j'appelais ?

« D'ici même... de New York... Alors, comment ça se passe ? »

Est-ce que je ne venais pas de le lui demander ? Terrible.

« Vous allez bien ? » a-t-elle répondu.

La peur m'a presque remis les idées en place.

« Très bien. Je viens de rentrer. Décalage horaire. Très content de vous avoir entendue. J'essaierai de passer pendant que je serai en ville. »

Elle m'a demandé si je ne voulais pas prendre les messages dont elle m'avait parlé.

« Bien sûr. J'ai failli oublier. »

Il ne lui fallait qu'une minute pour les trouver. Elle les avait sous la main. Oui, les voilà.

« Jenkins, David Jenkins. » J'ai vu comme un voile noir, et j'ai eu l'impression de tomber dans le vide. Cathy récitait des chiffres. Un numéro. « Il a dit que vous sauriez de quoi il s'agit... Prière de l'appeler quand vous aurez un moment. »

Il y avait un petit bloc de papier. Un crayon au bout d'une ficelle.

« Cathy, vous voulez bien me redonner ce numéro, s'il vous plaît. »

Je l'ai noté. Le crayon tremblait. J'ai répété le numéro. Il fallait que je raccroche et que je quitte cet immeuble. Cathy mentionnait quelque chose à propos de Roger Whitman.

« Cathy, il faut que...

— Je vous le passe tout de suite.

— Nick ! Comment vas-tu, bon Dieu ? D'où appelles-tu ? »

Génial. New York. Je regardais le numéro. Je ne devais pas appeler. L'apprendre par cœur au cas où.

« Nick, je suis désolé si j'ai été un peu brusque, la dernière fois — je pense à cette histoire de moonistes. J'aurais dû savoir que tu ne...

— Les moonistes ?

— L'avancement spirituel ou Dieu sait quoi. J'aurais dû savoir que tu ne te mêlerais d'aucune sorte d'avancement spirituel. Les types sont venus juste après, pour l'enquête de sécurité, et j'ai compris que tu fais quelque chose de risqué, très secret, et je veux que tu saches que tu peux compter sur moi pour ne rien dire à personne.

— C'est chic, Roger. Je...

— Je confirmerai ton histoire de moonistes à cent pour cent. En un sens, Nick, je t'envie vraiment. J'admire ce que tu fais. J'avais un oncle dans les renseignements pendant la...

— Ils sont venus poser des tas de questions ?

— Bien sûr. Les questions habituelles. Plutôt à fond, je dois dire.

— Qu'est-ce que tu leur as raconté sur moi ?

— Tout. Enfin, tout ce que je sais. Je n'aurais pas dû ? Y a-t-il quelque chose que je n'aurais pas dû dire ?

— Oh, non... pas du tout. Avec eux, il faut être d'une complète franchise. Tout leur dire, sans réserve. Et ils t'ont dit que je faisais du renseignement ?

— Oh, seulement de la façon la plus générale. Ils n'étaient pas censés le dire ?

— Non, non... Pourquoi pas ? Qu'est-ce qu'ils ont dit que je faisais, exactement ?

— Rien de spécifique, en fait. Tout est secret, non ? Juste que tu effectuais pour le gouvernement un travail hautement confidentiel, et que tu disparaîtrais pendant quelque temps.

— Oui, c'est juste. Rien d'autre ?

— Non. J'ai eu l'impression que ce pourrait être dangereux.

Ils ont dit que tu m'appellerais peut-être si tu avais besoin d'aide. Tu n'es pas...

— Et ils t'ont demandé de les prévenir si je te contactais ?

— Non, ils ont dit qu'ils sauraient quand tu aurais appelé.

— Vraiment ? Roger, j'ai été content de te parler. Il faut que je me sauve. »

J'étais en sueur. J'ai regardé encore une fois le numéro, froissé le bout de papier et couru vers la rue.

Toute la nuit, je me suis demandé si je devais appeler Jenkins, soit pour l'effrayer, soit pour apprendre quelque chose d'utile, ou si c'était une façon de m'enferrer. Ou si, en fait, dans mon état, je pouvais me fier à mon choix, ou même à mon jugement. Finalement l'idée de lui parler est devenue irrésistible, et le lendemain matin, avec l'impression d'être un oiseau hypnotisé par un serpent, j'ai longé le parc sur la Cinquième Avenue et choisi un taxiphone. La vue était dégagée de tous les côtés, et il était au coin d'une rue allant vers l'est, de sorte que les voitures n'arrivaient que dans un sens et que je pouvais repérer un passant à un bloc de distance. J'ai soulevé le récepteur et l'ai posé sur l'appareil de façon à pouvoir, en penchant la tête, écouter et parler sans qu'il paraisse danser absurdement au bout de son fil.

J'ai fait le numéro de Jenkins, mettant la communication sur le compte de ma carte de crédit professionnelle. En écoutant la sonnerie, je me suis senti glacé de terreur, comme si ce contact électrique allait me mettre à sa portée. Une seule sonnerie, et Jenkins.

« Bonjour, Nick. Merci de me rappeler. »

Je n'avais pas encore proféré un son. Cette ligne m'était réservée. Jenkins avait un ton parfaitement ordinaire, comme pour n'importe quel coup de fil, et ce même accent onctueux, exagérément sincère, qui m'avait tant agacé à notre première rencontre.

« Bonjour… Excusez-moi, mais est-ce colonel ou monsieur Jenkins ?

— Je vous en prie, appelez-moi Dave. Comment allez-vous, Nick ? Nous nous sommes inquiétés pour vous.

— Je vais raisonnablement bien, étant donné les circonstances. Bien sûr, il y a parfois des journées difficiles.

— J'en suis désolé, a-t-il dit d'un ton pénétré. Y a-t-il quelque chose que nous puissions faire pour vous aider ?

— Oui, une chose. Me laisser tranquille. Me laisser vivre en paix. »

Il y a eu un bref silence.

« Nick, vous comprenez que c'est impossible, j'en suis persuadé. Mais nous nous inquiétons vraiment pour vous, et je voudrais être sûr que vous allez bien, qu'il n'y a par exemple aucune urgence médicale où nous puissions vous aider d'une manière ou d'une autre.

— Je suis en excellente forme, et je suis sensible à votre intérêt.

— Je sais que votre situation n'est pas heureuse. J'ai vu que vous avez commencé à demander de l'aide à vos amis.

— Je l'ai tenté, mais pas longtemps : vous étiez déjà passé par là pour en faire des espions et des indicateurs.

— Nick, a-t-il dit très sérieusement, avez-vous vraiment pris le temps de réfléchir ? Vous pouvez vous blesser d'un instant à l'autre, ou tomber gravement malade. S'il vous arrive quelque chose, personne ne le saura. Personne ne pourra vous aider. Comprenez-vous vraiment le risque que vous prenez ne serait-ce qu'en sortant dans la rue ?

— Mieux que vous, me semble-t-il.

— La nourriture, en particulier, doit être un problème terrible. Quand vous mangez, cela se voit, n'est-ce pas ?

« Ne réponds pas. Ne lui donne aucune indication. »

« D'après ce que j'ai observé, a-t-il repris après une pause, vous suivez un régime inhabituel. Beaucoup d'hydrates de carbone et une forte carence en protéines et en minéraux. Nous craignons que votre santé n'en vienne à se détériorer de façon durable.

— Ne vous inquiétez pas pour moi. Je mange aussi bien que depuis toujours.

— Je me sentirai nettement mieux quand nous aurons effectué un bilan médical complet. C'est un problème intéressant, et nous y avons déjà consacré tout un travail préliminaire. Votre corps, le savez-vous, a peut-être changé de métabolisme. Vous sentez-vous bien ? Des vertiges ? Des sautes d'humeur imprévisibles ?

A ce moment, je me sentais effectivement pris de vertige et terrorisé. C'était ce téléphone : cette voix insinuante. Il fallait que je raccroche.

« Nick, que craignez-vous exactement en venant nous voir ?

— Monsieur Jenkins, que ceci soit clair. Je ne vais pas me livrer. Jamais. Vous feriez mieux d'économiser votre temps et votre argent, vous et ceux pour qui vous travaillez. Je vais...

— Nick, je tiens seulement à vous assurer...

— Écoutez, ai-je coupé d'un ton que je voulais décisif et plein d'assurance, je ne suis pas seulement en train de répondre à votre appel. Je veux vous expliquer quelque chose, et je tiens à ce que vous fassiez attention.

— Je suis désolé, Nick, a-t-il répondu calmement. Allez-y, dites-moi ce que vous avez en tête.

— Colonel, j'ai réfléchi à toutes les possibilités, et j'en ai conclu que j'ai à vous proposer le choix suivant : soit vous et vos hommes me laissez en paix, soit je vais vous tuer. Vous savez que j'ai une arme. Je vais devoir vous tuer.

— Eh bien, Nick — sa voix était encore plus calme et plus sérieuse —, vous pouvez essayer si vous le désirez. » Un silence. « Mais je ne pense pas que vous le ferez. D'abord il vous faudrait le faire avant que nous vous ayons retrouvé, et je ne crois pas que cela vous laisse beaucoup de temps. De plus, et il se trouve que j'en sais quelque chose, la plupart des gens ont du mal, surtout s'ils l'ont prémédité, à pointer une arme sur quelqu'un et à appuyer sur la gâchette.

— Colonel, je veux seulement vous rappeler...

— Je sais que vous avez tiré sur Tyler, mais je ne crois pas que vous vouliez le tuer. Je peux me tromper, mais nous connaissons maintenant beaucoup de choses sur vous, et je n'y crois pas. De toute façon, Nick, supposons que vous me tuez. Que va-t-il se passer, à votre avis ? Quelqu'un d'autre va me remplacer, quelqu'un qui aura probablement une approche de ce problème plus dure que la mienne. Et il y a encore une chose que vous devriez prendre en compte, Nick. Pour différentes raisons, je vous aime bien et j'ai intérêt à garder le secret sur votre existence. Ce ne serait sûrement pas le cas de mon successeur. Et une fois votre existence connue du public, votre capture ne sera qu'une question d'heures. A tout prendre, j'estime que vous avez grand intérêt à vous joindre à moi. En un sens, nous sommes déjà des alliés. »

C'était vrai. Tout ce qu'il disait était vrai.

« Vous avez peut-être raison, ai-je répondu, mais ça m'est égal. Voilà ma stratégie. Elle n'est peut-être pas aussi contraignante que je le souhaiterais, mais à mes yeux c'est la meilleure que je puisse employer. Je vous répète le plus fermement et sérieusement possible que je vais vous tuer si vous ne cessez pas de me poursuivre. Et je ferai tout ce qui est en mon pouvoir pour y arriver. A vous de choisir.

— Eh bien, Nick, vous êtes très franc avec moi, et j'espère que vous me pardonnerez d'être tout aussi franc avec vous, parce qu'il est important que vous compreniez clairement la situation. Avant tout, ce n'est pas à moi de choisir. Même si je décidais de ne plus vous poursuivre, même si j'avais peur pour ma vie ou pour toute autre raison, cela ne changerait absolument rien. Cette affaire s'est mise en marche — en grande partie à cause de vous — et il est impossible qu'un seul individu puisse l'arrêter. Mais la chose importante qu'il vous faut comprendre est celle-ci : nous allons vous retrouver. Je pense que cela ne va pas tarder, mais même si nous n'y arrivons pas bientôt, je veux que vous sachiez que nous déploierons dans dix ans les mêmes efforts qu'aujourd'hui pour vous trouver.

— Colonel, ne le prenez pas mal, mais vous et moi savons tout simplement que c'est faux. J'ai une certaine idée de ce que vous faites actuellement pour me trouver. Je peux seulement supposer le coût d'une telle opération, mais je suis sûr que vous ne pouvez pas continuer indéfiniment. Je sais que le gouvernement dispose de fonds substantiels et qu'il ne surveille pas toujours de près la façon dont ils sont dépensés, mais c'est quand même beaucoup d'argent pour ce que toute personne sensée doit considérer comme une entreprise particulièrement idiote. Que racontez-vous donc à ces gens, d'ailleurs ? Un sénateur va découvrir que vous cherchez des petits bonshommes invisibles, et vous vous retrouverez employé des postes.

— Nick, je ne devrais pas, mais pour que vous n'ayez plus aucune illusion, je vais vous expliquer. D'abord, laissez-moi vous dire que pour de bonnes raisons ce projet est classé secret et que très peu de gens auront jamais la moindre idée de ce que nous faisons. Deuxièmement, j'ai ici — et même devant moi, sur mon bureau — un petit briquet en plastique que nous avons trouvé sur la pelouse après l'incendie de MicroMagnetics. Il est absolument invisible. Je ne l'ai montré qu'à deux personnes, mais il leur a laissé une impression prodigieuse. Ils voient d'abord bouger ma main, vide, et un morceau de papier qui prend feu. Ensuite, quand ils tiennent eux-mêmes le briquet, c'est une sensation à ce point extraordinaire qu'il n'est plus besoin d'aucun argument pour souligner l'importance du projet. Il n'est même pas nécessaire de mentionner votre existence.

— Je vois. Un vrai coup de chance que vous ayez pu récupérer ce briquet au milieu de la confusion qui devait régner là-bas.

— Nous pensons que vous avez dû le laisser tomber sur l'herbe. Il semble que vous ayez emporté un certain nombre de choses ?

— Très peu, ai-je répondu aussitôt. Le revolver, bien sûr. Deux ou trois objets trouvés dans un bureau. Oui, je crois qu'il y avait aussi un briquet. »

S'il m'avait dit qu'il avait ramassé cet objet sur la pelouse, cela signifiait-il que tout le contenu du bâtiment avait été détruit ?

« Qu'est-ce que vous avez d'autre ? ai-je demandé le plus naturellement possible.

— Je crains de ne pas être en mesure d'en discuter », a-t-il répondu un peu sèchement.

Peut-être rien.

« Je ne vois toujours pas ce qui vous fait croire que vous pourrez me prendre. Jusqu'ici, vous n'avez pas eu grand succès.

— Nick, ce n'est qu'une question de temps. Ce que vous avez entrepris est tout simplement impossible. Mais je dois avouer que j'admire vos ressources et votre volonté. Peu de gens auraient duré aussi longtemps. »

Malgré moi, j'ai senti un frisson de gratitude en entendant ce compliment.

« Le temps travaille pour moi, ai-je dit. Je m'améliore tous les jours.

— Nous ne faisons vraiment que commencer, Nick. Certes, vous avez gagné du temps en allant dans les clubs. Nous ne l'avions absolument pas prévu. C'était une bonne idée. Idéale pour vous, et difficile pour nous.

— Je m'étonne qu'ils aient si facilement collaboré avec vous.

— Pas au début. Ils étaient extrêmement réticents. Mais nous avons pu leur démontrer qu'ils avaient un sérieux problème de sécurité. En général ils se rendent compte que vous êtes là — ou du moins que vous êtes venu. Et maintenant que nous leur demandons de surveiller ce genre de problème, je ne pense pas que cette option vous reste longtemps ouverte. Vous savez, Nick, vous nous avez surpris dès le début. Nous étions certains que vous alliez vous confier à quelqu'un.

— J'ai décidé que je ne pouvais pas prendre ce risque.

— Vous aviez raison. On vous aurait eu tout de suite. »

Tout ça très courtois. Des adversaires discutant amicalement les règles du jeu. Une camionnette s'est garée en double file à un bloc de là. Il fallait que j'arrête, que je m'en aille.

« Je dois me sauver. Une journée très chargée. Je suis un peu pressé par le temps.

— Nick, encore une chose avant que vous ne partiez.

— ...

— Nick, vous avez ce numéro. Si jamais vous avez besoin de quoi que ce soit, ou si vous voulez parler de ce qui se passera pour vous quand nous serons réunis, appelez-moi, je vous en prie. Je désire vous aider.

— C'est parfait. On se verra un de ces jours. »

Une voiture aux vitres teintées traversait en grillant le feu rouge. J'ai reposé l'écouteur et je suis parti vers l'est.

Cette conversation m'avait secoué. Mes menaces étaient absurdes. Je le savais d'avance, et il savait que je le savais. Il était de plus en plus clair que je devais éviter les clubs. Jenkins, bien sûr, avait insisté sur ma situation impossible pour me décourager, mais il avait raison. Le nœud coulant se resserrait, et si je continuais à vivre ainsi, je le voyais bien, ils me prendraient très vite.

Résigné à tenter de nouvelles expériences, si peu engageantes qu'elles soient, et me disant qu'un hôtel était ce qu'il y avait de plus proche de ce qui m'avait réussi jusque-là, je me suis dirigé vers le Plaza, qui avait au moins l'avantage d'être vaste et familier. En approchant de l'entrée, le courage m'a manqué. Des foules se pressaient pour entrer comme pour sortir, et je savais qu'à l'intérieur ce serait pire. « Peu importe. Force-toi. » A l'occasion d'une brève accalmie, je me suis glissé dans le sillage majestueux d'une femme particulièrement énorme et je me suis faufilé jusqu'à la réception pour m'informer du taux d'occupation des chambres.

Il y avait tant de monde, personnel et clients, des deux côtés du comptoir, tous ayant des mouvements imprévisibles, que je devais consacrer toute mon attention à éviter les heurts. Des téléphones sonnaient, les employés pianotaient sur des ordinateurs, tout était incompréhensible et dangereux. Il fallait que je quitte le rez-de-chaussée, que j'échappe aux mouvements de foule. Dans les étages, je pourrais me renseigner en regardant les bonnes faire le ménage.

En toute hâte, j'ai traversé la réception et dépassé le salon des palmiers. Le chemin le plus sûr, pour dépasser l'étage des salles de bal et de conférence, était probablement le grand escalier, où j'aurais la place d'éviter la circulation humaine. Il y avait partout des groupes de gens, debout ou en marche, et la panique me gagnait.

J'ai fini par me retrouver dans un long couloir couvert d'une moquette qui avait une fâcheuse tendance à se creuser à chacun de mes pas. J'y suis resté dix minutes, regardant les portes s'ouvrir l'une après l'autre et les clients se diriger vers les ascenseurs. Soudain un grand chariot plein de linge propre et de produits ménagers a bouché une extrémité du couloir, me forçant à battre en retraite. A ce moment-là, en face de moi, une porte s'est ouverte et une famille nombreuse d'Indiens ou de Pakistanais s'est avancée en sens inverse. Coincé, désespéré, je me suis retourné vers le chariot en essayant de voir de quel côté j'avais une chance de passer. A gauche. Je me suis aplati contre le mur. La femme au chariot a lancé son engin contre mon genou, a dû croire qu'un roue s'était bloquée et m'a redonné un bon coup avant que je puisse me traîner de l'autre côté.

Impossible. Et ce serait probablement aussi peuplé au milieu de la nuit. J'ai redescendu l'escalier à toutes jambes, pour échapper au danger, et remonté d'un étage devant une armée de touristes japonais avançant au pas de charge, mais j'ai fini par regagner le rez-de-chaussée. Un homme de haute taille, en costume vert, sûrement un représentant, m'a envoyé sur le même genou une valise en métal remplie d'échantillons particulièrement lourds, me faisant basculer contre une vieille dame. En m'enfuyant sur la 59e Rue, j'entendais la vieille dame agonir d'injures l'homme à la valise.

J'avais mal au genou et mon moral sombrait à vue d'œil. Mais j'avais absolument besoin d'un endroit où me reposer, et j'ai conçu un plan particulièrement inepte : pénétrer chez Bloomingdale's et attendre la fermeture. Ce qui vous donne une idée de mon état mental. Je crois que j'avais vaguement prévu d'élire domicile au rayon ameublement. Il y avait un rayon d'épicerie fine, et peut-être aussi une sorte de restaurant ou de snack, mais je n'étais pas sûr de l'avoir jamais vu.

En traversant la 59e Rue, j'ai voulu prévoir comment j'échapperais au service de sécurité, la nuit, après m'être rempli l'estomac. Il y aurait sûrement des lampes à bronzer (petit électroménager). Et que ferais-je pendant la journée ? « Inutile de rêver. Avance et débrouille-toi au fur et à mesure. » Il fallait que j'essaye quelque chose. Et ce plan avait une vertu indéniable : Jenkins ne s'y attendait sûrement pas. J'aurais dû me demander pourquoi.

L'entrée de Lexington Avenue était hors de question. Des masses de gens s'y agglutinaient. Mais je me suis faufilé sans problème par une porte de la 59e et j'ai monté quelques marches jusqu'au niveau principal pour arriver dans un dédale immense fait d'étroites allées bordées par des comptoirs de parfums et peuplées d'une foule aux déplacements indécis.

Prudemment, j'ai commencé à traverser, me rendant compte aussitôt que c'était encore une idée absurde. Il y avait partout des matrones qui arpentaient les allées au hasard et des vendeuses au maquillage fantastique qui surgissaient de leurs comptoirs. Mais je me suis obstiné. Je n'avais rien en vue.

Il fallait que je quitte ce niveau pour un endroit plus calme et plus confortable. En guettant le moment de passer, j'ai cherché à me souvenir de la place de l'escalier. Près des ascenseurs, probablement. Remarquant une brèche, j'ai filé devant une série de comptoirs à maquillage (sans marquer leurs miroirs de ma présence), et j'ai atteint un espace libre au bas d'un escalier mécanique.

J'ai attendu que deux femmes corpulentes s'engagent sur les marches et s'élèvent lentement vers les hauteurs. Je me suis demandé si j'avais une raison particulière d'éviter les escaliers mécaniques. N'en trouvant pas, et ne voyant personne approcher, j'ai empoigné la rampe et je suis monté tranquillement jusqu'à me trouver quatre ou cinq marches derrière les femmes, sans cesser de les observer. Ce serait surtout en haut qu'il me faudrait faire attention. S'il y avait un encombrement, si elles s'arrêtaient juste après la dernière marche, je leur rentrerais dedans.

Tout en méditant sur ces problèmes, j'ai senti que quelqu'un m'avait suivi. Je me suis retourné et j'ai vu une jeune personne — un homme ou un enfant, me suis-je dit, mais on ne pouvait pas écarter d'autres possibilités — grimper les marches deux par deux. Il avait des cheveux hérissés en pointes, vert vif, un pull vert assorti, et sur le reste du corps une chemise et un large pantalon, noirs. Sa peau était blanche comme de la craie, et il avait les yeux grands ouverts, le regard fixe, halluciné. J'ai couru pour l'éviter et me suis retrouvé tout contre les deux femmes.

« Excusez-moi, s'est-il mis à chantonner comme un fou en s'approchant. Excusez-*moi.* »

Les deux femmes se sont retournées. C'est l'inconvénient des escaliers mécaniques : ils sont étroits. J'avais encore l'espoir parfaitement irréaliste de pouvoir me glisser à côté des femmes sans être remarqué, profitant de la confusion qui règnerait au moment où elles s'écarteraient pour laisser passer ce jeune homme, mais à l'instant où je me suis avancé vers ce qui me semblait un espace entre la femme de gauche et la paroi métallique, elle a choisi de changer de côté et s'est cognée contre moi. Avec un cri aigu, elle est remontée d'une marche, me bloquant le passage et manquant renverser son amie.

Le jeune homme a momentanément interrompu son escalade, croyant qu'il était à l'origine du cri, et a eu un sourire étrange. « Mesdames, *je vous en prie.* » Celle qui m'avait heurté a tendu le bras pour reprendre l'équilibre et m'a touché le visage. Elle a poussé un second cri. Des gens sont apparus en haut de l'escalier pour regarder ce qui se passait ;

« Il y a quelque chose ici ! » a hurlé la femme.

J'ai empoigné la rampe et grimpé sur la bande de métal qui courait le long de l'escalier mécanique.

« Il y a vraiment de tout, ici, de nos jours, a dit l'autre femme. Pas seulement ici. J'ai une nièce à Chap... »

Je me suis senti glisser irrésistiblement sur la surface polie en acier inoxydable, tandis que la rampe en caoutchouc où je m'agrippais tirait ma main vers le haut. Finalement j'ai lâché prise et basculé la tête la première comme sur un toboggan de jardin d'enfants. Mon tibia a cogné une sorte de poutrelle, me ralentissant suffisamment pour que je puisse reprendre la rampe et redescendre sur les marches. A contresens, en me débattant de façon grotesque, j'ai regagné le rez-de-chaussée.

Ma jambe me faisait horriblement mal, et j'ai repassé la porte en boitant à toute vitesse, sans la regarder, espérant trouver un endroit où je pourrais hurler. Presque immédiatement je me suis trouvé coincé entre un couple qui avançait vers moi et un gardien en uniforme qui venait de surgir dans mon dos. Quand les choses commencent à mal se passer et qu'on reçoit des coups, on commet des erreurs et la situation se détériore très vite. Il faut se mettre à l'abri et reprendre ses esprits.

Par l'ouverture ménagée pour les vendeurs, je me suis glissé derrière un comptoir de cosmétiques ; blotti dans un coin, j'entendais la femme sangloter en haut de l'escalier et des gens s'attrouper en bas pour voir ce qui se passait. « Repose-toi : calme-toi. Surveille le bruissement des longues jambes noires de la vendeuse au cas où elle viendrait de ton côté. » Jadis, j'aurais pris grand plaisir à côtoyer ces jambes. Mon plan était parfaitement ridicule. D'ailleurs, j'avais toujours détesté les foules de Bloomingdale's — comme pour tant de choses, il n'y avait maintenant qu'une différence de degré. A la première occasion, j'ai rampé au-dehors du comptoir et je suis ressorti sur la 59e.

Une fois encore, en remontant la Troisième Avenue, j'ai regardé avec envie l'alignement des immeubles. La plus grande concentration mondiale de cachettes possibles. Les gens allaient partir pour les vacances d'été, laissant de nombreux appartements inoccupés. L'ennui, c'est qu'il me fallait un endroit d'accès facile, pouvoir entrer et sortir librement. J'avais à peu près éliminé les hôtels et les grands magasins. Et les clubs privés. A l'approche de l'été, ils étaient de plus en plus désertés. Du vendredi en milieu d'après-midi au lundi matin, ils seraient entièrement vides, et Jenkins réussirait à m'y enfermer sans gêner personne d'autre que moi. Déjà, la nuit, j'étais terrifié chaque fois que j'ouvrais une porte, m'attendant presque à les voir de l'autre côté. Il était en train de saper ma résistance. Les serrures neuves se multipliaient, surtout dans les cuisines, et j'avais de plus en plus de mal à trouver de quoi manger. Je devais souvent me contenter de restes, de sandwiches entamés ou d'assiettes à demi pleines oubliées sur l'évier.

Il fallait quitter New York. Jenkins quadrillait toute la ville. Qu'il se demande où j'étais passé. Le problème, c'était que les autres villes étaient bien petites, et que je les connaissais mal. Pourtant je me suis mis à penser à Boston et à Philadelphie. Impossible dans les banlieues : pas moyen de se déplacer, de se nourrir. Aucun lieu public. Tout devient difficile quand on ne peut ni conduire ni avoir de l'argent sur soi. Et si j'essayais de survivre à la campagne, de faire du camping pour le restant de mes jours ? Une solitude glacée. New York, pour moi, c'était l'idéal. Sauf pour Jenkins.

Deux soirs plus tard, à deux heures du matin, en descendant

dans la cuisine du club Arcadia, j'ai découvert en plein milieu une grosse part de gâteau. C'était le genre de gâteau que j'aurais trouvé particulièrement appétissant : blanc avec un glaçage à la vanille, sucré, facile à digérer. A côté, sur la table en marbre, inerte, il y avait un gros rat. Sa bouche entrouverte laissait voir une rangée de petites dents pointues. Ses pattes, quand je l'ai regardé, ont tressailli une dernière fois. Qu'il fût mort, mourant, ou simplement drogué, je n'aurais su le dire.

J'ai compris que je n'avalerais plus une seule bouchée de nourriture dans un de ces clubs. J'ai passé une nuit blanche sur un divan, près de l'entrée, à attendre la première occasion de m'enfuir, et dès l'arrivée de l'équipe du matin, j'ai couru à Central Park.

J'avais décidé de quitter New York. Il fallait que je m'éloigne de Jenkins. Même si j'arrivais à lui échapper, je ne pouvais pas vivre dans cet état d'angoisse permanent. L'angoisse et la faim. Ma seule chance était de rester dans une ville, et, morose, j'ai essayé de choisir entre Boston et Philadelphie. Mais la vision de ce rat venait chasser toute autre pensée. La peur et la haine. Maudit Jenkins. Il prévoyait tous mes mouvements. Où que j'aille, il me suivait. Pourtant, sur un point, il se trompait : j'étais capable de le tuer. Même si j'ignorais si c'était une bonne idée. Je devrais plutôt le lancer sur une fausse piste. Surtout maintenant que j'allais changer mes plans.

J'ai longé le parc et trouvé un téléphone bien placé à un coin de rue. L'écouteur posé sur la cabine, j'ai appelé Jenkins. Il a répondu au bout de trois sonneries. La dernière fois, il avait décroché tout de suite.

« Bonjour, Nick. Comment allez-vous, ce matin ?

— Bonjour, colonel. Je ne suis pas très en forme, en fait. J'ai assez mal dormi la nuit dernière.

— J'en suis désolé, Nick. Avez-vous un problème ? »

Qu'il arrête de me témoigner tant de sollicitude.

« Je vais vous dire quel est le problème. Cette nuit, j'ai découvert que vous essayiez de m'empoisonner. Ou de me droguer. C'est exact ? » Sans savoir pourquoi, je tenais à ce qu'il l'admette, même si cela ne changeait rien. Et brusquement, j'ai compris que j'étais dans une colère folle.

« Qu'est-il arrivé qui vous fasse penser une chose pareille ? » a-t-il répondu d'une voix pensive.

Je n'aurais pas dû appeler.

« Hier soir, dans la cuisine du club Arcadia, j'ai trouvé un rat énorme, affreux, en très mauvais état, près d'une part de gâteau qui semblait avoir été laissée là à mon intention.

— Je vois, a-t-il dit lentement. Cela a dû vous être très désagréable. »

Un taxi s'est arrêté à un demi-bloc. Un client est monté et la voiture est repartie vers le sud.

« Nick, j'espère que vous comprenez que tout ce que nous faisons est entièrement…

— Je sais. C'est pour mon propre bien que vous faites tout ça. J'aimerais vous voir diriger vos attentions ailleurs.

— Ça doit être absolument horrible pour vous, Nick. J'en suis désolé. J'aimerais pouvoir vous faire entendre raison en ce moment même, Nick, parce que cela va être de pire en pire. Mais je vous connais, Nick. Vous n'êtes pas encore prêt à baisser les bras.

— Jenkins, je n'abandonnerai jamais.

— Vous savez, Nick, nous passons beaucoup de temps à réfléchir de votre point de vue. Vous nous avez réservé quelques surprises, et vous vous montrez plus tenace que prévu, mais au fond je pense que nous vous comprenons. Voulez-vous savoir ce que vous allez faire, maintenant, d'après moi ?

— Allez-y, dites-le-moi. Je n'ai personne d'autre avec qui discuter de mes projets.

— Je pense que vous allez quitter New York pour vous éloigner de nous. Boston est bien sûr la ville que vous connaissez le mieux, après New York, et ce sera probablement votre premier choix. Philadelphie est aussi une possibilité. »

Bon Dieu. Pourquoi me le disait-il ? Pour me faire partir ? Rester ?

« Supposons que j'aille à Boston ? Cela ne vous faciliterait pas les choses, n'est-ce pas ? Qu'est-ce que vous feriez ?

— Je pense que vous auriez presque aussitôt envie de rentrer à New York. Mais vous pourriez vous débrouiller pour y rester quelque temps. Nous y sommes préparés. Ainsi qu'aux autres choix que vous pourriez envisager.

— Comment saurez-vous où j'irai ? Supposez que j'aille à Cincinnati ? A Grand Rapids ? Vous ne pouvez pas être partout.

— Eh bien, essayez, Nick, on verra bien. Mais si vous allez dans ce genre d'endroits, nous l'apprendrons très vite. De toute façon, je ne crois pas que vous irez. Vous n'êtes jamais allé à Grand Rapids, et seulement deux fois à Cincinnati.

— Deux fois ? »

La question m'avait échappé.

« Une fois en octobre dernier et une fois en... avril 1959. Un voyage en compagnie de votre père. Vous l'avez peut-être oublié. Mais, à part ça, où dormiriez-vous à Grand Rapids ? Où mangeriez-vous ? Il n'y a guère de clubs privés dans ces endroits. Il n'y en a même pas tellement à Boston. Dans la plupart des villes, les gens se déplacent en voiture. Vous en êtes incapable. A pied, on ne va nulle part, et le plus souvent tout est fermé. Même si vous trouviez un endroit où dormir, que feriez-vous de vos journées ? Attendre notre arrivée ? A qui parleriez-vous ? Ici vous pouvez de temps en temps téléphoner à votre bureau. Ou même à moi. Vous voyez au moins des gens que vous connaissez dans la rue. Ce doit être un certain réconfort. J'imagine que la solitude doit être...

— Je vois pourquoi vous voulez tout prévoir à ma place. Vous pensez à tout, bien mieux que moi. » (Dis-lui quelque chose. N'importe quoi.) « Pourtant, je m'en vais. Aujourd'hui même. Tout de suite. J'espère que vous continuerez à me chercher à New York jusqu'à la fin des temps. Mais de toute façon il vous faudra une chance extraordinaire pour me trouver.

— Très bien, Nick. » Une vieille camionnette s'est arrêtée en double file à un bloc et demi au nord. Santini, Couverture et Plomberie. « Vous avez mon numéro. Souvenez-vous seulement, Nick, si jamais vous avez...

— Dites-moi, Jenkins, faites-vous repérer l'endroit d'où j'appelle ?

— Pourquoi pensez-vous... Je vois. Me croirez-vous, Nick, si je vous garantis personnellement que personne ne va vous poursuivre pendant que nous discutons ?

— Non.

— Je comprends, Nick, a-t-il répondu, l'air peiné.

— Au revoir, Jenkins.

— Nick, attendez. Une seule chose avant que vous ne partiez. Nous avons été extrêmement patients avec vous et je voudrais vous demander quelque chose en échange, comme un service personnel. Nick, je vous prie de prendre le temps de vous demander honnêtement si dans toute cette affaire vous ne vous conduisez pas de façon très égoïste.

— Égoïste ? »

De quoi peut-il bien parler ?

« C'est cela, Nick... »

Un camion a remonté l'avenue jusqu'au carrefour, a tourné sans prévenir et s'est avancé vers moi. La camionnette s'était remise en marche. J'ai sauté hors de la cabine, il y a eu un bruit de verre brisé et un petit creux est apparu sur le côté du téléphone.

En me retournant, j'ai vu que la porte latérale du fourgon était ouverte et qu'une arme de gros calibre — probablement semblable à celle qu'avait employée Gomez — était pointée sur moi. Me baissant le plus possible, j'ai reculé vers un mur d'immeuble. Des voitures s'arrêtaient des deux côtés de l'avenue et la rue se remplissait de monde. Le camion barrait toute la chaussée : son côté s'est rabattu comme celui d'un transport de troupes, déversant des hommes et du matériel. Tout se passait si vite que j'avais du mal à comprendre. Un instant plus tôt, les rues étaient presque vides, et soudain j'étais entouré par plusieurs douzaines de soldats.

Ils étaient en train de dérouler une sorte de treillis antineige en bois. Deux hommes agrafaient une extrémité du rouleau contre le mur, à quelques mètres de moi, et deux autres le déroulaient en travers de la rue, passant entre deux voitures. Un autre rouleau, plusieurs autres commençaient à barrer la chaussée. Il devait y en avoir aussi au coin de la rue. On m'enfermait. C'était une question de secondes. Derrière les lattes entrecroisées, au milieu de l'avenue, j'ai vu d'autres hommes étaler ce qui m'a paru un gigantesque filet de pêche. Gomez était sorti de la camionnette, l'arme à la main, l'œil aux aguets.

Avant que je reprenne mes esprits et que je me mette en marche, trente secondes peut-être s'étaient écoulées. La barrière avait été entièrement déroulée, partant d'un mur de l'immeuble, entourant plusieurs voitures en stationnement, une grande partie de la chaussée, et rejoignant le mur après le coin de la rue. Pas le temps de penser. Avec la vague idée qu'il valait mieux agir — même de façon stupide — que ne rien faire, je me suis mis à courir. Je suis allé droit sur Gomez. Au dernier moment, il a dû m'entendre ou voir quelque chose, car il a essayé de relever son arme comme pour se protéger, mais il était trop tard. Je lui ai envoyé mon poing dans le cou, de toutes mes forces, j'ai attrapé son arme et je l'ai jetée dans la rue, derrière la barrière.

Sans m'arrêter, j'ai sauté sur le capot d'une voiture, puis sur le toit. A chacun de mes pas, la tôle cédait avec un claquement sonore et s'enfonçait brutalement. Curieusement, aucun des hommes ne s'est lancé à ma poursuite. Pourquoi l'auraient-ils fait ? On ne leur avait pas dit ce qu'ils devaient chercher, et tout naturellement ils s'étaient tournés vers Gomez, qui paraissait avoir jeté son arme par-dessus la barrière, un acte incompréhensible, avant de s'écrouler sur le trottoir. Le fracas que je faisais, si toutefois ils l'entendaient, devait leur sembler inexplicable. Je suis monté sur le toit du fourgon.

De là j'ai vu Clellan remonter l'avenue en courant, il criait quelque chose à Morrissey, lequel descendait de la camionnette, par l'arrière, la tête levée dans ma direction. J'ai sauté vers la barrière, qui était un peu plus haute que le fourgon et à plus d'un mètre de moi. J'avais l'intention de poser un pied dessus pour sauter de l'autre côté, mais les lattes ont plié sous mon poids, mon talon est resté accroché et je me suis étalé dans la rue, au milieu du filet presque entièrement déployé.

Clellan hurlait : « Tendez ce filet ! Refermez ce filet, bon Dieu ! »

Les hommes, ne comprenant pas ce qui se passait, se sont disposés autour du filet et ont commencé à le prendre en main, sans trop savoir que faire. Clellan a tiré violemment d'un côté, les hommes plus mollement d'un autre, et j'ai senti le piège se tendre sous mon corps. Paniqué, je me suis remis debout, mais aussitôt le filet s'est pris dans mes pieds et m'a renvoyé par terre. Je me suis traîné comme j'ai pu, frénétiquement, sur les mailles, et j'ai réussi à me laisser rouler sur l'asphalte.

A quatre pattes, j'ai détalé entre les voitures et j'ai franchi le muret du parc. Je me suis retourné vers Clellan. Il avait lâché le filet et regardait dans ma direction cherchant un signe de ma présence. J'ai alors grimpé sur un rocher en surplomb, au-dessus du muret, et je me suis assis pour reprendre mon souffle et observer ce qui se passait dans la rue. Déjà on repliait le filet et on enroulait le treillis. La circulation reprenait normalement sur l'avenue.

Pendant que j'étais là, une voiture blanche, d'aspect banal, s'est arrêtée et Jenkins en est sorti. Il a fait quelques pas vers Clellan, qui est venu à sa rencontre. Parlant très vite, il a désigné le taxiphone d'un geste du bras. Jenkins a tourné la tête. Clellan a troué l'air de son index en décrivant l'emplacement de la barrière, du filet, des hommes, et conclu par un arc de cercle indiquant ma ligne de fuite. Jenkins l'écoutait en silence, impassible. Clellan a tendu le bras vers le mur, presque à l'endroit où je l'avais franchi, et ils se sont tournés dans cette direction. Clellan, avec un petit haussement d'épaules, lui a encore montré le rocher où j'étais assis. Ensuite, il a esquissé une brève grimace de dégoût et n'a plus rien dit. Le regard de Jenkins est monté jusqu'en haut du rocher, lentement, et n'a plus bougé. Il a fait un léger signe de tête. J'avais l'impression qu'il me regardait dans les yeux. Son visage était sans expression aucune. Comme un reptile.

J'avais mon revolver. Je le gardais toujours sur moi. Je pouvais descendre, m'approcher de lui et lui faire sauter la cervelle. Facile. Mais il restait là, indifférent, sachant que je n'en ferais rien. Il avait tout prévu.

Moi, je n'avais rien prévu. Je ne savais plus si je devais partir ou rester à New York. Impossible de savoir à quoi s'attendait le colonel — ou ce qu'il voulait que je fasse. Tout au long de notre conversation, il avait gardé une idée derrière la tête. J'en étais sûr. Il avait essayé de me pousser d'un côté ou d'un autre, et si je devinais de quel côté, je pourrais faire le contraire. Impossible de savoir. L'essentiel, dans ce genre de situation, ce n'est pas tant la décision prise, mais le fait de la prendre soi-même. Je n'avais pas mangé ni dormi depuis plus de vingt-quatre heures. Pour la centième fois, j'ai contemplé le paysage inaccessible qui me faisait face : New York et ses milliers de chambres et d'appartements qui m'étaient interdits. Tous ces petits trous à rats bien tranquilles. « Avance, ne t'arrête pas. »

Je suis allé sur la Seconde Avenue et j'ai passé le reste de la journée à inspecter des immeubles avant de choisir celui auquel j'allais m'attaquer. C'était une de ces bâtisses massives, en brique, que tous les New-Yorkais affectent de détester mais où doivent habiter tous ceux qui ne sont ni trop riches ni trop pauvres. Le mien avait un portier particulièrement négligent, surtout préoccupé par une radio miniature, dont il collait furtivement l'écouteur à son oreille tant que personne n'était en vue. Il laissait aussi la porte grande ouverte, ce qui nous facilitait les choses. A lui et à moi.

Juste après, sur la gauche, il y avait un comptoir en marbre. Derrière, entassés sur des étagères et le sol, des paquets, des piles de lettres, des livraisons non réclamées, les dates de passage du dératisateur, des casquettes de portier. Et plus loin, hors de vue, deux coffrets métalliques où étaient accrochées plusieurs rangées de clefs. La plupart portaient des petites étiquettes avec le numéro d'un appartement. J'ai passé la moitié de l'après-midi accroupi derrière le comptoir pour observer les événements.

Quand le portier s'avançait d'un air indifférent pour recevoir un paquet ou tendre sa clef à un locataire, je me reculais dans un coin.

J'ai commencé par les piles d'enveloppes. La plupart étaient arrivées le jour même, et n'étaient restées là que parce qu'elles contenaient des revues ou des paquets trop volumineux pour les boîtes situées à l'autre bout de l'entrée. Mais des lettres s'accumulaient visiblement depuis plusieurs jours. Grâce aux cachets de la poste et à la disposition des enveloppes, j'ai pu repérer quelques appartements vacants depuis plus d'une semaine. D'après ce que je voyais, il y avait à peine la moitié des clefs de l'immeuble. Bien que les rangées de crochets soient étiquetées par étage et par appartement, une bonne part n'était pas à sa place, et j'ai dû les examiner une à une, provoquant des tintements qui m'ont paru résonner de façon effroyable. Au bout du compte, j'ai trouvé plusieurs numéros plausibles.

J'ai choisi le 4C, M. et Mme Matthew B. Logan. Ils étaient absents depuis une dizaine de jours, donc sûrement partis en vacances. De plus je n'avais que trois étages à monter, alors que le numéro suivant se trouvait au septième.

Je ne pouvais rien accomplir de plus ce soir-là, mais je ne voulais pas ressortir et risquer de ne pas pouvoir rentrer. Je devais tout faire pour réussir du premier coup. Impossible de rester à jeun un jour de plus. Je me suis réfugié dans un escalier d'incendie et j'ai dormi, plutôt mal, sur un palier en béton, pendant neuf heures.

Quand je suis revenu dans l'entrée, abruti et affamé, il était plus de minuit et le portier avait changé. Je l'ai observé pendant un quart d'heure. Il restait immobile sur sa chaise, posté entre les deux portes, paraissant complètement catatonique, mais il gardait les yeux ouverts et braqués sur l'espace que je devrais traverser avec les clefs.

Derrière le comptoir, j'ai doucement décroché les clefs du 4C. Ensuite j'ai rampé jusqu'au tapis qui occupait toute la longueur de l'entrée et j'ai vite glissé les clefs sous sa bordure. Le portier a tourné la tête, mais seulement quelques secondes. J'ai attendu plusieurs minutes et j'ai continué à ramper le long du tapis, poussant les clefs devant moi, toujours sous la bordure. S'il s'était trouvé quelqu'un pour regarder dans cette direction, il aurait vu une drôle de petite ondulation sautiller en lisière du tapis.

Il y a eu un fracas de ferraille à l'autre bout du hall, et

l'ondulation s'est arrêtée net. Une porte d'ascenseur a coulissé et une femme d'une vingtaine d'années s'est avancée à grands pas, me frôlant presque. Le portier s'est levé, a ouvert une porte, puis l'autre, et l'a suivie pour appeler un taxi. Sautant sur l'occasion, j'ai envoyé les clefs valser au bout de la pièce et j'ai couru. D'un coup de pied, elles ont dépassé l'angle du mur et je les ai suivies.

Le reste serait facile. J'ai ramassé le trousseau et grimpé l'escalier d'incendie jusqu'au troisième. La moquette du couloir allait d'un mur à l'autre, mais je me suis remis à quatre pattes et j'ai fait glisser les clefs sur le bord, prêt à les cacher sous la moquette si quelqu'un sortait d'un appartement ou d'un ascenseur. A la porte du 4C, j'ai dû les ramasser — prendre un risque. Il m'a fallu un temps interminable pour débloquer les deux serrures et ouvrir la porte, mais l'instant d'après je suis entré, j'ai retiré les clefs et j'ai refermé derrière moi.

Jamais, me suis-je dit, je n'avais ressenti une telle impression de sécurité. Une douce chaleur a envahi mon corps, et d'un seul coup j'ai été libéré de l'angoisse qui me rongeait continuellement depuis des mois. J'étais à l'abri, enfermé dans un petit appartement où personne ne pourrait jamais venir me chercher.

J'ai allumé, trouvé la cuisine et ouvert le réfrigérateur. Du ketchup, du sirop d'érable, de la confiture de fraises, cinq boîtes de bière et une bouteille de champagne. Ils avaient vidé leur frigo avant de partir. Tant pis. J'ai attrapé une cuiller sur l'égouttoir et dévoré la confiture de fraises. Ensuite j'ai sorti le champagne, fait sauter le bouchon, et je m'en suis servi un grand verre. Une occasion très spéciale. A ma nouvelle vie. Du bon champagne. Par expérience, je peux dire que chaque réfrigérateur entre la 8e et la 96e Rue contient en permanence une bouteille de champagne.

Je me suis intéressé aux placards, où j'ai déniché des boîtes de thon, de sardines, et des paquets de spaghetti. Second point : il y a toujours du thon dans les placards et souvent des sardines. Et certainement des pâtes, en général des spaghetti ou des pâtes aux œufs. On peut aussi raisonnablement compter sur des soupes Campbell et des paquets de biscuits salés sous cellophane — et avec de la chance sur une boîte de sauce tomate.

J'ai attaqué les sardines, réussi à tordre suffisamment le couvercle de mes doigts tremblants pour atteindre le contenu avec une fourchette et l'engouffrer à toute vitesse. Encore un peu de champagne. A une vie longue et heureuse. Saine et sauve.

J'ai mis un peu d'eau à chauffer pour les spaghetti et je suis allé inspecter les lieux. C'était un appartement standard de l'après-guerre : deux chambres et un grand living avec une alcôve pour les repas. Pas assez de placards et trop bas de plafond. Mais je l'ai trouvé magnifique. Il semblait occupé par un couple et un enfant de quatre ou cinq ans. M. et Mme Matthew B. Logan. Matthew, Mary et le petit Jamie. Des prospectus de voyages, éparpillés un peu partout, décrivaient l'Italie. Encore un verre de champagne. *Buon viaggio alla famiglia Logan*. J'espérais qu'ils passaient des vacances splendides, et très longues. Combien de temps, au juste ? J'ai mis *Le Mariage de Figaro* sur le tourne-disque et plusieurs bouteilles de vin blanc au frais en prévision des jours suivants. Peut-être seraient-ils absents tout l'été.

En mangeant mes spaghetti, j'ai songé à ma bonne fortune, content de moi. J'aurais dû y penser depuis longtemps. C'était vraiment très simple. Désormais je pouvais oublier Jenkins. Il y avait des centaines de milliers d'appartements par quartier, et plusieurs milliers devaient rester inoccupés à n'importe quel moment. Des dizaines de milliers, à cette époque de l'année. Et Jenkins n'aurait pas plus de raisons de me chercher dans celui-ci que dans un autre. Pas étonnant qu'il m'ait encouragé à quitter New York. Voilà exactement ce qu'il craignait.

Je me suis fait couler un bain brûlant et je m'y suis vautré pendant une heure, en écoutant la musique venant de l'autre pièce. Ensuite je me suis allongé sur le grand lit des Logan, me sentant si bien, si tranquille, que j'ai trouvé dommage de sombrer dans le sommeil.

J'ai dormi jusqu'à midi. Après m'être douché et rasé, je me suis senti dans une forme merveilleuse. Dans la cuisine, sur un panneau de liège, il y avait une liste de numéros en cas d'urgences diverses. J'ai appelé celui correspondant au « bureau de M. Logan » et appris que M. Logan était en voyage et ne rentrerait que lundi en huit. J'avais dix jours. Neuf, tout du moins. Ils n'allaient sûrement pas rentrer avant samedi. J'étais parfaitement tranquille jusqu'à la fin de la semaine prochaine, et d'ici là je me serais installé ailleurs. Un soir, le week-end prochain, il faudrait que j'explore les autres appartements vacants du même immeuble. Inutile, en fait, de chercher plus loin.

C'était une magnifique journée d'été, et j'ai décidé d'aller me promener. Après un coup d'œil dans le judas, par précaution, je suis sorti sans fermer à clef et j'ai marché jusqu'au jardin Carl Schurtz. Le ciel était d'un bleu éclatant, et même Long Island avait belle allure. Des bateaux croisaient sur l'East River, et des joggers s'essoufflaient sur la rive. Quand on se sait en sécurité, on recommence à prendre plaisir à ce genre de chose. Il y avait des gens qui prenaient le soleil sur leur petit carré de pelouse, des femmes en maillot de bain, presque nues. Je m'en suis approché le plus possible et j'ai regardé leurs seins, là où le maillot était à moitié roulé, et leurs cuisses ouvertes. Mieux vaut ne pas y penser. Jamais.

Pour me changer les idées, j'ai couru sur plus d'un kilomètre, me disant que je me déplaçais désormais avec une assurance extraordinaire parmi mes semblables. C'était une existence mélancolique, mais je commençais à trouver un certain plaisir à l'idée d'une vie entièrement séparée, secrète, au milieu de tous ces gens.

Une fois rentré, j'ai repris une douche, et pour la première fois depuis plusieurs semaines, j'ai lavé mes vêtements. L'après-midi n'était pas encore terminée, mais je me suis préparé un repas léger en réchauffant une soupe aux moules avec un muffin grillé. Quelle merveille de pouvoir manger plus d'une fois par jour ! Toute la soirée j'ai regardé des films à la télévision, bu et mangé chaque fois que j'en avais envie. Ma vie était soudain devenue extraordinairement agréable, alors qu'à peine trente-six heures plus tôt c'était un cauchemar apparemment sans issue.

Pendant deux jours je me suis cru à l'abri.

Au matin du troisième jour, j'ai été réveillé par la sonnerie insistante et prolongée de la porte d'entrée. Je me suis assis brusquement au milieu du lit en me demandant où j'étais. Logan, 4C. La sonnette s'était arrêtée et une clef tournait dans la serrure. J'ai regardé mes intestins : ils étaient vides.

« Je sais qu'il y a quelqu'un là-dedans depuis au moins deux nuits, et les Logan ne reviennent pas avant une semaine. »

Deux personnes sont apparues dans l'ouverture de la porte. Une femme d'un certain âge, vêtue d'un ensemble en lin, accompagnée d'un homme de haute taille en combinaison grise avec l'adresse de l'immeuble cousue sur sa poitrine. Probablement le gardien.

« Je peux entendre quand on joue de la musique classique au milieu de la nuit, et on voit de la lumière sous la porte. Regardez, le lit est défait. »

Je suis resté à les regarder bêtement. « N'approchez pas, je vous en prie. »

« Ils ont pu le laisser comme ça », a répondu l'homme.

Ils sont passés dans le living.

« J'ai entendu couler la douche, hier soir. Elle est juste contre ma salle de bains. Et regardez ça. Les Logan n'ont pas laissé toute cette vaisselle sale. Je l'ai signalé à Benny, hier en sortant, mais naturellement, il ne vous a rien dit... »

Ils étaient dans la cuisine. J'ai sauté du lit et attrapé le ballot de vêtements que j'avais toujours à portée de la main.

« Regardez cette poubelle, on vient de la remplir.

— Ce sont peut-être des amis à eux qui habitent ici, a insisté l'homme.

— Eh bien, ils ne m'ont pas prévenu, et Benny et Oliver affirment qu'ils n'ont fait monter personne chez les Logan. Voyez un peu toutes ces bouteilles vides. Benny dit que les clefs ne sont plus au... »

Nu, mes vêtements sous le bras, j'ai pris la porte et descendu l'escalier d'incendie jusqu'à la rue. Je m'étais complètement trompé sur la situation. J'avais été stupide, négligent. A New York, on ne connaît pas ses voisins, mais ils savent quand vous ouvrez un robinet, quand vous recevez un coup de fil, quand vous tirez la chasse d'eau. Ils sont constamment embusqués derrière leur judas et vous guettent par les fenêtres. Ce serait beaucoup plus difficile que je ne l'avais cru. Je n'avais encore rien résolu.

Au cours de l'été, j'ai appris beaucoup de choses sur les immeubles new-yorkais. Il n'y en a pas deux pareils, et j'ai accumulé un trésor d'informations sans valeur pour tout autre que moi. J'ai appris lesquels avaient des garçons d'ascenseur, lesquels des escaliers de secours aboutissant hors de vue de l'entrée. J'ai appris qui triait le courrier, à quel endroit, où on gardait les clefs, et mieux encore, où le gardien rangeait son trousseau, beaucoup plus complet. J'ai dû repérer les immeubles dont le portier n'était pas trop attentif, et ceux où le personnel changeait souvent.

Au début je m'en suis tenu aux grands bâtiments de l'après-guerre, où il y a tellement de locataires qui emménagent, déménagent, changent de compagnon, d'amant ou de famille, que même les portiers ne savent plus qui est là ou non, encore moins qui devrait y être. La sécurité y est souvent hasardeuse, et on peut facilement atteindre les portes des appartements. Mais ceux-ci sont petits, les cloisons ultraminces, de sorte que les voisins vous entendent faire griller un toast, et qu'en général une centaine de personnes, dans l'immeuble d'en face, observent vos fenêtres.

Je me suis donc intéressé de plus en plus aux constructions d'avant-guerre. L'ennui, c'est qu'il y était beaucoup moins facile de localiser les appartements vides et d'y entrer. Quand les locataires s'en vont, le concierge glisse le courrier sous la porte ou le range quelque part, hors de vue. Il y a moins d'allées et venues, et souvent les portes d'entrée ne sont accessibles que par l'ascenseur. Mais les appartements eux-mêmes sont vastes, confortables, les murs épais, et on s'y sent presque en sécurité.

Néanmoins, après cette première expérience, j'ai compris que le danger était toujours aussi grand, et qu'il fallait que je réfléchisse avant de faire le moindre pas. Ne pas choisir un appartement dont la porte est en vue du judas d'un voisin. (A

New York, chaque porte est munie d'un de ces petits viseurs déplaisants, et on doit toujours se dire qu'on est surveillé.) J'ai pris soin de ne rien déranger, de ne laisser aucune trace de ma présence. Je vidais presque toutes les ordures dans les cabinets, et je ne tirais la chasse que dans la journée, au moment où les appartements voisins avaient le plus de chances d'être vides. Dès que j'entrais quelque part, je fouillais les placards en quête d'une lampe à bronzer, pour m'éclaircir les intérieurs le plus vite possible après avoir mangé. Je ne prenais plus jamais de douche, je ne mettais plus jamais de musique, et j'évitais même d'allumer les lumières. Je rampais dans le noir, l'oreille tendue vers les appartements voisins ou la porte du palier.

A chaque instant quelqu'un pouvait entrer sans prévenir : une bonne, un réparateur, un ami pour arroser les plantes. Même au milieu de la nuit un adolescent ou un ami de province à qui on avait proposé de venir dormir là risquait de me surprendre, et il fallait que je puisse courir me cacher dans un coin en attendant l'occasion de m'enfuir.

Je me souviens particulièrement de la première fois où c'est arrivé. Il devait être trois heures du matin et j'étais profondément endormi dans un appartement qui, normalement, était vide jusqu'à la fin de l'été. Je n'ai pas entendu la porte s'ouvrir. La première chose dont j'aie pris conscience, c'est que j'étais dans une pièce brillamment éclairée, que j'étais tombé du lit sans savoir comment et que je me cramponnais, terrorisé, à mon petit paquet de vêtements. Une fille, qui n'avait pas plus de vingt ans, avait les yeux fixés sur le lit. J'ignorais si elle avait remarqué quelque chose. Le lit était en désordre, certes, mais cela ne devrait pas la déranger outre mesure. Elle était petite, trapue, avec des cheveux noirs, un sac à dos, et les vêtements banals, mal coupés, que les internes des pensionnats et universités les plus chics commandent par correspondance à L. L. Bean, comme s'ils campaient toute l'année. D'ailleurs, me semble-t-il, c'est à peu près ce qu'ils font.

Elle s'est approchée du lit, tout près de l'endroit où j'étais recroquevillé, a regardé sous le lit et ensuite dans toute la pièce. Rien. Elle avait dû voir remuer les couvertures, en allumant, ou m'entendre me déplacer. Je la surveillais, sans bouger, craignant de me trahir par un bruit quelconque, mais les battements de mon cœur ont repris un rythme normal, et je me suis presque calmé. Elle ignorait que j'étais là. Rien ne pouvait m'arriver.

Elle a encore regardé le lit quelques instants, puis elle a paru se désintéresser du problème, s'est retournée et a relevé les stores, découvrant le paysage nocturne de Manhattan.

Revenant vers le lit, elle a jeté plutôt que posé son sac à dos par terre et déboutonné sa chemise en coton qu'elle a ôtée et fait tomber sur le sol. Pas de soutien-gorge. Des seins rebondis.

Oubliant ma terreur, mon esprit s'est rempli de cette vision merveilleuse qui me mettait au supplice. Je ne savais que trop, pour autant que je me laissais aller à y penser, que je ne toucherais plus jamais une femme. Que je ne sentirais jamais plus le bout d'un sein durcir sous mon doigt, la chair frémir sous ma paume.

Elle n'était certes pas mince, mais elle avait une taille très marquée. En fait, à ce moment, elle me semblait d'une beauté parfaite, un vrai supplice de Tantale. Elle était peut-être attirante : je n'en avais aucune idée. D'ailleurs je ne pouvais penser à rien, j'étais tout simplement au bord de l'explosion.

Du bout du pied, elle a retiré une basket crasseuse, et d'un orteil elle a enlevé l'autre. Pas de chaussettes. Ils n'en portent jamais. Elle a retiré son jean, penchée en avant, les seins pendants. Des jambes bien modelées, des chevilles fines. Le jean, à moitié retourné, est resté en tas sur le sol. Elle a fait glisser son slip, l'a enjambé en écartant les jambes. Une touffe de poils, fins et bouclés. Des hanches, des cuisses. Une chair aux courbes brèves, mais généreuses.

Dire que j'étais sexuellement attiré — voire éveillé, excité, au supplice, à la torture — serait un euphémisme lamentable. Je l'aurais épousée, je l'aurais suivie n'importe où, j'aurais fait n'importe quoi pour cette femme qui sans raison me paraissait extraordinairement désirable, sensible, pleine de compréhension. C'est peut-être ridicule, mais celui qui a programmé le cœur et l'âme de l'humanité nous a joué à tous un tour cruel et vulgaire.

Il y a eu trois coups brefs à l'entrée. Nue, elle est allée ouvrir. J'ai reculé dans un coin. Elle est revenue aussitôt, suivie par un jeune homme de dix-neuf ou vingt ans, blond et mince, vêtu d'un pantalon kaki froissé et d'un polo.

« Tu es là depuis combien de temps ? a-t-il demandé.

— Pas longtemps.

— Le portier t'a fait des histoires ?

— Bof. Cette crèche me flanque la chair de poule. Ces gens-là, ils ont un chat ?

— Je ne sais pas. »

Il s'est déshabillé, posant ses vêtements sur le dossier d'une chaise, et une fois nu, il l'a prise dans ses bras. Malgré ses vingt ans, il avait du ventre, et ses muscles paraissaient un peu mous. Ils ont roulé sur le lit dans une brève étreinte, elle a ouvert les cuisses et il l'a pénétrée.

Je me suis dit que c'était la première fois que je voyais des gens exécuter l'acte sexuel. Il y a des endroits, m'a-t-on dit, où on paye pour le voir — quoique, à mon sens, on ne revienne pas deux fois. A ma grande surprise, j'ai trouvé ce spectacle aussi déplaisant que fascinant. Ces deux jeunes gens étaient sûrement d'aspect agréable — je ne saurais l'affirmer — mais toute cette agitation charnelle m'a semblé de très mauvais goût. A moins que le côté sordide du spectacle n'ait été dû qu'à ma présence, à mon regard furtif.

Le garçon, sur elle, allait et venait en haletant. Chaque fois qu'il retombait, un peu d'air jaillissait des lèvres de la fille, qui fixait le plafond d'un regard inexpressif. J'ai regardé jusqu'à la fin, qui ne s'est guère fait attendre. Le garçon a poussé de plus en plus vite, les pieds de la fille ont eu quelques frémissements, et subitement toute cette chair est retombée en tas, parfaitement inerte.

Après quelques instants le garçon a roulé de côté, endormi. Les yeux encore ouverts, la fille a pris le bord du drap et s'est essuyée avec. Dans cette position, le drap chiffonné pressé contre ses parties intimes, elle s'est endormie et s'est mise à ronfler doucement.

Déprimé, je suis sorti sans faire de bruit et je me suis rhabillé dans le couloir.

Après cette expérience, j'ai toujours choisi le lit qui me paraissait le moins tentant pour un invité ou un locataire susceptible d'arriver en pleine nuit. J'allais dans la chambre de la bonne, ou d'un enfant, et je me levais tôt : on ne sait jamais s'il ne va pas venir une femme de ménage ou une équipe de peintres pour bouleverser l'appartement de fond en comble. Je prenais la précaution de remettre les clefs où je les avais prises, juste après avoir ouvert la porte, au cas où Jenkins serait sur mes traces : des clefs manquantes seraient le meilleur moyen de signaler ma présence. Souvent, à l'intérieur, je trouvais des doubles que je cachais dans l'escalier d'incendie ou dans la cave. Ou bien je ne verrouillais pas une des portes — celle de service, de préférence — pour pouvoir rentrer en glissant une de mes cartes de crédit, par ailleurs inutiles, entre le pêne et le chambranle.

Néanmoins, quelque peine qu'on se donne, les gens remarquent votre passage, et je ne restais jamais plus d'un soir ou deux. Rien ne prouvait que Jenkins avait vent de mon mode de vie, mais cela ne tarderait pas, et je n'allais pas demeurer sur place pour le laisser venir. Je passais la moitié de mon temps à chercher des appartements vides, et peu à peu, à mesure que je devenais plus habile, la liste de mes refuges possibles s'allongeait. Pourtant, au moindre accroc — qu'un portier ou un garçon d'ascenseur entende un bruit suspect, qu'un voisin sonne à la porte, qu'une bonne remarque un objet déplacé, que je retrouve une porte verrouillée ou une clef disparue de sa cachette —, je partais sans espoir de retour. Il faut bouger, ne pas s'arrêter.

J'avais beau être prudent, ne pas rester en place, je savais que je n'avais qu'une longueur d'avance, et qu'en fin de compte cette méthode ne me permettrait pas d'échapper à Jenkins. S'il ne l'avait pas déjà devinée, il le ferait bientôt. Et à l'approche de l'hiver tout deviendrait plus difficile. Les portes des immeubles se refermeraient. Les appartements vides seraient plus rares. S'il neigeait, je serais pris au piège, où que je sois. Et quand je ne pourrais plus bouger, je serais fait comme un rat.

Il fallait que je trouve un endroit sûr, qui m'appartienne, où je puisse rester, m'organiser une existence supportable. Or j'étais incapable de me présenter pour louer un appartement, comme d'acheter des provisions dans une épicerie. Le téléphone était mon seul moyen d'action. De nos jours, en principe, on peut quasiment tout faire par téléphone. Nick Halloway, malheureusement, était aussi handicapé au téléphone qu'en chair et en os. A cause de Jenkins. Nicholas Halloway était un mort légal.

Je devais tout recommencer à zéro. Me construire une nouvelle identité avec compte en banque et cartes de crédit pour être à même de me procurer tout ce dont j'avais besoin. Or, pour ouvrir un compte, obtenir un crédit, il faut déjà bénéficier d'un certain crédit — une sorte de passé bancaire — qui ne s'acquiert qu'avec des comptes en banque et des cartes de crédit. Il faut aussi un petit quelque chose à mettre sur un compte, et il est presque impossible d'accumuler des fonds sans commencer par avoir un compte. Certes, je pouvais voler de l'argent liquide et même me l'envoyer quelque part. Mais ensuite ? A notre époque, l'argent liquide est presque tombé en désuétude. Tout juste s'il sert à payer une note de restaurant. Une existence financière repose presque uniquement sur des jeux d'écritures. Envoyez une enveloppe pleine d'argent à une banque en leur demandant d'avoir l'obligeance de vous ouvrir un compte, et vous avez les plus grandes chances d'être signalé à la police. Pour ouvrir un compte, il faut un chèque, et pour signer un chèque, il faut un compte en banque.

Après tout, ce n'est peut-être pas le cas de toutes les sortes de comptes. Un compte chez un agent de change, par exemple. A la différence d'un banquier, un agent de change peut très bien accepter de vous ouvrir un compte sans vous avoir jamais vu et même sans avoir de garanties très solides : il se décide lorsqu'il a quelque chose à gagner. Des commissions. Quand il y a des commissions substantielles en vue, on devient coulant. De plus, il est possible d'ouvrir un compte d'actions sans la moindre provision — du moins pendant quelque temps. On peut même convaincre le commis de faire une transaction s'il est persuadé qu'un chèque arrivera à l'échéance, cinq jours plus tard. Jusque-là, il ne risque rien. L'essentiel est de tomber sur un agent de change prêt à négliger quelques formalités dans l'espoir d'une commission, mais d'après mon expérience, j'étais sûr de pouvoir en trouver un.

Ce qui était moins simple, c'était de me procurer un nom assorti d'un numéro de sécurité sociale, et utilisable sans risque, condition première de l'ouverture d'un compte. En plus, il me faudrait une adresse et un numéro de téléphone où recevoir des appels et des documents sous ce nom.

J'ai trouvé l'adresse presque tout de suite. Au bout d'une matinée entière dans un immeuble de la Cinquième Avenue, j'avais seulement appris que « les gens du 7C sont absents ». Pour quelques jours ou quelques années, impossible de le savoir. Mais il y avait un trousseau de clefs dans l'entrée, et je n'avais rien de mieux en vue, de sorte que je suis revenu la nuit pour subtiliser les clefs et ouvrir l'appartement. Une fois le trousseau remis en place, j'ai procédé à une fouille approfondie du 7C.

C'était un appartement spacieux, confortable, avec une vue imprenable sur Central Park, paraissant à première vue complètement inhabité. J'ai trouvé le courrier empilé dans l'entrée, ce qui signifiait que le portier ou le liftier le déposait probablement chaque matin, mais j'ai vu, avec regret, qu'il ne datait que d'une semaine. Ils devaient donc être en vacances. Au matin j'aurais peut-être l'occasion de savoir pour combien de temps. J'ai dormi dans une chambre de bonne qui m'a paru inoccupée depuis plusieurs années.

Le lendemain matin, dans l'entrée, alors que je faisais l'inventaire des tiroirs d'une table, j'ai été désagréablement surpris par le bruit d'une clef dans la serrure. J'ai aussitôt repoussé les tiroirs, et une femme d'une soixantaine d'années, le visage sévère, est entrée et a immédiatement ramassé le courrier de la semaine, comme si c'était son premier devoir. Je l'ai suivie dans une petite pièce attenant au living, où il y avait un bureau. Elle a tout de suite trié le courrier d'une main experte, mettant les périodiques sur une pile, les catalogues et publicités sur une autre, finissant par les factures et la correspondance personnelle. Puis elle a posé les revues sur une table du salon, jeté les prospectus dans une corbeille à papier, et glissé la correspondance personnelle dans une grande enveloppe en papier fort où elle avait déjà inscrit l'adresse de M. et Mme John R. Crosby. Quelque part en Suisse.

Après quoi elle a ouvert les factures et rempli des chèques sur un chéquier qu'elle avait pris dans un des tiroirs du bureau.

Je me suis rapproché d'un pas pour lire l'adresse écrite sur l'enveloppe. Les Crosby semblaient posséder une villa dans le canton de Vaud. Tout cela se présentait du mieux possible. Au bout d'une heure environ, la femme s'est relevée, sans traîner, a rangé le chéquier à sa place et les copies des factures dans un classeur. Elle a fait le tour de l'appartement, du même pas, s'assurant que tout était en ordre, ramassé les chèques et la correspondance à faire suivre, et elle est partie en refermant à clef derrière elle.

Aussitôt, j'ai ressorti le chéquier pour étudier les talons. Depuis le début du chéquier, cette femme était venue chaque mardi. De plus en plus excité, j'ai passé deux jours à fouiller l'appartement pour apprendre tout ce que je pouvais sur les Crosby. J'ai même trouvé une clef de l'entrée de service que j'ai cachée dans l'escalier de secours.

A neuf heures et demie du matin, le mardi suivant, d'un autre appartement, j'ai fait le numéro des Crosby. Au bout de sept sonneries, j'ai eu peur qu'elle ne réponde pas, mais il y a peu de gens qui résistent à un téléphone qui sonne.

« Résidence des Crosby, a-t-elle dit sèchement.

— Je voudrais parler à M. Crosby, je vous prie. De la part de Fred Fmmmph, ai-je marmonné.

— Les Crosby sont absents de New York.

— Toujours en Suisse, n'est-ce pas ? C'est ce que je craignais. Pour quelle date attendez-vous leur retour ?

— Je regrette, mais je l'ignore, a-t-elle dit avec une satisfaction évidente. Si vous désirez laisser un message, je le ferai suivre. Pourriez-vous m'épeler votre nom...

— Vous devez être madame Dixon, n'est-ce pas ?

— Je suis madame Dixon, a-t-elle répondu comme s'il était offensant de l'avoir appelée par son nom.

— C'est merveilleux. John et Mary n'arrêtent pas de parler de vous. C'est un grand plaisir de vous entendre. Vous ne sauriez pas s'ils comptent venir à New York dans les prochains mois, par hasard ?

— Je ne sais vraiment pas ce qu'ils ont prévu. Si vous désirez laisser...

— Oh, après tout, je peux vous le dire — il vaut mieux ne même pas parler de cet appel. Bon, nous sommes toute une bande, des anciens de Marley, et on pensait se réunir... donner un dîner pour John... un peu en reconnaissance de tout ce qu'il a fait pour l'école et ainsi de suite... Dévoiler une petite statue de lui qu'on a fait faire.

— Oh, je vois...

— Et nous espérions qu'il serait à New York cet automne... en septembre ou en octobre.

— Oh, je regrette, ... hum... C'est-à-dire, je suis désolée, mais je crains qu'ils ne rentrent pas avant Noël. En général, ils ne reviennent qu'à Noël, pour voir les enfants.

— Ce serait parfait. Parfait. Mieux vaut ne même pas mentionner mon appel, madame Dixon. Pour ne pas gâcher leur surprise.

— Bien sûr, non... hum...

— Au plaisir de vous avoir connue, madame Dixon. Au revoir. »

Un coup de fil à l'administration de la sécurité sociale m'a appris qu'il me faudrait « venir en personne » pour un entretien, « muni d'un original de mon extrait de naissance et de deux pièces d'identité ». Le bureau le plus proche était sur la 58e Rue est. J'y suis allé, « en personne », malheureusement démuni de tout, et j'ai compris que je ne passerais pas l'épreuve d'un entretien. C'était au onzième étage. Il me fallait donc grimper un escalier interminable. Le bureau était une grande pièce dont une partie avait été plus ou moins isolée par une table en métal et quelques piles de brochures pour servir de salle d'attente. Il y avait là des chaises en fer, branlantes, alignées sur deux rangs, où une demi-douzaine de personnes attendaient, le regard vide, qu'on appelle leur nom.

J'ai contourné la barrière et pénétré dans l'espace administratif où quinze à vingt bureaux grisâtres en métal étaient posés au hasard sur le linoléum. Très peu de gens venaient demander une carte de sécurité sociale, et la plupart étaient mineurs, de sorte qu'il m'a fallu plusieurs heures pour comprendre la procédure utilisée. Le candidat remettait son formulaire dûment rempli ainsi que son extrait de naissance et ses pièces d'identité, puis attendait d'être convoqué pour un entretien. Après cet entretien, qui semblait n'intervenir en rien dans le processus, le préposé prenait note des pièces d'identité, signait et tamponnait le formulaire, lequel cheminait très lentement jusqu'à une des deux femmes installées devant un clavier d'ordinateur, d'où les informations étaient transmises à un ordinateur central quelque part dans le Maryland. Le formulaire lui-même était rangé dans un classeur où il restait plusieurs semaines avant d'être expédié pour classement définitif dans un bureau situé en Pennsylvanie. J'ai passé une bonne partie de la matinée à observer les deux femmes devant leur clavier, notant précisément le moment où elles partaient déjeuner et celui où elles revenaient pointer.

A cinq heures cinq, une fois le bureau désert, j'ai rebranché un des claviers et je me suis enregistré, utilisant les codes et les mots clés que j'avais repérés au cours de l'après-midi. J'ai fait afficher le registre des entrées et inscrit « Jonathan B. Crosby ». La ressemblance avec « John R. Crosby » était suffisante pour que le courrier arrive, et la différence pas assez importante pour que le facteur ou le personnel de l'immeuble se posent des questions. J'ai tapé l'adresse de la Cinquième Avenue et une date de naissance correspondant le jour même à mon vingt et unième anniversaire : j'étais assez vieux pour ouvrir un compte et assez jeune pour que mon absence de passé bancaire paraisse plausible.

Le numéro de sécurité sociale assigné à Jonathan B. Crosby est apparu sur l'écran, et je l'ai appris par cœur. Joyeux anniversaire, Jonathan.

Je passais chez les Crosby tous les deux ou trois jours pour prendre le courrier de Jonathan B. Crosby, prenant garde de toujours venir le lundi matin avant la visite hebdomadaire de Mme Dixon. Au début, bien sûr, je n'attendais que ma carte de sécurité sociale, mais j'espérais recevoir bientôt toutes sortes de bordereaux et de relevés d'agents de change.

Avant d'ouvrir un compte, pourtant, il fallait que j'établisse des projets d'investissements très précis. Et je devais revoir de fond en comble toute ma stratégie financière passée. Je ne pouvais plus me contenter d'avoir raison une fois sur deux sur une période de deux ans, ce qui passait jadis pour un résultat tout à fait satisfaisant. Maintenant j'avais besoin d'un placement de haute rentabilité à court terme — jouissant de plus d'une certitude quasi absolue. C'est l'ambition d'un grand nombre de gens, comme vous l'imaginez, et on a donc le plus grand mal à y accéder, mais mon état me procurait un certain nombre d'avantages.

Pour s'enquérir de ces placements, on peut notamment se placer sur le marché dit 13D — d'après le dossier qu'on doit déposer auprès de la Commission des opérations en Bourse lorsqu'on acquiert plus de cinq pour cent des actions d'une société cotée sur le marché. Une fois placé, on cherche une société qu'on croit sous-estimée en Bourse, ou dont on pense pouvoir augmenter le rendement en en prenant le contrôle. Avec quelques amis, vous achetez peu à peu des actions, aussi discrètement que possible, pour que rien ne fasse monter les cours prématurément. Assez vite, quand vous passez la barre des cinq pour cent, vous devez annoncer plus ou moins clairement vos projets, et probablement faire une offre d'achat aux autres actionnaires à un cours nettement plus élevé que les dernières cotations. Vous réalisez cette opération dans l'espoir qu'on vous achète, ou qu'on renchérisse : soit vous enregistrez un bénéfice rapide et substantiel, soit il vous échoit le contrôle de la société, auquel cas vous procédez de façon à lui donner de la valeur — par une restructuration, le renouvellement d'administrateurs incompétents, la vente des actifs, peu importe. Mais quoi qui se passe — même si vous échouez lamentablement —, le prix des actions grimpera probablement de façon spectaculaire, du moins pendant quelque temps.

A New York, il y a toutes sortes de gens qui occupent le plus clair de leur temps à ce genre d'affaires, et je me suis mis à passer mes journées, et parfois mes soirées, dans leurs bureaux, à l'affût de situations alléchantes. En plus des opérateurs en titre — les individus ou les organisations qui achètent effectivement les actions —, il y a les cabinets juridiques et les banques d'affaires qui les conseillent, leur prêtent leur concours et peuvent se trouver mêlés à un moment donné à plusieurs opérations de reprise. Ils organisent également des transactions d'un autre ordre, telles que des OPA, qui font parfois monter une cote de façon vertigineuse. Les banques d'investissement proposent toutes sortes de services ou d'interventions du plus grand intérêt — tous les services et toutes les interventions, en fait, qui peuvent être exécutés en costume trois-pièces, seule limite imposée par leur éthique professionnelle.

L'après-midi je me rendais au centre ville, et même parfois à Wall Street, où je m'astreignais à monter des étages interminables — plus les informations sont utiles, plus elles semblent éloignées du niveau de la mer — jusqu'au bureau que j'avais choisi. Je passais des heures à écouter des réunions ou des conversations téléphoniques. Quand un de ces financiers sortait de son bureau, je lisais tous les papiers qui traînaient. J'ai ainsi perdu des heures et des jours entiers à écouter des banquiers préparer des reprises qui n'ont jamais eu lieu. J'ai vu des gens amasser d'énormes paquets d'actions, changer d'avis et vendre le tout. Mais peu à peu j'ai appris où employer mon temps de la manière la plus fructueuse, et quels étaient les banquiers ou les experts juridiques qui étaient directement concernés par les opérations de leurs sociétés. Quelque temps après j'ai commencé à suivre de près plusieurs situations particulièrement prometteuses. Et je suis devenu capable de gravir ces escaliers innombrables avec une aisance extraordinaire.

Pendant ce temps, malgré tout, je n'arrivais pas à me trouver un agent de change. Étant donné tous les efforts que j'avais faits pour les éviter au cours de mon existence précédente, c'était étrange. L'inconvénient, c'était que je ne pouvais approcher personne qui ait connu Nicholas Halloway, et en même temps, vu mon état, il me semblait impossible de connaître des gens nouveaux. C'est ainsi qu'en voyant arriver le 27 du mois, je me suis souvenu de l'invitation de Charley Randolph, et j'ai pensé que ce pourrait être la solution de mon problème. Bientôt, en plus d'un agent de change, j'aurais besoin d'un juriste, et aussi d'un comptable. Quel meilleur endroit pour les trouver et les choisir, qu'une de ces réunions mondaines où je pourrais observer un grand nombre d'inconnus à moitié ivres, en pleine conversation ? Je commencerais le soir même, chez Charley Randolph. Il y aurait peut-être même des gens que je connaissais — à cette idée, j'ai eu soudain très envie de revoir des visages connus, d'entendre des voix familières.

Pourtant, à sept heures et demie du soir, devant la porte des Randolph, j'ai failli tout laisser tomber. En entendant le vacarme des conversations, j'ai été pris d'épouvante à l'idée d'entrer dans une pièce pleine de monde, et c'est seulement parce que je m'étais donné la peine de monter treize étages que je ne me suis pas enfui immédiatement. La porte s'est ouverte, un homme est sorti, que je n'avais jamais vu. C'était ma chance : d'instinct, je l'ai saisie. J'ai retenu la porte au dernier moment et je me suis glissé dans l'appartement.

L'entrée donnait dans un atelier plein de gens en train de boire et de bavarder par petits groupes. Au fond il y avait une porte par où les invités entraient ou sortaient d'une autre pièce. C'était le genre de fête qui me convenait : les salles étaient grandes et pas trop encombrées. Quand un de ces rassemblements a vraiment du succès, il faut que je m'en aille. J'ai besoin d'un certain espace vital pour exister auprès de mes semblables.

Avec une émotion soudaine qui m'a surpris, j'ai vu qu'il y avait effectivement des gens que je connaissais. Plusieurs. Bob et Helen Carlson, les Peterson, Corky Farr et Bitsy Walker. Certains que je connaissais même depuis toujours, pour ainsi dire. En y repensant, il n'y en avait aucun dont j'aie jamais été vraiment très proche, mais sur le moment j'ai cru retrouver une intimité absolument bouleversante, et j'ai pensé que j'allais fondre en larmes. J'avais envie d'aller les trouver, d'annoncer ma présence, de tout leur raconter. Oh, comme ils viendraient vers moi, stupéfaits, émerveillés, pour m'accueillir ! Tous voudraient me toucher, m'encourager, m'aider. Il ne faut surtout pas se laisser aller à imaginer ce genre de choses.

D'être parmi eux, pourtant, me réconfortait, me rassurait, même si je ne pouvais pas leur parler. Et ce serait sûrement excitant de les regarder, de les écouter sans qu'ils le sachent. Je verrais tout, j'entendrais tout. En un sens, je les connaîtrais mieux que jamais, et de plus près.

Dès le premier abord, j'ai remarqué avec plaisir qu'ils étaient presque tous plus ou moins saouls. Dans ces circonstances, rien ne me met plus à l'aise que l'ivresse des assistants. Avec le peu de facultés mentales qui leur restent, ils s'efforcent de ne pas oublier le début de la phrase commencée et de lui trouver une conclusion plausible. Quand les gens sont dans un état pareil, je peux presque me détendre.

D'instinct, j'ai regardé où étaient mes hôtes. Charley Randolph se trouvait sur le devant de l'atelier, tourné vers l'entrée pour guetter les nouveaux arrivants, écoutant d'une oreille un gros homme en costume à rayures qui n'avait pas tant l'air de bavarder que de donner un cours. Je me suis joint à eux, du mieux que j'ai pu, à cinquante centimètres.

« Ils vont annoncer un dollar quinze pour le second trimestre », disait le gros avec emphase, mais sans tenir compte de Charley, comme s'il parlait tout seul. C'était peut-être le courtier qu'il me fallait. « Au pire, un dollar cinq, dix pour cent de moins que l'an dernier. » Pendant ce temps, Charley parcourait la pièce du regard. « Mais ça implique la liquidation complète de leur opération Biloxi, et quand on en tient compte, on trouve un revenu d'un dollar quarante à cinquante pour le trimestre et de cinq cinquante à six pour l'année complète, et ça, sans faire intervenir le moindre coup de pouce législatif.

— Où en est la réglementation ? » a demandé Charley d'un ton distrait, sans quitter la porte des yeux.

L'autre type avait quelque chose d'absolument mortel. Mais je pouvais toujours attendre de voir si c'était un agent de change.

« Ça, bien sûr, c'est une question extrêmement intéressante. Nous avons une filiale qui traite en gros les mêmes affaires... »

De l'autre côté de la pièce, j'ai vu Corky Farr se pencher au-dessus d'une fille au décolleté panoramique, un bras tendu sur le mur pour garder l'équilibre. Je suis allé les rejoindre : dans une fête, on gravite toujours vers les gens qu'on connaît — même si on ne peut rien leur dire. Quoique la façon dont la robe comprimait les seins de la femme, les soulevait et les faisait ressortir, ait pu aussi jouer un rôle.

Corky devait être saoul. En tout cas, aux heures où je le voyais, jadis, il était toujours saoul et continuait à boire. Mais il devait aussi avoir envie de coucher avec la fille, malgré le handicap qu'il s'était infligé.

« Mais alors, disait-il en surveillant tout spécialement ses consonnes, sachant d'expérience que sinon elles lui échapperaient et qu'il se mettrait à bafouiller, qu'est-ce que ces gens ont dans la tête ? »

Il a désigné le reste des invités d'un geste large, renversant du même coup une partie de son gin tonic. Après avoir étudié son verre d'un regard profond, il a résolu le problème en buvant une gorgée d'alcool.

« Comprends-moi, ce sont mes amis... Je les aime. » Corky, la tête en avant, avait le regard braqué sur les seins. Il a fait une pause, soit qu'il ait perdu le fil de son argumentation, soit pour profiter tranquillement du spectacle. « Mais, en fin de compte, qu'est-ce qu'ils ont dans la tête... Dans l'âme, si tu veux ? »

Ce qu'il avait dans la sienne était parfaitement évident : du gin, une convoitise débridée, et un vestige de langage articulé. Je me suis demandé s'il aurait pu retirer sa main du mur et rester debout.

Les yeux toujours plongés dans le décolleté, il a continué : « Mais je vois bien que tu as autre chose que tous ces gens. » Il a baptisé une seconde fois l'assistance en renversant un peu de gin. Il s'y prenait de façon plutôt rudimentaire, à mon avis, mais vu son état, il était probablement judicieux d'attaquer en force, droit au but, et de s'y tenir coûte que coûte. L'objet de ses attentions, à voir le flou de son regard, n'avait certainement pas manqué non plus de gin, de sorte que c'était sans grande importance. Quelqu'un, un jour, avait dû lui dire que sa poitrine était ce qu'elle avait de mieux, et elle se tenait très droite, les épaules en arrière et le buste tendu. « Il y a beaucoup plus... »

Elle a levé son verre pour boire en se tournant de telle manière que son sein est venu frôler le torse de Corky, lequel a paru passer d'un seul coup à la vitesse supérieure.

« Et si on allait manger quelque chose chez Mortimer ? a-t-il dit.

— Avec Brad et Sally et toute une bande, on doit aller quelque part, a-t-elle répondu, le regard vide. Pourquoi on n'irait pas avec eux ? On ne sait pas encore où. »

Le visage de Corky s'est plissé sous l'effort, comme si on venait de lui soumettre une équation complexe qu'il aurait pu résoudre, à condition de la garder en tête.

« Mortimer, a-t-il dit après mûre délibération, serait plus près.

— Plus près ? a-t-elle répété sans comprendre. De quoi ?

— De chez moi, a-t-il répondu après un instant de réflexion. Écoute, on peut leur demander où ils vont et on pourra toujours les rejoindre plus tard. »

Brusquement, à travers le brouhaha venu de l'autre pièce, j'ai distingué mon nom. J'avais envie d'assister au dénouement de ce qui se tramait sous mes yeux — un dénouement proche, à la seule condition que Corky reste conscient et retienne l'attention de la fille assez longtemps pour consommer l'acte ardemment désiré. Mais le fait d'entendre parler de moi m'a presque électrisé. Et a du même coup créé un lien avec ces gens avec qui je n'avais pas parlé, dont je n'avais pas fait partie, depuis une éternité.

J'ai plongé dans l'autre pièce pour trouver celui qui avait prononcé mon nom. Près d'une fenêtre, j'ai vu Roger Cunningham et compris aussitôt que c'était sa voix que j'avais entendue. Il discutait avec Charley Randolph et une femme qui m'était inconnue. Plein d'espoir, je me suis avancé. Bitsy Walker et Fred Cartmell, qui bavardaient non loin de là, se sont à moitié tournés pour se joindre à la conversation.

« Quand est-ce que tu l'as eu au téléphone ? » demandait Roger.

J'étais très ému de me retrouver avec mes amis, invisible comme une mouche sur un mur, au moment où ils parlaient de moi.

« Il y a quelques semaines, pas plus. Il a dit qu'il viendrait, mais en fait il y a des mois que je ne l'ai pas vu. Vraiment curieux. Il vivait comme tout le monde et tout d'un coup — sans prévenir — il a tout laissé tomber. Disparu. Et après il y a eu toutes ces histoires bizarres...

— C'est celui qui est allé chez les moonistes ? a demandé la femme que je ne connaissais pas.

— C'est lui, a glissé Bitsy en ricanant. Mais je crois que c'est plutôt chez les Hari Krishna. » Je connaissais Bitsy depuis des années. J'avais couché avec elle une fois, quand nous étions étudiants. « Incroyable, non ? Que ce soit lui, surtout. Il était tellement prévisible, à tous points de vue. »

D'où j'étais, sans qu'on puisse me voir, en écoutant Bitsy et les autres, j'avais l'impression de faire une promenade avec le fantôme du vendredi saint.

« Bon, on ne devrait peut-être pas en parler comme ça, et en fait je ne sais rien de cette histoire, a dit Charley avec l'air de celui qui en sait long et veut que tout le monde comprenne qu'il ne peut rien dire, mais ça ne m'étonnerait pas s'il était dans un truc ultra-secret, genre CIA ou autre. Et que ce truc d'Hari Krishna n'est qu'une couverture. Une sorte d'opération ou je ne sais quoi.

— Tu veux dire que Nick Halloway va infiltrer les Hari Krishna pour le compte de la CIA ? a demandé Fred Cartmell avec un petit sourire sardonique. C'est une sacrée drôle d'idée ! Je veux dire, c'est sûr que c'est un boulot vital et tout, mais je me demande si Halloway est vraiment le type indiqué. D'abord, il faudrait qu'il change de costume pour faire les choses correctement. Et en plus, si jamais les Hari Krishna se doutaient qu'ils étaient infiltrés, je pense que Nick Halloway serait un de leurs premiers suspects.

— Bon Dieu, j'adorerais le voir en robe blanche taper sur un tambourin dans la rue ! s'est exclamée Bitsy d'un air de convoitise. On devrait tous garder l'œil sur les Hari Krishna et jurer que le premier qui le voit prévient les autres.

— A mon avis, a dit Fred, on ferait beaucoup mieux de l'éviter.

— Tu crois vraiment que c'est vrai ? a demandé Bitsy.

— Quoi ? a dit Roger. Le truc de la CIA ou les Hari Krishna ?

— L'un ou l'autre, a répondu Bitsy. Les deux.

— Allons, Charley, a insisté Roger. Qu'est-ce qu'il a dit, au juste, quand tu l'as eu au téléphone ? »

Charley a repris son air mystérieux, baissé la voix et pesé ses mots, prenant un ton solennel : « Je ne suis pas mieux informé que n'importe qui, il faut me croire. Néanmoins, Nick a laissé entendre qu'il était en rapport avec une sorte de service officiel dont il serait inopportun de préciser la nature. Pourtant, je m'étonne de ne pas le voir venir. Je crois qu'il se déplace beaucoup — il est peut-être en voyage.

— En tout cas, ce que je sais, c'est que le FBI ou autre a passé deux bonnes heures à me tirer tout ce que j'ai jamais pu savoir sur lui, a dit Roger.

— Toi aussi ? a demandé Bitsy.

— Ils sont allés voir tous ceux qui se sont trouvés un jour dans la même pièce que lui, a dit Charley.

— Et ils étaient bougrement consciencieux, en plus, a renchéri Roger. Incroyablement consciencieux. Ça en devenait ridicule, à partir d'un certain point. Mais maintenant, ils savent probablement tout ce qu'on peut savoir d'intéressant sur Nick.

— Pas le moindre détail intéressant, j'en suis sûr, a glissé Cartmell. Je défie quiconque de citer un seul fait intéressant au sujet de Nick. C'est même ce qui définit le mieux son personnage.

— Oh, je ne sais même pas de quoi il a l'air, a dit la femme inconnue, mais d'après ce que j'ai entendu, on dirait qu'il a fait au moins une chose digne d'intérêt.

— Oh, Nick est très bien, a affirmé Bitsy sans grande émotion. En tout cas, ça doit être un truc genre CIA. Pas genre Hari Krishna, je veux dire. Il n'a jamais cru à grand-chose, pour ce que j'ai pu en voir. Je n'arrive pas à l'imaginer dans un truc pareil. Je suis sortie une ou deux fois avec lui quand on était étudiants, a-t-elle ajouté pour donner du poids à son jugement, ou peut-être pour se rendre intéressante.

— Pour moi, a dit Cartmell, ce qui n'est pas clair, c'est pourquoi infiltrer les Hari Krishna pour la CIA serait moins bizarre que d'adhérer aux Hari Krishna, tout simplement, sans arrière-pensée tordue. En fait, du point de vue moral et de celui du contribuable, je crois que je préfère ça. Et je n'ai aucune envie que mes impôts servent à financer l'évolution spirituelle de Nick Halloway.

— Pourquoi Nick ne profiterait pas de ton fric ? a demandé Roger. Qu'est-ce qu'ils vont faire de mieux avec ?

— Je préfère que ça aille aux missiles ou contre les faux chômeurs. Halloway n'a jamais montré de dispositions particulières pour l'évolution spirituelle. Et puis, ce fric, pourquoi il ne me reviendrait pas ? Maintenant qu'on change les lois fiscales tous les ans, on ne sait plus trop à quoi s'en tenir.

— J'aurais voulu être conseiller juridique, a dit Roger. C'est incroyable à quel point il faut se casser la tête juste pour savoir ce qu'on doit payer. Je ne sais pas comment font les gens. En ce moment, j'ai un problème avec le fisc — en réalité, ça ne représente pas des très grosses sommes, mais j'ai ces commissions pétrolières, pas tant que ça, mais bien sûr, il y en a une partie qui est “ liée à l’extraction non-Sadlerochit ”, et une autre qu’on appelle “ plus-value tertiaire pétrolière ” Dieu sait ce que c’est —, j’aimerais vous faire voir les déclarations qu’on exige pour ça... »

Au bout d’un moment, j’ai vu que je ne suivais plus le fil de son histoire, alors que je l’aurais sans doute trouvée très amusante quelques mois plus tôt. En fait, ai-je compris, j’étais assez secoué par cette discussion, après avoir eu si envie de l’entendre. C’était le ton de leurs voix, surtout, qui m’avait déprimé. Leur manque de chaleur. Ou d’affection. J’ai cherché à me souvenir de quelle façon j’avais parlé d’amis absents, dans des situations analogues. Sans doute, au fond, cela ne voulait-il rien dire. Mais tout de même cela créait une sorte de vide. De distance.

Un peu perdu, j’ai suivi le couloir jusqu’à la chambre d’amis laissée ouverte pour que les invités puissent laisser leurs manteaux et leurs serviettes sur le lit. Le temps menaçait vaguement de se gâter, malgré la saison, et il y avait un peu partout des imperméables et des écharpes. Je me suis assis sur une chaise, près de la fenêtre. Quelqu’un avait laissé sur le rebord un gin tonic à moitié plein. J’en ai bu quelques gorgées, regardant le liquide couler dans mon œsophage et prendre une forme à peine visible au fond de mon estomac. A ce moment-là, me semble-t-il, j’espérais presque me faire surprendre. En un sens, je me serais senti soulagé. Tout aurait été fini, une bonne fois. Plus d’angoisse, de décisions à prendre. On s’occuperait de moi. Le tonic était éventé, douceâtre, le gin avait une odeur chimique. J’ai fini mon verre. C’était le moment de partir, pensais-je, mais je ne bougeais pas.

J’ai entendu des pas dans le couloir. Helen Carlson est entrée dans la chambre, suivie par Tommy Peterson. J’avais toujours bien aimé Helen : peu bavarde, pleine de bon sens, et solide.

Tommy était en train de dire : « J’ai arrangé ça avec Bob » — Bob Carlson, le mari d’Helen, est un ami — « et on va sortir tous les quatre manger un morceau. »

Les Peterson et les Carlson sont toujours ensemble. Les meilleurs amis du monde.

« C’est à Jane, n’est-ce pas ? » a demandé Helen en tendant un imperméable à Tommy.

Tommy l’a mis sur son bras gauche. Helen a posé sa main sur sa poitrine et l’a glissée ensuite à l’intérieur de son pantalon. Tommy, sur le coup, a fermé les yeux et laissé échapper un souffle bref, à mi-chemin du soupir et du grognement. Il a voulu la prendre dans ses bras, mais la main d'Helen, coincée par la ceinture, les maintenait de biais, dans une étreinte maladroite. Il lui a caressé le dos, tenant toujours le manteau de sa femme sur son bras tendu, comme un employé du vestiaire. Puis il a incliné la tête et l'a embrassée.

J'ai dû faire du bruit. Je ne sais pas. Mais quelque chose a fait qu'ils se sont séparés brusquement, regardant autour d'eux. Personne en vue. Leurs visages étaient à nouveau inexpressifs. Helen a pris son sac et s'est avancée vers la porte en disant : « Et pourquoi pas chez Parma ? »

J'ai entendu leurs voix et leurs pas s'éloigner. Difficile de savoir ce que les autres ont dans la tête et dans le cœur. Difficile aussi, bien souvent, maintenant que j'y pense, de savoir ce qu'on a soi-même dans la tête et dans le cœur. En tout cas, je me sentais un peu démoralisé. D'avoir surpris Helen avec Tommy, quoique ce soit le genre de choses qu'on découvre couramment. Mais aussi à cause de la manière dont je l'avais appris. Sans qu'ils le sachent. Comme un espion. Un voyeur. On s'aperçoit alors que le fait d'avoir épié ces détails intimes, illicites, ne sert qu'à vous éloigner des gens.

Je suis ressorti de la chambre. La moitié des invités étaient partis. Ceux qui restaient étaient ivres, bruyants, grimaçants. Je me suis glissé par la porte de service et je suis descendu. L'air, dehors, était lourd et sale. Il fallait que je me dépêche avant qu'il pleuve. Je n'aurais jamais dû sortir par un temps pareil.

Après cette date, j'ai évité les gens que j'avais connus dans ma vie antérieure, mais, toujours en quête d'un agent de change, j'ai continué à hanter des soirées de tous les styles imaginables, presque chaque jour et pendant plusieurs semaines. Pour moi, c'était une période idéale. En juillet, ceux qui restent à New York, surtout s'ils sont célibataires ou que leur famille est partie en vacances, sortent souvent le soir, dînent au restaurant et passent d'une fête à une autre. Dans la rue, ou sortant d'un taxi, je repérais des petits groupes que je suivais jusqu'au lieu de leurs réjouissances. Parfois même je me contentais d'entrer dans un grand immeuble moderne contenant des centaines d'appartements et de longer les couloirs jusqu'à entendre le vacarme des fêtards au travers d'une porte. Je n'avais pas à chercher longtemps. Il m'arrivait d'en faire trois ou quatre, le même soir, avant d'en trouver une qui me semblait prometteuse. Je pouvais rester des heures à flotter d'une conversation à l'autre, buvant à l'occasion une gorgée prudente dans un verre abandonné dans un coin, avec en guise de paille le tube en plastique d'un stylo-bille invisible, inutilisable, dont j'avais retiré la cartouche d'encre. A certains moments, je crois, j'oubliais même que je n'étais pas vraiment un invité de la fête.

A la mi-juillet, après avoir soigneusement observé plusieurs courtiers susceptibles de me convenir, j'ai fini par me décider pour un certain Willis T. Winslow, III. J'avais rencontré pour la première fois ce Willy, comme l'appellent ses amis, dans une soirée de la 72e Rue, où je l'avais vu entreprendre de façon agressive un jeune homme de son âge à propos d'un fabricant de platines Hi-Fi qui vendait à quarante ou cinquante fois le coupon annuel. J'ai tout de suite senti qu'il pourrait faire l'affaire. D'abord, alors que la soirée commençait à peine, il avait beaucoup bu et ne semblait pas vouloir se modérer. Willis, comme je m'en suis bien vite rendu compte, boit presque continuellement quand il est en compagnie. De plus, au contraire de tant d'autres, il ne perd pas le nord quand il est seul, et continue à boire. Je ne l'ai plus quitté de la soirée, et il a bientôt eu du mal à tenir sur ses jambes. Les jours suivants, j'ai appris où il vivait, l'école qu'il avait fréquentée, le genre d'amis qu'il avait. Une fois j'ai même passé plusieurs heures dans son bureau à observer la façon dont il parlait à ses clients, au téléphone, et ses tentatives sporadiques pour s'astreindre à lire un rapport d'enquête. Vers onze heures du matin, il allait prendre une tasse en carton au distributeur d'eau fraîche, la glissait dans un tiroir et réussissait à la remplir de gin avec une bouteille qu'il cachait dans son bureau.

A la troisième semaine de juillet, une occasion s'est enfin présentée. Un des bureaux où je m'étais ennuyé pendant des heures et des heures, le mois d'avant, était celui de Myron Stone, un des opérateurs les plus brillants et les plus redoutés de la place — et ce, dans une corporation où le souvenir des succès passés est l'instrument majeur, et de loin, des succès à venir. En sept mois, sans faire de bruit, il avait amassé sur plusieurs comptes anonymes contrôlés par lui-même et par ses associés, un peu moins de cinq pour cent des actions d'Allied Resources Corp., les payant de neuf dollars et demi à onze dollars, avant de marquer une pause de quelques semaines pour rassembler ses forces en vue de l'assaut final. Pendant la période où je l'avais observé, il avait accumulé un trésor de guerre d'environ cent millions de dollars en engagements fermes (plus tard, devant la presse, il parlerait de trois cents millions) et préparé avec ses avocats toutes les formes légales d'attaque et de défense imaginables. A la mi-juillet, j'ai remarqué que son activité était passée à un niveau supérieur et qu'il allait bientôt devoir donner le signal de la mise à mort. Il restait dans son bureau nuit et jour, et comme j'étais de plus en plus fasciné par son entreprise, j'y passais beaucoup plus de temps que ne l'exigeaient mes propres projets. Ce qui me stupéfiait, avant tout, c'était la quantité d'informations qu'il avait réussi à obtenir à propos d'Allied Resources et de ses dirigeants, et à quel point il avait prévu toutes les étapes du démembrement et de la restructuration ultérieure. Par contre, comme il n'avait rien d'un sentimental, on pouvait s'attendre à ce que les administrateurs de la société passent par une période des plus angoissantes. Après tout, il était peut-être plus humain et préférable pour tout le monde, que les dirigeants actuels ignorent jusqu'au dernier moment tout ce qu'allait faire Myron Stone dans l'intérêt de leurs actionnaires, alors qu'eux-mêmes n'en avaient pas vu la nécessité.

Le troisième lundi de juillet, à l'ouverture, Myron Stone a repris ses achats d'Allied Resources, et très vite dépassé la barre des cinq pour cent. Il lui restait dix jours pour acheter des actions en secret, avant d'avoir à déposer son 13D à la COB et annoncer ses intentions à un public innocent et sans défiance. Pendant ces dix jours, grâce à des agents de change et des comptes à différents noms apparemment sans rapport avec lui, il raflerait le maximum d'actions avant que l'annonce soit publiée, que les cours montent en flèche, que les administrateurs d'Allied Resources s'aperçoivent de ce qui leur arrivait et essayent de réagir. Mais ses achats massifs, à eux seuls, feraient grimper les prix : de plus en plus de gens allaient comprendre ce qui se passait — ou du moins qu'il se passait quelque chose —, ce qui contribuerait à une hausse vertigineuse des cours juste avant l'annonce légale.

Le lendemain du jour où Stone a dépassé les cinq pour cent, j'étais chez les Crosby, et j'attendais le départ de Mme Dixon. Dès qu'elle a refermé la porte, j'ai appelé M. Willis T. Winslow :

« Allô, Willy ? Ici Jonathan Crosby... On s'est vus hier soir.

— Oh, bien sûr ! Comment allez-vous ? »

Dans le meilleur des cas, il n'aurait qu'un souvenir très imprécis de la nuit dernière, ou des nuits précédentes.

« Super, merci ! ai-je dit avec autant d'enthousiasme juvénile que j'ai pu. Notre discussion m'a vraiment beaucoup plu, et je voudrais en profiter pour ouvrir un compte chez vous. Est-ce que c'est une heure qui vous convient ? Je ne voudrais pas vous déranger si vous êtes occupé.

— Oh, non ! Pas du tout... Je veux dire, je suis toujours occupé, mais c'est aussi bien maintenant. Seulement je... Euh, donnez-moi donc quelques renseignements, Jonathan... Que je mette la paperasse en route... Juste une seconde... Le temps de trouver les formulaires...

— J'ai été très content, ai-je dit pendant qu'il cherchait ses papiers, d'avoir des nouvelles de Jim Washburn. Même si j'étais plus proche de Bob, son frère. Affreux, ce qui lui est arrivé.

— Terrible, a-t-il répondu, l'air absent. Voyons voir. Non, ce n'est pas ça... Les gens conduisent beaucoup trop... Désolé de mettre si longtemps. Vous étiez à Hotchkiss avec Bob ?

— En fait, je les ai connus avant. Avant que nous allions vivre en Suisse. Des gens bien, les Washburn. Vous avez dû connaître aussi Peter Andrews, à l'université ?

— Bien sûr. Absolument. Un type bien. Je crois qu'il est en Californie, maintenant.

— C'est ce qu'on m'a dit. Vous êtes de la même promo que Peter ?

— L'année d'après. Un type bien... Ah, voilà. Laissez-moi prendre quelques renseignements. Bon, à quel nom voulez-vous inscrire votre compte ?

— Jonathan B. Crosby », ai-je épelé.

Adresse personnelle : sur la Cinquième Avenue. J'ai senti que cela lui plaisait. Adresse professionnelle ? Je lui ai dit qu'en ce moment je ne faisais rien de précis, et qu'en attendant j'habitais chez mon oncle. Numéro de sécurité sociale ? Je l'ai donné. Références bancaires ?

« Mince, à vrai dire, je crois que je n'ai jamais eu de compte en banque. Pas que je sache, à part les fonds de ma rente. Quand j'ai besoin d'argent, j'appelle Herr Wengler — un des types qui travaillent pour mon père — et il s'en occupe. Il s'occupe de tout, en réalité. Mais je vais sûrement ouvrir un compte ici. Je veux dire que c'est une des premières choses que je vais faire. Je n'ai pas encore eu le temps de tout mettre au point. »

Est-ce que mon père avait une banque à New York ?

« Eh bien, je ne pense pas qu'il ait vraiment ouvert un compte, mais je sais qu'il y a des années, quand il venait encore à New York, il y avait une sorte d'arrangement avec une banque où on pouvait lui envoyer de l'argent de Suisse. Il n'y en a pas une qui s'appelle Morgan quelque chose ? »

Il m'a dit qu'il y avait la Morgan Guaranty. Et il m'a demandé avec quoi je pensais ouvrir mon compte.

« Avec quoi ? me suis-je étonné. J'espérais pouvoir l'ouvrir avec vous. Par téléphone. En fait, j'avais l'intention d'acheter des titres dès aujourd'hui.

— Quel genre d'argent ou de titres pensez-vous mettre pour commencer ?

— Eh bien, c'était une des questions que je voulais vous poser. Combien croyez-vous que je devrais faire venir ?

— Bon, je... De combien dispo... Jonathan, il vaudrait peut-être mieux commencer par me donner un bref aperçu de votre plan d'investissements dans le contexte global de votre situation financière. Nous pourrions ainsi l'intégrer...

— Je me disais qu'on pourrait simplement commencer avec cent ou deux cent mille dollars pour voir ce que ça donne. Croyez-vous que ça peut suffire ?

— Voyons, bien sûr, a-t-il dit très vite, en calculant le montant de ses commissions. C'est-à-dire, naturellement, certaines stratégies exigent un apport en capital plus substantiel, mais il est sans doute prudent de commencer à ce genre de niveau. Dites-moi, Jonathan, comment allez-vous effectuer les paiements ? Il semble que...

— Oh, c'est juste. Vous avez raison de me le rappeler. Je vais leur demander un mandat, un transfert ou autre chose. Je ne sais pas vraiment comment ça se passe, mais j'en ai déjà parlé avec Herr Wengler. Je dois lui indiquer un numéro de compte chez vous pour qu'il puisse s'en occuper.

— Je vais vous en trouver un tout de suite, Jonathan. » Je l'entendais pianoter sur un ordinateur. « Voyons encore un ou deux détails pour ouvrir ce compte... Dans quel but allez-vous diriger vos investissements ?

— Dans le but de gagner beaucoup d'argent, j'imagine.

— Oui, mais...

— C'est ce qu'ont fait mon père et mon grand-père, et je pense que j'ai envie de suivre leur exemple.

— Oui. Eh bien, c'est excellent, Jonathan. Mais je parlais de la stratégie prévue pour cette partie de vos biens. C'est-à-dire, êtes-vous intéressé par la préservation du capital. Le rendement, la plus-value à long terme, la spéculation... ?

— La spéculation, je crois. J'aimerais m'y mettre pour de bon, vraiment sentir le marché. Je veux dire que je suis même prêt à perdre de l'argent, au début, pour apprendre les ficelles. J'ai surtout envie d'acheter et de vendre, autant que possible. »

Il y a eu un silence. Willis T. Winslow III devait avoir le vertige en imaginant ses pourcentages.

« C'est justement pour ça que j'ai été si intéressé, l'autre soir, par vos idées. On voit bien que vous y avez réfléchi sérieusement. Et, dites-moi — après tout, c'est ce genre de questions que je devrais vous poser —, est-ce que la plupart de vos clients gagnent de l'argent ? Je ne voudrais pas être grossier, mais...

— Pas du tout. Pas du tout. C'est une excellente question. » Sa voix est descendue au moins d'une octave. « Je crois pouvoir dire que mes clients sont satisfaits du rôle que j'ai joué, d'une façon ou d'une autre, dans leurs programmes d'investissements. »

En un sens, ces gens-là disent la vérité : à un moment donné, les clients qui restent chez un agent de change sont forcément ceux qui font un certain bénéfice ou ceux qui n'ouvrent jamais leur courrier.

« Parfait. Je m'excuse d'être si pressé, mais comme je vous l'ai dit hier soir, il y a un titre dont m'a parlé un ami de mon père et que je veux acheter aujourd'hui même.

— Eh bien, il nous faudrait avoir une certaine provision sur le compte pour...

— Oh, mince ! J'ai dû mal comprendre ce que vous disiez hier soir. J'ai cru que tant que l'argent arrivait dans les cinq jours... C'est pour cette raison que j'étais si pressé d'ouvrir ce compte.

— Et je n'ai pas votre signature sur le dossier...

— Fichtre, je vous crée beaucoup de problèmes, n'est-ce pas ? Je ne me rendais pas compte. En fait, mon père connaît quelqu'un chez... Kidder & Peabody ? C'est bien le nom d'un cabinet de courtage ? Je crois que c'est ça, Kidder & Peabody. De toute façon, j'ai son nom. Il pourrait probablement s'en charger tout de suite, et dans quelques semaines, quand j'aurai un compte en banque et tout ça, je pourrais vous rappeler. Pour vous, ce serait peut-être mieux ?

— Jonathan, qu'est-ce que vous vouliez exactement acheter aujourd'hui ?

— Oh, j'avais pensé... (je me suis demandé une dernière fois jusqu'où je pouvais aller) à deux mille actions d'une compagnie appelée Allied Resources. Cet ami de mon père m'a dit qu'il fallait s'y prendre immédiatement... »

J'entendais cliqueter les touches de son ordinateur.

« Ça fait dix trois quarts à la vente, onze un quart à l'achat », a-t-il dit d'un ton distrait, calculant la somme totale.

Disons vingt-deux mille dollars sur un titre s'échangeant à six fois le bénéfice annuel et à un point et demi de sa cote la plus basse. Guère de risque de baisse. Mais s'il hésitait, j'étais prêt à marchander. J'accepterais mille, ou même cent. L'essentiel était de passer de zéro à quelque chose.

« La question, c'est qu'il faut absolument que les fonds soient virés dans les cinq jours ouvrables.

— Je crois que les transferts se font en vingt-quatre heures.

C'est ce que m'a dit Herr Wengler. Vous êtes sûr que cela ne vous ennuie pas trop ? Je ne voudrais pas laisser passer cette occasion.

— Du moment que le compte est approvisionné demain... Jonathan, j'ai sous les yeux quelques informations sur ce titre. Savez-vous exactement pourquoi l'ami de votre père vous l'a recommandé ? Ce n'est pas une valeur que j'ai suivie personnellement, mais je vois qu'elle n'a pas été très brillante cette année. »

Autrement dit, il ne la trouvait pas assez chère, et il aurait préféré une action déjà orientée à la hausse. Tous les agents de change sont pareils. Je lui ai répété que ce conseil venait d'un très bon ami de mon père, à qui je faisais entièrement confiance. Il m'a dit qu'il m'envoyait quelques papiers à signer, par coursier. J'ai répondu que je serais sorti, mais que je les renverrais par la poste le soir même.

Cinq minutes plus tard, il m'a rappelé pour me dire qu'il avait acheté mes deux mille actions à onze et demi. On se demande parfois comment c'est possible quand la cote en est à dix trois quarts, onze un quart. Eh bien, c'est l'avantage de payer une commission normale : je bénéficiais ainsi du génie financier de Willis T. Winslow, certes, mais surtout, quand il s'agissait d'exécuter les ordres, du talent et du poids qu'avait le service commercial de son cabinet.

D'un autre côté, Allied Resources était peut-être déjà orienté à la hausse, puisque Myron Stone y mordait à belles dents sous plusieurs noms différents. J'espérais que c'était le cas. Je m'étais donné beaucoup de peine, et j'avais tout misé sur cette opération, avec l'impression que c'était presque à coup sûr. Même sans les achats prévus, l'action me semblait sous-évaluée, comme à Myron Stone, et je ne voyais pas grand risque de baisse. Mais on ne peut jamais en être sûr. Si le titre, dans les jours suivants, baissait de façon inexplicable — ou même si son prix ne changeait pas —, il faudrait que j'oublie Jonathan B. Crosby et Willis T. Winslow et que je recommence tout à zéro.

J'ai attendu toute la journée dans l'appartement. Le formulaire d'inscription est arrivé à trois heures. Le portier est monté aussitôt le déposer dans l'antichambre. J'ai signé ce qu'il fallait et glissé les papiers dans la boîte aux lettres du couloir.

Je ne suis pas un de ceux qui regardent la Bourse à la télévision, mais ce jour-là, j'ai cherché la chaîne financière transmise par câble et je n'ai pas quitté l'écran des yeux jusqu'à la fin de la séance. Allied Resources a terminé à douze un quart, ce qui n'était pas un mauvais début. J'avais déjà plus que couvert les commissions de la transaction. Bien sûr, demain l'action pouvait retomber à dix et y rester un an. Pour moi, d'ailleurs, ce n'était pas la question : une semaine, ou un peu plus, avec de la chance, c'est tout ce que j'avais. Il n'y a jamais rien de sûr, surtout à si bref délai.

J'ai attendu jeudi après-midi pour rappeler Willis. Je lui ai dit que d'après Herr Wengler, l'argent partait par télex et devrait arriver d'ici deux jours ouvrables. « J'imagine que ça signifie demain ou lundi, ai-je ajouté comme si je venais de résoudre un problème des plus compliqués.

— C'est très bien », a dit Winslow d'un ton absent.

Il n'était pas encore inquiet. Je me demandais quelle serait son humeur d'ici une semaine.

« Je pars pour le week-end et je ne rentre que lundi après-midi. Je vous appellerai à ce moment-là, juste pour être sûr que tout est arrivé.

— OK. Je vois ici qu'Allied Resources a monté un peu. On dirait que votre ami a été de bon conseil. Qui est-ce, au juste, je ne me souviens plus ?

— Oncle David ? C'est un ami de mon père. Une sorte de banquier. Je crois qu'il fait partie d'un tas de conseils d'administration ou autres. Il faut que je me dépêche, on m'accompagne à Southampton. Passez un bon week-end. »

Allied Resources a terminé à treize et demi. J'avais oublié l'exaltation qui nous vient quand on gagne au jeu. Surtout quand on s'est donné du mal. C'était parti. Le reste, me suis-je dit, serait facile.

A la clôture, vendredi, le titre est retombé d'un demi-point, de façon inexplicable. Treize. Inutile d'y penser. Le marché était fermé pendant deux jours. Il n'y avait qu'à attendre.

J'ai rappelé Willis lundi après-midi.

« Ciao, Willis. J'appelle juste pour savoir si vous avez reçu mon inscription et tout le reste.

— Oh, Jonathan ! Je suis content de vous entendre. J'ai essayé de vous joindre. Nous avons bien reçu votre inscription, mais nous n'avons pas...

— Et est-ce que l'argent est bien arrivé ?

— Nous n'avons encore rien reçu. J'ai demandé qu'on me prévienne dès qu'il y a du nouveau. Ce que je voudrais, c'est que vous me donniez le nom exact de la banque qui effectue le transfert et son numéro de télex, afin que nous...

— Fichtre, c'est terrible. Je ne sais pas ce qui a pu se passer. Herr Wengler m'a dit qu'il devrait être déjà là.

— Eh bien, Jonathan, donnez-moi simplement le nom de cette banque, et nous essaierons de résoudre ce problème.

— Mince, il faudra que je le demande à Herr Wengler. En fait je ne sais rien de précis là-dessus... Peut-être vaut-il mieux qu'il vous appelle ? Pensez-vous que c'est une bonne idée ?

— Ce serait peut-être la façon la plus simple de régler cette affaire. Mais êtes-vous certain qu'il a fait transférer les fonds ? Il n'y a aucun doute qu'il en a donné l'ordre ?

— Aucun ! Il a été très clair là-dessus. Il est toujours d'une précision effrayante.

— Bon, je suis heureux de l'apprendre, Jonathan, parce que je me suis personnellement engagé dans cette transaction, et demain c'est la date limite.

— Mince, je vais tout de suite rappeler Herr Wengler. Je veux dire, on peut toujours compter sur lui... A propos, comment va Allied Resources ?

— Aux dernières nouvelles, c'était monté d'un point depuis votre achat... Attendez un instant... Treize. Un point et demi depuis votre achat.

— Fichtre. Super, en tout cas. Mais je suis vraiment désolé pour cet argent qui n'arrive pas. Je ne sais pas ce qui a pu se passer. J'appellerai Herr Wengler demain à la première heure et je vous préviendrai dès que j'aurai trouvé quelque chose. Vous serez là en début d'après-midi ?

— Je serai à mon bureau. A demain, alors. Et je suis vraiment désolé. »

Seulement un point et demi. Alors que Stone raflait toutes les actions qu'il pouvait trouver. Pourvu que ça marche ! Il me restait probablement deux ou trois jours avant d'être éliminé. J'ai pensé lancer une rumeur à propos de Myron Stone et d'Allied Resources, pour accélérer les choses, mais je ne voulais surtout pas prendre le risque, si minime fût-il, d'une enquête de la COB. Ce qu'il fallait, c'était empêcher le plus longtemps possible Willis et ses employeurs de vendre mes parts. Et faire en sorte que Willis ne tombe pas sur Mme Dixon. Demain mardi.

Cette nuit-là, j'ai dormi chez les Crosby. A sept heures, je me suis levé et j'ai débranché les sonnettes de tous les téléphones.

Mme Dixon, ponctuelle, est arrivée à neuf heures, et je ne me suis pas éloigné du bureau tant qu'elle est restée dans l'appartement. Si par hasard elle prenait le téléphone juste au moment où Winslow m'appelait, je devais le savoir. Personne ne s'est manifesté. Elle est partie un peu avant onze heures.

Je suis sorti tout de suite après pour téléphoner d'un autre appartement, car Mme Dixon avait l'air du genre à remarquer instantanément quelques dollars de plus sur la facture mensuelle.

En décrochant l'appareil, j'ai enveloppé le micro dans un torchon, et pour faire bonne mesure, je l'ai approché d'une radio portable réglée pour ne produire que des parasites. Puis j'ai appelé Willis.

« Allô, monsieur Vinsslow ? ai-je dit très vite, d'un ton brusque, dès qu'il a décroché.

— Allô ?

— Rudi Schlesslgemuenze à l'appareil, de la banque Schildkreuzige Landsschleierschafts.

— Allô, je regrette, mais je...

— Je fous appelle au sujet du transfert de teux cent bille dollars US provenant chez nous d'un compte au nom de Jonathan Crosby.

— Oui, c'est ça, a dit Winslow, soudain intéressé. Pouvez-vous me donner votre... ?

— Aussi, che veux confirmer le numéro du compte si fous foulez bien. »

J'ai lu d'une voix heurtée, le plus vite possible, le numéro qu'il m'avait donné.

« Oui, c'est..., je veux dire, je pense que c'est... Pourriez-vous répéter ? »

J'ai recommencé, moins distinctement, et peut-être même plus vite.

« Il me semble que la ligne n'est pas très bonne. Je vais vous lire moi-même le nom et le numéro du compte. »

Après quelques tâtonnements, il a récité l'intitulé du compte.

« Parfaitement, ai-je dit. Actuellement, nous recherchons la destination de ces fonds. Nous pensons qu'ils sont à New York depuis hier.

— C'est très bien. J'espère que vous les retrouverez, car en fait, nous devrions en disposer dès aujourd'hui.

— La rectification ne sera certainement qu'une question d'heures — et de toute façon, puisque fous traitez avec les

Crosby, il ne me semble pas que fous ayez des inquiétudes à fous faire. Je fous rappelle demain pour confirmer le transfert.

— Pouvez-vous me donner votre nom et votre numéro au cas où, de mon côté, quelqu'un aurait besoin de vous joindre ?

— Pien sûr, ai-je dit. A demain. Au revoir. »

J'ai raccroché.

Au bout de cinq minutes, j'ai rappelé en tant que Jonathan Crosby.

« Ciao, Willy. C'est Jonathan. Je viens d'avoir Herr Wengler, il y a quelques minutes, et il m'a promis qu'il allait faire en sorte que la banque arrange toute cette histoire de transfert. Il m'a aussi chargé de vous dire qu'un employé de la banque vous appellerait aujourd'hui même.

— Il a déjà téléphoné. A propos, pouvez-vous me donner le nom de votre banque en Suisse ?

— Nom d'un chien. J'ai oublié de le demander à Herr Wengler.

— Bon, il semble qu'ils aient pris les choses en main. C'est juste que nous sommes à la date limite de ces actions que vous avez achetées. D'ailleurs, elles ont l'air de faire des progrès étonnants. » Je l'ai entendu tapoter sur son clavier. « Quatorze à l'offre, quatorze et demi à la demande.

— Mince, c'est super. Mais je suis vraiment désolé pour cette complication. J'espère vraiment que cela ne vous a posé aucun problème. Je vous rappelle demain pour être sûr que tout est arrangé. »

Cela n'avait pas l'air de trop l'émouvoir, mais pour le mettre de bonne humeur, je l'ai laissé m'exposer quelques-uns de ses projets au sujet de mes deux cent mille dollars. Pour toute stratégie, Willis recherchait les titres à très haut P/E n'ayant jamais versé le moindre dividende à leurs actionnaires. Apparemment, il préférait ceux dont le prix venait d'augmenter, ce qui d'après lui indiquait qu'ils étaient « déjà dans la course ». Dans l'ensemble, il valait mieux que ces deux cent mille dollars n'arrivent jamais.

Allied Resources a fait quinze un huitième à la clôture, et j'ai compris que j'avais réussi mon coup. Il me restait juste à savoir jusqu'où je pouvais aller. Le lendemain, j'ai appelé Winslow. Plus nerveux qu'avant, il m'a réclamé avec insistance quelques renseignements : le nom de la banque suisse, le numéro de Herr Wengler, n'importe quoi. Je lui ai promis de téléphoner aussitôt à

Herr Wengler et de le rappeler après. Entre-temps, Allied Resources était monté à seize, ce qui nous a soulagés l'un et l'autre.

J'ai rappelé juste avant quatre heures, pour que le marché soit clos avant la fin de notre conversation. Je lui ai dit mince, je suis vraiment désolé pour tout, mais Herr Wengler était absolument stupéfait que l'argent ne soit pas encore là : il avait cru que l'affaire était réglée. Willis T. Winslow III n'avait pas l'air heureux.

« L'ennui, Jonathan, c'est qu'on m'a rappelé à l'ordre. Pour un nouveau compte, j'aurais dû attendre que les fonds soient effectivement versés avant d'effectuer une transaction. Et il est possible, Jonathan, qu'au fil de la conversation, j'aie pu dire à certains de mes collègues que je connais votre famille depuis des années, ce qui en un sens n'est pas faux, mais si jamais cela vous revient, vous pourriez vous en souvenir...

— Mince, je suis vraiment désolé de tout ça, ai-je dit. Je ne sais plus quoi faire.

— Eh bien, Jonathan, je crois que de notre côté nous allons devoir vendre vos parts d'Allied Resources. Le marché vient de fermer, mais demain matin... Je ne veux pas me laisser surprendre.

— Mince, bien sûr. Faites pour le mieux, à votre idée. Je suis vraiment consterné. C'est la nuit en Europe, à cette heure-ci, mais je vais quand même les rappeler et je vous mettrai au courant demain matin à la première heure. Si vous pouviez attendre mon coup de fil, ce serait super, mais de toute façon, allez-y, faites ce qu'il faut. J'espère seulement que je ne vous ai pas attiré des ennuis. Parce que je compte vraiment pouvoir travailler avec vous. Le plus simple serait peut-être que je leur demande un autre envoi de deux cent mille dollars ? Qu'en pensez-vous ?

— C'est peut-être une excellente idée, Jonathan. Mais je ne veux pas que vous vous inquiétez pour ça. Je serai en mesure de tout régler de mon côté. Cela n'aura aucune influence sur nos rapports de travail. Ce sont des choses qui arrivent. »

Le lendemain, ils ont fini par vendre mes parts, et ils en ont tiré dix-sept un quart. Commissions déduites, cela me laissait presque dix mille cinq cents dollars : excellent résultat pour un investissement nul. Pas assez pour entreprendre grand-chose, mais plus qu'assez pour continuer. Jonathan B. Crosby venait de prendre de la valeur. C'était devenu un être substantiel. Ce jour-là, j'étais sûr d'avoir gagné. Ils ne pourraient plus jamais m'attraper. Je vivrais ma vie à ma guise.

Dans ma joie, j'étais prêt à continuer immédiatement. J'allais ouvrir un compte en banque, acheter un appartement. J'avais déjà déniché Willis T. Winslow et de la même façon, je me mettrais en quête d'avocats et de comptables pour administrer mes affaires. Jenkins pourrait toujours essayer de me retrouver.

Sur la Troisième Avenue, en voyant un groupe de cinq personnes entrer dans un immeuble, j'ai compris qu'ils se rendaient à une sorte de fête. Ils parlaient très fort, presque en criant, au lieu de bavarder entre eux, et se lançaient force bourrades amicales. Les hommes avait le col déboutonné, la cravate défaite, les deux bouts vaguement noués par-devant — un style que j'associe aux courtiers d'agents de change. Le genre de gens qui devaient justement s'assurer les services des professionnels dont j'avais besoin. En outre, les soirées qu'ils organisaient devaient être assez animées, et je me sentais d'humeur à célébrer mon succès.

Le portier leur a indiqué le dernier étage, et ils sont montés dans un ascenseur automatique. J'ai regardé les chiffres défiler sur le cadran. Pour moi, cela représentait trente-quatre étages à pied. Un autre ascenseur est arrivé et un homme en est sorti, laissant la place vide. Je suis entré, sautant sur l'occasion. Pourquoi pas ? Grâce à mon récent triomphe en Bourse, j'étais plein d'assurance, sûr d'être assez rapide et malin pour me tirer de n'importe quel mauvais pas. J'ai appuyé sur le dernier et l'avant-dernier boutons et je suis descendu à l'étage d'en dessous : malgré mon audace toute fraîche, je ne voulais pas risquer de me trouver dans un ascenseur où pourraient s'engouffrer des passagers — encore moins une troupe de fêtards.

Après avoir monté le dernier étage et m'être introduit dans l'appartement, je me suis retrouvé dans une grande pièce remplie de gens qui ressemblaient à ceux que j'avais suivis en bas de l'immeuble. D'après leurs conversations, la plupart étaient des courtiers sur le marché des denrées. Que vous le sachiez ou non, je ne vais pas vous expliquer en quoi consiste leur travail — dans le « trou », comme on dit très justement — car, quel que soit votre point de vue, vous trouveriez cela encore plus déplaisant que ce qu'ils font pour se distraire. En tant que profane, néanmoins, je vous dirai qu'à mon avis, la seule façon de gagner de l'argent, à long terme, sur le marché des denrées, c'est de prélever des commissions sur les pertes des autres.

Pourtant, entre autres qualités, ces gens déploient une énergie folle, inépuisable. Ils ne cessent de pousser, de tirer, de crier, au travail ou ailleurs, et s'ils dorment jamais, ce dont je doute, ils doivent crier jusque dans leur sommeil. De sorte qu'ils acquièrent peu à peu des voix rauques, rocailleuses, et qu'au milieu des conversations avec un voisin, ils peuvent se mettre à hurler à l'autre bout de la pièce : « Hé, Ronnie ! Ronnie ! Écoute ça ! Ce matin à dix heures, Norman va clôturer ses tripes de porc... » Par instinct, ils se gorgent de toutes sortes de sensations, ce qui entraîne une obésité prédominante et le désagrément d'un fond musical omniprésent. Ils ont tendance à vivre sur un très grand pied, par rapport au reste de l'humanité, et y parviennent grâce à une gestion rigoureuse : après avoir calculé ce qu'ils pourraient gagner si tout se passait au mieux, ils ne dépassent cette somme que s'ils en ont vraiment envie. Ils en sont d'autant plus actifs sur le marché, et croient que pour réaliser de grands profits il faut prendre des risques énormes.

Par les fenêtres je pouvais voir une grande terrasse, et au-delà, dans toutes les directions, la vue s'étendait sur des kilomètres. Même sans savoir combien valait l'appartement, la quantité de cocaïne qui circulait aurait largement suffi à le payer. Ces gens ont l'habitude, à intervalles réguliers, de rouler un billet de un dollar — ou plutôt de cinquante — et d'aspirer un peu de poudre par les narines. Ensuite, pour remettre les choses en place, ils avalent quelques verres de rhum ou de vodka accompagnés de jus de fruits. Que ce soit pour eux une manière d'oublier leurs activités professionnelles ou inversement de les prolonger, je ne saurais le dire.

Il y avait beaucoup de gens, dispersés dans tout l'appartement, et on entendait des cris et des rires dans les autres pièces et sur la terrasse. Les femmes, sans être peut-être d'une beauté parfaite, souvent un peu plus opulentes qu'on ne l'aurait rêvé, gardaient un attrait fondamental. De plus, au contraire de ce qui se passe actuellement dans la plupart des soirées new-yorkaises, on n'avait aucun mal à les distinguer des hommes.

Je suis allé dehors. Le soleil venait de se coucher, laissant le ciel bariolé de couleurs extravagantes. La terrasse faisait le tour de l'appartement, sur trois côtés. A l'ouest, elle était très large, remplie d'invités installés sur des sièges de jardin ou appuyés aux balustrades, en train de boire et de bavarder. Mais au nord, ce n'était plus qu'un étroit balcon où je me suis installé, aspirant furtivement quelques gorgées d'un gin tonic abandonné à l'aide du tuyau en plastique fourni par mon crayon à bille. Dans la lumière du crépuscule, je ne distinguais même pas la mince colonne de liquide transparent s'élever et se dissiper en l'air. Un peu plus loin, j'entendais les gens se vanter en riant de leurs exploits dans le « trou », et je pouvais contempler autour de moi les hautes falaises de béton et de verre. Même quand on a passé toute sa vie à New York, on reste saisi par la puissance de ce paysage.

Une femme a tourné le coin du balcon, et je me suis reculé pour ne pas me trouver en travers de son chemin. J'ai vu alors que, par-derrière, un homme la guidait. Une fois à l'abri des regards, il l'a poussée contre le mur et l'a embrassée. Elle a refermé ses bras sur lui, pressant ses lèvres ouvertes contre les siennes, et l'a enlacé si étroitement qu'elle a paru s'enrouler autour de lui.

Soudain, à l'arrière-plan, un chœur de voix exubérantes s'est fait entendre.

« Leo !

— Hé, Leeeo !

— Vas-y, Leo.

— Annie te cherche, Leo !

— Tu ferais mieux d'être prêt, Leo ! »

Avec un vague sursaut de surprise, l'homme s'est dégagé des bras de la femme pour se diriger en hâte vers la terrasse où il a été accueilli par des rires et des cris.

« Hé, Leo !

— Où étais-tu, Leo ?

— Parfait, Leo. »

La femme a rejoint leur groupe sans se presser et j'ai suivi pour voir s'il allait se passer quelque chose d'intéressant. Leo était déjà parti. Un des hommes présents a posé tranquillement un bras sur les épaules de la femme, tout en bavardant avec les autres, a laissé courir une main tout le long de son corps, lui a donné deux claques sur les fesses et l'a négligemment serrée contre lui avec une force qui aurait brisé les côtes de quiconque n'aurait pas eu son élasticité. Passive, elle acceptait tout, sans qu'on puisse même savoir si elle s'en rendait vraiment compte.

Je suis rentré pour visiter les lieux. Deux hommes, dans la grande pièce, étaient vautrés sur un divan en L, les pieds posés sur une table basse en verre. Une femme était couchée à plat ventre sur l'un d'eux, inerte, peut-être évanouie, ou bien en train d'écouter la musique. Les deux hommes parlaient à voix basse et rocailleuse.

« Quelqu'un l'a vu depuis ? a demandé l'un.

— Pendant quelques semaines, personne n'a rien su, a répondu l'autre. Il avait disparu. Et puis il a refait surface à Chicago, disant qu'il allait peut-être se lancer sur le Merc. Mais il a disparu une fois de plus. Personne ne sait où. Il doit trop d'argent à trop de gens. Et peut-être aussi à ceux à qui il ne faudrait pas.

— Trop de coke. Ça va de temps en temps, mais vers la fin, Mel avait le cerveau complètement grillé. C'est comme ça que plein de gens se foutent dans la merde. Faut un peu se retenir pour continuer à contrôler. Mel était vraiment dingue.

— Non, toute cette coke, c'était parce qu'il avait déjà des ennuis. Il s'est juste fait éjecter, c'est tout. Ça peut arriver à n'importe qui. »

Un silence lugubre s'est ensuivi. « Se faire éjecter », dans leur monde, c'est faire faillite. Être ruiné. Ces gens-là, tout en prélevant leurs commissions, ne se contentent pas de perdre *votre* argent. Ils perdent aussi le leur — c'est en fait le seul intérêt qu'ils ont. Et même, diraient certains, leur seul côté sympathique.

« Je n'y crois pas, a repris le premier. Faut faire gaffe. On peut pas rentrer chez soi le vendredi soir assis sur une position énorme. D'un instant à l'autre, on peut se faire arracher les tripes. A la fin, Mel était vraiment dingue.

— Peut-être. Dommage, en tout cas. C'est dur. Pendant un bout de temps, il avait tout. La Mercedes, le bateau, la femme et les gosses dans le New Jersey. Tout perdu, comme ça. »

Le premier a fait la grimace, soit par sympathie pour Mel, soit qu'il ait pensé que lui aussi possédait tous ces accessoires, je n'aurais pu le dire. De sa main libre, il a caressé les fesses de la fille couchée sur lui. Elle a vaguement remué la tête et a glissé une main sur la jambe de l'homme d'un geste qui était peut-être une caresse.

La femme de la terrasse a traversé la pièce. Elle avait beaucoup bu, et peut-être fumé de l'herbe, ce qui rendait sa démarche précautionneuse, presque solennelle. J'ai regardé ses hanches osciller lentement chaque fois qu'elle faisait passer son poids d'une jambe sur l'autre, et je l'ai suivie. Arrivée au milieu d'un couloir, elle a ouvert la porte d'une chambre et je suis entré avec elle. Deux hommes, à l'autre bout de la pièce, se tenaient debout près d'une femme assise au bord du lit. Elle avait déboutonné la braguette de l'un d'eux et accomplissait ou s'apprêtait à accomplir un acte obscène. L'autre homme, d'une main, semblait effectuer une opération complexe sur une petite table où il déversait et mélangeait des petits monticules d'une poudre quelconque, et de l'autre relevait la jupe de la femme.

J'ai avancé de quelques pas pour mieux voir ce qu'ils fabriquaient. Déplaisant, le mélange d'attirance et de dégoût qu'inspirent des scènes de ce genre. Mais comme j'étais sûr de ne plus jamais pouvoir toucher un être humain jusqu'à la fin de mes jours, et bien que d'assister bouche bée à cette sorte de spectacle n'en soit qu'un pauvre substitut, on fait ce qu'on peut.

Voir des gens qui se tripotent, dans la vie, ce n'est pas du tout comme de regarder un film qui montre des êtres au physique parfait photographiés avec le plus grand soin. Ces trois personnes, par exemple, étaient tout à fait ordinaires et auraient eu grand besoin de maigrir. Par curiosité, j'ai regardé la poudre répandue sur la table. C'était une substance granuleuse, de couleur orange, qui m'était parfaitement inconnue. Même quand il s'agit de drogue, ces gens n'ont aucun respect pour les conventions.

L'homme qui s'occupait de la poudre a levé la tête et adressé un clin d'œil à la femme que j'avais suivie.

« Hé, Janie ! »

Janie se dirigeait vers une porte à l'autre bout de la pièce. Le tableau vivant exposé au bord du lit ne semblait lui faire aucun effet d'aucune sorte. Trouvant la porte fermée à clef, elle s'est retournée vers les autres.

« Hé, Janie ! Viens ici ! »

Elle s'est arrêtée un instant, une expression vague sur le visage, et elle est sortie de la pièce. J'ai regardé l'homme reporter son attention sur la fille du lit, soulever sa jupe et descendre son slip tandis qu'elle s'occupait de l'autre en s'aidant de la bouche et des mains. Je me suis détourné et j'ai suivi Janie, le balancement de ses hanches, plein de grâce et de lenteur, sans même savoir ce que j'avais en tête.

Elle disparaissait déjà au fond du couloir, par une autre porte, et quand j'ai atteint cette porte, elle avait traversé une chambre plus petite que la première et s'enfermait dans la salle de bains. Je suis entré dans la chambre, j'ai refermé la porte, éteint le plafonnier et attendu qu'elle ressorte.

Je savais qu'à tous points de vue, ce n'était pas une bonne idée. Mais rien ne comptait plus, à ce moment-là, que l'idée de poser les mains sur son corps, de la prendre dans mes bras. L'envie de la toucher, simplement, était plus forte que toutes mes craintes. Comment s'apercevrait-elle, dans le noir, que je n'étais pas vraiment là ! Mon cœur battait, et j'essayais de rassembler tout mon courage comme un adolescent qui tremble en se demandant si c'est le bon moment pour embrasser une fille. Y avait-il quoi que ce soit de plausible dans tout ça ? Étais-je capable d'en juger, dans mon état ? De ça ou d'autre chose.

Tremblant d'impatience et d'indécision, j'ai écouté l'urine jaillir, la chasse d'eau gronder, l'eau couler dans le lavabo, les vêtements qu'on rajustait. Après un bref silence, inexplicable, il y a eu deux pas sur le carrelage. Elle a ouvert la porte et éteint la lumière, nous laissant face à face dans une obscurité complète.

Avant qu'elle puisse tendre la main vers l'interrupteur, je l'ai entourée de mes bras et attirée contre moi, tordant le cou pour poser ma joue contre la sienne. Ensuite j'ai fait courir mes lèvres sur sa peau jusqu'à trouver sa bouche, qui s'est ouverte sous la pression insistante de ma langue. J'ai senti ses bras se refermer sur moi, mes flancs frissonner de plaisir à son contact. Sa bouche était comme un gouffre offert aux caresses de ma langue. Ses cuisses et ses seins, cette chair docile contre mon corps, me procuraient une sensation exquise, presque douloureuse.

Jusqu'à cet instant, j'avais cru que je ne retrouverais jamais ces sensations, que je n'approcherais plus jamais le corps d'une femme. Et j'ai eu l'impression que j'allais exploser.

J'ai glissé une jambe entre ses cuisses, qui se sont écartées. J'ai senti qu'elle faisait pivoter son bassin pour presser sa chair tendre et ses os contre mon bas-ventre. Toujours bouche à bouche et corps à corps, je l'ai entraînée vers le lit. Ses gestes obéissaient aux miens, passifs et langoureux. Sans la lâcher, je l'ai renversée sur les draps où notre étreinte s'est poursuivie avec une exquise lenteur. Elle bougeait à peine, sauf pour m'attirer sur elle, ouvrir la bouche ou écarter les jambes. Couché entre ses cuisses, je la caressais, je me frottais sur ses vêtements, retenu par l'anneau de ses bras et de ses jambes, je laissais courir mes mains sur son corps, sur ses gros seins mobiles, entre ses cuisses, pour sentir les poils de son pubis à travers le mince tissu du slip. Ses lèvres humides.

Quelque part, pas très loin, en fait, mais à l'extrême limite de mes perceptions conscientes, une porte s'est ouverte et la pièce a été inondée de lumière.

J'ai vu son regard me traverser, sans rien comprendre, ses yeux vides, et j'ai senti son corps s'affaisser un bref instant sous le mien, inerte, comme si toute vie l'avait quitté. Ensuite, d'un seul coup, il s'est tendu, s'est transformé en un objet rigide, hostile, et elle a poussé un cri d'horreur, un véritable hurlement, le visage convulsé par la peur et le dégoût. Elle m'a repoussé et s'est mise à me frapper de toutes ses forces. Les coups pleuvaient comme une avalanche, ponctués par des hurlements incessants comme par la sirène d'un navire. Dégringolant du lit, j'ai rampé dans un coin. Des gens accouraient, se pressaient autour du lit.

« Du calme, Janie. Du calme.

— Qu'est-ce qui ne va pas ?

— Elle était avec quelqu'un ?

— Trop bu.

— Qu'on lui donne un verre d'eau. »

Ses cris sont devenus convulsifs, puis se sont transformés en gargouillements sourds, saccadés, et j'ai compris qu'elle vomissait sur le lit.

« Elle est malade ?

— Amenons-la dans les chiottes. »

Tremblant, je me suis relevé, je suis sorti de la chambre en courant, sans même me soucier de heurter quelqu'un, et j'ai fui l'appartement. Dehors, dans l'escalier, je l'entendais toujours crier.

Le reste de l'été, j'ai passé mes journées à travailler et je me suis abstenu de sortir le soir. J'évitais les gens, autant que possible, et je changeais d'appartement tous les jours ou tous les deux jours. Je consacrais tout mon temps à la recherche de nouvelles occasions de spéculer. C'était un travail fastidieux, un peu sordide, puisqu'il s'agissait d'espionner des gens ou même de les cambrioler, mais je me suis découvert beaucoup plus assidu, voire même acharné, qu'à l'époque où j'occupais un emploi normal, et fort bien payé, d'analyste financier. Ce que j'en attendais, bien sûr, était infiniment plus important. La possibilité de survivre.

Après avoir laissé à Willy et ses employeurs une quinzaine de jours pour se calmer et penser à autre chose, j'ai rappelé en m'excusant une fois de plus à cause des deux cent mille dollars qui n'étaient toujours pas arrivés. « Pas de problème », m'a dit Willy — quoique d'un ton plus réservé, plus circonspect que les fois d'avant. Il se demandait si les fonds seraient jamais transférés.

« Mon père intente une sorte d'action légale à propos de tout ça, ai-je expliqué. Je suis censé vous prévenir qu'un de leurs juristes va probablement vous contacter pour vérifier quelques détails. A propos, ai-je ajouté, j'ai un petit peu d'argent sur mon compte, n'est-ce pas ?

— Oui. Voyons voir... Dix mille quatre cent soixante-seize et des poussières. Vous pouvez toujours vous en servir en attendant. Il se trouve que j'ai justement une situation intéressante en vue, une firme de biotechnologie qui s'appelle Orex, en Californie. Ils n'ont jamais déclaré aucun bénéfice, c'est vrai, mais ils sont dans la course depuis plus de trois ans et ils ont un passé boursier qui...

— Oh, un ami de mon père m'a fait quelques suggestions...

— Serait-ce celui qui vous a déjà indiqué Allied Resources ?

Parce que c'était un joli coup. Dommage que vous ayez vendu si tôt. Le lendemain, il y a eu une offre d'achat qui l'a fait monter jusqu'à dix-neuf.

— Non, pas du tout. C'est quelqu'un d'autre. Je me demande si vous pourriez m'avoir quatre cents actions des industries Westland. Par-dessous la table — c'est bien l'expression employée ?

— Oui, Jonathan, c'est ça. Voyons. Six et demi offerts, sept demandés. Donc, je ne sais pas si nous en avons déjà parlé, mais soit nous lançons l'ordre d'acheter à un certain prix, soit nous y allons en essayant de faire au mieux, autrement dit en nous adressant au marché. Vous me suivez ?

— Parfaitement, votre explication est tout à fait limpide. Prenez ce qu'il y a sur le marché, ça ira. » Je ne voulais surtout pas que Willy appelle n'importe quand chez les Crosby pour m'annoncer telle ou telle transaction. « La suivante est cotée à New York. Elle s'appelle RGP. Ces initiales vous suffisent ?

— Oui, Jonathan.

— Si vous pouvez m'en prendre trois cents, ce serait super. Je suis désolé de vous compliquer les choses.

— Absolument aucun problème, Jonathan. Nous sommes là pour ça. Voyons voir...

— Et encore autre chose, je voudrais acheter quelques options : quelqu'un m'a dit qu'on pouvait gagner beaucoup d'argent de cette façon...

— Les options peuvent effectivement contribuer à structurer une stratégie globale d'investissement, Jonathan. Mais sachez qu'une option risque aussi de vous faire perdre l'intégralité de votre...

— Je veux les prendre sur une société qui s'appelle Great Appalachian... Attendez, j'ai tout noté quelque part... Je voudrais deux mille Octobre 45 — c'est comme ça que vous dites ? — sur le marché. »

Un quart d'heure plus tard, après avoir exécuté mes ordres, il m'a rappelé. Ils avaient touché les options à un cinq huitièmes. Les Westland et les RPG ne m'intéressaient pas vraiment. C'était le genre de placements à long terme, rationnels et mûrement réfléchis, qu'aurait fait Nicholas Halloway, mais à présent je n'y voyais plus qu'une façon de camoufler mon opération sur Great Appalachian. Actuellement, les actions de cette société se négociaient à quarante-quatre, mais grâce aux nombreuses heures passées dans les bureaux de Distler Corby, la banque qui préparait avec les administrateurs de Great Appalachian un rachat forcé, je savais qu'avant la fin du mois il y aurait une offre publique vers soixante-dix. En achetant des actions, j'aurais pu réaliser en trois semaines un bénéfice de soixante-quinze pour cent au moins, et peut-être pensez-vous que cela devrait suffire à n'importe qui. Or, cette hausse des actions ferait passer les primes, qui sont des options d'achat à un prix donné, de un cinq huitièmes à près de vingt, procurant un bénéfice de plus de mille pour cent dans le même laps de temps. Cette idée m'inquiétait un peu, car ces primes, plus que les actions, risquaient d'attirer l'attention, mais il fallait que je le fasse. J'avais très peu de temps devant moi.

Il était encore facile de trouver un endroit où dormir. A New York, au mois d'août, des immeubles entiers sont pratiquement vides. Et tant qu'il faisait chaud, qu'il ne pleuvait pas, je n'avais aucun mal à me déplacer. Mais je savais que dans quelques semaines, les gens allaient rentrer, réintégrer leurs appartements, qu'il me faudrait à nouveau passer le plus clair de mon temps à chercher un gîte, et que le risque d'être remarqué augmenterait de jour en jour. Comme la pluie et le froid ne cesseraient d'empirer, d'autres vêtements que le costume que je portais maintenant depuis quatre mois me seraient nécessaires. Je devrais aller chercher dans le New Jersey les affaires que j'y avais laissées, et pour cette raison, entre autres, j'avais désespérément besoin d'un appartement, d'un endroit où entreposer mes objets invisibles : si j'en ramenais d'autres à New York, il ne me serait plus possible de tout garder sur moi. Par ailleurs, je ne supportais plus mon régime de sardines, nouilles et thon à l'huile. J'avais une envie folle de produits frais, tout en sachant que je ne pouvais pas me permettre de les faire livrer à un appartement officiellement vacant.

Ensuite, en décembre, il y aurait une échéance impossible à reporter : les Crosby rentreraient chez eux. A ce moment-là, si je voulais garder en vie Jonathan B. Crosby, il me faudrait au minimum un numéro de téléphone et une adresse où recevoir le courrier.

J'avais une autre raison de rester sur le qui-vive. Un après-midi, sur l'avenue York, j'ai vu ou cru voir Gomez sortir d'un immeuble cent mètres plus loin. Cela aurait pu être lui, en tout cas, et la terreur m'a fait sursauter. J'avais dormi dans cet immeuble deux jours plus tôt. Quand je me suis mis à courir pour le rattraper, l'homme est monté dans une voiture qui a démarré.

Cela ne voulait peut-être rien dire. Une erreur, ou une coïncidence. Ils ne devaient même pas être sûrs que je me trouvais à New York. Et il était parfaitement et totalement inutile de me casser la tête à imaginer ce qu'ils pouvaient bien préparer ou penser. De toute façon, je n'avais pas le choix. Il fallait que je continue ce que j'avais entrepris, le plus vite possible, en espérant garder mon avance.

A la fin du mois d'août, le matin du jour où les administrateurs de Great Appalachian devaient rendre publique leur offre d'achat à soixante-neuf, j'ai téléphoné à Winslow.

« Willy, je crois que j'ai envie de vendre ces primes sur Great Appalachian.

— Il semble y avoir une certaine activité sur ce titre. Vous pourriez peut-être rester sur vos positions au cas où quelque chose serait en vue.

— Fichtre, je me suis pas mal débrouillé, et je crois que j'ai envie de vendre ce matin même. »

L'action était à soixante-trois, les options à dix-neuf. La COB prétend qu'elle enquête sur toutes les transactions faites dans cette marge, au cas où il y aurait des spéculations illégales. Même si c'est vrai, je doute qu'elle s'intéresse à ceux qui ont vendu avant l'offre publique.

« Par ailleurs, m'a-t-il dit, j'ai suivi ces Westland que vous avez achetées. Elles n'ont rien donné chez nous. » Il parle toujours de ces choses « chez nous », comme si le marché se trouvait dans un tiroir de son bureau. Près de sa bouteille de gin, peut-être. « Quand on est sur le marché depuis un certain temps, m'expliquait-il, on se met à pouvoir sentir quand une action va bouger ou pas. Une sorte de sixième sens qui ne vient pas seulement du fait de baigner dans les chiffres toute la journée. Honnêtement, je dirais qu'on peut appeler ça un art... »

Je mourais d'envie de lui demander pourquoi, avec un tel talent, il croupissait dans une place de courtier salarié et buvait son gin en cachette alors que Warren Buffet, son patron, accaparait richesses et honneurs. Mais j'avais besoin de lui. La prochaine fois, lui ai-je promis, sans faute, je suivrais ses avis. A vrai dire, que Willy n'ait jamais l'air de se rendre compte de mes succès me le rendait particulièrement utile et presque sympathique.

J'ai vendu les primes à dix-neuf cinq huitièmes. Mon portefeuille valait maintenant un peu plus de quarante-neuf mille dollars. Une performance des plus satisfaisantes, en considérant que j'étais parti de zéro à peine deux mois plus tôt. Très peu de choses vous procurent le bien-être qui vient d'avoir gagné en Bourse. Il allie le plaisir du travail bien fait, dans ce qu'il a de plus pur, au sentiment d'avoir gagné à la loterie. Et il y a quelque chose de particulièrement agréable à trouver tous les jours, dans le journal, une note, une estimation chiffrée de nos progrès. Parfois la note est plus faible que celle de la veille — il est absolument impossible, même avec l'avantage extraordinaire que je possède, de prédire le marché de façon infaillible : son efficacité elle-même l'empêche — mais la mienne montait plus souvent qu'elle ne baissait. A la réflexion, je contribuais moi-même, pour une faible part, à l'efficacité du marché, en veillant à ce que les informations utiles soient transmises un peu plus rapidement par le mécanisme de fixation des prix. La main invisible prélevant son modeste tribut, pourrait-on dire. Et le succès nous poussant d'autant plus à travailler. Si ennuyeux que fût ce travail, il m'a complètement absorbé. Jamais, depuis l'accident, je ne m'étais senti aussi heureux, même si, de temps à autre, il me revenait que parfois, jadis, j'aimais décrocher le téléphone pour appeler un ami, discuter de ce que j'avais acheté ou vendu, voir si j'avais gagné ou perdu.

Septembre, alors, est venu, puis le week-end de la fête du Travail, et soudain, tout comme je l'avais craint, il a semblé qu'il n'y avait plus un seul appartement vide. Je passais des journées entières à en chercher, et souvent je me trouvais obligé de rester plusieurs jours au même endroit, tout en sachant à quel point c'était dangereux.

Un jour, j'ai vu Tyler. J'étais sûr que c'était lui, même de loin. Un grand Noir, au corps lourd, qui remontait en boitant la Troisième Avenue. J'ignorais d'où il venait, et où il allait. Au milieu du pâté de maisons, il est monté dans une voiture grise qui s'est éloignée. Aucun moyen de savoir ce qu'il était venu faire. Peut-être habitait-il le quartier. Peut-être m'avaient-ils complètement oublié. Seulement, il y avait là un immeuble en brique, énorme, plein d'appartements, que j'aurais très bien pu choisir.

Une chose était sûre : ils ne me cherchaient pas ailleurs qu'à New York. Jenkins devait avoir tout calculé — où j'étais, comment je vivais. Mais peut-être ne savaient-ils rien de précis, n'étaient-ils même pas certains de ma présence à New York. J'aurais voulu avoir la possibilité de me renseigner. Ou du moins arrêter ce ressassement continuel qui me laissait à peine penser à autre chose. Si au moins j'avais pu parler avec quelqu'un ! Avec qui que ce soit. De n'importe quoi.

J'ai eu l'idée de me rendre à Boston pour téléphoner à Jenkins. Cet appel, en lui-même, l'induirait en erreur, et j'aurais peut-être un aperçu de ce qu'il pensait. Ridicule. La seule chose à faire, c'était de ne rien faire : ne leur donner aucun élément, aucun indice. Si, pendant longtemps, ils perdaient ma trace, il faudrait qu'ils abandonnent. Après tout, j'étais peut-être mort.

Quelques jours plus tard, j'ai cru reconnaître Gomez. Et je me suis mis à les voir partout, tous, si bien que je n'étais plus sûr de rien. Chaque fois que je me précipitais vers eux, ils partaient avant que je ne les atteigne. Ils disparaissaient au coin de la rue. La voiture démarrait juste au moment où j'arrivais. Désormais, j'étais perpétuellement aux aguets.

Quelquefois le téléphone sonnait dans l'appartement où j'étais, et je me persuadais que c'était Jenkins. Il savait que j'étais là. Ou que je pourrais y être. Je serais tenté de répondre. Lui parler me soulagerait presque. La sonnerie insistait, insistait. Ou elle s'arrêtait pour reprendre quelques instants plus tard, si bien que je finissais par m'enfuir pour ne plus l'entendre.

J'avais l'impression horrible qu'ils se rapprochaient de moi, lentement mais inexorablement, et j'étais submergé par des vagues de haine et de rage au point de ne plus pouvoir penser à rien. J'avais le revolver. J'imaginais que j'attendais patiemment de les rencontrer et que je les abattais l'un après l'autre. Je me voyais aller jusqu'à Jenkins et lui dire : « Jenkins, je suis là. » Ensuite, je visais une articulation, le coude ou le genou, qu'une balle venait fracasser. Jenkins s'écroulait, le visage convulsé par une douleur atroce. Je tirais une fois encore sur celui qui se tordait à mes pieds, et Jenkins regardait le sang jaillir de sa poitrine. Ces images vengeresses me possédaient entièrement et je revivais interminablement les mêmes scènes, incapable de dévier le cours de mes pensées.

En réalité, comme Jenkins me l'avait si aimablement fait remarquer, il n'est pas si simple de prendre une arme et de tirer sur quelqu'un. Il faut être soulevé par une poussée de haine, ou pris d'une terreur abjecte — des émotions qui nous semblent chasser sans cesse de notre tête des pensées plus utiles, mais qui ne sont jamais là quand on en a vraiment besoin. La vision de Tyler, devant moi, perdant son sang, me donnait encore des frissons. De plus, comme l'avait également souligné Jenkins, tuer l'un ou l'autre ne me servirait à rien, et ils n'en seraient pas moins déterminés, bien au contraire, à m'attraper. Je n'avais pas le choix. Il fallait que je continue.

C'est alors qu'un jour, en fin de matinée, au moment où je sortais d'un appartement situé dans un grand immeuble blanc, en brique, sur la Seconde Avenue, j'ai vu Clellan à l'autre bout du hall, en train de parler avec le portier. Je ne cessais de les guetter, je m'attendais constamment à les rencontrer, mais chaque fois que j'en voyais un, mon cœur s'arrêtait de battre et j'étais saisi d'épouvante. Tremblant de tout mon corps, je me suis rapproché lentement, prudemment, de l'endroit où ils se trouvaient.

Clellan parlait avec son entrain habituel : « Bon, vous savez aussi bien que moi que dans un immeuble de cette taille vous n'avez aucun moyen de surveiller à cent pour cent les entrées et les sorties. Voilà pourquoi cette brigade a été formée dans toute la ville. »

Le portier avait un accent d'Europe de l'Est. « Les gens qui passent par ici, je pourrais vous en dire des choses qui sont à pas y croire.

— Bon, c'est pour ça qu'on est là. On peut travailler avec vous. En plus, on a besoin de vous. Il faut que vous nous disiez exactement les problèmes qu'il y a, et s'il vous arrive de remarquer le moindre signe d'accès illicite à l'un des appartements. Une clef qui manque, ou qui n'est pas à sa place. Vous gardez les clefs ici, dans le hall, non ?

— Les clefs, je peux vous dire. Le type de nuit, Freddy — un Portoricain, voyez ce que je veux dire ? Tout ce qui faut, c'est mettre les clefs A à C ou D à F de chaque étage à un crochet, voyez ce que je veux dire ? Mais quand Freddy est passé par là, c'est plus la peine. »

Soudain, pendant que le portier parlait, Clellan a pris une expression tendue, intense, et j'ai vu qu'il regardait par terre. A mon tour, suivant son regard, j'ai baissé les yeux. Il fixait l'endroit précis où j'avais les pieds, très exactement les deux endroits où la moquette s'aplatissait sous mon poids. Nous sommes restés immobiles, tous les deux, un bref instant. Ensuite, tout doucement, j'ai levé le pied droit et l'ai reposé sans bruit sur le sol en marbre, au-delà de la moquette. Clellan a regardé, et moi aussi, les poils de la moquette se redresser avec lenteur. Il a continué à fixer le sol. Ses mains ont tressailli, ses doigts se sont ouverts, hésitants, comme s'il se demandait s'il devait ou non me sauter dessus. J'ai soulevé l'autre pied, et la deuxième empreinte s'est effacée progressivement. Les mains de Clellan se sont détendues. Il a relevé la tête et regardé dans ma direction, l'air indécis.

Le portier, remarquant qu'on ne l'écoutait plus, s'était tu et observait Clellan, perplexe.

« Halloway ? » a dit Clellan à voix basse. Je suis resté muet, immobile. Son regard me transperçait. Était-il vraiment certain de ma présence ? Il a de nouveau regardé la moquette. Plus aucune trace. « Vous êtes là, Halloway ? »

Maintenant, le portier regardait fixement Clellan, en plissant les paupières. « Ça vous ennuierait de me redonner vos papiers ? » a-t-il dit d'un ton brusque. Clellan ne lui a pas prêté la moindre attention. « Vous allez rester ici pendant que j'appelle le gérant !

— Halloway ? » a répété Clellan.

Lentement, doucement, j'ai commencé à reculer.

« Halloway, nous voulons vous aider. »

Je suis sorti à reculons par la porte grande ouverte. Le regard de Clellan a fait le tour du hall, et s'est longuement attardé sur l'entrée. Avec une grimace, il s'est retourné vers le portier qui essayait désespérément de joindre quelqu'un par l'interphone.

J'ai attendu Clellan sur le trottoir. Quelques minutes plus tard, il en est sorti et a marché d'un pas résolu jusqu'au pâté de maisons suivant, où l'attendait une voiture grise garée devant une bouche d'incendie. Je l'ai suivi jusqu'à la voiture, que j'ai vainement fouillée des yeux dans l'espoir d'y trouver une information utile. Quand Clellan a démarré, il avait un téléphone à la main et parlait avec animation.

Je n'allais pas regarder ces gens me cerner sans réagir, impuissant, les bras ballants. Il devait y avoir un moyen de les arrêter. Ou du moins de les ralentir. De leur faire mal. Le tort que j'avais, depuis le début, c'était de continuer à les fuir, d'éviter de les affronter, de rester passif. J'étais constamment sur la défensive, me contentant de riposter aux assauts de Jenkins, de sorte qu'il n'avait jamais cessé de contrôler la situation et qu'il finirait par m'avoir. Il fallait que je trouve le moyen de reprendre l'initiative, que je m'attaque à lui, directement, que j'arrive à lui porter un coup violent, inattendu.

Mais où était-il, en fait ? Ces gens devaient bien avoir une sorte de quartier général, un bureau d'où Jenkins organisait les recherches. Je le découvrirais en suivant Clellan ou Gomez, et sur place je saurais comment m'y prendre. Ou du moins je pourrais apprendre quelque chose qui me permettrait cette fois d'anticiper leur prochain coup, au lieu de les laisser prévoir les miens.

Soudain, j'ai compris pourquoi Clellan, Gomez et les autres venaient et repartaient chaque fois dans ces voitures grises. C'était justement pour que je ne puisse pas les suivre. Pour m'empêcher de faire précisément ce que j'étais sur le point d'entreprendre. Jenkins, bien sûr, l'avait prévu depuis longtemps, et même s'il ne croyait pas que je m'en prendrais à lui, il avait fait en sorte, naturellement que je sois incapable de l'approcher. Je ne pourrais jamais suivre Clellan, Gomez, Tyler ou Morrissey. Ceux-là savaient exactement ce dont ils devaient se garder. Ils savaient tout de moi. Mais Jenkins avait lancé une enquête gigantesque, il était obligé d'employer de nombreuses personnes ignorant totalement qu'elles étaient à la recherche d'un homme invisible, et qui n'auraient aucune raison de penser qu'on pourrait les suivre. Il fallait que je fasse quelque chose d'assez intéressant pour attirer une de ces personnes, mais pas assez pour qu'on prenne la peine d'envoyer Clellan ou Gomez.

Le lendemain matin, j'ai téléphoné à mon ancien bureau en déguisant ma voix, et dit à la réceptionniste que j'aimerais parler avec M. Halloway. Elle m'a répondu que je n'étais plus employé par leur cabinet.

« Il n'est plus là ? ai-je dit. Tiens donc. Je n'aurais jamais cru qu'il aurait changé d'emploi. Les années passent, et on commence à perdre contact avec les gens. Vous avez une idée d'où il peut être, actuellement ? J'ai appelé chez lui, mais chaque fois je tombe sur un répondeur. »

Elle n'était pas en mesure de me donner un numéro ou une adresse, m'a-t-elle dit, mais si je désirais laisser un message, elle veillerait à ce qu'il soit transmis.

« Vraiment ? Ce serait très aimable. Dites-lui simplement que Howard Dickison l'a appelé. Rien d'urgent. Je viens seulement de croiser un ami commun, et je voulais lui donner quelques nouvelles au cas où ça l'intéresserait. Rien d'important. Mais il peut me passer un coup de fil. » Je lui ai donné le numéro d'Howard Dickison.

J'avais rencontré ce Dickison dans une fête, au mois de juillet, et je m'étais souvenu de lui avoir été présenté autrefois. Je l'avais choisi pour deux raisons. D'abord, je ne le connaissais pas, si bien que les enquêteurs de Jenkins ne l'avaient jamais interrogé, ou du moins ne lui avaient accordé que très peu d'attention — l'un ou l'autre, en fait, n'avait aucune importance. Ensuite, il n'avait pas de bureau — c'était un écrivain, ou prétendu tel —, de sorte que je n'aurais pas à surveiller son lieu de travail en plus de son domicile.

Dickison vivait dans un petit immeuble en meulière entre la 70e et la 84e Rue à l'ouest de Central Park, où je me suis rendu immédiatement après mon coup de téléphone, et j'ai campé toute la journée sur son perron. Il paraissait occuper le rez-de-chaussée, le premier étage et probablement le jardin, mais je ne suis jamais entré chez lui. Il devait aussi bénéficier d'une bourse, car son horaire de travail était des plus réduits. Je l'ai vu sortir peu après dix heures et demie, et je l'ai suivi jusqu'à un café de Broadway où il a englouti une quantité prodigieuse d'œufs au bacon en parcourant lentement les colonnes du *Times.* De la rue, je le regardais avec envie. Il est rentré chez lui, prêt à commencer sa journée, un peu avant midi.

Je me suis assis en haut des marches et j'ai attendu. Il ne s'est absolument rien passé de toute la journée. De cinq à sept, les locataires des étages supérieurs sont arrivés en ordre dispersé. D'abord une fille n'ayant guère plus de vingt ans, pas désagréable à voir. Ensuite un homme d'une cinquantaine d'années, l'air d'un comptable. Une femme entre deux âges, chargée d'une serviette et d'un énorme sac de provisions. Puis une autre fille d'une vingtaine d'années, probablement la colocataire de la première. A partir de sept heures et demie, ils sont ressortis. Le comptable en premier, suivi par les deux filles, ensemble cette fois. A huit heures pile, un homme chauve, en sueur, portant un bouquet de fleurs, a sonné chez un des locataires. La femme aux provisions, sûrement. Un coup de vibreur l'a fait entrer et il a monté l'escalier.

Dickison a reparu peu après huit heures et demie, en blazer et cravate en soie. Je l'ai suivi jusqu'à Central Park, où il a pris un taxi, et je me suis mis en marche vers un immeuble de la 90e Rue, où je connaissais un appartement vide, pour y passer la nuit.

Je suis revenu à mon poste le lendemain matin avant huit heures. Dickison ne risquait pas d'être levé, par contre les visiteurs que j'attendais en étaient fort capables. De huit heures et demie à neuf heures, les locataires ont détalé l'un après l'autre. Comme événements marquants, il y a eu le passage du facteur, l'arrivée du gardien, qui a passé l'aspirateur dans l'entrée et rangé les poubelles, et à onze heures, l'expédition de Dickison en quête de son petit déjeuner. J'espérais au moins qu'il irait se promener dans le parc, mais il est rentré directement chez lui, encore une fois, me laissant assis sur le perron. A neuf heures du soir, après avoir vu tout le monde rentrer du travail et repartir en ville, je me suis dit que je pouvais m'en aller. Personne ne viendrait interroger Dickison à une heure pareille.

Le troisième jour, je suis arrivé à temps pour les voir défiler de la même manière, sinon que cette fois une des filles est sortie un peu plus tard, accompagnée d'un jeune homme au visage rose, à peine majeur. Il lui a serré la main sur le trottoir, un peu gêné, et lui a très vite tourné le dos pour se diriger vers Broadway tandis qu'elle courait en direction de Central Park.

A neuf heures et demie exactement, celui que j'attendais, un homme d'un certain âge, trapu, vêtu d'un costume marron bon marché, est apparu, venant du parc. Il s'est arrêté en face de la maison, a vérifié le numéro, puis il a consulté sa montre avant de monter les marches et d'appuyer sur la sonnette. Je me suis mis tout près de lui, et j'ai attendu. Au bout d'un certain temps, Dickison a fini par ouvrir la porte, en robe de chambre violette, sans être vraiment réveillé, et visiblement ahuri par ce visiteur qui s'était lancé aussitôt dans des formalités en parlant d'une voix lente, monotone, mécanique, sans presque reprendre son souffle ni marquer la moindre inflexion.

« Bonjour, monsieur Dickison, je m'appelle Herbert Butler, je vous ai appelé hier, merci beaucoup de me recevoir, nous effectuons une enquête de routine sur Nicholas Halloway en rapport avec une demande d'autorisation donnant accès à des documents classés. Nous avons appris qu'il est de vos amis et j'aimerais simplement vous poser quelques questions à son sujet qui devraient prendre au plus quelques minutes...

— Qu'est-ce que vous... Vous avez appelé hier ? » Une faible lueur de compréhension est apparue sur le visage de Dickison. « Oui... J'ai déjà essayé de vous le dire. Je ne connais pas Halloway, je ne peux absolument pas vous aider. Et il se trouve que vous tombez à un mauvais moment.

— Eh bien, je vous remercie d'avoir pu me recevoir aujourd'hui, a dit l'homme en regardant sa montre. J'ai seulement quelques questions qui ne devraient pas nous prendre plus d'un quart d'heure. Depuis combien de temps connaissez-vous M. Halloway ?

— C'est ça. Je me souviens. Vous avez effectivement dit que vous viendriez ce matin, a répondu Dickison, agacé. Mais je ne le connais pas. Je ne l'ai jamais connu. Ou rencontré. Quelle que soit l'expression.

— Hier au téléphone, vous avez dit l'avoir rencontré chez des gens...

— J'ai dit que c'était possible. J'ai peut-être cru avoir déjà entendu son nom. Mais c'est absolument tout. Je n'ai aucun souvenir de lui. Je ne suis même pas sûr de l'avoir rencontré à cette occasion. Si cette occasion a jamais existé.

— Eh bien, j'aimerais vous poser quelques questions au sujet de cette occasion et de toute autre, plus récente, où vous auriez pu contacter ou essayer de contacter M. Halloway.

— Je n'ai jamais contacté ni essayé de contacter Halloway, qui que cela puisse être, et que je l'aie ou non rencontré. Écoutez, je vais me faire du café. » Et puis, à contrecœur : « Vous avez déjà pris votre café ? »

Tenant la porte, pour laisser entrer Butler, Dickison a reculé dans l'entrée.

« Non, merci. Essayez encore de vous en souvenir : il y a combien de temps que vous avez rencontré Halloway pour la dernière fois ? »

La porte s'est refermée et je n'ai plus rien entendu. Ce qu'ils pouvaient se dire, en fait, ne m'intéressait pas le moins du monde. Par la fenêtre, je les ai vus traverser la cuisine et passer dans une autre pièce. Il s'est écoulé près d'une heure avant qu'ils ne rouvrent la porte, l'air aussi peu satisfait l'un que l'autre. Butler a pris congé en annonçant qu'il reviendrait probablement poser quelques questions supplémentaires. Dickison a ouvert la bouche comme pour protester, puis s'est ravisé.

Butler est redescendu d'un pas lourd sur le trottoir et s'est dirigé vers l'est. Je lui ai emboîté le pas. Il y a étonnamment peu de choses qu'un homme invisible puisse faire mieux qu'un autre, mais du moins est-il capable de suivre quelqu'un sans être vu dans une rue déserte. La vie quotidienne donne rarement l'occasion d'utiliser ce don, et ce jour-là, je l'ai particulièrement apprécié. Arrivé en bordure de Central Park, il a tourné vers le sud, et après un ou deux pâtés de maisons, il m'a paru évident qu'il n'était pas venu en voiture. Il pouvait encore monter dans un autobus, et en ce cas j'aurais à prendre une décision difficile. Je ne me déplace jamais en autobus. Impossible d'y trouver un endroit sûr. On peut se glisser dans un bus vide et le voir se remplir d'un seul coup à l'arrêt suivant, sans qu'il reste une place assise, ni un centimètre carré d'espace libre. En plus, pour sortir, il faut ouvrir les portes arrière. Et même en passant derrière un autre voyageur, il faut les maintenir ouvertes, ce qui semble étrange. Néanmoins, ce jour-là, j'aurais pris ce risque.

Butler est descendu dans le métro de la 72e Rue, et après avoir attendu assez longtemps sur le quai, nous avons pris ensemble la ligne AA. J'aime bien les lignes IND des quartiers ouest : ce sont les moins fréquentées de toutes. Butler est descendu à Chambers Street, où j'ai failli le perdre : les gens faisaient la queue devant les portillons, et je ne pouvais certes pas me mêler à eux. Quand j'ai fini par émerger à l'air libre, il avait disparu. J'ai sauté sur le capot d'une voiture avec un fracas de tôle froissée. Les passants se sont retournés, stupéfaits, et ont vu la carrosserie se cabosser. J'ai aperçu Butler un bloc plus loin, au nord, et j'ai couru après lui, me souciant à peine d'éviter les piétons.

Un peu plus loin, il est entré dans un immeuble d'allure officielle. Seul un gouvernement avait pu faire construire ce genre de bâtisse, dont la vue plonge l'esprit humain dans un profond abattement. Je suis entré derrière lui, comptant sur sa corpulence pour me protéger d'un choc toujours possible. Il a inspecté du regard les ascenseurs desservant les seize premiers étages et choisi celui qui était sur le point de monter. La cabine était à moitié pleine : il était impensable que je songe à le suivre, mais je me suis mis sur le côté et j'ai tendu le cou au moment où il est entré, pour voir sur quel bouton il allait appuyer. Le sixième.

Je me suis retourné et j'ai commencé à courir. Il m'a fallu une bonne minute pour trouver l'escalier et une éternité pour grimper les six étages. Sur le palier, quand je me suis arrêté derrière la porte coupe-feu pour écouter, au cas où il y aurait quelqu'un de l'autre côté, je me suis rendu compte que je haletais de façon audible. Me glissant par la porte entrebâillée, je me suis retrouvé dans un couloir étroit, avec en face des ascenseurs une seule porte défendue par un garde en uniforme assis sur une chaise. Je me suis efforcé de contenir mes halètements et je suis passé derrière le garde, sur la pointe des pieds, pour découvrir tout un labyrinthe de bureaux et de cellules minuscules. Les couloirs et les rares espaces libres étaient encombrés par des classeurs et des bureaux métalliques où des femmes tapaient à la machine, classaient des papiers ou bavardaient entre elles. Aucun signe de Butler. Je me suis frayé un chemin entre les bureaux en jetant un coup d'œil dans les cellules chaque fois que possible, examinant les numéros des portes et les rares noms gravés sur du plastique noir fixé au chambranle.

L'endroit était incroyablement lugubre. Les meubles en métal, les cloisons, les panneaux de verre et les tubes fluorescents étaient entassés sans le moindre souci humain ou esthétique. Le cliquetis des machines et le brouhaha des voix humaines étaient renvoyés par le béton nu des murs et des plafonds.

Après avoir erré un quart d'heure dans ce labyrinthe, j'ai enfin retrouvé Butler, assis dans une des cellules, tapant avec hargne sur une vieille machine à écrire. La porte était ouverte, mais la pièce était si petite que j'ai préféré rester dehors. Je me suis penché vers lui pour m'assurer qu'il avait bien inscrit le nom de Dickison en tête de son rapport, et j'ai attendu dans le couloir.

Il lui a fallu une heure de travail, plus dix minutes pour se relire et faire des corrections. Il a ensuite remis son œuvre à une femme obèse, énorme, avec des cheveux graisseux et des ongles noirs de crasse, qui était plongée dans un roman à couverture illustrée : un couple en costume de velours fantaisiste, s'embrassant au pied d'un château. Elle a posé son livre, glissé une feuille dans sa machine, et puis, à ma grande surprise, s'est mise à taper plus vite que je ne l'aurais cru possible. Butler eut à peine le temps de se rasseoir à son bureau qu'elle avait terminé et corrigeait le rapport. Un coup d'œil, semblait-il, lui suffisait pour vérifier une page entière. Remarquable. A première vue, la plupart des gens refuseraient d'engager ce genre de femme, et pourtant elle était extraordinaire. Je me suis demandé si elle avait laissé passer une seule erreur. Elle, en tout cas, paraissait satisfaite. Elle est venue déposer le rapport sur le bureau de Butler, qui l'a ouvert à la dernière page et l'a signé.

« Nous sommes censés en envoyer deux exemplaires au service Liaisons, bureau 1407 — le numéro de référence est sur la première page. Et n'en conservez aucun à notre niveau. »

C'était tout ce qu'il me fallait. Je les ai quittés et je suis revenu à l'escalier pour reprendre mon escalade jusqu'au quatorzième étage. Sans courir, cette fois, mais d'un pas vif, parce que je voulais être sur place, si possible, à l'arrivée du rapport. Il s'est avéré que j'avais pu devancer le système de messagerie interne d'une vingtaine d'heures.

Le bureau 1407 était en fait composé de deux pièces : un vrai bureau avec des fenêtres et une antichambre où se trouvait une secrétaire. Au début, croyant que le rapport allait arriver d'un instant à l'autre, je suis resté debout près de la secrétaire. Mais l'attente s'est prolongée au point que j'ai cru qu'il y avait une erreur. Peut-être le numéro 1407 désignait-il autre chose qu'un bureau ? Pourtant je voyais devant la secrétaire d'autres enveloppes adressées au service Liaisons. Ou bien y avait-il eu contrordre, et le rapport avait été envoyé ailleurs ? Néanmoins je n'osais pas redescendre chez Butler et risquer ainsi de manquer l'arrivée du rapport. Je me suis assis sur une chaise en bois. Dans le second bureau, un homme d'environ quarante-cinq ans lisait des dossiers. A quatre heures trente, l'immeuble a commencé à se vider. La secrétaire est partie à cinq heures, et quelques minutes plus tard, l'homme est sorti de son bureau et l'a fermé à clef. J'ai abandonné et je suis rentré chez moi.

A sept heures quarante-cinq, le lendemain, j'étais de retour, prêt à y passer la journée s'il le fallait. Le 1407 a retrouvé ses occupants à huit heures trente, exactement. Un peu plus d'une heure après, un vieil homme en veste grise est arrivé en poussant un grand chariot divisé en nombreux petits compartiments pleins de courrier et de documents divers. Il en a retiré une pochette qu'il a vidée sur le bureau de la secrétaire, laquelle a fait son tri, ouvert la plupart des enveloppes et empilé proprement les papiers. C'était là : deux exemplaires Quand elle a apporté les rapports à l'homme du deuxième bureau, j'étais sur ses talons.

Je me suis posté près de la fenêtre et je l'ai regardé faire. Il a mis mon rapport de côté, examiné le reste du courrier, puis l'a lu soigneusement du début à la fin. Ensuite il a décroché son téléphone et composé un numéro.

« Allô, puis-je parler à M. Jenkins, je vous prie ? »

Je me suis approché d'un pas pour être sûr de ne rien laisser passer.

« Dans ce cas, pourrais-je parler à M. Clellan ? »

Après un silence, une voix indistincte lui a répondu.

« Allô, Bob ? Jim O'Toole. J'ai ici un tas de choses qui n'attendent que vous... Vous savez, le type qui a essayé de joindre Halloway ?... Bon, nous lui avons envoyé quelqu'un, mais il prétend n'avoir jamais rien fait de tel. Il dit qu'il a pu le rencontrer il y a des années mais qu'il n'en est même pas sûr... Je ne sais pas de quelle histoire il s'agit. Essayez donc de lire le rapport, avec la transcription du coup de téléphone, pour voir ce que vous en pensez. On peut renvoyer quelqu'un exercer des pressions sur ce type si vous estimez ça utile... On a aussi trouvé les archives de l'école primaire qu'on croyait détruites depuis longtemps. Elles étaient à la cave, dans des caisses... Non, ça ne nous donne aucun nom nouveau... A peu près la même chose que les dossiers du secondaire : pas très travailleur. Il a bien été mêlé à une bagarre dans le bus de l'école, une fois, mais c'est ce que j'ai découvert de plus passionnant. Un jour, il faudra me dire pourquoi vous vous intéressez à ce type. Vraiment, je ne vois pas... OK. Tout sera prêt pour le coursier dans la salle du premier, quand vous voudrez... Bien sûr. A bientôt. »

Il s'est levé, a pris un des exemplaires du rapport, est allé jusqu'à un classeur d'où il a sorti deux grandes enveloppes en papier craft, et a apporté le tout à sa secrétaire.

« Mettez tout ça dans un paquet au nom de Global Devices —

pas d'adresse — et laissez-le dans la salle du courrier. Vous pouvez le descendre vous-même ? Autrement, il faudra plusieurs jours pour qu'il arrive jusqu'au premier. »

J'ai redescendu en vitesse l'escalier, à temps pour voir la secrétaire déposer le paquet. Tout de suite après l'entrée, la pièce était barrée par un comptoir long et large où trois personnes triaient le courrier Je me suis posté à une extrémité du comptoir, et au bout de trois quarts d'heure, un jeune Latino d'environ dix-huit ans, un sac en toile rayée sur l'épaule, s'est présenté.

« Livraison pour Global Devices. »

Une femme s'est retournée pour le regarder. « Vous êtes Global Devices ? Il me faut une carte.

— Je suis des messageries Speedwell. Appelez-les si vous voulez. »

Il a tendu un morceau de papier à la femme. Je me suis approché, dans l'espoir d'y lire une adresse, mais c'était seulement celle de l'immeuble où j'étais, griffonnée sur du papier à en-tête de chez Speedwell.

La femme lui a tendu un formulaire. « Signez sur la dernière ligne — nom, date, heure et destinataire. »

Je l'ai vu inscrire « Global Devices ». Elle lui a donné le paquet.

Pendant qu'il prenait l'ascenseur, j'ai dégringolé les étages pour le rejoindre dans le hall. Il est allé prendre son vélo. Rien de plus désespérant, pour moi, qu'un vélo. Il l'a détaché d'un panneau de stationnement interdit et l'a enfourché.

Voyant tous mes plans s'écrouler d'un coup, et sans vraiment savoir si c'était dans mon intérêt, ni ce que j'allais faire ensuite, j'ai tendu le bras au moment où il mettait l'autre pied sur la pédale et je l'ai poussé sur le côté. Le jeune homme, pris par surprise, est tombé lourdement sur la chaussée. Avant qu'il ne puisse reprendre ses esprits, j'ai sauté à pieds joints sur sa roue arrière, déformant irrémédiablement les rayons. Quand il a levé des yeux ahuris pour regarder ce qui se passait, j'ai reculé de quelques pas. Le jeune homme s'est dégagé, redressé, et a examiné les dégâts en remontant précautionneusement son engin sur le trottoir. Le pneu arrière frottait contre le cadre à chaque tour de roue. J'espérais qu'il n'avait pas le droit de prendre un taxi.

Il a appuyé son vélo contre le mur, gagné d'un pas mal assuré un téléphone public, et composé un numéro. En attendant qu'on lui réponde, il s'est mis à jurer.

« Bon Dieu de putain de saloperie de merde ! » Ensuite : « Allô, c'est Ange... Non, je suis encore dans le centre. Quelqu'un a piétiné ma putain de bécane pendant que j'allais chercher le paquet... Non, je ne l'ai pas laissée dans cette putain de rue... Sur un putain de trottoir, enchaînée à un panneau. On l'a piétinée, c'est tout. Comme tout dans cette putain de ville. Y a qu'à tourner la tête, et ils démolissent tout. Comme ça, pour rien, mec... Une roue complètement tordue. Vous voulez que je fasse quoi ?... Global Devices, 27e Rue est, au 135... Bien sûr, je sais encore marcher. Vous voulez que je laisse la bécane ici ou quoi ? »

J'étais déjà en route, triomphant. Ils croyaient être sur ma piste, et c'est moi qui avais trouvé la leur. L'idée de les affronter ne m'enthousiasmait pas, mais j'avais repris l'initiative. Il me restait à trouver le moyen d'en profiter.

Le 135 était un vieil immeuble de bureaux de douze étages, un peu décrépi, datant des années vingt ou trente. Sur le grand panneau affiché dans l'entrée, j'ai vu qu'il abritait une foule de petites entreprises marginales : dentistes, graphistes, comptables, ainsi qu'un nombre incalculable de firmes prétendument d'import-export. Global Devices était parfaitement dans le ton. Leur bureau était au 723 : je n'aurais donc que six étages à grimper.

Et, en cas de succès, j'aurais peut-être à le faire souvent. Comme ce serait pratique, en rendant de temps en temps visite à Jenkins, d'apprendre ce qu'il savait exactement sur moi, et quels étaient ses plans. Vraiment, me suis-je dit, j'aurais dû y penser plus tôt. On a trop tendance à rester passif.

Pourtant, à mesure que je montais les marches en marbre, mon assurance s'est transformée en doute, puis en une franche épouvante. Je prenais un risque énorme. Alors que j'avais le monde entier pour échapper à ces gens, je me jetais dans la gueule du loup.

Au sixième, j'ai suivi un couloir qui faisait tout le tour de l'immeuble, avec des bureaux de chaque côté, dessinant un grand rectangle. Il devait y avoir une cour au centre de ce rectangle. J'ai trouvé la porte 723, avec l'inscription Global Devices, et j'ai regardé les plaques des bureaux voisins pour déterminer le nombre de pièces occupées par Jenkins. Ensuite je suis redescendu au cinquième et j'ai visité une agence de publicité située juste en dessous, repassant dans chaque pièce, jusqu'à être sûr de connaître la disposition des lieux.

Remonté au sixième, je me suis posté devant le 723. Normalement, je me permets de pousser une porte et de me glisser dans l'ouverture. Personne, la plupart du temps, ne remarque une porte qui s'entrebâille et se referme, ou sinon toutes sortes d'explications inoffensives viennent aussitôt à l'esprit : quelqu'un a failli entrer, a changé d'avis, il y a eu un courant d'air, n'importe quoi. Mais les gens qui se trouvaient derrière cette porte en tireraient aussitôt une tout autre conclusion. Le moindre mouvement incongru, le plus petit bruit les feraient penser à moi. Et je serais pris. Ici, je ne pouvais me permettre aucune imprudence.

Au bout d'une vingtaine de minutes, une jeune femme s'est avancée dans le couloir, tenant avec précaution à bout de bras un sac en papier qui laissait fuir quelques gouttes de café. Sans lâcher le sac, elle a réussi à poser une main sur la poignée et a poussé la porte d'un coup d'épaule. La suivant du plus près possible, je suis entré en même temps qu'elle.

C'était une grande pièce meublée de plusieurs bureaux fatigués. Une femme tapait à la machine. Elle a levé les yeux et dit : « Oh, vous êtes revenue. » Contre les murs, il y avait des classeurs dépareillés et une photocopieuse. A gauche, une porte fermée devait mener aux autres pièces. La jeune femme a posé plusieurs pâtisseries et cinq tasses de café sur son bureau. Elle s'en est gardé une et en a mis une autre devant sa collègue. Puis elle a soigneusement réuni ce qui restait et s'est dirigée vers la porte qu'elle a réussi à ouvrir un peu malaisément. J'hésitais. De l'autre côté, ce serait encore plus dangereux. Mais bon, j'étais venu pour ça. Je l'ai rejointe et j'ai franchi la porte en même temps qu'elle.

Je me suis trouvé dans un petit couloir où donnaient plusieurs portes. La jeune femme a ouvert la première. Gomez était assis, nous tournant le dos, devant un écran d'ordinateur. Il y avait un deuxième ordinateur dans la pièce, et plusieurs magnétophones qui m'ont paru particulièrement perfectionnés. Des écouteurs de grande taille traînaient sur une table. Sur le mur, en face de Gomez, il y avait une grande photo de moi en costume de bain, un verre à la main. Une photo que je n'ai pas reconnue, probablement, me suis-je dit, parce que je ne l'avais jamais vue. Mon visage avait une expression bizarre, presque ridicule. J'ai pensé que c'était l'agrandissement partiel d'une image où se trouvaient d'autres personnes. La photo était épinglée au mur par une fléchette plantée dans mon entrejambe, et elle avait pivoté de quarante-cinq degrés, de sorte que j'avais l'air de tomber de très haut. Gomez a fait pivoter son siège et sorti de la monnaie pour payer son café et son beignet.

Ensuite nous avons apporté un café et un gâteau à Clellan, qui nous a reçus avec ses éternels bavardages de bon garçon : « Merci, Jeannie. C'est très gentil. Eh bien, vous êtes en beauté, aujourd'hui. »

Elle a rougi, souri.

Il lui restait une tasse, et elle a frappé à la troisième porte. J'ai entendu le son d'une voix. Elle a ouvert, et du couloir, j'ai vu Jenkins en train d'écrire, le teint blême, le visage impassible. Il n'a pas arrêté d'écrire, ni même levé les yeux à l'entrée de la jeune femme, mais j'ai eu tout de même l'impression d'être un oiseau fasciné par un serpent.

L'aspect sordide de son bureau m'a surpris, presque effrayé. Les meubles étaient de ceux qu'on trouve empilés dans des entrepôts de récupération. Les murs étaient absolument nus, laissant deviner un reste de barbouillage blanc sale, et il y avait deux classeurs cabossés, éraflés, un vert et un marron. La fenêtre donnait sur des toits goudronnés et des réservoirs d'eau. Sur le bureau lui-même, il y avait plusieurs piles de papiers et une tasse en plastique bon marché contenant des crayons et des stylos-billes. Seuls deux téléphones paraissaient signaler son statut, ou son pouvoir. L'idée m'est venue que l'un d'eux correspondait au numéro qu'il m'avait donné.

Elle a posé la tasse devant lui, doucement. Toujours sans lever les yeux ni cesser d'écrire, il a dit : « Merci, Jean.

— De rien, monsieur. »

Elle est ressortie d'un pas vif. J'ai hésité un instant à entrer avant qu'elle ne referme derrière elle. Valait mieux pas. Que je renifle ou que je tousse, sans le vouloir, et j'étais foutu. Il fallait que j'attende de pouvoir y entrer seul.

Elle a regagné la première pièce, sans rien laisser ouvert. J'étais coincé dans ce petit couloir, entouré de six portes, mais je n'osais en pousser aucune. D'abord debout, puis assis, j'y ai passé le reste de la journée. Parfois j'entendais un téléphone sonner, et une fois, collant mon oreille contre le bureau de Jenkins, je suis sûr de l'avoir entendu murmurer, mais sans pouvoir distinguer un seul mot. Affreusement ennuyeux, d'avoir à rester devant ces portes fermées. Enfin, je n'avais plus le choix.

Au bout de deux heures, quand Morrissey est arrivé, j'ai presque été content de le voir. Il s'est arrêté, tenant la porte du couloir ouverte, la tête tournée vers la grande pièce. Je me suis vite levé et je me suis approché de lui, pensant avoir une chance de sortir. Une des femmes était en train de lui parler :

« Demain, la réunion est reportée à deux heures, parce que le matin le colonel Jenkins a rendez-vous avec quelqu'un de Washington. »

Morrissey a refermé avant que je me décide, et j'ai dû à nouveau reculer pour le laisser passer. Il a frappé chez Clellan et il est entré, fermant aussi cette porte.

« Quelqu'un de Washington. » Il fallait que j'y sois. Ce serait peut-être l'occasion d'apprendre quelque chose d'utile. Mais, en attendant, que faire ? Jusqu'ici, je n'étais arrivé à rien de concret. J'ai collé mon oreille à la porte de Clellan, mais il ne me parvenait qu'un marmonnement confus, inintelligible. Ce n'était pas ainsi que j'apprendrais grand-chose. Une perte de temps. Mais je devais essayer. Il était environ quatre heures : bientôt, tout le monde s'en irait et je pourrais fureter à loisir. Un quart d'heure plus tard, Clellan est allé chercher quelque chose dans la première pièce. J'ai vu Morrissey assis, immobile, sur une chaise en bois. Au bout de cinq minutes, Clellan est revenu et a refermé la porte.

Vers quatre heures et demie, Morrissey est parti. Vers cinq heures, Gomez a fermé son bureau à clef. Nom de Dieu, si tous les autres en faisaient autant, j'aurais vraiment perdu mon temps ! C'était peut-être seulement à cause des ordinateurs et des magnétophones. De toute façon, il me resterait la première pièce. Un peu plus tard, Clellan est sorti. Il a fermé également à clef. De l'autre côté de la cloison, j'entendais les deux femmes se préparer à partir. Quand Clellan a traversé la première pièce, ils se sont crié bonsoir et le silence est revenu.

J'ai attendu encore deux heures que Jenkins émerge à son tour, une vieille serviette sans valeur à la main. Il l'a posée pour fermer sa porte à double tour. Sans espoir. Il a ramassé sa serviette, longé le couloir, et je l'ai entendu verrouiller aussi la deuxième porte. J'étais enfermé pour la nuit. Un instant plus tard, les lumières se sont éteintes, et je me suis retrouvé dans le noir.

Je suis resté sans rien faire un temps qui m'a paru très long, bien qu'il soit difficile d'en juger dans de telles conditions. Ensuite je suis allé à tâtons au bout du couloir, où je voyais une lueur filtrer sous la porte, espérant vainement trouver un moyen de l'ouvrir. Rien. Je suis revenu sur mes pas, essayant chaque serrure au passage. Toutes fermées. J'ai sorti une de mes cartes de crédit pour essayer de les débloquer, sachant que cela ne marcherait pas. Elles étaient verrouillées. Il devait au moins y avoir des toilettes. Ma vessie était pleine, et me faisait mal. Mon moral est encore descendu d'un cran quand je me suis dit que je ne trouverais rien : les toilettes devaient être dans le couloir de l'immeuble. C'était pour ça que Clellan était sorti, un peu plus tôt. Non. Cette porte s'ouvrait. Ça devait être les toilettes, après tout. Au moins ça.

J'ai poussé la porte, très lentement. Il venait encore un peu de lumière par une fenêtre donnant sur un puits de ventilation. C'était une pièce étroite et longue, presque entièrement remplie par une grande table de conférence ovale, entourée par une demi-douzaine de chaises en métal. Un bureau métallique, peint en gris, était poussé dans un coin, sans chaise derrière. Rien d'autre, sauf une corbeille à papier. Par principe, je suis allé ouvrir les tiroirs du bureau, sans faire de bruit. Tous vides. Avec un peu de mal, j'ai ouvert la fenêtre crasseuse et j'ai uriné dans le puits d'aération.

Pendant douze heures, allongé sur le sol nu du couloir, j'ai essayé de dormir.

Jenkins est arrivé le premier. J'étais debout, bien réveillé, avant qu'il n'ait ouvert la première porte. Je tremblais sous l'effet de la faim et du manque de sommeil. Et aussi de peur, ai-je compris. Mais j'étais là. Et je resterais pour assister au rendez-vous avec l'homme de Washington. Je pouvais bien me passer de manger pendant un jour et demi.

J'ai regardé Jenkins s'avancer vers moi. Il n'y avait aucune raison pour qu'il dépasse son bureau, pourtant j'étais terrifié en le voyant venir droit sur moi, et j'ai eu l'impression d'échapper à la mort quand il s'est arrêté pour ouvrir sa porte. Il n'a rien refermé à clef, derrière lui. Il était tôt — pas encore huit heures — et le moindre petit bruit résonnait à travers tout l'immeuble. J'ai attendu, absolument immobile, sans changer de place. Derrière la porte j'ai entendu le bruit de tiroirs qu'on ouvrait, qu'on refermait, et le grattement d'une plume sur du papier.

Une heure plus tard, quand une sonnerie a retenti dans la première pièce, Jenkins est ressorti pour se rendre à l'entrée. C'est le moment que j'ai choisi pour me glisser dans son bureau. De loin, je l'ai entendu ouvrir la porte d'entrée et accueillir quelqu'un. Des bribes de la conversation qui se rapprochait me sont parvenues. Quelque chose à propos de la navette Est-Ouest. J'ai cherché des yeux l'endroit où je serais le moins exposé. Le coin, face à la porte. Personne ne va dans les coins. Je me suis assis, le dos au mur, essayant de trouver une position confortable pour ne plus avoir à bouger, priant pour qu'il s'agisse vraiment du visiteur attendu, parce que je n'imaginais rien de pire que d'être enfermé dans une pièce avec un certain individu : nommément Jenkins. Je ne pourrais ni tousser, ni renifler, ni me racler la gorge, à peine remuer un membre, et cela durerait peut-être des heures. Avec deux personnes, déjà, c'est assez dur, mais du moins ils s'occupent l'un de l'autre, remuent sur leurs sièges, éternuent, et chacun peut attribuer à l'autre un bruit accidentel.

Jenkins a laissé entrer son visiteur. Un homme d'une cinquantaine d'années, impeccable, vêtu d'un costume sur mesure qui avait dû coûter fort cher. Il a balayé la pièce du regard en s'asseyant sur la vieille chaise en bois. « Installation temporaire ? »

Ses lèvres minces reformaient automatiquement, sans effort, un sourire poli à la fin de chaque phrase. Tout en s'installant, il a croisé les jambes et resserré son nœud de cravate.

Jenkins, qui avait ouvert la bouche comme pour dire non, s'est arrêté net et l'a refermée. L'espace d'un instant, il a paru examiner minutieusement le visage de son interlocuteur.

« Oui, je suppose. Nos installations sont toujours provisoires, à vrai dire. »

Le visiteur, qui regardait curieusement la paroi cabossée du bureau métallique, a relevé les yeux, surpris.

« Oui, bien sûr. En un sens, n'est-ce pas, c'est juste ? » Il a jeté un coup d'œil derrière lui, sur le fichier vert posé de guingois contre le mur, et s'est aussitôt retourné vers Jenkins. « Je parlais justement de vous l'autre jour avec Bob Neverson. Il vous fait ses amitiés. Il pense de vous le plus grand bien. Il dit que vous êtes l'homme le plus compétent qu'il ait jamais eu sous ses ordres. »

L'homme a souri.

« C'est extrêmement généreux de sa part, a répondu Jenkins d'un ton parfaitement neutre. Ce fut un privilège, d'être commandé par lui. C'est une période qui a beaucoup compté pour moi. » L'attention de son visiteur semblait se relâcher. Il jetait des regards distraits tout autour de la pièce. « Je n'ai quasiment plus l'occasion de le voir, a ajouté Jenkins. Transmettez-lui mes amitiés, je vous prie.

— Certes. Je n'y manquerai pas. » Le sourire s'est reformé. Les jambes se sont décroisées, recroisées. Et puis le visiteur a repris sur un autre ton, indiquant que la véritable discussion allait commencer : « J'ai voulu saisir cette occasion de nous voir seul à seul, ce matin, parce que, comme vous vous en êtes sans doute rendu compte, il y a beaucoup de rumeurs qui courent au sujet de votre opération, et qu'avant d'être attaqué de front sur la question du budget, je voulais me faire une idée plus claire de vos projets et de vos priorités. » Il s'est délicatement passé l'index sur la lèvre inférieure avant de poursuivre : « Ce budget, en fait — c'est-à-dire le chapitre directement imputable à votre opération —, semble devoir dépasser les douze millions de dollars. Il y a aussi certaines dépenses subsidiaires, des coûts indirects... et surtout vos demandes de coopération inter-services. Ce sont des dépenses réelles...

— Bien sûr, a approuvé Jenkins. Et vous avez naturellement besoin de vous assurer que ces dépenses sont justifiées. Laissez-moi dire que je suis heureux...

— Ce n'est pas seulement ça... Bien que nous soyons évidemment chargés d'évaluer et de superviser ces dépenses. Toujours est-il que ces frais, à partir d'un certain ordre de grandeur, créent une sorte de vulnérabilité. Le fait est — et en ne me fondant que sur le peu que je sais de cette opération — que je ne voudrais pas être mis en position d'avoir à défendre ce budget devant une commission du Congrès, par exemple. » Il s'est interrompu de nouveau, en tordant le cou d'un air inconfortable, paraissant sincèrement désolé à l'idée d'une telle éventualité. « J'ai constaté que lorsque ces choses dépassent un certain plafond financier, quelles que soient les mesures de sécurité, on ne peut plus garantir qu'elles ne soient brusquement utilisées comme prétexte d'une attaque politique. » Il s'est recaressé la lèvre, la tapotant plusieurs fois du bout du doigt. Il se demandait peut-être s'il avait des boutons. « De sorte que je suis particulièrement heureux d'avoir l'occasion d'en discuter directement avec vous.

— Oui, a dit Jenkins. Je comprends parfaitement. Je me suis efforcé de tenir Nick Ridgefield continuellement informé de l'objet et du montant de nos dépenses. Je pense...

— Certes, vous l'avez fait. Sans aucun doute.

— Et nous avons tenu à décrire franchement une situation où existe la possibilité réelle que nos efforts se concluent par un échec.

— L'échec n'est pas vraiment ce qui entre en ligne de compte, dans ce cas. Pas plus, jusqu'à un certain point, que les dépenses.

Ce dont nous devons nous préoccuper, c'est de l'opinion publique.

— Bien sûr. Je comprends parfaitement votre point de vue. Les risques politiques sont élevés, et le coût ne l'est pas moins. Mais la valeur de ce que nous pouvons obtenir, en cas de succès, est incalculable.

— J'en suis persuadé. Je m'inquiète seulement de ce que le risque politique soit si élevé qu'aucun résultat ne puisse le justifier. »

Les yeux de Jenkins se sont agrandis, un bref instant, comme si quelque chose l'avait surpris. « Naturellement, a-t-il dit lentement. J'en suis parfaitement conscient. C'est pour cette raison que je suis particulièrement heureux de pouvoir en discuter avec vous, personnellement. De sorte que vous puissiez juger par vous-même de ce qui est en jeu. » Après une pause, il a ajouté : « J'en conclus que vous avez parlé avec Ridgefield.

— J'ai parlé *à* Ridgefield, bien sûr. Mais... Parlons franchement, hum — vous vous appelez David Jenkins en ce moment, c'est bien ça ? Il vaut peut-être mieux que je m'y fasse, moi aussi. Je vais être tout à fait franc, Jenkins. Ridgefield ne veut pas me parler de ça. Il m'a fortement recommandé de m'adresser directement à vous. Il ne veut pas en prendre la responsabilité. Il ne veut pas qu'on puisse dire qu'il a précisément décrit — ou même qu'il a su — ce qui se passe ici. Il a pour vous la plus grande estime. Comme tout le monde. Des succès brillants, rien d'anormal, rien d'irrégulier — autrement, tout ceci ne serait jamais allé aussi loin. Mais Ridgefield tient absolument à ce que vous en assumiez toute la responsabilité. Ou moi. Et je vous dirais franchement que j'ai même failli refuser de vous voir. Mais, dans le doute, j'ai trouvé plus sûr de prendre mes renseignements à la source, et c'est ce qui a arraché mon consentement. Néanmoins, quoi que vous ayez pu dire à Ridgefield, vous devez considérer que je ne sais rien de cette affaire. Il vous incombe de me présenter — en comprenant bien que cela restera strictement entre nous, du moins pour l'instant — l'ensemble des faits. »

D'un geste involontaire, il a regardé sa montre.

Jenkins a froncé les sourcils et a sorti d'un classeur un dossier d'agrandissements photographiques.

« Ce bâtiment était le siège, jusqu'en avril dernier, de Micro-Magnetics, Inc., une petite société qui effectuait des recherches financées par divers services du DOD. Je m'excuse de la mauvaise qualité de cette photo, mais c'est la seule que nous ayons. Elle a été faite pour accompagner une demande d'hypothèque, par l'épouse de l'homme debout devant le bâtiment. Aujourd'hui encore, après plusieurs milliers d'heures de travail consacrées à des interrogatoires et des enquêtes scientifiques, nous ne sommes pas certains de connaître précisément la nature des recherches en question. Néanmoins, il y avait au centre du bâtiment un laboratoire où avait été installé une sorte d'appareil destiné à créer une enceinte magnétique — sur la photo suivante — analogue à celles qu'on emploie pour essayer de contenir la fusion nucléaire... »

Jenkins connaissait son discours par cœur. Il a récité le curriculum vitae de Bernard Wachs, Ph. D., ainsi qu'une bibliographie commentée de ses publications. Il a énuméré les noms des gens qui avaient travaillé pour MicroMagnetics, les emplois qu'ils y occupaient, résumé ce qu'ils avaient compris de l'appareil. Le visiteur témoignait d'un intérêt poli, accordant aux photos le même regard qu'il aurait jeté sur des images de cousins éloignés dont il ne se serait guère soucié, au cours d'une visite obligatoire chez une grand-tante.

Quand Jenkins en est venu à décrire la conférence de presse, il a sorti un plan du bâtiment et du terrain. Plus un portrait de Carillon. Je me suis mis debout, instinctivement, pour regarder les photos, et je me suis rendu compte que je tenais à peine sur mes jambes, ce qui m'a rappelé que je n'avais rien mangé depuis trente-six heures. La vision de ces images, pourtant, et la description des événements par cette voix monotone, insinuante, m'avaient complètement bouleversé, à ma grande surprise. J'étais stupéfait à l'idée que cela s'était passé il y avait tout juste cinq mois. D'une certaine façon, je l'avais chassé de mon esprit, et jusqu'à cet instant, l'accident m'avait paru appartenir à un passé lointain. Or, en regardant ces photos, j'ai senti ma tête se vider de son sang, et j'ai revu, une fois encore, l'ultime convulsion qui avait incinéré Wachs et Carillon. Il a fallu que je me maîtrise. Jenkins parlait du Mouvement pour un Monde meilleur, de ce qu'ils avaient fait, du moment où tout le monde s'était retrouvé sur la pelouse, devant le bâtiment. Pourquoi, hélas, n'étais-je pas sorti comme tout le monde ?

Jenkins a traversé la pièce et ouvert un placard, lequel dissimulait un coffre-fort de la taille d'un petit réfrigérateur. J'ai compris que je devais à tout prix y jeter un œil. Un pas, deux, trois, prudemment, en posant d'abord le talon et en tordant le pied de côté. Il a tourné le bouton dans le sens des aiguilles d'une montre, jusqu'au chiffre quinze. Quinze, quinze, quinze : souviens-toi. Puis en arrière, jusqu'à trente-sept. Quinze, trente-sept. Quinze, trente-sept. En avant, sur dix-huit. En arrière, sur cinq. Quinze, trente-sept, dix-huit, cinq. Quinze, trente-sept, dix-huit, cinq. Facile, mais la panique me guettait à l'idée que je puisse oublier.

Il a ouvert la porte du coffre, en a sorti un second dossier, peu épais, qu'il a posé sur le bureau, en face du visiteur. Il s'y trouvait une petite pile de photos en noir et blanc. Celle du dessus montrait une pelouse et une sorte de grand trou, ou cratère. On aurait pu croire qu'il s'agissait des fondations d'un immeuble à construire.

« Voici l'aspect du site peu après l'explosion. Si " explosion " est le mot juste. Il y a eu par bonheur une brève période de radioactivité intense, ce qui a entraîné l'évacuation immédiate de la zone. »

Le visiteur feuilletait les autres photos. Il est tombé sur l'image d'un homme en combinaison spatiale flottant au-dessus du cratère.

« Je ne vois pas bien ce qui se passe sur celle-ci », a dit l'homme. Il a froncé les sourcils et cherché à la voir sous un autre angle. « On descend un homme, je ne sais comment, au fond du trou.

— En fait, ce n'est pas cela », a dit Jenkins. L'autre a continué à feuilleter le dossier. Il s'est arrêté sur l'image de trois hommes suspendus dans le vide, l'un à quatre pattes, le deuxième debout, et le troisième dans la posture d'un homme assis. Cela évoquait une sorte de pantomime insolite. L'espace où ils flottaient était parcouru d'un réseau de lignes formant des carrés et des rectangles, comme si quelqu'un avait essayé de dessiner le contour d'un immeuble.

Jenkins a essayé d'expliquer. Il a repris la photo montrant le bâtiment avant l'accident, ainsi que le plan, pour les mettre en rapport. « La photo a été prise sous un angle légèrement différent, malheureusement, mais cet homme se tient dans la pièce où donne cette porte, en façade, et celui qui est accroupi, au-dessus, se trouve dans la pièce correspondante du premier étage. »

Le visiteur, maintenant, était complètement absorbé par les

photos. « Ce que vous affirmez, c'est donc que le bâtiment tout entier est encore là, mais invisible. » Il s'est passé la langue sur les lèvres, nerveusement, et a cligné des yeux. « Ridgefield m'avait laissé sur une impression plus modeste — il s'agissait de quelques objets d'une transparence extraordinaire... Avez-vous fait authentifier ces photographies ?

— Eh bien, de notre point de vue, cela n'aurait pas vraiment grand sens. Un de mes hommes a pris ces photos. Et c'est moi qui suis debout dans la première pièce.

— Je vois. » Il a tout regardé à nouveau, depuis le début, cette fois sans rien dire et très attentivement. « Dites-moi... Bien sûr, il est difficile de s'en rendre compte, à partir de ces photos, mais... quelle perfection atteignait exactement cette illusion... cette sensation d'invisibilité ? C'est-à-dire, voyiez-vous le contour des objets ? Était-ce comme si tout était en verre ? Ou... Comment ça se passe, au juste, avec le verre ? Est-ce qu'il renvoie différemment la lumière ?... D'après ces photos, il est impossible de...

— Ce n'était pas du tout comme si les choses étaient en verre. On ne pouvait absolument rien voir. Ni contour, ni forme, pas la moindre opacité, aucune distortion optique. Quand on touchait quelque chose, on le sentait. Rien de plus. Tout était exactement comme avant, sauf que tout était complètement invisible. Je sais que cela paraît incroyable. Dommage qu'il n'y ait pas de meilleures photos. Nous en avions pris d'autres avec un matériel infiniment supérieur.

— Qu'est-ce qu'elles sont devenues ?

— Elles ont été détruites.

— Détruites comment ? » L'homme semblait presque scandalisé qu'on eût laissé faire une chose pareille. « C'est en rapport avec le... ? Ridgefield m'a laissé entendre qu'il serait question de sabotage dans cette affaire. Qu'est-ce qui a été préservé ? Peut-on visiter cet endroit ? »

Il n'avait pas quitté les photos des yeux.

Jenkins a retraversé la pièce et plongé une main, précautionneusement, dans le coffre-fort. Il est revenu vers le bureau, les mains bizarrement tendues devant lui, comme pour supplier une divinité inconnue. Il portait quelque chose, quelque chose d'invisible, qui a fait un petit bruit sec quand il l'a posé en face de son visiteur. Quinze, trente-sept, dix-huit, cinq. Plusieurs objets, en réalité, et en les posant, les mains de Jenkins flottaient mystérieusement au-dessus du bureau comme pour accompagner une sorte d'incantation magique.

Il a tendu sa main vide au visiteur. « Vous pourriez examiner ceci. »

L'autre l'a regardé, un peu gêné, ou même agacé. Soit il était à la place de celui qu'un prestidigitateur choisit brusquement parmi son public en lui ordonnant de prendre une carte, soit il était forcé de se prêter aux caprices d'un dément — et dans les deux cas, il se sentait ridicule. Son regard s'est porté un bref instant vers la porte, comme s'il songeait à s'enfuir, mais la main de Jenkins était devant son nez. Il a allongé l'index, d'un geste hésitant, mais juste quand il allait l'atteindre, il a sursauté et retiré son doigt comme si on l'avait piqué. Ensuite il s'est emparé de l'objet, quel qu'il fût, et s'est mis à le manipuler, l'air de plus en plus stupéfait.

« C'est... c'est un briquet... C'est tout à fait incroyable... Et tout est comme ça ? Tout le bâtiment ?

— Il l'était. Un incendie l'a détruit.

— *Détruit par un incendie ?* Comment, au nom du ciel, a-t-on pu laisser se produire une chose pareille ? »

Il regardait fixement sa main. Son pouce tressautait comiquement de haut en bas, et on entendait le grattement de la pierre. Avec les doigts de sa main gauche, il a dessiné un petit cercle au-dessus de sa main droite. Soudain il a laissé échapper un cri en écartant violemment les bras.

« Je vois qu'il fonctionne toujours parfaitement. »

Il a sucé quelques instants ses doigts brûlés et s'est penché au bord de sa chaise pour chercher le briquet tombé par terre.

Bientôt ils se sont mis tous les deux à quatre pattes.

« Pas commode de retrouver un truc pareil, non ?

— Pas commode du tout. Et, en un sens, c'est notre principal problème.

— Qu'est-ce qui a survécu à l'incendie ? Qu'est-ce qui vous reste encore ?

— Je crains que ce soit... » Jenkins a localisé le briquet sous son bureau. « Le voilà. » Ils se sont relevés et Jenkins a soigneusement reposé le briquet sur le bureau. « Ce qui se trouve ici, je le crains, est tout ce qui nous reste. Il a dû y avoir une sorte d'explosion au cours de l'incendie. Peut-être un réservoir de mazout, ou quelque chose qui se trouvait dans le laboratoire, mais en tout cas il n'est pratiquement rien resté du bâtiment. Nous avons passé plusieurs semaines à tamiser les cendres et à ratisser les environs. » Le visiteur, les mains sur le bureau, cherchait à tâtons. « Vous y trouverez, outre le briquet, un morceau de cendrier en verre, un tournevis et une balle. »

Le visiteur a ramassé quelque chose et l'a gardé dans sa main, qui tremblait.

« C'est tout ce qu'a laissé l'incendie ? Cette balle a été tirée, a-t-il observé en la tournant entre ses doigts. Vous avez fait examiner ces choses... d'un point de vue scientifique, je veux dire ?

— Nous avons envoyé des morceaux du cendrier à Riverhaven et au laboratoire des radiations. Ils ont baptisé cette matière " superverre ". Pour des raisons de sécurité, jusqu'ici, nous n'avons pas mentionné qu'il existait d'autres substances, à part ce verre, possédant les mêmes propriétés. A un moment donné, on devra prendre une décision quant à la façon dont nous voulons procéder dans cette affaire. »

Il a froncé les sourcils, creusant tous les plis de son visage, comme s'il réfléchissait.

« Et ont-ils trouvé quelque chose ? Je veux dire, savent-ils comment le fabriquer ? »

La voix du visiteur tremblait légèrement sous le coup de l'excitation. Comme aurait fait la mienne, si j'avais essayé de parler à ce moment-là. Je me suis senti frissonner en attendant la réponse.

« Si par là vous entendez : peuvent-ils recréer un phénomène identique, fabriquer d'autres objets de ce type ? Non. Ils ont découvert beaucoup de choses sur les propriétés du " superverre ", mais au fond, ils se contentent surtout de décrire l'absence des propriétés qu'on s'attendrait à lui trouver. Je vous communiquerai les rapports, et vous...

— Même s'ils en sont encore incapables, savent-ils... ont-ils au moins une idée de la façon dont cela s'est passé ? »

Jenkins a plissé les yeux. « Vous devriez lire les rapports. D'après moi, la réponse à votre question se résume en un mot : non. Mais ils la formuleraient de manière infiniment plus complexe et détaillée. En fait, ils ont beaucoup d'idées sur la façon dont c'est arrivé. Beaucoup trop. » Il s'est interrompu, comme s'il hésitait à poursuivre sur ce sujet. « La théorie semble indiquer que ces objets ne sont pas composés des mêmes particules élémentaires que la matière habituelle. Il s'agirait de particules différentes, ou de quanta d'énergie, mais structurés de la même façon qu'avant. A moins que ce soient des particules inchangées, mais disposées autrement. Il y a plusieurs écoles de pensée. En bref, nous avons un objet possédant presque les mêmes propriétés que l'original, sauf qu'il laisse passer la lumière sans la moindre réfraction. Le poids spécifique est légèrement plus faible. La cohésion moléculaire semble avoir baissé. Mais, fondamentalement, c'est une version invisible d'un objet quelconque.

— C'est vraiment tout à fait extraordinaire. » L'autre avait repris le briquet, dont il tapotait la surface du bureau. Sa main tremblait toujours. « Incroyable. Il est même difficile d'envisager les possibilités... » Bien qu'il s'efforçât de garder un ton courtois, détaché, sa voix avait monté d'une octave et son élocution était un peu décousue. « Ils ont sûrement une idée... Et les articles de ce Wachs. Vous dites qu'il était financé par le DOD ? Que racontent ses rapports ?

— Nous avons une équipe qui essaye de reconstituer ses travaux. Mais s'il a jamais dirigé ses recherches dans ce sens, cela n'apparaît dans aucun des rapports qu'il a remis. Toutes ses publications récentes traitent de la maîtrise magnétique des flux de plasma. Il semble, vers la fin, qu'il soit tombé sur un phénomène nouveau qu'il a jugé significatif, sans que nous puissions savoir quel rapport a pu avoir, ou non, ce phénomène avec les objets en question. Il a en tout cas construit une sorte de générateur magnétique qui a produit ces transformations — probablement à la suite d'un fonctionnement défectueux. Que Wachs ait pu prévoir, ou même comprendre, tout ou partie de ce processus, nous l'ignorons. Ceux qui travaillaient pour lui paraissent même en savoir moins que nous. Nous continuons les recherches, mais pour l'instant elles ne paraissent mener nulle part. C'est difficile. Il est mort. Ses notes, ses papiers, son laboratoire, son appareil, quel qu'il fût, tout est parti en fumée. On peut dire qu'actuellement personne n'a vraiment une idée sur la façon dont ces objets ont été produits, et encore moins sur la manière d'en fabriquer d'autres. De plus, les seules techniques expérimentales qui donnent quelque information sur la structure de ces matériaux semblent avoir pour effet de les détruire. Notre réserve diminue très vite, ce qui va bientôt nous forcer à prendre encore une autre décision difficile. J'ai fait préparer à votre intention des copies de ces rapports. »

Jenkins s'est tourné vers une pile de documents sous chemises plastiques soigneusement rangés d'un côté de son bureau et les a pris un à un, mentionnant l'équipe scientifique responsable de chaque rapport, ainsi que les perspectives qu'ils ouvraient, ou leur absence. « Ceci, disait-il, est un dossier sur Wachs. Cela, l'ensemble de ses publications. Avec les photocopies des rares notes restées inédites que nous possédons. Tout est résumé ici. Nous avons filtré chaque pincée de cendre et de terre de la zone. Nous avons retrouvé l'emploi du temps de Wachs, jour après jour, et fait tout ce qui est imaginable pour reconstituer ses travaux scientifiques. Les meilleurs laboratoires du monde étudient pour nous les matériaux récupérés sur le lieu de l'accident. En gros, a conclu Jenkins d'un ton qui se voulait définitif, voilà plus ou moins où nous en sommes.

— Ainsi, vous en êtes là, a repris l'autre, très calme. Et c'est tout ? » Haussant les sourcils, il a regardé Jenkins en tapotant le bureau où se trouvaient toujours les objets invisibles. « Dommage. Parce qu'au départ, vous aviez un bâtiment tout entier. Et puis, après quelques mois et plusieurs millions de dollars, vous n'avez plus que ça. Un incendie imprévu et mystérieux, du moins pour moi, et tout a disparu. A propos, qu'est-ce qui a déclenché cet incendie ? Et pourquoi cette balle se trouve-t-elle ici ? Votre récit soulève beaucoup plus de questions qu'il n'apporte de réponses. »

Jenkins fixait son bureau comme s'il pouvait voir les objets qu'il y avait posés, le visage tendu, creusé de mille plis. Il semblait hésiter à répondre. Son visiteur a choisi de rompre le silence.

« De toute façon, d'après ce que vous me dites, ce problème semble être du ressort des physiciens. Un problème intéressant et difficile, sans doute, et qui exige de strictes mesures de sécurité, mais pas une affaire nécessitant une opération massive des services de renseignement, à coup sûr. Non plus qu'elle ne justifie ces dépenses considérables.

— Il y a eu de nombreuses enquêtes à effectuer... enquêtes qui se poursuivent... » Jenkins s'est tu, les sourcils froncés. « Désirez-vous de plus amples informations sur nos activités ?

— S'il y a d'autres informations, j'aimerais les connaître. » Le visiteur n'avait pas donné à cette phrase l'intonation d'une question. « En vérité, vous allez devoir me dire si vous détenez d'autres informations.

— Naturellement, je suis là pour vous communiquer toutes les informations dont je dispose. Je veux seulement être sûr de ne pas vous apprendre ce que vous préféreriez ne pas entendre — c'est-à-dire, plus qu'il ne vous en faut pour évaluer ce projet. Lorsque vous avez envisagé de venir ici avec Ridgefield...

— Peut-être ne me suis-je pas exprimé assez clairement. Ce n'est pas que Ridgefield m'ait tout raconté et que par prudence il veuille qu'officiellement ce soit vous qui m'ayez mis au courant. Ridgefield s'est montré aussi peu disposé que vous à parler de cette histoire. C'est pourquoi je suis venu. Vous feriez peut-être mieux de me dire ce qu'il y a encore derrière tout ça. Y avait-il une personne, dans le bâtiment, dont vos hommes auraient perdu la trace d'une façon ou d'une autre ? Ou bien quelqu'un d'autre est-il au courant ? Quel est le problème, au juste ? »

Jenkins, au bout d'un moment, lui a répondu : « Les deux, voilà le problème. » Il s'est interrompu à nouveau. « Pour commencer, il y avait un chat dans ce bâtiment...

— Un *chat* ? Et était-il... était-il comme ce briquet ?

— Oui. Malheureusement, il s'est échappé.

— Échappé ? » Au début, il a semblé ne pas comprendre. « Vous voulez dire qu'il a survécu à l'explosion ? Ou à ce qui s'est passé ?

— C'est ça. Un de mes hommes l'a eu en main un bref instant. Il s'est débattu et s'est sauvé. »

Jenkins a tourné la tête et fixé son regard sur le mur.

« Et avez-vous essayé... ? Bien sûr que oui.

— Nous avons essayé de le reprendre par tous les moyens imaginables. Nous essayons encore. Ces rapports peuvent aussi vous intéresser. Nous n'en avons plus trouvé trace depuis le premier jour.

— Eh bien, on peut considérer qu'il est mort. Même s'il a survécu quelque temps. Vous dites qu'il y a eu une forte radioactivité ?

— Nous avons des raisons de penser qu'il est toujours vivant.

— Comment pouvez-vous... ?

Jenkins lui a tendu une photo de moi. Prise à un mariage, il y avait un peu plus d'un an. Je m'en souvenais.

« Cet homme s'appelle Nicholas Halloway. Cette photographie est désormais sans objet. Il était à l'intérieur du bâtiment, et nous avons également perdu sa trace. Quoique ce soit moins irrémédiable que pour le chat.

— Seigneur Dieu ! Vous voulez dire que cet homme aussi est devenu... comme le briquet ?

— C'est cela. »

Le visiteur a contemplé la photo d'un regard vide, comme s'il s'y trouvait un renseignement précieux qu'il n'arrivait pas encore à déchiffrer.

« Qu'est-ce qui... ? Où est-il, maintenant ?

— Ici même, à New York.

— Et c'est de ça dont il est vraiment question ? Un être humain est devenu invisible... » Il a regardé le bureau où se trouvaient les objets. « Totalement invisible. Et vous essayez de le capturer.

— Oui.

— Je vois. Seigneur Dieu ! »

Ils n'ont plus rien dit. Le visiteur a examiné ma photo, l'a tournée dans tous les sens, et a repris la parole.

« J'en déduis qu'il a mis le feu au bâtiment de Princeton. Et qu'il est armé.

— C'est exact.

— Il nous est hostile, alors ? »

Jenkins a paru réfléchir à cette question.

« Je dirais plutôt qu'il refuse de coopérer. Quand il a incendié ce bâtiment, et même quand il nous a physiquement agressés, son mobile était de s'enfuir. Presque son seul mobile, dirais-je.

— Pourquoi ? Pourquoi veut-il vous échapper ?

— Il a peur de ce qui peut lui arriver. Il a peur de devenir un " animal de laboratoire ". Ce sont ses propres termes. Si nous le rattrapons, il pense qu'il n'aura plus aucun contrôle de la situation. »

Le visiteur a eu l'air surpris.

« Il a parfaitement raison, n'est-ce pas ? Je n'y avais pas pensé. Pour lui, cela n'aura rien d'agréable, non ? »

Jenkins n'a rien dit pendant quelques secondes.

« Peut-être que non. Mais nous devons le retrouver.

— Oui. Bien sûr que oui. Il faut absolument qu'on le retrouve. On a le vertige en pensant à tout... Et en plus, nous n'avons vraiment aucun moyen de savoir ce qu'il pourrait entreprendre de son côté, n'est-ce pas ?

— C'est exact.

— Avez-vous des raisons de croire qu'il pourrait collaborer avec un autre service de renseignement, quel qu'il soit ?

— Non. Pas à ce point. J'en suis pratiquement certain. Et s'il décidait un jour de travailler avec quelqu'un, ce serait probablement avec nous. Mais vous avez raison. Il y a toujours un risque. Il est imprévisible.

— C'est incroyable ! Vous avez effectivement vu cet homme de vos propres yeux... ou plutôt, vous ne l'avez pas vu. Vous lui avez parlé ? Vous l'avez touché ? A quel point... ?

— J'ai été physiquement en contact avec lui. » (Oui, dans le jardin en bas de chez moi, quand je l'ai frappé de toutes mes forces.) « Et je lui ai parlé en plusieurs occasions. Ce deuxième téléphone lui est exclusivement réservé. Actuellement, il n'a presque plus personne à qui s'adresser et je suis probablement le seul avec qui il puisse parler ouvertement. Je l'encourage à m'appeler chaque fois qu'il en a envie. Quoiqu'il s'en soit abstenu ces derniers temps. Il fait semblant d'avoir quitté New York, et je fais semblant de le croire. »

Le visiteur, oubliant ma photo, a lentement relevé les yeux pour regarder Jenkins.

« Jenkins, comprenez qu'il ne s'agit en aucune façon de sous-entendre le moindre manque de confiance de ma part, mais vous dites que certains de vos hommes ont vu, eux aussi... ont également eu... une expérience directe avec cet homme ?

— Oui, très directe. Il a tiré sur l'un d'eux et physiquement agressé un autre. Désirez-vous leur parler ? Je le comprendrais parfaitement.

— Plus tard, peut-être. Je suis... Je veux d'abord que tout soit clair, pour moi. » Il est revenu à ma photo. « Qui est-ce ? Qu'est-ce qu'il faisait ? »

Jenkins lui a récité de mémoire mon curriculum vitae, feuilletant à mesure des pages et des pages de photos classées et annotées. Il était extraordinairement bien renseigné sur les moindres circonstances de ma vie. De toute évidence, il la connaissait mieux que moi, mieux que je ne l'avais jamais connue. J'ai appris combien d'argent gagnait mon père, où mes parents avaient grandi, les amis qu'ils avaient eus, avec qui ils avaient couché, de quoi ils étaient morts. Il y avait une photo de mon père quand il était jeune, avec deux femmes et un autre jeune homme, que je n'avais jamais vus. Ma mère, inexpressive, à la rambarde d'un navire. Et puis moi, les jambes grêles, dans une colonie de vacances, cerclé d'un trait, au milieu d'une rangée de garçons. Les doigts de Jenkins faisaient défiler les images, les bulletins scolaires, les lettres que j'avais écrites à des gens dont je ne me souvenais plus. Les appréciations tièdes de mes professeurs, les avis de mes collègues évaluant la qualité de mon travail et de mon amitié. Avec qui j'avais couché, et quand. Et ensuite avec qui elles avaient couché. Des photos, des dates, des noms. L'irréparable. Tout ce à quoi je ne pourrais plus revenir.

Ma vie entière, comme on dit, est repassée devant mes yeux. Vue par les yeux d'un policier. Mieux vaut ne pas s'attarder sur la foule d'émotions violentes qui m'a agité. Je suis resté pétrifié du début à la fin.

Le public, par contre, semblait moins captivé par ce récit. Le visiteur, plus d'une fois, a paru regarder par la fenêtre, comme s'il pensait à tout autre chose, et, à un moment, après avoir froncé les sourcils en fixant la photo restée sur ses genoux, il a interrompu Jenkins de façon abrupte :

« Où habite-t-il ? A qui a-t-il demandé de l'aide ? »

Jenkins a émergé de ses dossiers.

« Il dort dans des clubs privés, ou il s'introduit par effraction dans des appartements vides. Je vais en venir à tout ça.

— De sa famille ou de ses amis, qui est au courant ?

— Personne. Il n'a pas voulu prendre ce risque. Nous sommes les seuls à savoir.

— Excusez-moi. Continuez. Je ne voulais pas vous interrompre. »

Jenkins a continué. Il y avait une photo d'Anne. Éblouissante. Des hypothèses sur la façon dont je m'étais enfui de Micro-Magnetics. Des photos de mon appartement et l'inventaire de ce qu'il avait contenu. Il a énuméré, avec une précision décourageante, les clubs où j'avais dormi et les immeubles où ils étaient sûrs que j'avais habité. Il a entassé devant lui les transcriptions de nos conversations. Il a décrit chacune de nos rencontres, chaque tentative faite pour me capturer.

« Vous et vos hommes avez vraiment accompli un travail extraordinairement approfondi, a dit le visiteur, quand Jenkins a eu fini.

— Je crois qu'on peut honnêtement dire que j'en sais plus sur Halloway que je n'en ai jamais su sur aucun autre individu. Mais, à ce point, je ne suis pas sûr que cela soit très utile.

— Oui. Exactement. Dans un sens ou dans l'autre, cela ne nous sert pas à grand-chose. Votre ami a fait ses études dans des établissements convenables, où il a constamment obtenu des résultats corrects sans jamais briller. Il a l'air d'avoir mené sa carrière et sa vie privée à peu près dans le même esprit. Il ne s'est jamais marié. Il semblerait qu'il ait eu beaucoup d'amis mais aucun dont il ait été particulièrement proche. Pas même de violon d'Ingres. A l'occasion, une partie de squash ou de tennis. Le tout dans le tout, on dirait qu'il n'est pas grand-chose. Bizarre, en un sens, qu'un type pareil réussisse à vous donner tant de mal.

— C'est toujours difficile, a répondu Jenkins, d'avoir affaire à ce genre de gens sans liens affectifs importants, sans croyances politiques, sans intérêts particuliers d'aucune sorte. On ne trouve pas de prise.

— Oui, vous devez avoir raison. Mais vous croyez tout de même que vous l'aurez ?

— Nous allons l'avoir, a dit Jenkins d'un ton pensif, le visage plissé, hochant la tête pour lui-même. Ce ne sera pas long, maintenant. Dehors, pour lui, la vie n'est sûrement pas facile. Il lui reste très peu de choix, et il sait que nous sommes tout près. Si nous ne le rattrapons pas d'ici peu, il va abandonner. Sans même se l'avouer, il va relâcher ses efforts. Il va nous laisser venir. Il est dans une situation désespérée. » Ses yeux se sont réduits à une fente imperceptible. « Cela ne devrait plus tarder. Il ne peut pas s'en tirer de cette façon beaucoup plus longtemps.

— Eh bien, vous avez probablement raison, a acquiescé le visiteur en l'évaluant du regard. Voyez-vous, vous avez consacré beaucoup d'énergie à tout ça, et il arrive qu'une affaire de ce genre risque de tourner à l'obsession... Enfin, vous êtes meilleur juge. » Il a réfléchi un instant. « Dites-moi, en supposant que vous ne réussissiez pas à capturer Halloway et que pour une raison quelconque il devienne inacceptable de le laisser en liberté, incontrôlé, dans quelle mesure... ?

— Bien sûr, nous préférons nous assurer de sa personne, mais, si cela devenait nécessaire, il pourrait être plus facile de l'éliminer que de s'emparer de lui.

— Encore autre chose, a dit le visiteur. Avez-vous une preuve irrécusable — à part, bien sûr, votre témoignage et celui de vos hommes — que Halloway n'est pas mort dans cet accident ? La preuve qu'il est vivant... et toujours dans cette condition ?

— Nous avons les enregistrements de ses coups de téléphone. Avec nous, et avec des gens qui le connaissaient avant.

— Des enregistrements, hélas, n'apportent pas la démonstration la plus convaincante de l'invisibilité.

— Désirez-vous parler avec les hommes qui ont eu affaire à lui ? Certains d'entre eux doivent se trouver ici. »

Il a fait mine de tendre la main vers le téléphone.

« Non, non. Je pense que non. Ce n'est vraiment pas du tout ce que je veux dire. Je me préoccupe seulement de ma position — et de la vôtre, bien sûr —, au cas où nous devrions un jour justifier tout ça. N'y pensez plus. Peu importe. » Il avait recommencé à se caresser la lèvre, et son regard évitait celui de Jenkins. « Ce que vous faites ici est extrêmement important, et je veux que vous sachiez que je vais faire tout mon possible pour vous soutenir quant au budget. Néanmoins, pour l'instant — tant que vous n'avez pas appréhendé Halloway —, je pense qu'il serait préférable pour nous deux de considérer que nous n'avons jamais discuté de cette question. J'estime que vous devriez continuer à adresser vos rapports à Ridgefield sur la base que vous jugerez tous les deux la plus appropriée. En ce qui me concerne, vous essayez de résoudre un problème scientifique d'une importance et d'une difficulté extrêmes. Ce qui est effectivement le cas... Je vais garder ce briquet, tout de même. Il pourra être utile si jamais tout ceci vient à être mis en question. »

Il a pris le briquet sur le bureau et l'a glissé dans la poche de son veston.

Jenkins, les yeux dilatés, a ouvert la bouche comme pour émettre une objection, et puis s'est ravisé. Après un moment, il a simplement dit : « Bien sûr. C'est peut-être une sage précaution. Mais faites attention : ce genre de chose se perd très facilement.

— Oui, j'imagine. Eh bien, merci de m'avoir reçu. » Il avait retrouvé son sourire distingué, et regardait à nouveau Jenkins dans les yeux. « C'est réellement extraordinaire. Incroyable. Eh bien, bonne chance à tous. »

Jenkins l'a reconduit à l'ascenseur et je les ai accompagnés, profitant des portes ouvertes, mais une fois dans le couloir, j'ai couru vers l'escalier et dégringolé les six étages. Quand il est sorti de l'ascenseur, je lui ai emboîté le pas et je l'ai suivi dans la rue.

Il fallait que j'agisse immédiatement. Je n'aurais plus jamais cette chance. Il marchait vers l'est, la main droite enfoncée dans la poche de sa veste, tripotant son briquet magique. De l'autre côté de la rue, j'ai vu une voiture qui devait être la sienne. Un chauffeur en uniforme. Quand il est descendu du trottoir, j'ai tendu ma jambe droite devant lui, et au pas suivant, il est tombé la tête la première sur la chaussée. Il a eu le réflexe de tendre les deux bras en avant.

Tout près de lui, je me suis baissé, j'ai plongé une main dans sa poche, trouvé aussitôt le briquet, et avant qu'il ait pu reprendre ses esprits, j'ai couru un peu plus loin pour observer ce qui allait arriver. Des passants l'aidaient à se relever. Il époussetait son costume, d'autres passants s'arrêtaient pour voir s'il ne s'était pas blessé — ou s'il était ivre. Le feu est passé au vert et les voitures redémarraient déjà quand il a pensé à mettre la main dans sa poche.

Brusquement, il a fait de grands signes aux voitures qui approchaient. « Arrêtez ! Arrêtez ! J'ai perdu quelque chose... Non, non, je n'ai pas besoin qu'on m'aide. Juste qu'on empêche les voitures... C'est ça, une lentille de contact. »

A quatre pattes, il s'est mis à ramper, les mains bien à plat sur la chaussée. Son chauffeur s'est approché, mais il l'a renvoyé d'un geste impatient. Bientôt les voitures, bloquées sur tout un pâté de maisons, ont commencé à klaxonner. Il marmonnait, angoissé. Le chauffeur, consciencieusement planté au carrefour pour stopper les voitures, semblait perplexe.

Finalement, une voiture a réussi à passer. « Écoute, je suis désolé, mon vieux, mais des lentilles de contact, on en trouve partout. Je vais pas me faire des cheveux blancs et crever ici pour que t'économises cent balles. »

Les autres voitures ont suivi son exemple.

Le visiteur s'est redressé, la bouche pincée, et a contemplé la chaussée d'un œil morose. Il a regardé l'immeuble d'où il était sorti. La situation deviendrait délicate pour nous deux, s'il décidait d'aller raconter à Jenkins ce qui s'était passé. Mais pourquoi le ferait-il ? Ce serait gênant. Peut-être plus que gênant, au bout du compte. Il valait mieux se taire, ne pas dévoiler ses faiblesses. Mais s'il faisait tout de même demi-tour, il faudrait que je l'en empêche d'une manière ou d'une autre. J'ai attendu. Désespéré, il a regardé le passage clouté où les voitures passaient en trombe. Quand le feu a changé, il a traversé et il est monté dans sa voiture.

Je suis resté plusieurs minutes dans la rue à me demander ce que je devais faire. J'avais désespérément besoin de sommeil et de nourriture, et j'étais terrifié à l'idée de revenir dans les bureaux de Global Devices. Or, si je voulais y revenir un jour, c'était maintenant ou jamais. Le visiteur pouvait changer d'avis n'importe quand et prévenir Jenkins de la perte du briquet. Jenkins comprendrait immédiatement tout ce qui s'était passé, et je ne pourrais plus jamais pénétrer dans leurs locaux. De plus, ils allaient tenir une réunion, probablement pour discuter des dernières informations qu'ils avaient obtenues à mon sujet et de la façon dont ils allaient essayer de me prendre au piège. J'apprendrais peut-être ainsi comment rester hors d'atteinte pendant plusieurs mois. Et, par-dessus tout, je savais qu'il me fallait y revenir pour le coffre.

Quinze, trente-sept, dix-huit, cinq.

Je suis remonté au sixième et j'ai attendu devant la porte. Il s'est passé presque une heure avant que Morrissey arrive et me fasse entrer. Je l'ai suivi sans hésiter jusqu'à la pièce où se trouvait la grande table ovale, et je me suis installé sans bruit dans le coin le plus proche de la porte, restée ouverte.

Sauf Jenkins, ils étaient tous là. Tyler, assis, le dos raide, ne prenait pas part à la conversation. Gomez aidait Clellan à installer à l'autre bout de la pièce une sorte de chevalet en bois où était agrafée une liasse de dessins grand format. Celui du dessus était une carte de Manhattan ponctuée par des petits rectangles. J'en ai vu six. Ce devaient être les immeubles où on savait que j'avais dormi ce mois-ci. Il y avait d'autres cartes, semblait-il, et je voyais dépasser un plan très agrandi. Plusieurs même. Des appartements qu'ils auraient mis sous surveillance ? Je l'apprendrais bientôt. A propos, où en était le problème du logement à Queens ?

« Ce type se balade pas mal, en tout cas, non ? a dit Gomez. Tous les soirs, il change de quartier. »

Clellan lui a adressé son sourire de brave gars. « Bon, d'après ce qu'on raconte, Gomez, c'est un peu comme toi.

— Avec les horaires que vous m'imposez, c'est tout juste si je peux trouver où dormir.

— Quand on aura chopé ton copain, on pourra tous se reposer. »

Tyler regardait fixement la carte. « C'est les endroits où il a habité ?

— C'est des endroits où on est presque sûrs qu'il est passé, a répondu Clellan. Pas toujours sûrs à cent pour cent, mais presque. L'ennui, c'est qu'on dirait qu'il ne s'arrête jamais. Pas plus d'une nuit, ou des fois deux, au même endroit. Ce qui est bon signe, parce que ça montre qu'il est sous pression. Ça veut dire qu'il y a d'autant plus de chances qu'il commette une erreur. Je vais tout vous raconter dès que le colonel sera là.

— On m'a dit que tu lui as parlé, a ajouté Tyler à voix basse.

— Ouais, je lui ai parlé, c'est vrai, a dit Clellan avec un gros rire. Je lui ai parlé jusqu'à plus soif. Seulement, il m'a pas répondu. J'étais au bout de ce hall » — il a repéré l'immeuble sur la carte et le leur a montré — « et d'un seul coup, j'ai vu deux empreintes sur la moquette, devant moi, alors je me suis mis à causer, à causer, à lui dire qu'on l'aimait, et qu'il nous manquait, et que c'était chouette de tomber sur lui comme ça. J'ai tout essayé, sauf de chanter, et tout le temps je me disais : " Nicky boy, c'est peut-être le moment de te sauter dessus un bon coup ", et puis une, deux empreintes ont fait un pas, et je me suis retrouvé à parler tout seul. Le portier a vraiment cru que j'étais siphonné. Il a voulu me faire embarquer.

— Tous ceux qui voient ce qu'on fait, ils nous trouvent siphonnés », a dit Morrissey d'un ton geignard. « On va jamais l'avoir. Comment on pourrait ? Putain, il est *invisible.*

— On va l'avoir dans pas longtemps, maintenant, a dit Gomez. Attendez de voir un de ces appartements que je lui prépare. Une fois qu'il est dedans, j'ai posé des capteurs qui ferment les verroux de la porte comme si elle était soudée. Et en même temps, ils nous préviennent par radio.

— Et en plus, ces appartements peuvent faciliter la vie sociale si active de Gomez. Gomez reçoit beaucoup. »

Le rire de Clellan a fait vibrer les meubles.

« Écoute, j'ai eu besoin qu'une fois de discuter avec une copine — elle a des sacrés problèmes — et il se trouvait que j'étais dans cet appartement. De toute façon, avec les heures qu'on fait, quelquefois on peut pas empêcher sa vie privée de se mélanger au boulot.

— Justement, Gomez », a dit Clellan. Son sourire s'est effacé et ses yeux se sont rétrécis. « J'avais l'intention de te parler de ça. Tu vas laisser Carmen tranquille. Tu n'as pas de mal à trouver des femmes, mais moi si, surtout des filles avec des gros nichons et qui savent taper. Pareil pour Jeannie. Je veux que tu laisses ces deux filles tranquilles, t'entends ? »

Il le fixait d'un regard menaçant.

« Merde, j'essaye seulement d'aider Carmen à s'en sortir. Elle est dans une très mauvaise passe avec son mari.

— Et tu vas l'aider à régler ça ! »

La sévérité forcée de Clellan a explosé sous son rire.

« En plus, c'est très difficile pour une Latino comme elle de bosser avec des types comme vous, les gars, et j'essaye seulement de l'aider, de parler un peu avec elle. » Cette discussion semblait commencer à le mettre mal à l'aise. « En tout cas, ce mécanisme à la porte va nous choper ce mec. Je veux dire, ça coûte pas cher. Je peux faire un appartement pour cinq mille dollars, six au plus, et on n'a pas besoin de surveillants. On peut lui préparer autant d'endroits qu'on veut. »

Tyler a levé les yeux. « Et pour les appartements ?

— Qu'est-ce que tu veux dire, " pour les appartements " ?

— Qu'est-ce que tu payes comme loyer ? J'en cherche un à Manhattan, et une seule pièce peut monter à deux mille dollars par mois. Même à Park Slope, c'est dur. » Tyler a réfléchi un instant. « Je pourrais peut-être me servir d'un de ces endroits pendant que vous travaillez dedans.

— Gomez ne pourrait même pas se permettre d'en lâcher un seul. Avec lui, il s'agit vraiment de cir-culer. » Clellan riait. Gomez a regardé ailleurs, gêné, mais sans pouvoir contenir un petit sourire. « En tout cas, on va tous avoir bientôt des loisirs, j'espère. Quand Nicky boy se sera joint aux réjouissances.

— Combien d'appartements il y a dans New York ? a demandé Morrissey. Un million, peut-être. Tu vas en faire cinq, ou dix, et attendre tranquillement qu'il y vienne ? Autant pisser dans un violon. On l'aura jamais. »

Clellan a penché la tête et observé Morrissey. « Il n'y a pas un million d'appartements où Halloway peut entrer. Il n'y en a même pas beaucoup. Et encore moins maintenant que l'été est fini. Il ne va que dans un certain genre d'endroits. On sait beaucoup de choses sur lui, maintenant.

— On sait beaucoup de choses sur lui, c'est sûr, l'enculé. » La véhémence de Morrissey m'a surpris. Effrayé. « On sait surtout quel genre de connard c'est. Il aurait pu y avoir n'importe qui dans cette baraque, et il a fallu qu'on tombe sur ce trouduc. Je vais vous dire : si jamais on retrouve cet enculé, j'espère que ce sera moi. J'aimerais rien tant que lui tirer dessus. »

Personne n'a répondu. J'ai cru voir Tyler approuver de la tête, mais j'ai peut-être rêvé. C'est Clellan qui a rompu le silence :

« Morrissey, c'est juste que tu lui laisses jamais une chance. Toi et Nicky boy, vous pourriez vraiment devenir copains. Il faut seulement que vous preniez le temps de vous connaître. De boire quelques bières. De faire un peu la java. Peut-être que Gomez pourrait vous dénicher une fille pour chacun. Faut donner une chance aux gens...

— C'est un vrai trouduc. Il croit pouvoir faire tout ce qui lui passe dans sa putain de cervelle, comme s'il y avait personne d'autre sur la planète. Vous devriez voir cette école où il est allé. Ils ont un gymnase où on pourrait mettre les Jeux Olympiques — pistes de hockey, piscine, terrain couvert pour le base-ball — pour à peine deux ou trois cents mômes. Tous des connards dans son genre. On pourrait... »

Morrissey s'est arrêté net et s'est redressé sur sa chaise. Jenkins est entré. Ils se sont tous mis autour de la table, Jenkins à un bout, Clellan à côté de lui. Tout le monde a regardé Jenkins et attendu qu'il commence.

« Je veux avant tout vous dire que j'ai discuté avec Washington — j'ai vu quelqu'un ce matin, ici même, et je viens de passer une demi-heure au téléphone avec quelqu'un d'autre — et qu'on nous demande avec de plus en plus d'insistance des résultats concrets. » Je me suis souvenu à quel point je détestais le ton sérieux, insinuant, qu'il savait prendre. « Notre budget commence à attirer l'attention. A cela, nous ne pouvons quasiment rien — au point où nous en sommes, il n'est plus possible de reculer. L'ennui, c'est qu'il n'y a personne, pratiquement, qui sache vraiment ce que nous faisons ou ce qui est en jeu ; et les rares individus à le savoir refusent de le reconnaître. Cette opération est toujours présentée comme une enquête sur l'incident de MicroMagnetics dans le but de reproduire les résultats des travaux scientifiques de Wachs, qu'ils soient intentionnels ou accidentels. On peut compter sur les doigts d'une main les gens qui conçoivent plus ou moins clairement la nature de ces résultats. Par contre, inévitablement, il y a des rumeurs, des rumeurs qui peuvent éventuellement arriver jusqu'à nous. Vous imaginez bien qu'il serait désagréable d'avoir à justifier cette opération si nous devons en fin de compte revenir les mains vides. »

Jenkins a marqué une pause, en regardant ses mains.

« Je peux aussi bien vous prévenir dès maintenant. Si jamais nous nous trouvons un jour dans une situation de ce genre, en butte à des attaques politiques ou soumis à une enquête quelconque, chacun d'entre vous se verra dans l'obligation de choisir la position qu'il devra soutenir. Vous pouvez, bien sûr, décrire les événements exactement comme vous les avez vécus. Néanmoins, je pense que vous vous sentirez plus à l'abri en vous bornant à déclarer que vous avez obéi à mes instructions et que vous n'aviez en fait aucun moyen de percevoir l'envergure réelle de cette opération ni sa finalité globale. Probablement aussi en restant dans le vague, ne sachant pas au juste ce que vous avez vu. Ou n'avez pas vu. Personnellement, je vous le dis, je comprendrai parfaitement tous ceux qui pourront préférer s'en tenir à ce genre d'attitude. En outre, je ne suis même pas sûr, si vous le faisiez, que cela aggraverait mon cas le moins du monde. »

Ils sont tous restés complètement immobiles, les yeux fixés sur lui. Jenkins avait parlé sans cesser de contempler ses mains, mais à ce moment-là, délibérément, il les a posées à plat sur la table et a relevé les yeux.

« De toute façon, je ne crois pas que nous ayons à nous poser ce genre de problème. Je pense que les discussions que j'ai eues aujourd'hui ont momentanément assuré nos arrières, et même, grâce à elles, nous disposons d'un peu plus de temps. Or, le temps joue en notre faveur. Nous allons prendre Halloway cette semaine, ou la semaine prochaine, très bientôt. Je sais qu'il y en a, parmi vous, qui trouvent parfois cela décourageant, mais nous avons tous fourni des efforts extraordinaires et nous ne pouvons pas nous permettre d'abandonner au moment même où nous touchons au but. Halloway est complètement seul. Il est soumis, jour et nuit, à une tension extrême. Il suffit d'une seule négligence, d'une seule erreur. Si nous restons encore un peu sur ses talons, ce sera fini.

« Je sais que je vous l'ai déjà dit cent fois, mais cela vaut la peine d'être répété : ses choix sont extrêmement limités ; nous devons tous essayer de nous mettre à sa place et de deviner ce qu'il va faire, ce qu'il peut faire. Vous êtes les seuls à qui je puisse faire appel. C'est pourquoi, les uns et les autres, j'ai toujours voulu vous tenir au courant de ce que nous avions découvert, de tout ce que nous tentons d'entreprendre. Je sais à quel point vous travaillez dur, à quel point c'est frustrant, mais je compte sur vous. Ensemble, nous allons réussir, et je n'ai pas besoin de vous dire ce que cela signifiera pour nous. »

Jenkins, après avoir conclu son exhortation, a regardé Clellan, qui a pris la parole :

« Comme vous le savez tous maintenant, lundi je suis tombé sur Halloway. Par-dessus le marché, nous avons des indications solides sur plusieurs autres endroits où il est passé ces derniers quinze jours, et il en ressort une image très nette de ses déplacements... »

Clellan a donné une seconde version de notre rencontre, plus sobre, indiquant l'emplacement de l'immeuble sur la carte. Il a montré des photos d'appartements que j'avais certainement utilisés, d'après eux. Tout ce qu'il disait m'a paru exact. Il a indiqué l'emplacement de deux autres immeubles où on leur avait signalé des activités dans des appartements vacants. Encore des photos d'appartements, des plans, des indications sur ce que j'avais dû boire ou manger, sur mes horaires probables. Tout était parfaitement juste. Et très utile.

Clellan leur a ensuite annoncé la découverte de certains dossiers scolaires portés manquants et ce qu'on y disait sur moi. Il a rapporté l'étrange coup de fil d'un dénommé Howard Dickison à mon bureau et l'interrogatoire subséquent de Dickison, qui avait nié être l'auteur de cet appel et prétendu n'avoir jamais fait ma connaissance.

« Avez-vous ici la transcription de cet entretien ? a interrompu Jenkins. Je n'ai pas eu l'occasion de le voir. »

Clellan a feuilleté une liasse de papiers, extrait le rapport et le lui a tendu. Puis il a commencé à décrire le piège que Gomez m'avait destiné.

Jenkins lisait le rapport. Dès que ses yeux arrivaient au bas de la page, très vite, il la repliait et passait à la suivante. Quand il a eu fini, il a recherché deux passages pour les relire, et les a immédiatement retrouvés.

Gomez, maintenant, était au bout de la table, et leur montrait la coupe transversale d'une porte. Il s'y trouvait une sorte de mécanisme alimenté par des piles qui poussait un verrou dans sa gâche et le maintenait en place. Jenkins s'est tourné vers lui et lui a demandé à voix basse s'il avait la transcription du coup de téléphone de Dickison à mon bureau. Clellan a fouillé un dossier et fini par trouver ce qu'il cherchait. Posant un doigt au milieu de la feuille, il l'a fait glisser vers Jenkins qui l'a lue avec la plus grande attention. Gomez commentait le plan d'un appartement. Si on poussait une seule des portes séparant les pièces, cela déclenchait le mécanisme du verrou à l'entrée. Jenkins a repris le premier rapport pour le relire, les plis de son visage creusés par une grimace. Clellan s'était mis à côté de Gomez. Ils désignaient sur la carte l'emplacement des locaux déjà pourvus de l'invention de Gomez et ceux qui devaient l'être. Des informations que j'avais très envie d'avoir.

Jenkins a reposé le rapport et relu le coup de téléphone du

début à la fin. Les yeux à demi fermés, il se tapotait les lèvres de l'index. Relevant la tête, il a interrompu Clellan.

« Excusez-moi, mais avons-nous l'enregistrement de cet appel ou uniquement sa transcription ?

— La transcription, c'est tout. Mais je peux vous faire envoyer la bande, si vous voulez. »

L'interrogeant du regard, il attendait la réponse de Jenkins.

« Oui, je pense qu'il vaudrait mieux. » Jenkins, de la main, leur a fait signe de continuer. Gomez, qui montrait aux autres une sorte de petit émetteur, n'arrivait plus à garder le fil de son discours. Jenkins réfléchissait, les yeux fermés, les mains à plat sur la table. Gomez lui jetait des coups d'œil inquiets tout en parlant. Jenkins a rouvert les yeux, sans prêter attention à Gomez ou à son discours, et interrogé Clellan : « De quelle façon nous parviennent ces rapports ? »

Il a planté son doigt verticalement sur les papiers posés devant lui.

Clellan a cligné des yeux, sans comprendre. Personne ne disait plus rien.

Jenkins a insisté : « Ils les envoient par la poste, ils nous les apportent eux-mêmes, ou quoi ? »

C'est Tyler qui lui a répondu : « Nous demandons à un service de messageries d'aller les prendre et de nous les livrer. Leur service intérieur est très lent, et on ne peut pas compter dessus... »

Jenkins a hoché la tête. Du bout des doigts, il s'est pressé le front si fort que la peau a blanchi, puis il a fermé les yeux. Gomez l'a regardé, un peu indécis, avant de continuer son exposé. Jenkins a gardé la même pose pendant quelques minutes. Soudain, il a rouvert les yeux et inspecté la pièce du regard, lentement, mètre par mètre. Il s'est levé, est allé jusqu'à la porte. Je me suis glissé doucement le long du mur, me rapprochant de lui. Il s'est retourné, face aux autres, et s'est mis à parler très vite, en articulant soigneusement.

« Je vous demande de faire très attention à ce que je dis. Nous avons laissé passer quelque chose d'important, et les conséquences peuvent se faire sentir d'un moment à l'autre. A propos, quels sont ceux d'entre vous qui ont une arme sur eux ? Et, par curiosité, pourriez-vous me les montrer ? »

Tyler et Morrissey, quoique perplexes, ont aussitôt sorti leur revolver

« Bien. Halloway peut se trouver... »

Je l'ai frappé de toutes mes forces au sternum. Il a émis une sorte d'affreux grognement, à moitié plié en deux. Le prenant par la nuque et le bas du dos, je l'ai poussé en avant, le plus loin possible, l'écartant de la porte. Quand j'ai bondi dans le couloir, il a plongé tête la première contre la table, sous les regards stupéfaits de son équipe. Il avait le visage en sang. J'ai couru jusqu'à la porte de la première pièce. Les deux femmes ont ouvert de grands yeux en la voyant se rabattre avec une telle violence. Quelqu'un était derrière moi. Il y a eu un coup de feu. Les femmes hurlaient. Un second coup de feu. J'ai ouvert la porte donnant sur le couloir de l'immeuble. Morrissey, puis Tyler ont déboulé dans la grande pièce, revolver à la main. En remarquant la porte ouverte, ils se sont précipités à l'extérieur.

Je me suis écarté pour les laisser passer et j'ai retraversé la pièce sans faire de bruit. J'entendais les deux hommes courir vers les ascenseurs. Un instant plus tard, Jenkins est arrivé, soutenu par Clellan et Gomez, pressant ce qui m'a paru une chemise contre son visage. Elle s'imbibait de sang.

« Mon Dieu ! Qu'est-ce qui s'est passé ? a crié une secrétaire. Mon Dieu ! »

Jenkins, très calme, s'est adressé à sa collègue : « Avez-vous un miroir de poche ? »

Elle a fouillé dans son sac.

« On devrait aller dans les toilettes », a dit Gomez.

L'autre fille continuait à psalmodier : « Mon Dieu ! Mon Dieu ! »

Jenkins a pris le miroir tendu par une main anxieuse et remarqué la porte restée ouverte. « Pourriez-vous fermer cette porte, s'il vous plaît ? »

Écartant le chiffon pressé contre son front, il s'est regardé dans le miroir pour évaluer les dégâts. Son visage était couvert de sang, qui continuait à couler. Des gouttes tombaient sur sa chemise et sa cravate. Il s'est épongé les joues, et en dessous de l'œil, j'ai entrevu la blancheur de l'os, bientôt recouverte par un nouveau flot de sang.

« Il vous faut voir un médecin », a dit Clellan.

Jenkins a hoché la tête, appuyant de nouveau le chiffon sur son visage, un œil entièrement recouvert. Avec celui qui lui restait, il a regardé autour de lui. La fille n'arrêtait pas : « Mon Dieu ! Mon Dieu ! »

Morrissey et Tyler ont reparu, essoufflés et malheureux.

« Vous avez trouvé quelque chose ? » a demandé Jenkins.

Ils ont secoué la tête. « On l'a suivi jusqu'à un escalier, mais ensuite on l'a perdu, a dit Morrissey. Impossible. Aucune issue n'est fermée à clef, et en plus, il n'avait que six étages à descendre. Vous voulez qu'on essaye autre chose ?

— Non. Vous pensez l'avoir touché ?

— J' peux pas dire.

— Très bien. Rentrez et fermez cette porte. Et rangez-moi ces revolvers. Tyler, je voudrais que vous m'accompagniez à l'hôpital. Quelqu'un a pu entendre les coups de feu et appeler la police. Vous, Clellan, restez ici pour vous occuper de ça. Faites aussi changer toutes les serrures, aujourd'hui même. Ensuite, cherchez d'autres locaux. Je veux qu'on s'en aille d'ici le plus vite possible. En attendant, je tiens à ce que quelqu'un garde cette porte jour et nuit. Toutes nos archives sont là. Je veux être sûr qu'il ne puisse pas entrer.

— Mon Dieu, qui était-ce ? Qu'est-ce qui s'est passé ? » a demandé une secrétaire.

Jenkins s'est tourné vers elle. « Qu'est-ce que vous avez vu ?

— Rien ! J'ai vu les portes s'ouvrir d'un coup, et il n'y avait personne, et ensuite, vous êtes tous venus en courant et en tirant. »

Il a regardé l'autre fille.

« Je n'ai vu personne ! s'est-elle écriée. Sur qui vous avez tiré ? Qu'est-ce qui s'est passé ? »

Il y a eu un long silence. Les hommes se sont consultés du regard. Puis Gomez pas très sûr de lui, leur a répondu :

« *Rapide*, ce mec ? C'est même pas le mot qui faudrait. Plus que rapide, ce mec. Super rapide, ce putain de mec.

— Bon Dieu oui, il est rapide, a dit Clellan, qui s'est tourné vers la secrétaire. Vous dites que vous l'avez à peine vu ? Mais assez pour remarquer qu'il n'est pas très grand, avec des cheveux châtain clair ?

— Je ne l'ai pas vraiment vu. Je ne peux rien vous dire de précis, a-t-elle répondu, troublée.

— Gomez, a dit Jenkins, pouvez-vous vous charger de faire raccompagner chez elles Jean et Carmen ? Dès que possible ? Elles ont reçu un choc sérieux. Tyler, prenez ces clefs et fermez mon bureau avant de partir. »

J'ai filé dans le couloir juste avant Tyler et je suis entré dans le bureau de Jenkins. Il a refermé la porte derrière moi à double tour. Sans importance. Je pouvais ouvrir de l'intérieur.

Quinze, trente-sept, dix-huit, cinq.

J'ai attendu quelques minutes pour laisser à Jenkins le temps de s'en aller, et je me suis attaqué au coffre. Trois tours complets à droite, quinze. Dans l'autre sens, trente-sept. Dix-huit. Il y a eu un déclic. J'ai sorti du coffre les photos du bâtiment invisible et passé une main dans les étagères pour retrouver le cendrier, la balle et le tournevis, que j'ai fourrés dans mes poches. Jenkins, je m'en doutais, avait gardé quelque chose en réserve. Sur une autre étagère, il y avait une paire de ciseaux. Que j'ai empochée.

Sur le bureau de Jenkins, j'ai froissé quelques feuilles de papier que j'ai allumées grâce à mon nouveau briquet. Et j'y ai ajouté les photos, l'une après l'autre.

Une odeur âcre et forte a envahi la pièce. J'ai ouvert la fenêtre. Ensuite j'ai fouillé dans les tiroirs, les deux classeurs, et j'ai vidé leur contenu sur le bureau. Voyant que tout allait bien, j'ai rouvert la porte et me suis glissé dans le couloir. La porte du bout était verrouillée. J'ai dû attendre.

De l'autre côté, j'entendais des voix. Clellan, au téléphone, discutait avec un serrurier. Morrissey a déclaré qu'il était sûr de sentir une odeur de brûlé. Un peu plus tard, Clellan a dit qu'effectivement, lui aussi sentait une odeur de brûlé. Brusquement, la porte s'est ouverte et les deux hommes se sont précipités dans le couloir.

« C'est dans un des bureaux ! »

Dès qu'ils m'ont dépassé, je suis entré dans la pièce qu'ils avaient désertée, j'ai déverrouillé la porte d'entrée et je l'ai ouverte. Je les entendais s'affoler.

« Ça doit être dans le bureau du colonel.

— Tyler a fermé à clef.

— Attends, essaye la poignée.

— Seigneur Dieu ! »

Comme ils m'en laissaient le temps, j'ai mis le feu aux deux corbeilles à papier et j'y ai jeté tous les documents que j'ai pu trouver.

« Il doit encore être...

— La porte d'entrée ! »

Ils ont couru vers moi. C'était le moment de prendre congé. Jenkins allait passer un mauvais moment quand ils lui diraient ce que j'avais fait. J'ai dégringolé l'escalier et je me suis retrouvé dans la rue.

J'avais fait à Jenkins le plus de mal possible dans le peu de temps dont j'avais disposé, et j'étais sûr d'avoir rendu sa position beaucoup plus précaire. Pourtant, en y réfléchissant, j'ai vu que je n'avais presque rien fait qui puisse le ralentir. Ils seraient obligés d'abandonner les appartements préparés par Gomez, mais très vite, ils en auraient trouvé d'autres. En détruisant ses objets invisibles et en rendant Jenkins plus vulnérable, j'avais souligné l'importance qu'il y avait pour lui à s'emparer de moi le plus tôt possible. Pour l'instant, du moins, je n'avais réussi qu'à renforcer la pression qu'ils exerçaient sur moi. Ils redoublaient d'efforts, et il fallait que j'en fasse autant pour garder mon avance.

J'ai commencé par aller explorer des immeubles comme la Tour olympique et la Galleria, pleine d'appartements appartenant à des Sud-Américains et des Européens presque toujours absents. Des endroits où on ne trouve rien à manger, et où les mesures de sécurité sont draconiennes, mais qui pourraient me fournir un abri au plus fort de l'hiver.

Le plus urgent, néanmoins, était d'assurer à Jonathan Crosby une position solide, je devais donc découvrir un moyen d'ouvrir un compte en banque. Pas seulement parce que l'argent qui s'accumulait sur mon portefeuille d'actions m'était inaccessible. Pour tout ce que je voulais faire, pratiquement, il me fallait une référence bancaire. Sans cela, je ne pourrais obtenir ni carte de crédit, ni compte courant, ni ouvrir un compte dans un grand magasin, encore moins réaliser une opération immobilière. Or un directeur de banque n'allait pas m'ouvrir un compte sans me voir. Et si la banque voulait connaître les garanties que j'offrais et découvrait que tout mon passé financier se limitait à un portefeuille d'actions datant seulement de quelques mois, ma position deviendrait très inconfortable. Que j'hésite le moins du monde à venir les rencontrer, et ils seraient persuadés d'avoir affaire à un nouveau trafiquant de drogue de grande envergure — or les banquiers ne traitent qu'avec des trafiquants de drogue respectables et installés depuis longtemps.

La seule solution était d'être présenté par quelqu'un connu de longue date par la banque. Il me fallait un comptable ou un juriste habitué à traiter pour des tiers et ayant déjà de bons rapports avec une banque.

La première fois que j'ai rencontré Bernie Schleifer, c'était dans une fête, fin septembre, et il s'évertuait à vanter les mérites d'un nouveau parapluie fiscal particulièrement biscornu. D'après ce que j'ai compris, le mécanisme en question franchissait allègrement les frontières de la légalité, mais j'ai immédiatement pensé que l'enthousiasme et l'ingéniosité de Bernie correspondaient parfaitement à ce que je cherchais. En outre, il était sympathique et avait bon caractère, ce qui m'a toujours paru un avantage en cas d'enquête fiscale — et ce genre d'enquête est inévitable quand on veut établir une personnalité financière d'un certain calibre. Par-dessus le marché, j'ai tout de suite vu que Bernie n'était pas à cheval sur les règlements : pour moi, c'était une qualité absolument indispensable. En fait, pour ce qui est de la loi, il est aussi laxiste qu'on peut l'être sans se retrouver en prison. Certes, Bernie se couvre de bijoux et s'arrose d'une eau de Cologne au parfum déplorable, mais comme je me contente de lui téléphoner, ces défauts ne me concernent pas.

« Allô, Bernie ? Je m'appelle Jonathan Crosby. Vous ne vous en souvenez peut-être pas, mais nous nous sommes rencontrés dans une soirée, il y a deux mois — peut-être bien chez un certain Selvaggio —, cela vous dit quelque chose ? En tout cas, je me rappelle avoir été intrigué par le genre d'abri fiscal dont vous parliez : il s'agissait d'installer des éoliennes sur des monuments historiques pour obtenir une double exemption fiscale sur les investissements...

— Oh, bien sûr, Jonathan, maintenant je me souviens. Comment allez-vous, d'ailleurs ? Je suis content que vous m'ayez appelé. Nous avons abandonné cette affaire, pour des raisons techniques, mais je pense avoir quelque chose qui peut vraiment vous intéresser. C'est mis sur pied par...

— En réalité, Bernie, ce n'est pas vraiment un parapluie qu'il me faut. Ce dont j'aurais besoin, c'est plutôt de quelqu'un qui pourrait se charger de ma comptabilité et aussi de mes impôts.

— OK, Jonathan, allons-y ! Quand nous voyons-nous pour étudier tout ça ? Pourquoi pas vendredi ?

— En fait, Bernie, nous pouvons probablement tout régler par téléphone. De cette façon, je ne vous ferai pas perdre trop de temps. En bref, je viens seulement de m'installer à New York, cette année. Avant, je vivais avec ma famille, en Suisse et à différents endroits...

— Dites-moi, Jonathan, vous payez des impôts aux États-Unis ?

— Oui, c'est le cas.

— Oh, je le regrette pour vous, Jonathan. » Il a dit cela comme si j'avais la leucémie. « Néanmoins, on va peut-être pouvoir arranger ça. Vous passez combien de mois par an ici, diriez-vous, si on vous le demandait ?

— Je pense m'établir ici de manière plus ou moins permanente. Et je suis un citoyen américain.

— Eh bien, nous devrions peut-être alors chercher un autre biais. Pouvez-vous m'envoyer les doubles de vos déclarations des deux dernières années ? Cela me donnera une idée d'ensemble. A propos, avez-vous des récapitulatifs de vos dépenses ?

— Non, je n'en fais pas. Je...

— Bon, ce n'est pas si grave. Vous pourrez toujours vous en inquiéter plus tard, si on vous contrôle, mais j'ai besoin des déclarations.

— Celle-ci sera la première.

— Parfait ! Cela nous donne beaucoup plus de souplesse. Et vous pourrez peut-être même oublier quelque temps l'impôt fédéral, tant que...

— Actuellement, Bernie, mes seules rentrées viennent des plus-values de quelques opérations à court terme. Moins de cent mille par an. Et je ne suis pas salarié. En réalité, je ne pense pas qu'il faille remplir le volet C.

— N'ayez crainte, Jonathan. Vous aurez un volet C. Nous trouverons quelque chose. Et nous avons tout le temps de vous faire passer dans quelques abris fiscaux. J'ai...

— Bernie, permettez-moi seulement de vous donner un aperçu de ma situation générale. Toute ma famille vit en Suisse, elle possède des biens assez conséquents à l'étranger, et je pense qu'une partie m'appartient, ou m'est destinée. Peut-être y a-t-il un gérant de tutelle. Je suis sûr que tout est parfaitement en règle, mais tout de même, je préférerais ne pas attirer l'attention du fisc sur ma famille ou sur moi — d'autant plus si c'est seulement pour économiser quelques dollars. Je préfère que tout soit parfaitement en règle pour ne pas me faire remarquer.

— Je vous suis, Jonathan. Sur ce qui se voit, vous voulez tout payer jusqu'au dernier centime. Il y a des cas où c'est vraiment une stratégie astucieuse, même si ça risque parfois de coûter assez cher. Mais ça peut aussi marcher. Attendez que je note ce point. Là où vous avez sûrement raison, c'est à propos des biens à l'étranger. Notre cabinet a pas mal de clients étrangers, et nous connaissons très bien ces problèmes. »

J'étais allé visiter ses bureaux, et je savais qu'il avait effectivement plusieurs clients étrangers, dont certains, curieusement, étaient fort respectables.

« C'est parfait, Bernie. Cela vous ennuie si je vous demande le montant de vos honoraires ?

— Jonathan, bien sûr que non ! Je vous facture uniquement au temps passé. Cent dollars de l'heure, ce qui est dans la moyenne. »

Ayant vu les factures de Bernie, je savais que cette moyenne, en tout cas, n'était pas la sienne. A cent dollars de l'heure, je serais son meilleur client, mais, étant donné les circonstances, ce serait une excellente chose pour nous deux.

« Cela me paraît tout à fait raisonnable, Bernie. Vous savez, j'ai à m'occuper de tas d'affaires personnelles, je voyage beaucoup, et je pense que le mieux serait que votre cabinet se charge de tout le côté financier. Je vais vous faire envoyer les relevés de mon agent de change, si cela vous convient. »

A cent dollars de l'heure, je pensais que ça lui conviendrait. Je lui ai donné le nom et le numéro de Winslow en le prévenant que celui-ci prendrait probablement contact avec lui. Ensuite j'ai téléphoné à Willy pour lui demander d'appeler Bernie et de changer l'adresse de mon compte.

J'ai attendu quelques jours pour être sûr que Bernie et Willy avaient eu le temps de bavarder, et j'ai rappelé.

« Jonathan, baby ! C'est un plaisir de vous entendre ! Je viens de regarder votre compte d'actions avec votre courtier... Machin, et vous savez, vous vous en tirez joliment bien cette année.

— J'ai eu pas mal de chance.

— Il faut qu'on vous trouve quelques parapluies au plus vite ! C'est bientôt la fin de l'année, et vous allez devoir verser au fisc cinquante cents par dollar. Ce qui s'appelle jeter l'argent par les fenêtres ! Je veux vous envoyer un montage que j'ai fait et qui est peut-être exactement ce qu'il vous faut. C'est le lancement d'une feuille quotidienne. Au départ, vous partez sur une base accumulative et vous traitez la part inemployée de chaque abonnement comme un passif, si bien que lorsque les revenus augmentent, le passif augmente encore plus vite, et tout file à travers les exemptions. Celle où j'aimerais vous faire entrer est un bulletin de prévisions économiques — très bon. C'est un type de Long Island avec qui je travaille qui les écrit...

— Bernie, cela paraît très intéressant, mais je ne pense pas avoir réellement envie d'investir dans un bulletin de prévisions économiques.

— Il est aussi prêt à en démarrer un sur la pêche au lancer à...

— Bernie, je ne veux vraiment...

— Et j'ai encore autre chose — pas pour n'importe qui, mais une affaire intéressante —, des productions soft en vidéo. C'est très différent de ce qu'on a l'habitude de voir ici, à New York. Ces trucs sont destinés au marché du Middle-West. On ne voit jamais les parties génitales. C'est de meilleur goût, et, je peux vous l'assurer, c'est quand même étonnamment bon. Je veux dire, regardez-moi ces films, qui est-ce qui a envie de voir une bite de trois mètres de long sur un écran ? En un sens, c'est presque mieux de ne...

— Bernie, je pense que là-dessus nous sommes d'accord. Mais je vous ai appelé parce que je viens de me rendre compte que je ne vous avais versé aucune provision. Croyez-vous que deux mille dollars puissent convenir ?

— Vous savez, Jonathan, ce n'est peut-être pas une mauvaise idée, après tout.

— Eh bien, ensuite je me suis aussi rendu compte qu'ici à New York, je n'ai même pas un compte courant pour ce genre de détails. Vous ne connaîtriez pas une bonne banque, par hasard ?

— Bien sûr que si, Jonathan. De nombreux clients à nous sont à la Mechanics Trust.

— Alors, si vous pouviez arranger ça pour moi, ce serait parfait. Je peux demander à Willy de vous envoyer un chèque de dix mille dollars pour ouvrir ce compte, si vous me dites que ça suffit.

— C'est plus que suffisant, Jonathan. Je vais m'occuper de tout, et vous n'aurez plus qu'à faire un saut à la banque pour donner votre signature. Voici le nom et l'adresse du directeur avec qui nous sommes en rapport...

— Fichtre, s'il y a quelque chose à signer, autant me l'envoyer ici, au domicile de mon oncle. Vous savez, pendant que j'y pense, je préfère aussi que vous receviez les relevés de banque et tout ça. Et mettez votre nom sur l'intitulé du compte pour que votre cabinet puisse régler mes factures et ainsi de suite. Vous pensez que c'est possible ?

— Jonathan, laissez-moi faire. Nous nous occuperons de tout. »

A la fin de la semaine, j'avais mon compte en banque. Dans quelque temps, quand les chéquiers seraient prêts, Bernie m'en enverrait un que je cacherais dans un placard chez les Crosby. A peu près en même temps, je recevrais ma première carte de crédit. Jonathan Crosby était presque devenu un individu à part entière.

Et puis un soir, début octobre, alors que je remontais le long de Central Park, j'ai vu une fille que j'avais connue jadis, pas très bien. Ellen quelque chose. C'est à peine si je me souvenais d'elle, sinon que je l'avais trouvée très attirante, et j'ai soudain été pris d'un désir fou pour cette fille — parce qu'elle m'était familière, ou que je la trouvais belle, je ne saurais dire. Mais quand on a passé des mois sans parler avec un être humain, sauf au téléphone, et quatre jours sans même prononcer un mot, il devient difficile d'avoir une idée claire des personnes ou des objets qui traversent votre champ de vision. Les contours affectifs se brouillent, et on ne sait plus où s'arrête la solitude et où commence le désir.

Sans raison, puisque je ne pouvais ni lui parler ni la toucher, je l'ai tout de même suivie un bon moment. Elle portait une sorte de robe en jersey et pas grand-chose d'autre, si bien qu'en marchant à côté d'elle, je voyais ses seins bouger sous le tissu, ses cuisses tendre la robe à chaque pas. Au milieu d'un pâté de maisons, elle s'est arrêtée sous la marquise d'un immeuble en souriant.

« Salut ! a-t-elle dit. Je n'aurais pas cru vous voir venir à ce truc. »

Un homme et une femme se sont approchés de nous, souriant eux aussi.

« Salut, Ellen ! Toujours toute seule ?

— Ça me fend le cœur. Et vous, *encore* mariés ? »

Ils sont entrés tous les trois et le portier leur a indiqué le neuvième étage. Voyant qu'il s'agissait d'une fête, je suis monté par l'escalier pendant qu'ils prenaient l'ascenseur. Il m'a fallu un certain temps, et quand j'ai poussé la porte de l'appartement, ils étaient arrivés depuis un bon moment. Un homme énorme, en jean et veste de tweed, était en train de tripoter Ellen et de la serrer dans ses bras. Je ne connaissais personne. La plupart étaient plus jeunes que moi, et quelques-uns avaient une vague allure d'universitaires. On voyait tout de suite qu'ils se connaissaient bien. Ils avaient dû faire leurs études ensemble, dans un passé assez récent. Je me suis demandé ce que je faisais là.

Par principe, j'ai visité l'appartement, m'arrêtant quelques minutes dans la cuisine pour boire un peu de vin blanc — un peu trop, sans doute. Dans les autres pièces, le bruit était assourdissant. Dans ces occasions, les gens ne se rendent pas compte de leur excitation, ni qu'ils sont en train de crier et non de se parler. C'était probablement une soirée réussie, mais je n'avais vraiment rien à y faire, et je suis retourné dans une des pièces où s'entassaient les invités pour me frayer un chemin vers la sortie.

A ce moment-là, en jetant un dernier regard sur la foule, j'ai vu Alice. Il est toujours difficile de savoir pourquoi, dans ce genre de situation, on est soudain frappé à la vue de quelqu'un — car il y a partout des gens séduisants —, mais je me suis aussitôt dirigé vers elle, sans réfléchir un seul instant. Une grande fille approchant de la trentaine, avec des cheveux blond cendré et une robe en soie qui se collait à son corps et s'ouvrait à chacun de ses gestes d'une façon qui me serrait le cœur. Des hommes, en face d'elle, rangés en demi-cercle, étaient plus occupés à le regarder qu'à bavarder. Chaque fois qu'elle s'adressait à l'un d'eux, elle le gratifiait d'un sourire éblouissant et apparemment chaleureux, mais découvrait du même coup deux canines acérées qui lui donnaient un aspect légèrement féroce. Elle allait de l'un à l'autre tout en parlant, très animée, et à mon arrivée, elle a retiré ses chaussures et s'est mise pieds nus. Comme c'était le seul moyen de l'approcher, j'ai contourné le mur de ses admirateurs et je me suis placé derrière elle.

« C'est très grossier de ta part, Donald, disait-elle en souriant, de critiquer ainsi ma grand-mère alors que tu ne la connais même pas.

— Je n'ai jamais critiqué ta grand-mère. » Celui qui parlait était en blazer et pantalon kaki. Il avait des cheveux longs, et malgré son jeune âge parlait d'un ton pédant, professoral. « Je dis seulement qu'on ne peut pas affirmer que les fantômes existent.

— Et pourquoi pas ? a-t-elle demandé naïvement.

— Parce qu'il n'y a aucune procédure sérieuse pour vérifier ou réfuter une telle affirmation.

— Eh bien, tu devrais parler avec ma grand-mère.

— Je... Malgré tout le respect dû à ta grand-mère, je dois

confronter les données sensorielles qu'elle a expérimentées et l'interprétation qu'elle en a faite aux témoignages d'une multitude d'autres personnes, et je peux avoir toutes sortes de raisons pour me fier à la parole de telle personne plutôt qu'à...

— Oui, c'est vrai. Pour ma grand-mère, tu as ma parole. C'est la personne la plus honnête que je connaisse. Et la plus gentille. Il ne s'agit pas du tout d'une interprétation subtile de données sensorielles ou quoi que ce soit de ce genre, tu sais. Elle raconte très clairement ce qu'elle a vu. Soit elle dit la vérité, soit non. »

Son sourire avait quelque chose de malicieux, mais elle avait les yeux grands ouverts, d'un bleu plein d'innocence. Qui peut savoir quelle méchanceté se cache dans le cœur des hommes ? Et encore plus dans celui des femmes.

« Cela n'a rien à voir avec ta grand-mère, d'aucune façon, il s'agit...

— Mais c'est de ma grand-mère que nous parlons. Et puis, de toute façon, pourquoi les fantômes et toutes ces choses n'existeraient pas, du seul fait que tu n'en as jamais vu ni touché un seul ? »

Un homme en costume gris à rayures, qui semblait osciller sous l'effet de la boisson, a eu un sourire moqueur.

« Oui, Donald, pourquoi t'attaques-tu avec tant de mauvaise foi à la pauvre vieille grand-mère d'Alice ? Qu'est-ce qu'elle a bien pu te faire ? »

Donald, fronçant les sourcils d'un air agacé, a ignoré cette interruption et poursuivi son argumentation logique : « Parce que je n'ai jamais eu besoin du concept de fantôme pour expliquer les données sensorielles que j'ai perçues et parce que je peux seulement postuler l'existence des entités dont rend compte l'explication la plus économique et la plus cohérente des données sensorielles que je perçois.

— Pourquoi ?

Alice lui a décoché son plus beau sourire.

« Parce que c'est un des principes sur quoi se fonde toute pensée rationnelle. C'est une condition préalable...

— Tu sais, je parie que tu es Capricorne, a-t-elle dit. Tu penses comme un Capricorne. »

En voyant l'air vexé qu'il a eu l'espace d'un instant, je me suis dit qu'il devait effectivement être Capricorne — quoi que ce puisse être.

« Et puis même, a continué Alice, qu'est-ce que tu ferais si tu voyais un fantôme à l'instant même ? Je veux dire, avec données sensorielles irréfutables et tout ? Imagine qu'il vienne te pincer un bon coup pour qu'il n'y ait aucun doute ? »

Elle lui a pincé la joue, par jeu, et il a rougi jusqu'aux oreilles.

En dépit de son style pompeux, le raisonnement de Donald était parfaitement juste, et j'ai eu un peu pitié de lui. Personne, semblait-il, ne lui avait expliqué que la raison n'a jamais le dessus dans une discussion. Ni que l'essentiel n'est pas d'en sortir vainqueur — c'est même peu de chose. Il aurait dû plutôt se sentir heureux de profiter du sourire radieux d'Alice.

« Eh bien, a-t-il répondu, je serais très surpris, pour commencer. Il me faudrait ensuite développer et réorganiser les catégories et les concepts avec lesquels je pense, afin d'inclure des données sensorielles jusque-là incompatibles avec...

— Tu vois donc que mon point de vue est beaucoup plus pratique et adaptable. Si un fantôme venait me pincer, je ne serais absolument pas surprise, je n'aurais pas à réorganiser quoi que ce soit, et... »

De toute ma vie, à part cette fois, je n'ai jamais pincé les fesses d'une femme, et je ne sais vraiment pas ce qui m'a poussé à le faire ce jour-là — la malhonnêteté avec laquelle on avait discrédité la position de Donald, la souplesse des hanches d'Alice effleurées par la soie à chacun de ses gestes, ou simplement la tentation irrésistible offerte par ce tournant de la conversation —, toujours est-il que j'ai tendu la main et serré entre le pouce et l'index un pli de chair et de soie, bonheur que j'ai prolongé un long moment.

Alice s'est interrompue, et tout son corps s'est raidi, surtout la partie que je tenais entre les doigts. J'ai retiré ma main. Avec effort, elle a continué :

« Je ne serais pas surprise... »

Alice regardait Donald d'un air réprobateur, comme s'il venait d'employer une tactique déloyale. Son regard s'est porté sur les mains du jeune homme, lequel, lui faisant face, ne pouvait être accusé de rien. Troublée, elle a ensuite regardé ceux qui l'entouraient.

« A tous points de vue, c'est une erreur, ai-je pensé. Je ne devrais pas faire ça. » Mais le désir et la logique des événements l'ont emporté. Je l'ai prise par les bras, serrant ses coudes contre son corps. Elle a cherché des yeux les mains de ses admirateurs. Toutes bien en vue, tenant un verre ou dans des poses inoffensives. Elle s'est remise à parler, mais sa voix tremblait :

« Il y a plus de choses sur terre et dans les cieux... »

Brusquement, elle a pivoté sur ses talons et j'ai retiré mes mains. Personne. Rien. Elle s'est retournée à nouveau vers les autres, avec un air de défi mêlé de perplexité. Doucement, je lui ai repris les bras. Elle a baissé la tête, regardé l'endroit où mes doigts dessinaient des petits creux sur son bras droit, et elle est devenue très pâle. Je me suis penché pour embrasser sa nuque exquise. Elle a frissonné.

« Tu vas bien, Alice ? a demandé quelqu'un.

— Quand on dit que quelque chose existe, a insisté Donald, on dit en fait que...

— Tu veux aller t'asseoir un peu ?

— Non... Non. Il faut que je m'en aille.

— Tu veux que je te mette dans un taxi ? Ou que je te raccompagne ? Je peux...

— Non... Je suis... J'ai rendez-vous avec quelqu'un. Il faut que je m'en aille. »

Elle s'est dirigée droit vers la sortie, comme hypnotisée, et moi aussi, la tenant par le bras.

« Bye, Alice ! a crié quelqu'un. Où est-ce que tu vas ?

— Il y a quelque chose qui ne va pas ? »

Alice ne s'est pas retournée et a continué sans leur répondre. Dans le couloir, quand la porte s'est refermée sur nous, je l'ai embrassée. Elle est d'abord restée complètement inerte. Et puis, en hésitant, elle a levé les mains et tâtonné pour voir s'il y avait vraiment devant elle une forme plus ou moins humaine. En trouvant une, elle m'a entouré de ses bras d'un geste mal assuré. Je l'ai embrassée sur le front.

« Oh, mon Dieu, a-t-elle dit. Je ne peux pas croire qu'il m'arrive une chose pareille. »

Je l'ai à nouveau embrassée sur la bouche, et soudain elle m'a serré plus fort. Je me suis collé à elle, et j'ai senti son corps se presser tout entier contre moi, ses cuisses, ses seins, ses côtes. Moi non plus, je n'arrivais pas à croire qu'il m'arrivait une chose pareille.

Au bout du couloir, j'ai entendu un ascenseur s'ouvrir.

« Il faut qu'on s'en aille, ai-je dit.

— Oh, mon Dieu ! » s'est-elle écriée.

Je me suis rendu compte que c'était la première fois qu'elle entendait le son de ma voix, et que cela l'avait secouée plus que tout ce qui s'était déjà passé. Je l'ai entourée d'un bras pour la faire avancer. Elle tremblait, et elle gardait les yeux sur moi — ou à travers moi.

« Quand il y a des gens, ne me parlez pas. Faites comme si je n'étais pas là. »

Elle a vaguement hoché la tête. Quelqu'un nous a croisés, mais nous nous en sommes à peine rendu compte. Pas une seconde je n'ai pensé reprendre l'escalier. Le danger, d'un seul coup, n'avait plus d'importance. J'ai appuyé sur le bouton, et quand la cabine est arrivée, nous y sommes entrés ensemble. Au sixième, une femme nous a rejoints, mais Alice a continué à regarder dans le vide, comme en transe.

Que pouvait-elle bien penser ? Qu'avait-elle pu imaginer, là-haut, au milieu des invités, en sentant des mains mystérieuses et invisibles la toucher, la saisir par les bras ? Une bouche étrangement vivante dans la transparence de l'air lui poser un baiser sur la nuque ? Et qu'est-ce qu'elle avait pu se dire quand elle s'était enfuie, aussitôt rejointe, empoignée par une présence inexplicable, serrée dans une étreinte invisible, un phallus contre son ventre, une langue forçant sa bouche ? Et quand j'avais commencé à lui donner des ordres : « Il faut qu'on s'en aille. » Une voix sortie de nulle part : « Ne me parlez pas. »

Nous avons traversé le hall d'un même pas et nous nous sommes retrouvés dans la rue, tous les deux emportés par un même délire. J'avais toujours un bras sur ses épaules, et je n'arrêtais pas de la regarder. Elle était extraordinairement belle. Je me suis tourné vers elle et je l'ai embrassée en plein milieu de la rue. Elle devait avoir une allure très étrange, la tête en arrière et penchée d'un côté, la bouche ouverte et les lèvres bizarrement aplaties, car un portier a surgi devant nous. « Vous allez bien, mademoiselle ? » Je lui ai repris le bras et nous sommes repartis.

« Vous vivez seule ? » lui ai-je demandé.

Elle a fait oui de la tête, et puis : « Oh, mon Dieu ! Je n'arrive pas à y croire. »

J'ai recommencé à l'embrasser et j'ai senti ses mains qui me caressaient — autant pour vérifier la réalité de ma présence que sous l'effet de la passion.

« Vous devriez faire signe à un taxi », ai-je dit à voix basse.

Nous allons laisser de côté les points d'éthique soulevés par tout ceci. Si j'avais à en parler, je mettrais en avant le droit qu'ont les adultes consentants d'agir à leur guise, quoique vous pourriez remettre en question le fait qu'il s'applique pleinement à ce cas précis, et douter que son consentement ait été obtenu en connaissance de cause. Vous pourriez soutenir que j'ai abusé de l'avantage que me valait ma situation — pourtant, jusqu'alors, ces avantages avaient été bien maigres —, ou bien que je visais uniquement ma propre satisfaction avec une femme que je ne connaissais même pas, mais ce dernier argument serait vite périmé. Qui plus est, Alice était vraiment très belle. Et mon désir était immense et j'en étais presque entièrement possédé.

Par habitude, quand un taxi s'est arrêté, j'ai ouvert la portière pour qu'elle puisse y monter. Le chauffeur, heureusement, ne s'est aperçu de rien, et ce détail a paru accentuer aux yeux d'Alice le caractère onirique de tout cet épisode. Je l'ai rejointe sur la banquette et j'ai refermé la portière. Le chauffeur, qui attendait, s'est retourné et a fini par demander à Alice où elle voulait aller. Dès qu'elle lui a donné son adresse, je me suis remis à l'embrasser. Un gémissement lui a échappé, elle m'a entouré de ses bras, et pour moi le reste du monde a cessé d'exister.

Le chauffeur — un peu plus tard, j'ai pris conscience de son regard, mais j'étais incapable de m'en soucier — voyait dans son rétroviseur une fille qui se contorsionnait dans des positions invraisemblables, tournée sur le côté, les bras en l'air. Sa bouche s'ouvrait bizarrement, elle tirait la langue et la tortillait de façon grotesque. Sa poitrine paraissait s'aplatir sans raison au milieu de toutes ces convulsions. Elle haletait, poussait des gémissements. Le devant de sa robe s'est ouvert de lui-même, un sein est apparu, s'est déformé de plusieurs manières successives. Sa jupe s'est presque entièrement retroussée, ses jambes se sont ouvertes et ses hanches se sont mises à onduler dans tous les sens. Elle émettait continuellement des petits sons plaintifs, et quand nous sommes arrivés chez elle et que je me suis retourné vers le chauffeur, j'ai remarqué qu'il avait les yeux dilatés et le visage tiraillé par un mélange improbable de terreur et d'excitation sexuelle. J'ai ouvert le sac d'Alice sans qu'il me voie, derrière le dossier de son siège, et trouvé un billet de cinq dollars que j'ai fourré dans la coupelle. Alice a plus ou moins refait surface à l'arrivée du portier, et j'ai dû la tirer hors du taxi, si bien qu'elle a paru traverser le trottoir et le hall en titubant sur un angle impossible. Au point où j'en étais, je me moquais complètement de l'effet qu'on pouvait produire. Et de savoir que c'était peut-être les dernières heures qui me restaient à vivre. Tout ce que je voulais, c'était cette femme, tout de suite, et j'ai failli la posséder dans l'ascenseur, sur le palier.

Je ne sais comment nous sommes arrivés jusqu'à chez elle. Quand elle a vu ses vêtements quitter son corps et voler de l'autre côté de la pièce, elle a été partagée entre le rire et les sanglots. « Oh, mon Dieu. Oh, mon Dieu. » Et moi, j'ai presque pleuré en sentant sous mes mains la douceur de sa peau — ses seins dont les pointes ont durci, ses fesses, ses cuisses. Je l'ai embrassée sur tout le corps. Et lorsque j'ai fini par écarter ses jambes — un instant de plaisir indicible — et que je l'ai lentement pénétrée, elle est devenue quasiment hystérique, tremblant de peur, de plaisir ou de stupéfaction, et ensuite elle a explosé, ses reins et ses hanches soulevés par des convulsions rythmiques. Elle criait ou sanglotait en me serrant de toutes ses forces. Moi-même, j'ai senti mon corps et mon esprit éclater, j'étais anéanti, pulvérisé en mille fragments perdus à jamais.

J'ai pris conscience, plus tard, que j'étais allongé sur un lit, stupéfié, et qu'Alice, à côté de moi, pleurait silencieusement.

« Qui êtes-vous ? a-t-elle demandé entre deux sanglots.

— Personne », ai-je répondu, m'imaginant, je ne sais pourquoi, qu'elle en serait réconfortée.

Elle a pleuré de plus belle. J'ai posé une main invisible sur son sein pour la calmer. Elle a eu un hoquet et s'est accoudée sur le lit, l'air angoissé, pour regarder l'espace que j'occupais. Il y avait une lumière allumée quelque part, à l'autre bout de la chambre, et elle voyait clairement qu'elle ne pouvait rien voir.

Elle a tendu un bras et passé la main le long de mon corps pour vérifier une fois de plus la réalité de ce qui lui était arrivé. Quand sa main a glissé sur mon ventre, elle s'est heurtée à un renflement de chair durcie. Elle a commencé par des coquetteries, puis s'en est emparée. L'instant d'après, je me suis retrouvé sur elle, en elle à nouveau, et nous nous sommes lentement bercés l'un dans l'autre. Elle observait ses genoux dressés, ses hanches qui ondulaient. Elle a croisé les jambes autour de mes reins et elle s'est regardée, ouverte, basculer en arrière, en avant. Me prenant la tête à deux mains, elle s'est mise à m'embrasser fiévreusement. Qu'avait-elle pu penser ? Qu'elle était possédée par la force brute de l'air ? Je ne me souviens pas que ce plaisir ait fini par s'épuiser, mais il a bien fallu, parce que je me rappelle qu'il est revenu et que nous avons continué et qu'il a duré si longtemps que la réalité s'est abolie.

Je me suis réveillé le lendemain matin en entendant Alice remettre de l'ordre dans l'appartement et ramasser les vêtements qu'elle avait portés la veille. Depuis le jour où j'avais découvert mon invisibilité, je n'avais pas connu de réveil aussi miraculeux. Devant moi, presque nue, en culotte et soutien-gorge, je pouvais voir une femme splendide avec qui j'avais fait l'amour à peine quelques heures plus tôt. Hier encore, il m'aurait paru impensable de revivre un jour un tel moment. J'avais envie de lui parler, mais nous ne nous étions presque rien dit la nuit précédente, et comme je me sentais pour l'instant incapable de trouver quelque chose de sensé, j'ai continué à la regarder en silence.

L'éclat particulier de sa peau m'a fait penser qu'elle venait de prendre un bain. J'étais frappé de la voir déployer une telle activité pratique si peu de temps après ce qui avait certainement été l'expérience la plus étrange qu'elle ait jamais vécue. Pourtant, tout en continuant à ranger, elle gardait les yeux sur moi — ou plutôt sur les couvertures qui me moulaient jusqu'à mi-corps —, froncés par l'angoisse. Après avoir mis sur un cintre la robe qu'elle avait ramassée, elle en a sorti une autre de la penderie et l'a enfilée, me privant du spectacle de ses longues jambes nues. La robe se fermait dans le dos, et elle a dû se cambrer pour la boutonner, les seins offerts, la tête en arrière, avec le regard flou qu'on a lorsqu'on effectue un travail manuel à l'aveuglette. Elle a mis ses chaussures et s'est assise près de moi, sur le lit, regardant le monticule formé par la couverture et le creux dans le matelas. Sa main s'est avancée à mi-chemin, comme si elle hésitait à me toucher, à s'assurer une fois de plus que c'était vrai.

« Bonjour », ai-je fini par dire.

Elle a sursauté. « Bonjour. Je pensais que vous étiez peut-être réveillé. Vous avez bien dormi ? Je veux dire, vous dormez, vous aussi, non ?... Bien sûr que oui. En fait, je le sais.

— J'ai très bien dormi, merci... Et vous ?

— Très bien... Merci. »

La conversation n'avait pas l'air de prendre corps. Il y a eu un long silence gêné. Je suis resté allongé, sans savoir que faire, à l'observer par en dessous. Son regard inquiet restait fixé dans ma direction — plus ou moins au niveau du sternum.

« Je m'appelle Alice Barlow, a-t-elle repris. Vous le savez peut-être déjà. »

Sans réfléchir, j'ai commencé à lui dire mon nom.

« Je m'appelle Nick... Nick, c'est tout. Je ne me sers plus que de mon prénom, désormais. »

Curieusement, mon prénom a paru la troubler. Elle est restée la bouche ouverte, comme si elle avait du mal à formuler sa question.

« Qu'est-ce qui va m'arriver ? »

Je me suis efforcé de comprendre le sens de sa question, mais la seule idée qui m'est venue, c'est qu'elle pouvait s'inquiéter des conséquences gynécologiques de la nuit précédente.

« Vous arriver ? » ai-je répété bêtement.

Elle a regardé ailleurs, de plus en plus nerveuse.

« Je veux dire... Ça paraît ridicule... Mais en fait, c'est ridicule, d'une façon ou d'une autre... Je veux dire, ai-je perdu mon âme, ou quelque chose ?

— Oh, non ! Non, non ! me suis-je hâté de la rassurer. Sûrement pas... ou, à vrai dire, je n'en ai aucune idée — la théologie n'est pas mon fort... »

Un sourire nerveux a effleuré ses lèvres. « Alors vous n'êtes pas... Je sais que ça paraît idiot, mais tout ça est si... Je veux dire, vous n'êtes pas le diable, ou quelque chose comme ça ?

— Dieu du ciel, non ! » J'ai eu le temps de penser que je venais de renoncer à un avantage précieux : le diable, pour ceux qui croient à ce genre de chose, et malgré ses défauts, possède ici-bas un prestige évident — et de plus un certain attrait romantique. « Pas du tout. Je suis quelqu'un de très ordinaire. »

Cette concession lui a semblé si absurde qu'elle a éclaté de rire. Bien que son rire frolât l'hystérie, il indiquait aussi un certain soulagement. « Vraiment ? Quelqu'un de très ordinaire ? »

Elle s'est remise à rire, sans pouvoir s'arrêter, et ses yeux se sont remplis de larmes.

« Eh bien, naturellement, il y a quelques différences...

— Vous en êtes sûr ? Vous savez, j'ai *cru* avoir remarqué quelque chose... »

Toujours en riant, elle s'est assise au bord du lit et a posé une main sur mon genou.

« Vous savez, je crois que vous ne devriez pas prendre cela trop à la légère, ai-je dit. Je suis peut-être capable de vous jeter un sort épouvantable ou de boire votre sang jusqu'à la dernière goutte.

— Ou de vous changer en crapaud », a-t-elle suggéré. Elle m'a remonté le drap jusqu'au cou et m'en a enveloppé, donnant forme à mon torse. D'un seul coup, elle est redevenue sérieuse. « Qui *êtes*-vous ?... Qu'est-ce que vous êtes ? Si vous me permettez de m'exprimer ainsi. »

Cette question, quoique parfaitement naturelle, inévitable, m'a pris de court, et mes pensées se sont mises à tourner en rond. Qu'est-ce que je devais lui répondre ? Rien. Je n'osais rien lui dire. La première règle de survie, pour moi, c'était de ne jamais me confier à personne.

« Il n'y a vraiment rien d'intéressant à dire là-dessus. Je suis vraiment comme n'importe qui... » Quel genre de réponse pourrait lui convenir ? « Effectivement, mon existence a changé de structure matérielle.

— Je vois », a-t-elle acquiescé, ce qui m'a surpris, car moi je ne voyais pas. « Vous voulez dire que vous êtes déjà venu ? Que vous avez déjà occupé — ou habité, je ne sais pas comment ça fonctionne — un corps humain fait de matière ?

— Oui. C'est parfaitement exact. J'occupais le même genre de corps que n'importe qui.

— Et vous êtes revenu.

— C'est plutôt que je suis toujours là. »

Il s'en était fallu d'un cheveu, d'ailleurs.

J'ai tendu une main pour lui caresser la jambe. Elle s'est remise debout, mais sans s'éloigner du lit.

« Il y a quelque chose que vous devez faire, ici ? Je veux dire avant de pouvoir vous libérer de ce monde ?

— Pas que je sache. Uniquement les choses ordinaires, je suppose... comme tout le monde. » Cette discussion me mettait mal à l'aise. « Si je suis prudent et si je ne commets pas d'erreurs trop graves, je pourrais peut-être, avec de la chance, vieillir et puis mourir. »

Je me suis assis sur le lit, j'ai entouré sa jambe droite à deux mains, juste au-dessus du genou, et je suis monté le long de sa cuisse en soulevant le bord de sa robe. Elle a frissonné, mais n'a pas bougé.

« En réalité, il y a des choses que je ne peux pas m'empêcher de faire », ai-je dit.

Je l'ai attirée sur moi, et j'ai entendu qu'une de ses chaussures tombait par terre.

« Je ne peux pas. Il faut que j'aille travailler. »

Mais elle ne faisait rien pour se dégager. Son corps était collé au mien, et je sentais battre son cœur. Je lui ai caressé les cuisses, les fesses. Quand je l'ai embrassée, j'ai entendu tomber la deuxième chaussure. Tremblante, elle m'a rendu mon baiser. Ses mains ont commencé à explorer mon corps, et nous avons fait l'amour.

Après, elle a soupiré, et s'est mise à rire.

« Jamais personne ne va y croire. »

Aussitôt la terreur m'a repris. Je n'aurais jamais dû me laisser aller à une chose pareille.

« Alice ?

— Oui ? »

Qu'est-ce qu'il fallait lui dire ? La menacer, c'était le mieux. J'étais encore en mesure de l'effrayer. Il fallait lui dire que si elle prononçait un seul mot à mon sujet à qui que ce soit, elle tomberait raide morte. La terre s'ouvrirait pour ensevelir son corps.

« Ne parlez jamais de moi à personne. Nul ne doit savoir que je suis venu.

— Pourquoi ?

— Je... C'est quelque chose dont je ne peux rien dire. » Malgré mes bonnes intentions, tout ça n'avait pas l'air très menaçant. « Je vous demande de ne parler de moi à personne au monde. C'est très important.

— Si vous voulez que je n'en parle pas, je ne dirai rien, naturellement. Mais vous ne pouvez pas me donner une idée de ce dont il s'agit ? De pourquoi vous êtes venu ici ? »

Il y a eu un long silence. J'essayais désespérément de trouver quelque chose. Brusquement, je me suis rendu compte que j'avais envie de tout lui raconter. C'est drôle que l'intimité charnelle fasse naître un tel besoin de se confesser. Et alors qu'est-ce que ça changerait si je lui disais tout ? Je ne la reverrais jamais. Impossible de prendre le risque de revenir la voir. Cette rencontre n'avait été qu'un épisode absolument extraordinaire, un concours de circonstances invraisemblable, anormal, qui n'aurait jamais dû se produire et qui ne se reproduirait certainement jamais. Sans aucun doute, de la façon dont il me fallait vivre, il n'y aurait plus jamais personne à qui j'aurais envie de raconter mon histoire. Néanmoins, il fallait garder la tête froide. Qu'est-ce que je pouvais me permettre de lui dire ? Rien.

Elle s'est relevée et s'est retournée vers moi, haussant les sourcils d'un air sceptique.

« Cela ne vous ennuie pas que je vous pose une question ?

— Bien sûr que non, ai-je dit avec une totale mauvaise foi, puisqu'on a presque toujours envie de répondre non à ce genre de question.

— Est-ce que je vous reverrai ?... Je ne parle pas de vous voir vraiment. Mais est-ce que vous reviendrez, ou est-ce que vous allez seulement disparaître dans un coucher de soleil ou je ne sais où ? »

J'ai été pris de panique.

« Je ne sais pas... Cela ne dépend pas entièrement de moi... » La seule chose dont j'étais sûr, c'était que je ne pouvais en aucun cas revenir chez elle. « J'espère que oui, bien sûr. Il faut juste que j'imagine comment. »

Il ne fallait surtout pas que je prenne un risque pareil. « Avance, ne t'arrête pas. »

Elle a ri, et son rire avait quelque chose de moqueur. « Après tout, vous avez raison. Vous êtes vraiment comme tout le monde.

— Vous me comprenez mal, ai-je objecté. Ce n'est pas du tout ça...

— Inutile de vous inquiéter. Vous n'êtes pas du genre à ce qu'une fille s'accroche à vous — du moins, pas à première vue. Vous avez un petit quelque chose d'insaisissable, si vous voulez le savoir. C'était seulement par curiosité. Et puis c'est une question qui fait partie intégrante de la mentalité féminine : *Va-t-il me rappeler ?* Un réflexe involontaire. Cela ne veut rien dire. »

Elle a disparu une deuxième fois dans sa penderie, et en est ressortie après avoir changé de robe. « D'habitude, en fait, on a intérêt à ce qu'il ne rappelle pas », a-t-elle ajouté.

Debout devant la glace, elle se brossait les cheveux avec violence sans regarder son reflet, ni moi, les yeux fixés sur la fenêtre, m'offrant ainsi un profil d'une parfaite indifférence dont j'admirais néanmoins la perfection. Pendant ce silence embarrassant, du moins pour moi, j'ai essayé de trouver une réponse :

« Je n'arrive pas à croire qu'on ait pu ne pas vous rappeler. »

Elle m'a lancé un regard sceptique, mais j'ai cru la voir rougir.

« Vous venez peut-être d'une autre planète. Vous devriez vous balader un peu pour connaître les habitants du meilleur des mondes.

— J'ai l'impression, ces derniers temps, d'avoir beaucoup de difficultés à faire connaissance.

— Hier soir, vous vous êtes pas mal débrouillé. »

Les coins de ses lèvres se sont relevés, esquissant un sourire. Elle avait encore un peu de mal à adresser un regard expressif à quelqu'un qu'elle ne pouvait pas voir, mais j'ai remarqué qu'elle me cherchait des yeux. Elle a posé sa brosse et passé les mains sur les plis de sa robe. Ce qui était sûr, même si je ne réussissais pas encore à y penser clairement, et quels que soient les risques prévisibles ou les décisions que j'avais prises, c'est que j'allais revenir, sans l'ombre d'un doute.

« Il m'est difficile de téléphoner, à vrai dire, mais je me proposais de revenir ce soir si vous êtes libre. »

A peine avais-je prononcé ces mots que je me suis senti tout joyeux.

« Je serai chez moi un peu après six heures », a-t-elle répondu en m'adressant un sourire éblouissant.

Elle est venue vers moi, m'a écrasé le nez en cherchant mon visage à tâtons, et m'a embrassé sur la bouche. Ensuite, alors qu'elle s'apprêtait à partir, elle m'a touché la poitrine du bout des doigts.

« Stupéfiant », a-t-elle ajouté avec un petit rire.

Au moment où elle allait ouvrir la porte, je lui ai encore lancé : « N'oubliez pas de ne rien dire à personne ! »

Après son départ, j'ai attendu quelques minutes avant d'aller à la cuisine. Pas question de lui offrir le spectacle de mon système digestif en pleine action. Je n'avais rien avalé depuis trente-six heures, et j'ai dévoré avidement plusieurs tranches de pain, sachant que je prenais un risque exorbitant en restant chez elle, d'autant plus en me rendant visible, mais l'humeur où j'étais je laissait aucune place à l'inquiétude.

J'ai fait le tour de l'appartement, prenant un plaisir presque sensuel à toucher les affaires d'Alice. Une penderie pleine de robes, de jupes, de corsages, de lingerie. Des skis. Une raquette de tennis. Les murs de sa chambre étaient couverts d'esquisses et de tableaux sans cadre, dont beaucoup étaient signés « A.B. » La qualité presque photographique de son dessin m'a étonné. Je croyais savoir qu'on n'apprenait plus nulle part à dessiner de cette façon. Il y avait des paysages, quelques personnages, mais surtout des études anatomiques ou des objets isolés.

A un bout du living, près de la porte donnant sur le balcon, j'ai vu une table à dessin où était épinglé un croquis au crayon reproduisant avec une précision apparemment parfaite la vue qu'on avait de la fenêtre, mais qui faisait pourtant une impression différente — plus douce d'une certaine façon touchant presque à l'humour. Peut-être grâce à un effet de perspective. Peut-être à cause de mon humeur.

Des étagères pleines de gros livres d'art recouvraient un mur entier, du sol au plafond. Les ouvrages dépourvus d'illustrations occupaient un seul rayon, sans le remplir, et leurs titres résumaient tous les cours qu'Alice avait suivis à l'université, en dehors des beaux-arts. Chase et Philips, Liddel & Scottt, le Shakespeare de Cambridge. *Ulysse. Les Poèmes choisis* de W. B. Yeats. J'ai pris un livre. Elle avait inscrit son nom d'une écriture penchée en haut de la page de garde. *Imposante, replète.* Des notes partout dans les marges, proprement écrites au crayon. *Je suis le garçon qui peut jouir de l'invisibilité... Oui.*

Une fois mon estomac redevenu transparent, je suis sorti et je suis allé jusqu'au centre de Manhattan, d'humeur si joyeuse que j'avais envie d'arrêter les passants pour leur parler, pour leur dire le plaisir que j'éprouvais à me trouver parmi eux par une si belle journée d'automne. J'ai passé plusieurs heures dans un cabinet de conseil juridique, surpris le projet d'achat d'une compagnie d'assurances dans le Kansas, fini par m'avouer que je ne supportais plus de rester là sans rien dire, et je suis reparti vers le haut de la ville. Surtout par besoin de parler, j'ai téléphoné à Willy pour discuter de mon portefeuille, et lui-même a été incapable d'entamer ma bonne humeur, au contraire. Il m'a confirmé que Jonathan Crosby s'étoffait de jour en jour, valant désormais un peu plus de quatre-vingt-huit mille dollars. Je me suis retenu de justesse avant de faire des achats. Ne jamais rien acheter quand on est de bonne humeur.

Je suis arrivé chez Alice avant six heures, pensant l'attendre dans le couloir, mais je l'ai entendue qui déballait des provisions dans la cuisine. Quand j'ai frappé, elle est venue coller son œil au judas. Ne voyant personne, elle a ouvert et m'a embrassé.

« Vous ne passez pas à travers les murailles ? »

Sa voix résonnait dans le couloir. Je lui ai mis un doigt sur les lèvres.

— Il faut être plus discrète, ai-je chuchoté.

— Êtes-vous marié ou quoi ? »

Mon doigt la faisait un peu bafouiller, mais sa voix était aussi sonore. Je l'ai repoussée à l'intérieur.

« Votre femme habite justement au même étage ? »

J'ai refermé la porte.

« Alice, je suis sérieux. Personne ne doit rien savoir de moi.

— Je suis désolée. J'ai oublié. Je ne suis pas du genre cachottier. »

Elle m'a passé les mains dans les cheveux et ensuite tout le long du corps, comme pour s'assurer que j'étais là tout entier. J'ai senti sa main toucher le revolver que j'avais dans la poche. Son visage s'est assombri un instant, mais elle m'a embrassé. Je l'ai serrée dans mes bras, j'ai senti son corps contre le mien et son haleine dans mon cou.

« J'ai acheté toutes sortes de choses pour le dîner, et puis je me suis rendu compte que je ne sais même pas s'il vous arrive de manger. »

J'ai hésité. Devais-je lui laisser voir ce qui se passait avec les aliments ?

« Oui, je mange. Pas énormément.

— Alors, débouchez donc la bouteille de vin pendant que je fais la cuisine. »

Tout en préparant le repas, elle ne cessait de regarder la bouteille suspendue au-dessus de la table sous un angle impossible et le tire-bouchon qui se vissait énergiquement dans le bouchon. « C'est tout simplement incroyable ! » a-t-elle dit, surexcitée, et elle est revenue me passer les mains sur tout le corps.

Notre baiser a duré plusieurs minutes, et j'ai commencé à la caresser. Son contact me procurait une telle ivresse que l'idée de boire paraissait absurde, mais je me suis tout de même arraché à ses bras pour nous servir deux verres de vin. Alors, non sans appréhension, je l'ai laissée me voir avaler une gorgée de vin.

« Fantastique ! s'est-elle écriée, apparemment ravie par ce spectacle. Buvez encore un peu ! »

Elle a posé la main sur ma poitrine au niveau de l'œsophage.

« C'est absolument magique ! »

Et plus tard, quand j'ai pris ma première bouchée de pâtes, sa fascination n'a fait que croître.

« Incroyable ! On voit tout ! Savez-vous que vous feriez merveille dans un cours d'anatomie ?

— C'est malheureusement vrai, ai-je dit d'un ton morne.

— Vous voulez bien en reprendre un peu ? Dieu, c'est magnifique ! On voit la nourriture disparaître à vue d'œil. Qu'est-ce que ça devient, en réalité ? Je veux dire, est-ce que ça passe dans une dimension immatérielle ou quoi ? Qu'est-ce qui se passe ?

— Rien... J'ai seulement un métabolisme inhabituel. Je ne tiens pas à en parler. Franchement, je trouve que c'est un spectacle répugnant. »

Alice, au contraire, était enchantée, et me regardait absorber des fragments de son monde matériel sans pouvoir détacher les yeux de mon appareil digestif, comme si elle s'était trouvée en face d'un aquarium rempli de poissons tropicaux particulièrement splendides.

Puis, brusquement, elle a froncé les sourcils.

« Pourquoi portez-vous un revolver ?

— Oh... ce n'est rien. C'est juste qu'il se trouvait là quand... C'est uniquement par hasard.

— Nick, c'est vrai, ce que vous avez dit ce matin, qu'il vous faudra mourir une deuxième fois ?

— Pour autant que je sache, ai-je répondu avec un peu de gêne.

— Qu'est-ce que vous savez au juste ? Êtes-vous en contact avec d'autres fantômes ?

— Je n'ai absolument aucun contact avec d'autres fantômes.

— Bon, " fantôme " n'est peut-être pas le mot juste. Je veux dire, qu'est-ce que vous êtes vraiment ? »

J'ai été à nouveau tenté de me confier à elle, de tout lui raconter. Trop dangereux. Je me suis rendu compte que je n'aurais jamais dû revenir. Demain, il faudrait que je la quitte pour de bon. Je ne pouvais pas me permettre de prendre ce risque.

« Ce que je suis est-il si important ? Je peux être n'importe quoi. L'esprit de Noël incarné, un visiteur de la planète Vénus, le diable...

— J'ai presque été déçue, je dois l'avouer, que vous ne soyez pas le diable. Cela aurait été terriblement romantique, bien qu'à la longue, j'imagine, la peur et le désespoir doivent être affreusement lassants.

— Ou je peux être n'importe qui — un comptable qui s'est endormi sous une lampe à bronzer défectueuse, ou qui est tombé dans une cuve en visitant une usine de produits chimiques.

— Oh, cela n'aurait plus rien de romantique ! Je crois que je vous préfère nettement en fantôme. Vous prétendez que vous avez déjà vécu dans ce monde en occupant un corps humain normal. N'est-ce pas... ?

— Oui, il vaut probablement mieux me considérer comme un fantôme.

— Eh bien, qu'est-ce que vous pouvez me dire sur ce qui vous arrive quand on meurt ? Ou sur ce qu'on trouve dans l'au-delà.

— Rien. Je n'en sais rien.

— Oh ! » La surprise lui a coupé le souffle. « C'est vraiment extraordinaire de sentir tout à coup une main sous mes vêtements. Oh, mon Dieu ! »

Les boutons se sont défaits d'eux-mêmes.

« Je sais exactement ce que vous êtes, vous savez.

— Vraiment ?

— Vous êtes un incube.

— Je ne suis pas un incube.

— Il est parfaitement clair que vous êtes un incube. Un incube est un esprit qui...

— Je sais très bien ce que c'est — ou ce que ça serait si ça existait —, mais la fonction d'incube n'occupe malheureusement qu'une très faible part de mes activités.

— Ah oui ? Pourtant, vous laissez complètement dans le vague ces fameuses activités. Et même on dirait que faire l'incube est à peu près la seule chose que vous ayez apprise. Oh ! Vous voyez ? C'est précisément le genre de choses que fait un incube. »

Je suis le garçon
Qui peut jouir
De l'invisibilité

J'avais fermement décidé de la quitter définitivement le lendemain matin, mais je me suis retrouvé chez Alice la nuit suivante, et encore la suivante, si bien qu'à un moment, sans prendre aucune décision ni même en discuter, il a été tacitement convenu que nous vivions ensemble. Je me répétais sans cesse que je ne devrais pas rester ainsi au même endroit, ni surtout me mettre à la merci de quelqu'un d'autre. Par ailleurs, je me disais aussi qu'en fait, j'étais moins vulnérable qu'avant, que je n'avais plus à me demander chaque jour où je pourrais dormir, ou si j'allais tomber dans un des pièges tendus par Gomez. Pour l'instant, j'étais beaucoup mieux caché. Tant qu'Alice ne disait rien qui puisse vendre la mèche. Même si cette question, dans mon souvenir, ne cessait de me ronger, il me paraît absolument évident, en y repensant, que je n'aurais pas pu m'empêcher de vivre avec elle.

Alice travaillait comme illustratrice, vers la 30e Rue est. Quand il faisait beau — et je me souviens d'un automne particulièrement ensoleillé —, nous avions coutume de sortir ensemble, le matin, et de traverser l'East Side jusqu'à son atelier. Tout en marchant, elle me heurtait ou s'appuyait sur moi pour s'assurer de ma présence, et souvent elle se mettait à sourire.

« C'est chaque fois stupéfiant, de se promener dans la rue avec toi, comme ça, sans que personne ne s'en doute.

— Alice, tu ne dois pas me parler en public de cette façon.

— C'est un secret tellement invraisemblable. Personne ne pourrait y croire.

— En tout cas, fais en sorte que personne n'en ait l'occasion. »

Ensuite, habituellement, je passais la journée dans des cabinets juridiques, des banques d'affaires, ou au siège d'une grande société, à poursuivre mes recherches boursières — sans malhonnêteté, si je puis dire. Nous avions caché une clef sous la moquette du couloir pour que je puisse rentrer à n'importe quelle heure, et quand il pleuvait, je restais à la maison pour lire ou écouter de la musique — sans plus avoir à m'inquiéter d'être entendu par les voisins.

Alice faisait les courses en rentrant de son travail. C'était la première fois, depuis qu'on m'avait chassé de chez moi, que je n'étais plus tenaillé par la faim. Du jour au lendemain, j'ai bu et mangé tout ce qui me plaisait, autant que je voulais, après avoir été réduit au hasard des trouvailles, et encore à condition que ce soit facile à digérer. J'ai appris à faire la cuisine, aidé par Alice, et tous les soirs nous préparions un vrai repas. Je lui ai demandé d'acheter la lampe à bronzer la plus forte qu'elle puisse trouver et je l'ai installée dans la salle de bains pour me rôtir et retrouver ma transparence chaque fois qu'il le fallait.

Jamais je n'avais été plus heureux au cours de ma nouvelle vie — ou même de l'ancienne, si j'y pense — qu'à cette époque, dans son appartement, et j'avais l'impression d'avoir tout ce que je désirais. Comment vous faire sentir à quel point je trouvais merveilleux de pouvoir simplement bavarder à nouveau avec quelqu'un ? Je passais des heures à l'écouter parler de son enfance, de ses parents, de ses amis, de son travail, de la musique populaire, de la peinture baroque et de tout ce sur quoi elle pouvait avoir une opinion. Pour ma part, alors que j'étais plus attaché à notre intimité qu'aux informations en elles-mêmes, je me dis, avec un peu de recul, qu'Alice a dû trouver cela très bizarre, comme si elle était soumise à une sorte d'enquête mystérieuse.

Et le fait que je me refusais à parler de moi devait rendre la situation encore plus étrange. Qu'Alice soit au courant de mon existence et que je reste avec elle en dépit du bon sens étaient déjà suffisamment graves à mes yeux. Du moins fallait-il qu'elle en sache le moins possible, et chaque fois qu'elle m'interrogeait sur ma vie antérieure, je m'efforçais de ramener la conversation sur elle. Même alors, j'ai vu ma prudence prise en défaut, car elle a pu déduire que j'avais grandi à New York, que j'y avais travaillé, et que ma condition actuelle datait de moins d'un an. Quelle que soit l'affection qu'on ressent pour quelqu'un, me disais-je, ce n'est pas une raison pour lui accorder une confiance aveugle et remettre son sort entre ses mains. Surtout si cette personne croit aux fantômes.

En un sens, c'était ce qui me gênait le plus — toutes ces bêtises comme quoi j'étais un revenant. D'autant que c'était apparemment ce qui la séduisait le plus chez moi. Elle avait donc mille raisons, je dois l'admettre, de m'interroger sans cesse sur le royaume des esprits. Malheureusement je n'avais aucune réponse à lui donner, et l'idée de lui mentir me paraissait ridicule, voire même honteuse, de sorte que je restais évasif pour ne pas être malhonnête. Ce qui, bien sûr, n'émoussait en rien la curiosité d'Alice.

Elle n'a pas tardé à rapporter des livres aux titres suggestifs : *Les Royaumes du psychisme,* ou *Le Corps astral et les autres.* Je me suis retenu pendant plusieurs jours, mais finalement je n'ai pas pu m'empêcher d'en parler :

« Alice, j'hésite même à te poser cette question, mais qu'est-ce qui t'a pris, d'un seul coup, pour que tu te documentes sur les fantômes et les voix venues de l'au-delà ?

— C'est un sujet qui m'a paru intéressant. Mais je ne sais absolument pas d'où m'est venue cette idée.

— Eh bien, il se trouve que je n'ai vu aucun de ces livres en arrivant ici, et l'idée que j'ai pu inciter quelqu'un à lire des choses pareilles me fait vraiment horreur.

— Oh, tu sais comment ça se passe. On sort avec un vendeur de contre-plaqué, et on se documente sur le contre-plaqué. On commence à fréquenter un fantôme, et on se met à lire tout ce qu'on trouve sur les fantômes.

— En tout cas, je peux te dire que ces livres n'apportent quasiment aucune information là-dessus, ni sur quoi que ce soit. *Passerelles vers l'au-delà.* C'est de la superstition à l'état pur.

— Nick, as-tu jamais pensé qu'en ne croyant pas aux fantômes, tu te mets toi-même dans une situation plutôt embarrassante ?

— Alice, as-tu déjà entendu parler du rasoir d'Occam ?

— Mais oui. Et à mon avis, il rase d'un peu trop près pour quelqu'un comme toi.

— Et celui-là ? *Herméneutique des fantômes et des apparitions : Une approche psycho-culturelle.* Ça n'atteint même pas le niveau de la superstition. J'ai vraiment de la peine quand je te vois lire ces livres.

— Eh bien, je n'en aurais peut-être pas besoin, si j'avais d'autres sources d'information. Peut-être pourrais-tu m'adresser à quelqu'un qui fait autorité sur la question ? Ou même envisager de me parler un peu de toi ?

— Malheureusement, il n'y a rien à dire. Tout est là, sous tes yeux.

Au début, nous restions tous les soirs à la maison, puisque je pensais ne plus avoir aucune raison d'aller nulle part. Souvent, le téléphone sonnait, et j'entendais Alice répondre : « Non. Non, je regrette vraiment, mais je ne peux pas... Non, j'ai quelqu'un à voir — en un sens... Non, ce n'est pas ça. C'est sérieux... Je serais ravie de te le présenter, mais le 17, c'est impossible... Qu'on te rappelle au cas où ?... Bien sûr, Bye. »

« Tu sais, Alice, ai-je dit, tu ne devrais peut-être pas refuser toutes ces invitations. Tu devrais sortir un peu plus avec des amis moins éthérés que moi.

— Tu crois que tu aimerais dîner avec Bob et Myra ?

— Je ne vais dîner avec personne d'autre que toi. Mais je commence à avoir peur que tu deviennes folle à rester enfermée tous les soirs. Par pur égoïsme, d'ailleurs : de crainte que ta mauvaise humeur nous rende la vie impossible. »

Sans rien dire, elle est allée vers sa table à dessin, les sourcils froncés, et a donné quelques coups de crayon impatients. Elle avait l'air contrarié, ou un peu triste, mais j'ai appris qu'on ne peut jamais être sûr de ces choses-là.

Néanmoins, j'ai décidé qu'il me fallait faire tout mon possible pour que notre étrange façon de vivre se rapproche de la normale, et fin octobre, quand on a invité Alice à un bal masqué la veille d'Halloween, je lui ai dit d'accepter. Elle a choisi de se déguiser en sorcière : une robe et une cape noires qui faisaient ressortir l'éclat de son teint immaculé, et un chapeau noir, conique, d'où échappait la masse étonnante de ses cheveux blond cendré. Son sourire, quand elle a découvert ses canines aiguës, m'a vraiment paru magique. Ensorcelant.

De mon côté, et en dépit du bon sens, au point que j'en frémis encore chaque fois que j'y pense, je lui ai demandé d'enrouler plusieurs mètres de gaze blanche autour de ma tête, laissant à peine deux fentes au niveau des yeux. Elle a trouvé chez un fripier un vieux costume à peu près à mes mesures, et fait une expédition chez Brook Brothers pour m'acheter des gants, des chaussettes, des chaussures, une chemise et une cravate. Une fois habillé, j'avais l'air de Claude Rains dans le roman de H. G. Wells. C'était comme si j'avais une pancarte disant : « Homme invisible. »

Alice trouvait cela de mauvais goût. « Pourquoi veux-tu toujours te rendre moins intéressant que tu n'es ? Tu pourrais être n'importe quoi. Pourquoi prendre l'air d'une expérience ratée par un mauvais chimiste ? Et en plus, c'est une plaisanterie que je suis seule à pouvoir comprendre. »

Tout ce machin, en fait, était très inconfortable. Comme j'avais du mal à respirer, j'ai percé deux autres trous en face de mes narines. Parler était encore plus compliqué, mais je n'y pouvais rien. Cela me donnait une voix sourde, plutôt sinistre, et dès le début, à l'endroit de la bouche, la gaze est devenue humide, de sorte qu'à la fin de la soirée, j'avais les lèvres à vif. Le pire, c'étaient les yeux. Dès que j'avais la lumière en face, on voyait derrière les fentes un grand trou vide à l'endroit de ma tête. Un spectacle révoltant. Mais Alice m'a apporté une paire de lunettes réfléchissantes, et j'ai plié la monture pour qu'on ne puisse rien voir de côté.

L'ensemble, finalement, a produit un certain effet : quand nous avons traversé l'East Side, Alice et moi, au milieu d'une foule de gens déguisés de toutes les façons possibles, j'ai eu droit à de nombreux regards admiratifs et à plusieurs compliments. Ainsi, malgré l'inconfort dû au frottement de la gaze mouillée sur ma bouche et mon nez, et aux lunettes noires qui me rendaient presque aveugle à la lueur des réverbères, le fait d'être vu à nouveau par les autres et de retrouver pleinement la place qu'occupe un être humain m'a transporté de joie. Je me suis surpris à engager des dialogues absurdes avec des passants eux aussi en costume et à donner toute la monnaie d'Alice aux enfants qui nous menaçaient de leurs farces.

Au bal proprement dit, j'ai moins attiré l'attention, car c'était une soirée au bénéfice d'un machin qui s'appelle l'Institut des Beaux-Arts de New York, et un grand nombre d'invités — en tout, nous étions plusieurs centaines — s'étaient inventé des costumes fabuleux. Alice semblait connaître une foule de gens, et tandis qu'elle s'avançait peu à peu dans la salle en me présentant à ses amis, je sentais que le plaisir la faisait vibrer tout entière — plaisir procuré, pensais-je, par l'immensité de notre audace secrète.

« Mon fiancé, Nick Cheshire.

— Enchanté, Nick. Félicitations. Une fille épatante, Alice.

— Je commençais à me demander pourquoi on ne la voyait plus nulle part...

— Content de vous voir, Nick. Merveilleux, ce qui vous arrive à tous les deux. Il faut qu'on vous invite bientôt à dîner.

— Nick habite San Francisco, et nous ne pouvons presque...

— Dis-moi, Alice, a lancé une fille déguisée, m'a-t-il semblé, en nymphe ou en fée — c'était difficile à dire, car elle était pratiquement nue —, il est joli à voir ? »

Titania, si c'était bien son nom, m'a fait un clin d'œil et a tendu la main vers mes lunettes, pressant contre mon flanc un sein nu où on avait collé au hasard quelques petites étoiles dorées.

« Joli à voir n'est pas le mot », a répondu Alice avec une pirouette pour nous mettre hors de portée de la nymphe, et nous avons disparu au milieu des pirates, des anges, des vampires et des gangsters en train de danser.

« Tiens tes distances avec celle-là, Nick. Je ne veux pas qu'elle te mette la main dessus.

— La seule qui m'intéresse, c'est toi. De toute façon, je nierais avec la dernière énergie. C'est seulement son costume qui m'a plu. »

Grisé à l'idée de pouvoir parler à nouveau en présence d'autres gens, j'ai décidé qu'Halloween était ma fête préférée.

Alice a glissé ses mains sous ma veste et m'a prise dans ses bras.

« Je m'excuse de te présenter comme mon fiancé. J'ai pensé que c'était le meilleur moyen de les neutraliser.

— Je suis ravi d'un tel honneur. Je regrette d'être à ce point indigne de ce choix, une fois dépouillé de mon costume.

— Effectivement, à bien des égards, tu ne m'as pas l'air d'un très bon parti. Par simple curiosité, vous autorise-t-on à vous marier ?

— Autoriser ? Pour ce que j'en sais, on m'autorise à faire tout ce dont j'ai envie... Mais je vois mal comment ce serait possible. Ce genre d'événement attire en général d'autres personnes, et elles pourraient penser que mon apparence laisse un peu à désirer. D'habitude, aussi, on vous présente aux parents de la promise. Et il faut au moins quelqu'un pour s'acquitter de la cérémonie. Ce n'est pas en ce genre d'occasion qu'on peut arriver couvert de bandelettes, en homme invisible. » Un globule orange, sphérique, nous a frôlés, étreint par une Cléopâtre. « Ni en Orangina.

— Avant de dire ça, tu devrais jeter un œil sur les mariages de ces gens-là, a-t-elle répondu en indiquant la foule d'un signe de tête. Est-ce que les fantômes ont des enfants ? »

Il m'est venu l'image d'un corps d'enfant blafard, translucide, décoloré comme une feuille abandonnée tout l'hiver dans une piscine.

« Je n'en ai aucune idée... Je ne vois pas comment... »

Elle a ri. « Tu sais, tu as quelque chose d'un feu follet. Et il vaut mieux qu'il ne soit pas question de te prendre au sérieux. »

C'étaient les premières notes d'une valse. Sans prévenir, Alice m'a entraîné et nous a fait tournoyer au milieu des danseurs à une vitesse étourdissante.

La nuit, maintenant, il faisait terriblement froid, mais après cette soirée splendide, j'étais d'autant plus décidé à ne pas rester terré avec Alice, comme un fugitif, au fond de son appartement. Il n'est pas si fréquent d'être invité à un bal masqué, mais j'ai eu une autre idée. On choisissait un film devant bientôt quitter l'affiche, dans une des salles de la 90e Rue est, et on arrivait vingt minutes avant la dernière séance. Il n'y avait pas assez de monde pour former une queue, encore moins une foule. Alice prenait son billet, j'attendais un peu plus loin. Quand personne ne se présentait, elle s'avançait, tendait son billet pour qu'on le déchire et entrait dans la salle. J'étais sur ses talons. Dans le hall, pour ne pas me faire écraser, je restais collé au mur et Alice se mettait devant, tout contre moi, fouillant la foule des yeux comme si elle attendait quelqu'un. Dès que tout le monde était installé et que le film allait commencer, on se dépêchait d'entrer et on choisissait des places sur le côté. Nous éprouvions tous les deux, blottis dans la demi-obscurité de la salle, le plaisir enfantin d'avoir accompli quelque chose d'interdit, et nous écartions nos vêtements pour nous embrasser et nous caresser comme des adolescents.

Nous allions souvent au cinéma, et au bout d'un certain temps, nous avons fréquenté les musées et les galeries, surtout le matin, peu après l'ouverture. Ensuite même, nous avons osé nous rendre au concert et au théâtre. J'essayais de choisir les spectacles et les jours les moins fréquentés, tout en me disant qu'avec Alice, je pouvais presque tout me permettre. Un sentiment étrange, d'autant que j'avais passé le plus clair de mon temps, quelques semaines auparavant, à me cacher peureusement dans des coins. Désormais, me semblait-il, le principal danger serait qu'Alice me fasse découvrir par inadvertance. Dans les endroits publics, j'insistais pour qu'elle me parle à voix basse, presque sans remuer les lèvres, comme une ventriloque. A force de s'y exercer, elle y arrivait très bien, mais apparemment je ne réussissais pas à la convaincre que c'était réellement important, et parfois, dans la rue, alors que nous étions au milieu des passants, elle se tournait soudain vers moi et me parlait normalement, comme si nous étions seuls.

« Qu'est-ce que ça peut faire ? disait-elle. Les gens croiront que je parle toute seule. New York est plein de gens qui parlent tout seuls. Et puis, pourquoi est-ce si important ?

— Pour le moment, je ne peux pas te le dire.

— Eh bien, si c'était vraiment si important, tu me l'aurais expliqué. Nick, où vas-tu le matin quand tu t'en vas ? Qu'est-ce que tu fais de tes journées ? »

Elle s'était arrêtée au beau milieu du trottoir, face à moi. Elle s'était remise à murmurer, mais avec un visage si expressif qu'on aurait vraiment dit une folle en train de parler dans le vide. Un homme qui venait à notre rencontre, sur le trottoir d'en face, l'a regardée avec curiosité.

« Rien du tout. Ce que je fais de mes journées n'aurait aucun intérêt pour toi, je te le promets. »

Ces discussions me mettaient chaque fois à la torture, et celle-ci était d'autant plus douloureuse qu'on était à la mi-novembre et qu'il était dix heures du soir. Alice avait un manteau, mais moi, je portais le même costume depuis le mois d'avril.

« Pourquoi es-tu venu ?

— Je te l'ai déjà dit. Pour rien.

— Tous les gens ont une raison d'être là. Sans quoi, pourquoi y seraient-ils ? »

Elle m'a adressé un grand sourire, sans que je puisse savoir si elle se moquait ou non.

« Bon, eh bien, il y a probablement une raison, mais c'est la même que pour tout le monde, et j'aimerais prendre le temps de l'analyser, mais il fait vraiment très froid. Si je ne bouge pas, je vais geler sur place. »

Nous avons marché en silence un certain temps.

« Ce sont les seuls vêtements que tu as, n'est-ce pas ?

— Pour l'instant, oui. »

C'étaient effectivement les seuls et ils étaient affreusement trop légers pour la saison. Je pensais aux quelques vêtements dépareillés que j'avais cachés à Basking Ridge, aux rideaux et aux tissus avec lesquels j'aurais pu fabriquer une sorte de manteau pour me protéger du froid. Si je mettais Alice dans le secret, elle pourrait m'y emmener dès demain. Non. Impossible. S'il y avait une chose que je ne devais jamais me permettre, c'éttait de révéler à quiconque l'existence de ma réserve d'objets invisibles. J'aurais voulu arrêter e débat intérieur qui revenait sans cesse. Tout cela n'était qu'une erreur terrible. Il faudrait vraiment que j'invente une excuse convenable et que je quitte Alice pour de bon. Mais pas avant la fin de l'hiver. Il était logique d'attendre que le temps se réchauffe.

« Tu as tout le temps froid, non ? Je te sens frissonner. Comment vas-tu pouvoir passer l'hiver ?

— J'espérais que tu ne me jetterais pas dehors avant le printemps.

— Je devrais, tu sais. »

Elle m'a entouré de ses bras tout en marchant, peut-être par affection, peut-être pour me tenir chaud. C'était une pose vraiment bizarre, et quand une voiture de police a tourné au coin de la rue, j'ai dû lui dire de ne pas s'accrocher à moi de cette façon.

Fin novembre, il faisait trop froid pour que je puisse rester dehors plus de quelques minutes, ce qui m'empêchait d'accompagner Alice à son travail, le matin, mais par beau temps, j'arrivais encore à sortir en laissant passer les heures d'affluence pour me précipiter de l'appartement dans le métro, et du métro dans un bureau quelconque. Et bien que le froid me fît de plus en plus souffrir, je me sentais plus en sécurité que jamais. Chaque soir, certes, par habitude, j'emballais mes habits et je gardais le paquet près du lit. J'évitais les clubs, mais il y avait longtemps que j'avais caché mon revolver dans la chaufferie de l'immeuble où habitait Alice, puisqu'elle avait toujours le même choc en le sentant dans ma poche, et je ne passais plus mon temps à guetter l'apparition de Jenkins et de ses hommes dans tous les endroits où j'allais. A vrai dire, tant qu'Alice ne disait ou ne faisait rien pour me trahir, j'avais du mal à imaginer comment Jenkins pourrait me retrouver, et je ne pensais presque plus à lui.

En fait, me suis-je dit un jour, alors que j'étais assis dans un bureau désert, en train de fouiller les papiers d'un conseil juridique, je ne pensais presque plus jamais à ma vie passée. Tout cela me paraissait très lointain, un magma de souvenirs et de préoccupations qui ne me concernaient plus. Devant moi, sur le bureau, il y avait un téléphone. Les grandes sociétés et les grands cabinets juridiques sont les meilleurs endroits pour téléphoner, car même si j'appelle un numéro surveillé par les hommes de Jenkins, ils ne peuvent pas remonter au-delà du PBX local et risquent seulement d'apprendre que je suis dans un secteur comprenant six étages d'un immeuble géant. Sans idée précise, et en sachant que c'était une erreur, j'ai décroché l'appareil et appelé mon ancien bureau. Ce qui allait signaler ma présence à New York. Mais Jenkins avait déjà organisé son travail en fonction de cette hypothèse. Et puis, sans raison, j'avais subitement besoin de parler à quelqu'un appartenant à ma vie passée.

Cathy m'a répondu avec enthousiasme et m'a posé les questions habituelles, espérant glaner quelque potin passionnant sur le mode de vie exotique qu'elle m'avait sans doute attribué, mais il m'a semblé qu'elle ne s'intéressait plus vraiment à moi. Elle n'avait presque rien à dire. Quelqu'un que je ne connaissais pas était entré dans la société. En l'écoutant parler, j'ai essayé de me demander si j'avais bien connu Cathy. Pas vraiment.

« Non, il y a très longtemps qu'on ne vous a pas appelé. Sauf machin. Dave Jenkins. Je suppose que c'est un de vos amis ? Il a dit que vous sauriez de quoi il s'agit... Il a rappelé plusieurs fois. Il a même téléphoné cette semaine, en fait. Il a dit...

— Cette semaine ?

— Il a dit que si vous vous manifestiez... Vous pouvez attendre une seconde ? Il y a un autre appel. »

La ligne est restée muette. J'aurais dû raccrocher. J'avais eu absolument tort de téléphoner.

« Stupéfiant, non ? C'était Dave Jenkins ! Il m'a chargé de vous dire que c'est extrêmement important et que vous avez son numéro. Ce n'est pas une coïncidence incroyable ?

— Si, Cathy, vraiment. Merci. Il faut que je me sauve. »

Je ne devais pas l'appeler. Impossible que j'apprenne quoi que ce soit d'utile. Tout ce qu'il me dirait serait soigneusement calculé à son avantage, et tout ce que je dirais ne pourrait que lui servir. Je venais déjà de l'informer, gratuitement, que j'étais encore vivant et toujours à New York. Cela ne ferait que l'encourager. Et en plus, pour parler franchement, le son de sa voix m'effrayait. Pourtant j'avais envie de l'entendre parler. Une force me poussait à l'appeler pour savoir ce qu'il avait à me dire.

J'ai composé son numéro, et à la première sonnerie, comme toujours, la voix soyeuse, convaincante, m'a répondu.

« Salut, Nick. Comment allez-vous ?

— Admirablement. Vous m'avez manqué. Vous avez appelé ?

— Nick, vous avez commis un acte extrêmement déplorable et irréfléchi en détruisant dans mon bureau des objets appartenant au gouvernement.

— Mince. Si j'ai eu tort, je regrette. »

Il y a eu un silence.

« Nick, je vous demande — je vous supplie — d'écouter attentivement ce que j'ai à vous dire et de le prendre au sérieux.

C'est la chose la plus importante de votre vie. Je veux vous aider, Nick, et j'ai très peur que ce soit la dernière chance qui me soit offerte. Vous m'avez mis au pied du mur. Maintenant, vous devez vous rendre, immédiatement. Si vous ne vous rendez pas, pour quelque raison que ce soit, il ne nous reste qu'à vous tuer.

— C'est ça votre message important ? Mince, je suis content d'avoir appelé. Bon, il faut que je me sauve...

— Nick, c'est extrêmement sérieux. Je veux être sûr que vous comprenez la position dans laquelle vous vous êtes mis, et nous avec. Avant, nous pouvions nous permettre d'attendre. Nous préférions attendre plutôt que de vous faire courir un danger physique. Mais, en détruisant ces preuves, vous nous avez mis, vous avez mis toute une organisation, une organisation vitale, en grand danger politique. Nous avons besoin de vous, tout de suite, pour garantir notre survie. Vivant, ou sinon mort.

— Vous voulez dire que vous avez des ennuis, les gars ? Fichtre, je n'aurais jamais cru. J'espère que cela ne va pas vous gêner pour vous occuper de moi.

— Nick, ceci ne me plaît pas plus qu'à vous...

— Là-dessus, je suis presque sûr que vous avez tort.

— Et je vous supplie de revenir à la raison. Vous ne me laissez pas le choix.

— Il faut vraiment que je me sauve. Vous savez ce qui se passe quand ce genre de coup de fil s'éternise. »

Quand je suis sorti de l'immeuble, Gomez et Morrissey descendaient déjà d'une de leurs voitures grises. C'était la première fois que je revoyais l'un d'entre eux depuis ma visite à leurs bureaux, et j'ai cru voir qu'ils étaient encore plus acharnés, aux abois. Après tout, je leur avais porté un coup sévère. Il semblait même que j'étais en train de gagner. Ils étaient en butte aux attaques de leurs supérieurs, et en même temps leurs chances de me retrouver diminuaient de jour en jour. C'était sûrement la première piste qu'ils tenaient depuis plusieurs mois. Ils ne me prendraient jamais. Sauf par la faute d'Alice.

Pourtant, cette conversation m'avait mis mal à l'aise. Son sérieux, pour une fois, n'était pas feint, me semblait-il. Bien sûr, il avait voulu me faire peur, mais il y avait réussi. Quand il disait qu'il allait chercher à me tuer, je le croyais. Et si ces gens pouvaient repérer mon appel et être sur place en moins de dix minutes, c'était qu'ils étaient toujours en mesure de se consacrer entièrement à moi. Il ne fallait pas que je me laisse aller à être trop sûr de moi, à commettre des négligences, ni que je leur permette de rattraper peu à peu leur retard. Je les avais gravement blessés en les attaquant de front au moment où ils s'y attendaient le moins. Mais ce qui avait été possible un jour ne le serait plus jamais. Je ne pouvais plus prendre le risque de m'approcher d'eux. Je me retrouvais au même point qu'avant. Je devais rester en mouvement, en espérant garder un peu d'avance. Je me suis demandé une fois de plus combien de temps j'oserais encore vivre avec Alice.

J'ai broyé du noir pendant plusieurs jours. Impossible d'approcher Jenkins, certes, mais j'imaginais pouvoir le prendre à revers en m'attaquant à ses supérieurs. Je trouverais peut-être un moyen de l'affaiblir un peu plus, ou du moins quelques renseignements sur ce qu'il était en train de préparer.

« Alice, je vais devoir partir un ou deux jours.

— Où vas-tu ?

— Je ne peux pas le dire. C'est quelque chose qu'il faut que je fasse.

— Pourquoi ne peux-tu pas le dire ? Tu as repris ton revolver. C'est dangereux ? Tu reviendras ?

— Je reviendrai, c'est presque certain. On dirait que je suis incapable de rester loin de toi. »

J'ai pris le Metroliner de Washington au milieu de la journée pour trouver un train presque vide. J'avais horreur d'entreprendre cette expédition à la fin de l'automne, par un temps pareil, mais j'étais de plus en plus convaincu, d'heure en heure, que Jenkins avait dit vrai. Je ne lui avais pas laissé le choix. Il fallait que je me défende par tous les moyens.

Ce voyage a été un échec complet. J'ai passé trois jours et demi à courir les rues d'un service de renseignement à l'autre pour essayer de trouver les gens dont dépendait Jenkins et de glaner quelques informations sur lui. Il faisait plus doux, à Washington, mais c'était un piètre réconfort, parce qu'il y a très peu de transports en commun et que j'ai dû parcourir des kilomètres à pied, ainsi que deux aller-retour pour la Virginie, en grelottant sans arrêt. Je n'ai pas osé entrer dans un club, et j'ai passé mes nuits à trembler de froid, couché par terre dans une cafétéria, me nourrissant de quelques croûtons de pain par peur de me faire remarquer.

J'ai fini par localiser le bureau d'un dénommé Ridgefield, apparemment le supérieur immédiat de Jenkins, mais je n'y ai même pas trouvé un seul bout de papier avec le nom du colonel. Partout je me heurtais à des serrures. Des bureaux verrouillés, des classeurs verrouillés, des couloirs verrouillés. Il y avait des gens qui travaillaient à chaque heure du jour et de la nuit, et de toute façon, je n'aurais pas pris le risque d'y passer la nuit et d'être privé, le lendemain, de tout moyen de m'alimenter sans danger.

Après quatre jours de ce régime, j'étais si faible, affamé, gelé et découragé que j'ai abandonné. J'ai repris le train de New York, physiquement diminué, moralement vaincu, n'ayant rien appris, soutenu seulement par l'idée que je serais bientôt à la maison et qu'Alice allait s'occuper de moi. Je me suis dit alors, peut-être pour la première fois, qu'elle m'avait sauvé la vie. Il fallait que je le lui dise, que je la remercie. Plus tard, quand il n'y aurait plus de danger.

Il faisait horriblement froid quand je suis arrivé à New York, et le trajet en métro a été une torture. J'ai couru aussi vite que j'ai pu — dans l'état où j'étais, en fait, j'ai presque rampé — du métro à l'appartement d'Alice pour empêcher mon corps de succomber. Une fois rentré, tout irait beaucoup mieux. J'avais passé quatre jours misérables, à trembler de peur, mais j'allais pouvoir rester au chaud, à l'abri, et Alice me donnerait de quoi manger.

La clef n'était pas à la place habituelle. Elle était peut-être sortie. Je lui avais dit que je partais pour deux jours, et cela en faisait quatre et demi. J'aurais dû téléphoner.

Soudain, avant que j'aie eu le temps de frapper, la porte s'est ouverte. C'était elle.

« Nick ! »

J'étais tellement soulagé, ou bouleversé, que je n'ai rien pu dire.

« Mon Dieu, je suis si contente que tu sois revenu. Où étais-tu ?

— Je... Je te le dirai une autre fois.

— J'avais peur que tu sois parti pour de bon. Tu trembles ! Qu'est-ce qui t'arrive ? »

Elle m'a fait couler un bain chaud. Ensuite, en attendant le dîner, elle m'a donné un bol de soupe brûlante et m'a enveloppé dans une couverture. On aurait dit une petite tente posée sur le divan. J'étais à l'abri, au chaud, stupéfait d'avoir pu m'imaginer capable de survivre à l'hiver par mes propres moyens. A l'idée que je n'avais plus à me demander — du moins jusqu'au printemps — si je devais ou non partir, le soulagement et la reconnaissance m'ont submergé.

En décembre il a plu ou il a neigé la plupart du temps, et il faisait si froid que je ne pouvais presque jamais sortir. J'effectuais le plus clair de mon travail chez Alice, à qui j'avais demandé de s'abonner à toutes sortes de publications financières, et où je recevais régulièrement l'avalanche des bilans annuels et des 10K. Je m'efforçais tout de même d'aller chez les Crosby une fois par semaine, par sécurité, mais désormais tous mes relevés étaient adressés à Bernie Schleifer, qui se chargeait de toutes les écritures. Je m'occupais de mon portefeuille et je faisais les achats par téléphone pendant qu'Alice était à son travail, de sorte qu'elle ne savait pas vraiment ce que je fabriquais, mais le spectacle de toutes ces colonnes de chiffres étalées sur la table du dîner pendant qu'un crayon magique réalisait des acrobaties dans le vide pour calculer le montant des liquidités ou les taux d'intérêt, avait tout de même pour effet de heurter son sens des convenances.

« Pourquoi passes-tu ton temps à étudier ce genre de choses ? As-tu l'ambition de devenir comptable, pour ta prochaine incarnation ? C'est terriblement dépourvu de romantisme.

— C'est seulement un sujet qui m'intéresse.

— Je croyais qu'on était censé se désintéresser des biens de ce monde, après le grand saut.

— C'est peut-être que je n'ai pas sauté assez loin.

— En tout cas, il n'est pas convenable qu'un fantôme se mette à spéculer.

— C'est indigne de mon statut spirituel, tu veux dire ? Rassure-toi, je ne suis pas un spéculateur. Je suis un investisseur.

— Vraiment ? Dans quoi investis-tu au juste ? Et pourquoi ?

— En fait, j'y trouve surtout matière à un défi intellectuel.

— Dis-moi, Nick, de un à dix, quelle note te donnerais-tu en matière de *bonne foi ?*

— Les fantômes doivent gagner leur vie comme tout le monde. » Soudain, une idée m'est venue. Elle aurait dû me venir depuis longtemps, et je me suis demandé un bref instant pourquoi cela ne m'avait pas effleuré avant. « Alice, je viens seulement de penser que mon entretien et toutes ces bonnes bouteilles doivent te coûter assez cher.

— Ce n'est pas un problème.

— Dis-moi, tu as un compte en actions ?

— Non. Mais j'ai quelques parts d'AT & T héritées de ma grand-mère.

— Combien ?

— Je n'en suis pas sûre, mais je peux te montrer. Et après, j'ai reçu un tas d'autres actions envoyées par plusieurs compagnies de téléphone. »

Elle a sorti une liasse de titres mélangés à des relevés et des brochures expliquant les complexités des désaisissements d'AT & T ainsi que les conséquences probables pour les actionnaires et la position controversée du fisc. Il devait y avoir des dizaines de milliers de gens dans le même cas qu'Alice. Si jamais ils vendaient leurs parts, tout passerait à payer des comptables pour calculer les impôts exigibles sur cette transaction.

« Alice, apporte tout ça dès demain à cette adresse — c'est celle d'un courtier — et dis-leur que tu veux ouvrir un compte et vendre ces titres. Ils te montreront comment les endosser correctement. Ensuite, donne-leur l'ordre d'acheter ces actions, je te les note sur un bout de papier.

— Alors tu peux prévoir l'avenir ?

— Je ne peux pas prévoir l'avenir. Personne ne peut, ai-je dit d'un ton un peu agacé.

— Alors pourquoi me dis-tu d'acheter ces actions ? »

Elle a pourtant dû penser que je pouvais prévoir l'avenir, car son compte s'est mis aussitôt à prospérer et elle n'a plus fait allusion à ce que peut avoir de trivial la lecture des feuilles boursières. En outre, plus le temps passait, moins elle insistait pour que je lui parle de moi.

Peu à peu, la sécurité et la chaleur de l'appartement d'Alice m'ont à nouveau aidé à oublier Jenkins. Je ne reprochais plus qu'une chose à l'hiver : le froid qui m'obligeait à rester enfermé. Et début janvier, une possibilité de sortir m'a été suggérée par la vision d'un enfant emmitouflé dans un parka, avec des gants et une cagoule en laine absolument terrifiante qui lui recouvrait le visage et le crâne. J'ai aussitôt réservé une chambre à Stowes et Alice m'a équipé de la tête aux pieds dans un magasin d'articles de sports.

Le jour du départ, elle est partie chercher sa voiture dans un garage de Queens. En rentrant, elle m'a trouvé sur le trottoir, fin prêt, avec moufles, cagoule et lunettes de ski. Le portier avait été un peu surpris de me voir surgir de l'ascenseur dans cette tenue — la température du hall étant constamment maintenue à vingt-cinq degrés — et il me lançait des regards méfiants tout en m'aidant à charger les skis et les bagages. J'étais trop content pour m'en inquiéter.

La neige était tout juste convenable, et il faisait un froid épouvantable, mais j'ai passé des vacances magnifiques et ma garde-robe s'est enrichie de nombreux masques solaires. Quand la température montait, je disais aux gens que ma peau ne supportait pas la lumière du soleil. Nous devions manger la plupart du temps dans notre chambre, c'est vrai, mais à part ça, j'étais absolument comme les autres, je pouvais aller n'importe où sans craindre de tousser ou de me cogner à quelqu'un par inadvertance. C'était Halloween, encore une fois. J'engageais la conversation avec des inconnus dans la queue du remonte-pente. Et Alice, tout d'un coup, pendue à mon bras dans un endroit public, devenait exubérante.

Cet hiver-là a aussi vu le triomphe de Jonathan Crosby. Avant la fin du mois d'octobre, son compte est monté à cent mille dollars, et à la fin de l'année, j'avais amassé plus d'un quart de million. Mes opérations étaient à tel point rentables que, si je continuais, je serais bientôt incroyablement riche. Naturellement, en pratique, on ne peut pas doubler ses bénéfices d'un mois sur l'autre pendant très longtemps sans attirer l'attention de toutes sortes de gens, et comme il n'était pas question que je prenne ce risque, mes investissements se sont faits de plus en plus discrets à mesure que les sommes augmentaient, évitant surtout les rachats et les offres publiques toujours guettés par la COB en cas d'opérations illicites. Je suis ainsi revenu progressivement au genre d'investissements que j'avais choisis lors de ma vie antérieure, mais en profitant cette fois d'informations plus précises et plus opportunes. Ce changement de stratégie aurait dû amoindrir le rendement de mes opérations de façon spectaculaire, même sur un marché aussi optimiste et soutenu que celui de cette époque. Pourtant, je ne sais pourquoi, chaque fois que j'achetais un titre, il se mettait à grimper. Je ne réalisais plus de coups aussi énormes, mais des profits considérables qui se succédaient avec une étrange régularité.

Début mars, mon portefeuille valait plus de cinq cent mille dollars. Un compte de ce montant, chez un agent de change, n'a rien d'extraordinaire. Pourtant, je n'aurais jamais dû laisser s'accumuler cette somme au même endroit. C'est un exemple de négligence parfaitement injustifiable. Plus je vivais avec Alice, plus le danger me paraissait lointain. Et j'étais absolument sûr que Willy serait incapable de déceler quelque chose d'anormal dans ma réussite. Il ne m'avait jamais donné l'impression de remarquer quoi que ce soit. Mais je l'avais sous-estimé. Si j'avais été plus attentif, j'aurais constaté qu'il avait peu à peu changé d'attitude envers moi, et qu'à un certain moment, il s'était mis à me poser des questions au lieu de vouloir me vendre ses idées.

Un après-midi, en feuilletant un magazine sur papier glacé qui avait atterri dans la boîte aux lettres d'Alice — *GOTHAM, la chronique mensuelle de l'Upper East Side* —, j'ai vu la photo d'un visage vaguement familier, un jeune homme fadasse d'une trentaine d'années portant la cravate d'un club et identifié par la légende suivante : « Un jeune courtier de choc, Willis Winslow — l'étoile montante de Wall Street. »

J'étais abasourdi. En lisant l'article, j'ai découvert que Winslow appartenait « à la nouvelle race des jeunes boursiers créateurs ». Sur les marchés actuels, ai-je appris, plus compétitifs, un agent de change ne devait plus seulement savoir exécuter des ordres, mais comprendre les forces régissant le marché et même les orienter. C'était pour moi une nouveauté inquiétante : que les agents de change veuillent s'essayer à comprendre quelque chose — ils auraient pourtant intérêt à s'attaquer d'abord à un sujet plus simple que les forces régissant le marché —, très bien, mais j'étais franchement choqué à l'idée qu'ils puissent tenter d' « orienter » quoi que ce soit. On donnait quelques exemples de la sagesse de Winslow. « Il n'y a pas de raccourcis dans ce métier. On ne découvre un profit qu'après s'être longuement et consciencieusement informé. On ne peut pas se contenter de suivre le mouvement. Tenez, j'ai mis beaucoup de mes clients dans Hutchison Chemicals. Pour la plupart des gens, c'était une situation peu reluisante, sans aucun intérêt. Mais quand on a potassé le sujet, on sait qu'en plus de son activité de base, la production d'aliments chimiques, on y trouve un des laboratoires de recherche les plus inventifs de cette branche. Alors, voilà une action qu'on a commencé à prendre à douze et qu'on a vue dépasser trente... »

Hutchison avait été une de mes trouvailles, et à l'époque, on pouvait effectivement l'avoir à douze, mais je me suis souvenu sans plaisir que la plus grande partie de mon ordre avait été exécutée à treize. J'avais appris qu'un chercheur de cette société avait découvert un agent sucrant dont on prétendait, au contraire des autres sucres artificiels, qu'il ne se décomposait pas quand on l'élevait à une température suffisante pour cuire des aliments. Je doutais que cette substance soit jamais fabriquée : on passerait d'abord des années à en gaver des rats jusqu'à ce qu'ils aient un cancer ou qu'ils meurent de désespoir. Mais j'en avais déduit, à juste titre, que la chose était assez plausible pour faire monter provisoirement les cours dans l'état actuel du marché. Maintenant je me demandais jusqu'où et à quelle vitesse se répercutaient mes ordres d'achat.

J'ai aussitôt appelé Willy.

« Jonathan, bonjour ! s'est-il écrié avec enthousiasme. Comment allez-vous ? Attendez un tout petit instant. J'ai deux appels en ligne, et je vais m'en débarrasser... Allô, Jonathan ? Désolé. Je suis vraiment débordé. Qu'est-ce que je peux faire pour vous ? Je vois que votre ACL a joliment progressé. Vous croyez qu'il a de quoi continuer ?

— Willy, je veux que vous vendiez tout, et...

— Vendre tous les ACL ?

— Pas seulement les ACL. Je veux tout vendre.

— *Tout* ?

— Exactement. J'ai discuté avec quelques amis de mon père et ils m'ont conseillé de tout réaliser sans attendre. Alors je pense que vous devez vendre aujourd'hui même. Mettez cent mille dollars sur un compte sur livret exonéré d'impôts et soldez-moi ce qui reste en adressant le chèque au cabinet de Bernie Schleifer.

— Mon Dieu, Jonathan, vos amis croient que ce marché va dégringoler la pente ? C'est vrai qu'ils ont bien vu certains trucs jusqu'ici... »

Willy avait l'air inquiet.

« Eh bien, comme dit oncle David, ça peut arriver demain, ça peut arriver dans un an, mais tu ferais mieux de tout garder en liquide. »

A mon avis, c'était le meilleur service que je pouvais rendre aux autres clients de Willy, pour qu'ils ne se retrouvent pas complètement à la merci de ses talents d'analyste. A long terme, par contre, ils seraient probablement ruinés de toute façon.

J'ai immédiatement demandé à Bernie d'ouvrir des comptes fiduciaires chez deux autres agents de change. A l'avenir, je prendrais soin de répartir discrètement mon patrimoine pour que personne ne se doute de rien.

C'était la vie commune avec Alice qui m'avait rendu aussi insouciant, aussi imprudent. Je me suis rappelé que le printemps allait bientôt venir, et cela m'a effrayé. Mais je n'avais pas le choix : je devrais quitter Alice dès qu'il ferait plus chaud. Il fallait que je reste en mouvement.

Avril, pourtant, a suivi mars, la saison a changé et j'étais toujours là. Le plus sûr, me disais-je, était de ne pas bouger tant que je n'aurais pas trouvé un endroit où vivre en toute sécurité. C'était par prudence, pour l'instant, que je devais rester chez Alice, et je pouvais repousser de quelques mois l'idée de la quitter.

Le 15 du mois, je serais obligé de donner une grande part de mon argent au gouvernement fédéral, à l'État et à la ville de New York, mais il me resterait tout de même près de huit cent mille dollars — beaucoup plus qu'il ne fallait pour garantir une existence sans problème à Jonathan Crosby. J'ai décidé de passer à l'étape suivante.

« Bernie, je me suis dit que j'aimerais avoir une maison à moi.

— C'est très astucieux. La propriété apporte des tas d'avantages fiscaux, et vous gaspillez trop d'argent en impôts. A propos, j'ai sous les yeux une affaire...

— Bernie, y a-t-il chez vous quelqu'un qui pourrait faire le tour des agences pour voir ce qui serait disponible ? Je suis très pris, en ce moment. Quand vous aurez terminé une première sélection, je m'arrangerai pour aller y jeter un coup d'œil.

— Sûr, et j'ai aussi un très bon notaire pour vous — en fait, j'aimerais que vous le rencontriez un de ces jours. Vous savez qu'on peut réaliser des bénéfices fantastiques en achetant des hôtels meublés. Ce sont des situations riches en profits potentiels, et il est bien plus facile qu'on ne croit d'arranger les...

— C'est parfait, Bernie. Permettez-moi de vous expliquer exactement ce qu'il me faut. Il y a des détails qui peuvent être sans importance pour quelqu'un d'autre... »

Berni et ensuite son notaire m'ont décrit par téléphone toutes sortes de propriétés, que je n'ai jamais réussi à visiter, mais je suis allé en voir plusieurs, du dehors et en regardant par les fenêtres. A la seconde semaine d'avril, nous avons signé un engagement pour un immeuble en meulière de la 92ᵉ Rue est, et à la fin juin, nous avons conclu l'affaire. Bernie a fourni un avocat, et ils ont tout réglé à ma place, y compris le financement, grâce à une procuration. Une des grandes vertus de Bernie, c'est de ne pas être trop pointilleux quant aux signatures notariées.

Les trois derniers étages de mon immeuble étaient divisés en appartements occupés par des locataires à loyer limité, ce qui me laissait un ensemble spacieux composé du rez-de-chaussée, du premier étage, d'une petite cave et d'un jardin parfaitement inutile. Je n'avais aucune envie de me retrouver propriétaire, mais il était hors de question pour moi d'habiter un immeuble dont la porte d'entrée et probablement aussi celle de mon appartement auraient été constamment exposées aux regards. De plus, les ascenseurs m'étaient déconseillés, il y aurait eu des étages à monter et une porte à chaque étage, visible par n'importe qui. Et comme les portiers savent toujours qui entre et qui sort, je n'aurais pas pu me faire livrer des provisions sans qu'ils le sachent, même s'ils ne m'avaient pas vu. Ça aurait été une question de jours pour qu'ils comprennent qu'il se passait quelque chose d'extrêmement bizarre.

Dans mon immeuble, par contre, je pouvais aller et venir à volonté et me faire livrer n'importe quoi sans que personne ne remarque rien. A l'extérieur, un large escalier en pierre montait au niveau de l'ancien salon, et la porte d'entrée donnait accès à tous les appartements. Mais il y avait aussi, derrière les marches, invisible de la rue, une autre porte dont l'ancien propriétaire, apparemment, ne se servait que pour sortir les poubelles, et qui est devenue l'entrée principale de mon logement. J'enjambais une petite rambarde en fer scellée au trottoir, qui m'arrivait à mi-corps, j'avais deux marches à descendre et j'étais sous l'escalier, dans un recoin à l'abri des regards. J'y ai tout de suite caché une clef pour pouvoir ouvrir la porte et me glisser à l'intérieur sans être vu de la rue.

L'intérieur avait été entièrement repeint, deux ans plus tôt, et était encore en parfait état, mais j'ai tout de même demandé à Bernie d'engager un entrepreneur pour adapter la maison à mes besoins particuliers. J'allais chaque soir inspecter l'état des travaux, et le matin, je donnais mes instructions par téléphone : pour commencer, qu'on retourne la porte d'entrée, pour qu'elle s'ouvre dans l'autre sens, complètement cachée par l'escalier ; ensuite, au rez-de-chaussée, qu'on perce le mur derrière les boîtes aux lettres, qui étaient dans une petite entrée juste en haut des marches, afin que je puisse prendre mon courrier sans sortir de chez moi ; et qu'on pose des volets spéciaux, des rideaux épais, des barreaux à toutes les fenêtres et un système d'alarme perfectionné. Naturellement, au cas où Jenkins arriverait, jusque-là, je savais que rien ne l'empêcherait d'entrer, mais j'éliminais ainsi le risque d'être découvert par un vandale ou un vulgaire cambrioleur. En plus, j'ai fait transformer la plus grande des chambres en atelier entièrement outillé pour travailler le bois et le métal, avec en plus tout un matériel de serrurier.

J'avais déjà passé des journées entières dans une serrurerie à observer les ouvriers, lire les manuels et les catalogues, et j'ai pu alors mettre en pratique le résultat de mes observations. Dès que les travaux ont été finis, j'ai changé les barillets des serrures, qui s'ouvraient désormais avec les clefs invisibles de mon ancien appartement et de mon bureau. C'était si commode que j'ai envoyé deux autres barillets chez Alice, par la poste, et que je les ai installés.

Ce changement, pourtant, l'a inquiété. Elle se demandait pourquoi j'avais besoin de clefs, et où j'avais trouvé des barillets qui leur correspondaient. Un tel sens pratique, peut-être, ne convenait pas à un fantôme. Mais Alice, ces derniers temps, avait souvent l'air inquiet.

« Qu'est-ce que tu fais ces jours-ci, Nick ?

— Comme d'habitude. J'essaye d'acheter bon marché et de vendre plus cher. Pourquoi me poses-tu cette question ?

— Pour rien. Tu sembles préoccupé, en ce moment. Comme si tu pensais toujours à autre chose.

— Alice, il m'est difficile et quasiment impossible de penser à autre chose qu'à toi.

— Ah oui ? Eh bien, je suis sûre qu'en t'y mettant, tu finiras par y arriver. Mais je voudrais te demander quelque chose.

— Tout ce que tu veux.

— Si tu dois t'en aller, pour quelque raison que ce soit, auras-tu l'obligeance de me prévenir ? »

Pourquoi me posait-elle cette question ?

« Promis juré, ai-je répondu. Mais tu sais que je ne m'en irai pas... sauf si c'est absolument nécessaire. »

Très probablement, c'était déjà le cas. Chaque jour qui passait était un risque de plus. Tôt ou tard, il se passerait quelque chose qui me ferait découvrir. Les amis d'Alice l'interrogeaient sans cesse sur son fiancé. Et ses voisins savaient qu'elle vivait avec quelqu'un. Leur arrivait-il de se demander pourquoi ils ne l'avaient jamais vu ? Néanmoins, je pouvais encore retarder mon départ. Tant que je n'aurais pas complètement organisé ma nouvelle vie. J'avais jusqu'à la fin de mes jours, me disais-je sombrement, pour me retrouver seul.

J'ai passé presque tout l'été à meubler l'appartement. Avec des cartes de crédit, j'ai ouvert des comptes dans des grands magasins et je me suis fait livrer des meubles, des appareils ménagers, de la vaisselle, de l'argenterie, des livres, des disques. La maison devenait extraordinairement agréable, et j'aurais eu le plus grand plaisir à l'arranger avec Alice. Malheureusement, bien sûr, tout reposait sur le fait d'être seul. J'avais enfin un téléphone au nom de Jonathan Crosby, et recevais mon courrier chez moi. Chaque jour, j'allais le prendre et m'asseoir devant mon bureau neuf pour travailler à mes affaires. Les étagères de la cuisine étaient même entièrement garnies. Je pouvais m'installer du jour au lendemain.

Chaque soir, pourtant, je retournais chez Alice.

« Alice, peux-tu me rendre un service ? Il y a dans une boutique du centre un costume de clown dont je suis complètement toqué. Je voudrais que tu me l'achètes. Ils refusent les commandes par téléphone, je ne sais pourquoi. J'ai choisi un masque pour aller avec et de jolis gants blancs.

— Pourquoi ? Tu as un rendez-vous ? Les bandelettes de l'Homme invisible te vont mieux, tu sais.

— Je croyais que tu n'aimais pas ça. Et je n'ai pas de rendez-vous. Juste une course à faire. Je voudrais aussi que tu me loues un break pour vingt-quatre heures.

— Tu es terriblement mystérieux ces derniers temps.

— C'est le métier de fantôme qui veut ça.

— Vraiment ? Je suis contente de te l'entendre dire, parce que je me demandais en quoi consiste le métier de fantôme et c'est le tout premier renseignement que j'aie pu obtenir. »

Un jeudi après-midi, début août, j'ai conduit le break de location jusqu'à Basking Ridge. Mon costume était d'excellente qualité, destiné à des clowns professionnels, toutefois il aurait eu meilleure allure avec un vrai maquillage, au lieu d'un masque. Mais le maquillage ne tient pas très bien sur ma peau, et il fallait aussi que je puisse ôter mon déguisement pour m'enfuir si quelque chose tournait mal.

Or, toutes sortes de choses pouvaient tourner mal, me disais-je, un peu angoissé : une panne de voiture, un contrôle de police, quelqu'un venant nettoyer les gouttières au moment où je chargeais le break. Pourtant, pour réussir mon coup, je n'avais pas besoin d'une chance extraordinaire : j'avais seulement besoin d'être épargné par une malchance extraordinaire.

Pendant tout le trajet, les gens ont été d'une amabilité extravagante envers moi. Chaque fois que je doublais une voiture où il y avait des enfants, je les saluais de façon grotesque, je leur envoyais des baisers, et ils me faisaient des grands gestes. En arrivant chez Richard et Emily, j'ai pris l'allée et je suis allé me garer devant la porte de la glacière. J'avais téléphoné à plusieurs reprises, depuis quelques jours, et j'avais encore appelé d'une station-service, dix minutes plus tôt, pour être sûr que la maison serait vide. Il m'a fallu moins d'un quart d'heure pour récupérer ma réserve d'objets invisibles et charger la voiture. J'ai passé quelques minutes de plus à quatre pattes dans la sciure pour vérifier que je n'avais rien laissé tomber, je me suis remis au volant, j'ai descendu l'allée et je suis reparti vers New York.

C'est alors, après avoir dépassé Basking Ridge, que la catastrophe s'est annoncée. Une voiture de la police d'État est arrivée par-derrière, son gyrophare allumé, lançant de brefs coups de sirène pour m'avertir. Je me suis garé sur le bas-côté, pris entre l'envie d'arracher frénétiquement mon costume et celle d'attendre une meilleure occasion. Car si je m'enfuyais, j'étais sûr de perdre à tout jamais mes objets invisibles. Mieux valait voir s'il n'y avait pas un moyen de redresser la situation. J'avais à peine arrêté la voiture que le policier s'est avancé et m'a regardé fixement par la portière dont la vitre était baissée avant de me dire : « Désolé de me présenter comme ça. Je me demandais seulement combien ça me coûterait de vous faire venir à l'anniversaire de ma fille... »

J'ai noté son numéro et promis de lui téléphoner.

Quand j'ai regagné New York, le soir tombait. J'ai garé le break à plusieurs pâtés de maisons de chez moi, du bon côté de Park Avenue, à un endroit où je pourrais ouvrir et fermer les vitres sans qu'on me remarque. Je me suis glissé à la place du passager puis le plus loin possible sous le tableau de bord, et j'ai retiré mon costume de clown que j'ai tassé sous le siège pour qu'Alice le reprenne en rendant la voiture. A nouveau invisible, je suis sorti par la fenêtre ouverte, du côté droit, j'ai fait passer mes paquets tout aussi invisibles par la vitre arrière et je les ai apportés chez moi l'un après l'autre.

J'avais commencé à me servir de mes outils, en m'exerçant d'abord sur des matériaux visibles. Je n'avais aucun talent d'ébéniste, et il ne m'était jamais arrivé de percer le moindre trou dans un morceau de métal, de sorte que mon travail, quelle que soit l'ambition qui me poussait, restait primitif et hasardeux. En outre, comme je ne voyais pas exactement où je mettais les mains, j'avais constamment les doigts entaillés ou éraflés par les scies, les limes et les burins, sans pouvoir non plus éviter, malgré toutes mes précautions, d'y enfoncer des échardes et des rognures de métal. Quand j'ai voulu travailler sur des matériaux invisibles, cela n'a fait qu'empirer, et je devais régulièrement m'interrompre pour inspecter mes mains, de crainte de saigner.

J'essayais de compenser mon inexpérience et la difficulté posée par ces matériaux en travaillant avec une lenteur et un soin extrêmes, mais je voyais qu'il me faudrait des années avant d'être capable de fabriquer certains des objets dont j'aurais besoin, et que je devrais économiser le peu de matière première en ma possession jusqu'à ce que j'aie acquis l'habileté nécessaire et que je sache exactement ce qui me serait le plus utile. L'essentiel, c'était de ne commettre aucune erreur. J'exécutais d'abord chaque objet en bois ou en métal visible pour bien voir ce que je faisais et les endroits où je pouvais me tromper.

Pour commencer, j'ai fabriqué une échelle pliante ultra-légère, facile à transporter quand je voulais me rendre dans un endroit où ma présence n'était pas attendue. Elle suffisait largement, d'habitude, à me faire atteindre un premier étage ou même un escalier d'incendie. Ensuite, j'ai façonné une série d'outils très simples pour crocheter les serrures, et je me suis exercé à leur maniement jusqu'à pouvoir ouvrir avec une certaine dextérité les portes et les classeurs fermés à clef.

Je possédais plusieurs téléphones invisibles. Il m'a fallu plusieurs jours de recherches pour déterminer leur marque, leur modèle, et obtenir les mêmes en matériaux normaux. J'ai démonté en tandem les appareils visibles et invisibles, mettant chacun d'eux sous enveloppe répertoriée en vue de projets ultérieurs. Avec certaines pièces d'un des téléphones et une partie du fil électrique que j'avais récupéré, j'ai installé un système d'alarme supplémentaire. Il était beaucoup moins sophistiqué que le modèle du commerce, mais personne ne pourrait le mettre hors d'usage ni même le remarquer. Je savais que Jenkins se jouerait du premier système, et le traverserait sans laisser la moindre trace. Mais une fois entré, et malgré toutes ses précautions, il y avait certaines choses, j'en étais sûr, qu'il serait obligé de toucher. Comme, par exemple, les pages de ce manuscrit, soigneusement empilées sur la table de mon bureau. Il verrait d'abord les premiers mots : « Si seulement vous pouviez me voir, maintenant... », et comprendrait aussitôt qu'il y avait là tout ce qu'il voulait savoir. Il ne pourrait pas s'empêcher de lire, ce qui déclencherait mon autre système d'alarme et m'apprendrait qu'il était entré. Il y avait sur le chambranle de la porte d'entrée un vieux bouton de sonnette recouvert de peinture depuis longtemps. Je l'ai nettoyé et j'ai branché mon système. Chaque fois que je rentrais chez moi, j'appuyais sur la sonnette. Un seul déclic, tout juste audible, me disait que tout était en ordre. Un jour, si je n'entendais pas ce déclic après avoir appuyé sur le bouton, je saurais que Jenkins était venu. Je ferais demi-tour et je repartirais sans espoir de retour.

Je ne croyais pas, pourtant, que Jenkins découvrirait ma retraite. Tout avait été prévu, et je ne voyais pas ce qui pourrait le mettre sur la piste. D'ailleurs, je n'avais pas abandonné mon projet de contre-attaque, et vers la fin du mois d'août, je me suis senti prêt à entreprendre un second voyage à Washington.

Cette fois, j'avais l'avantage d'avoir mon équipement neuf, invisible, et surtout celui d'être avec Alice, ce qui signifiait que je disposerais d'une chambre d'hôtel où me retirer quand j'aurais faim ou envie de dormir. Alice a fait plusieurs remarques acerbes sur le choix du mois d'août pour visiter Washington et sur mon impuissance à lui expliquer le but de ce voyage, mais elle a paru retrouver son enthousiasme, et une fois sur place, elle a joyeusement partagé ses journées entre la National Gallery et le musée Corcoran.

J'ai passé les miennes à apprendre tout ce qu'il est possible de savoir sur David Jenkins. A cette époque de l'année, les longs trajets à pied d'un service à l'autre étaient presque une partie de plaisir, et les serrures ne me posaient plus aucun problème, grâce à mes passe-partout invisibles. Au début, j'ai eu peur de me faire piéger, mais j'ai très vite compris que Jenkins, pour la deuxième fois, n'avait pas su prévoir mes intentions. J'ai trouvé tout ce que je cherchais. Par contre, au lieu des quelques jours que j'avais prévus, il m'a fallu environ quinze jours, et j'ai dû passer plusieurs nuits enfermé dans des bureaux ou des salles d'archives.

J'ai d'abord appris que Jenkins avait transporté son quartier général au quatrième étage d'un immeuble commercial de la 38e Rue ouest et qu'il n'avait pas la moindre piste sérieuse. Aucune, du moins, qu'il ait signalée — et il ne se serait certainement pas privé de communiquer un résultat quelconque. Grâce au service que je lui avais rendu en téléphonant, il savait que j'étais encore en vie fin novembre, et probablement toujours à Manhattan, mais à part ça, il avait complètement perdu ma trace. Il faisait surveiller les appartements vides, les clubs, les amis et collègues de Nick Halloway, depuis plusieurs mois, sans trouver un seul signe tangible de mon passage. Combien de temps pourrait-il rester les mains vides avant que ses finances commencent à tarir ?

Il m'a été plus difficile de retracer la carrière de Jenkins à travers une succession d'identités différentes, d'affectations et de renvois d'un service à l'autre pour revenir au point de départ, si bien qu'aucun dossier ne contenait, même de loin, quoi que ce soit ressemblant à une description complète ou même correcte. En fin de compte, je crois avoir été peut-être le seul à tout savoir. A vrai dire — ces organisations ont des dossiers extraordinairement détaillés sur leur personnel —, j'en ai appris presque autant sur lui que lui sur moi.

Ce qui n'était pas clair, c'était l'usage que je pourrais en faire. Jenkins, apparemment, n'avait dit à personne que j'avais détruit les seules preuves qu'il avait eues en main et qui auraient rendu mon existence crédible. J'étais seul à savoir qu'il ne lui restait rien, sinon quelques fragments de « superverre ». Peut-être pouvais-je le mettre dans une situation gênante en informant ses supérieurs ou une commission d'enquête sénatoriale qu'ils subventionnaient la recherche d'un feu follet. Ou en le disant à Anne Epstein qui le dirait au public. Mais, en fait, Jenkins n'avait pas vraiment fait ou même déclaré officiellement quoi que ce soit qu'il ne puisse aisément justifier. En examinant le problème, j'ai compris qu'il était quasiment invulnérable. J'avais trouvé tout ce qu'il y avait à trouver, et il semblait que je ne pouvais rien de plus. Sauf rester en mouvement. Si je me faisais prendre, ce serait pour être resté trop longtemps au même endroit et avoir trop compté sur Alice.

Une fois, cet été-là, nous avons essayé d'aller au bord de la mer, mais dès que je suis arrivé sur la plage, j'ai compris que c'était impossible. Quand je posais un pied par terre, même le plus doucement possible, chacun de mes pas creusait un vilain petit trou dans le sable sec ; pire encore, sur le sable humide, près de la mer, je laissais des empreintes absolument parfaites. J'ai insisté pour reprendre la voiture et rentrer tout de suite à Manhattan.

Par contre, après notre voyage à Washington, nous avons fait une excursion dans le Berkshire, et Alice a loué une vieille ferme non loin de Sheffield. Il n'y avait aucune autre habitation à portée de vue, uniquement des champs et des forêts, et nous pouvions nous promener sans craindre d'être vus ou entendus. A la fin de l'été et au début de l'automne, nous y sommes revenus chaque week-end.

Pendant la semaine, quand Alice travaillait, je retrouvais mon atelier pour me familiariser avec mes outils et m'efforcer de tirer le meilleur parti possible de ma réserve de matériaux invisibles. En voyant l'été approcher de son terme, je me suis attaqué au projet le plus urgent : la confection de vêtements chauds. J'avais un certain nombre de vêtements divers, la plupart trop petits pour moi, et un ensemble de rideaux et de housses venant des bureaux de MicroMagnetics. Depuis que j'étais né, je n'avais jamais tenu en main une aiguille ou du fil, et j'ignorais même les noms des différents tissus, mais j'espérais, avec ce dont je disposais, me composer une garde-robe pour le restant de mes jours. J'avais cru que la couture me paraîtrait facile, après avoir travaillé le bois et le métal, or j'ai vite découvert que c'était en fait beaucoup plus difficile. J'ai abandonné presque immédiatement toute idée de me servir d'une machine à coudre — alors que j'avais déjà acheté ce qui passait pour être la machine à usages multiples la plus pratique actuellement sur le marché. Même avec du fil et du tissu visibles, je trouvais que c'était l'engin le plus ingouvernable de tout mon atelier.

J'ai passé ensuite plusieurs jours à m'exercer avec du fil et des aiguilles visibles, tout en lisant divers ouvrages incompréhensibles sur la couture et la confection des vêtements. Quand j'ai cru savoir coudre à peu près convenablement, j'ai déroulé un pan de rideau invisible et j'ai voulu en assembler deux épaisseurs. C'était une tâche pénible, insupportable, qui n'avançait pas. Il est presque impossible d'enfiler un fil invisible sur une aiguille, même la plus grande, et quoi que je fasse, il arrivait à en ressortir l'instant d'après. A force de tirer sur les fils, j'ai eu bientôt les doigts à vif. Et je voyais aussi que ça n'allait pas du tout. Mes coutures, quand je les suivais du doigt, étaient complètement tordues et avaient lâché à plusieurs endroits.

Je ne pouvais pas affronter un deuxième hiver sans vêtements supplémentaires, mais à l'allure où j'avançais, il était clair que je n'aurais pas fini à temps. Et je ne tenais surtout pas à gâcher le peu de tissu que j'avais en répétant mes essais ratés. Après un long débat intérieur, j'ai décidé de m'adresser à Alice.

« Alice, tu sais coudre ?

— Bien sûr. Mais pourquoi ? Tes habits commencent à s'user ?

— Ils ont l'air étonnamment solides, à vrai dire. Il y a bien un accroc à cette chemise, que j'aimerais réparer, mais qu'est-ce que... ?

— A propos, et toi ? Est-ce que tu t'uses aussi ? Ou vas-tu rester le même... garder le même âge... ? Est-ce que tu vas rester comme tu es pendant des siècles ?

— D'après les raideurs, les douleurs et les faiblesses de certaines de mes articulations, je dirais que je vieillis d'une façon normale. Pour les rides, au toucher, c'est difficile à dire — et de toute façon, il n'y a pas encore assez longtemps.

— Je vais t'expliquer pourquoi je t'ai posé cette question. Je m'use, moi, et si ce n'est pas ton cas, je ne suis pas certaine de pouvoir continuer à t'intéresser au déclin de ma vie. »

J'avais horreur de ce genre de conversation. Mais l'ennui, quand on demande un service à quelqu'un, c'est qu'il faut rester poli.

« Jusqu'ici, me semble-t-il, l'intérêt que je te porte n'a aucunement tendance à décliner. Par ailleurs, je te le répète, j'espère, avec de la chance, mourir de vieillesse à l'âge habituel. La seule alternative plausible me paraît impliquer une mort beaucoup plus rapprochée.

— Et quand tu meurs une fois de plus, qu'est-ce qui se passe ensuite ?

— Je ne sais pas, et je fais de mon mieux pour ne pas y penser. Mais j'ai adopté comme hypothèse de travail qu'il ne se passe absolument rien. Je reste à pourrir dans une immobilité glacée. Supposer autre chose relèverait du miracle et serait entièrement incompatible avec tout ce que j'ai pu constater en ce monde.

— Eh bien, tu es là, pourtant. » Elle a tendu le bras et m'a planté un doigt au milieu du ventre. Pris par surprise, j'ai trouvé cela très désagréable. « Sous je ne sais quelle forme. Tu ne trouves pas que c'est un miracle ? La plupart des gens en seraient convaincus.

— J'imagine que c'est une sorte de miracle, en un sens, mais pas pour moi, à force de m'y être habitué. A vrai dire, ce n'est pas plus miraculeux que de te voir en face de moi. Et c'est vraiment un miracle, ai-je ajouté en l'embrassant sur le front, que tu sois là.

— A parler de ce à quoi tu t'es habitué. » Ses lèvres ont souri, mais pas ses yeux, et j'ai cru y voir naître des larmes. Son humeur, depuis quelque temps, était de plus en plus sombre.

« Tiens, puisque tu en parles, toi aussi tu t'es habituée à moi, n'est-ce pas ? A force de vivre avec un esprit invisible, le charme de la nouveauté s'est vite émoussé. Et ce secret n'a même plus rien de passionnant, n'est-ce pas ?

— Oh, à quoi sert un secret qu'on ne peut raconter à personne ?

— Tu sais coudre ?

— Je t'ai déjà dit que oui. Qu'est-ce que tu veux que je te couse ?

— Je veux seulement que tu m'apprennes.

— Tu as d'autres vêtements, non ? Après avoir porté les mêmes pendant presque toute l'année, tu as brusquement toutes sortes de choses nouvelles. Mais bien sûr, tu ne peux pas en parler pour l'instant. Ni de ça, ni de l'endroit où tu gardes tes nouveaux habits, ni de ce que tu fais, ni de pourquoi tu t'absentes de plus en plus. Ni de ce qui te préoccupe tellement et ne te sort pas de la tête. Donne-moi tout simplement ce que tu veux que je couse. Tu n'auras rien à me dire de ce que tu veux cacher. »

Après plusieurs tentatives infructueuses, Alice a mis au point une technique consistant à doubler le tissu invisible avec du papier de soie qu'elle enlève une fois le vêtement terminé. Avec les morceaux de tissus variés que j'avais récupérés, Alice a composé une sorte de manteau en patchwork, qu'elle a doublé en découpant le haut d'un survêtement, et elle a rallongé les jambes et les manches d'autres vêtements invisibles trop petits pour moi.

Le résultat produisait une impression inhabituelle, au premier contact, car c'était un assemblage de textures et d'épaisseurs différentes, et aucun de ces vêtements, pas même le manteau, ne tenait vraiment chaud, mais en les mettant l'un sur l'autre, j'allais pouvoir affronter l'hiver sans trop d'inconfort.

En y repensant, j'ai compris qu'Alice s'était effectivement habituée à moi. Elle ne s'étonnait plus de voir un crayon danser sur une feuille de papier, un verre de vin planer à travers la pièce, se déverser dans le vide et s'évaporer doucement. Elle n'éprouvait plus le besoin soudain de me passer les mains sur le corps en s'émerveillant de sentir la fermeté de cette chair invisible. Tout cela s'était fondu dans sa vie quotidienne et n'avait plus rien de miraculeux, pas plus que la table de la cuisine, la vue qu'elle avait de sa fenêtre ou n'importe quel fragment de l'univers. Parfois, même, loin d'admirer ce que j'avais d'unique, elle semblait regretter que je ne sois pas semblable aux autres. « Toute cette histoire, me disais-je, l'ennuie peut-être de plus en plus. Elle va se rendre compte qu'elle héberge un fugitif anormal, et non un être imprégné de magie. »

Souvent, elle me passait le bout des doigts sur le visage, et ce que j'avais d'abord pris pour une caresse, ai-je compris un jour avec un léger choc, était une tentative pour distinguer mes traits. Et un soir, alors que je m'étais endormi sur le lit, je me suis réveillé en la sentant mouler mon visage avec un drap.

« J'avais seulement envie de voir à quoi tu ressembles, a-t-elle dit.

— Je ne ressemble à rien », ai-je répondu d'un ton brusque, en arrachant le drap.

Mais tout de suite, en voyant son regard, j'ai été pris de remords, et en gage de bonne volonté, je me suis à nouveau couvert avec le drap.

« Bon, très bien. Qu'est-ce que tu en penses ? Un beau visage, ou vaut-il mieux qu'il reste invisible ?

— Difficile de trancher, a-t-elle répondu en m'évaluant du regard. Mais le drap ne te va pas du tout. Trop proche d'un masque mortuaire.

— Pour un fantôme, j'aurais cru que c'était l'effet idéal. »

Elle a écarté le drap pour me passer les mains sur le visage, puis sur la poitrine. « Oui, c'est nettement mieux.

— Alice, tu ne l'as jamais dit à personne, n'est-ce pas, que tu vis avec un fantôme ?

— Je n'ai jamais dit un mot à qui que ce soit. Je te l'ai juré. »

Ma question avait vraiment paru la blesser. Mais pourtant quelque chose, dans sa réponse, me mettait mal à l'aise.

« De toute façon, a-t-elle ajouté, à qui veux-tu que j'en parle ? Je suis seule toute la journée dans mon atelier, et le reste du temps, je suis avec toi. Tu es la seule personne que je voie. Ou plutôt tu serais la seule, si je pouvais te voir.

— Eh bien alors, qui est James ? » La question m'avait échappé sans que je m'en rende vraiment compte — on a toujours tort de poser ce genre de question. « Celui qui n'arrête pas d'appeler et de laisser des messages sur ton répondeur. »

Il y a eu un moment de silence.

« Ce ne serait pas père James, a-t-elle dit, au sujet de l'exorcisme ? A-t-il fait un devis ? »

Je n'ai pas répondu, et il y a eu un second silence.

« A moins que ce ne soit James Larson, à propos des couvertures de livres qu'il m'a commandées... Qu'est-ce qui se passe ? Tu n'aimes pas qu'on se moque des exorcistes ?

— Pas particulièrement.

— Désolée. Mais franchement, j'aurais cru que c'était justement le genre de réponse que tu aurais pu faire.

— Vraiment ? Bien, c'est sans importance. L'important, c'est que tu ne parles de moi à personne.

— C'est ça le plus important ? Heureusement que tu me le précises pour que je ne perde pas de vue ce qui est important et ce qui ne l'est pas. »

Sa tristesse m'a paru hors de proportion avec tout ce que nous avions pu dire. Mais cela n'avait rien d'étonnant, après tout. La vie qu'elle menait avec moi, coupée de tous les gens qu'elle avait connus avant, devait lui paraître plutôt étrange et insatisfaisante.

Je me souviens qu'un jour, alors que nous étions sur Madison Avenue, un homme d'une trentaine d'années, bien habillé, s'est arrêté pour saluer Alice, et que son visage agréable, assez beau, s'est fendu d'un immense sourire.

« Alice ! »

Il l'a prise par les bras et l'a embrassée sur les deux joues. Alice était gênée.

« Comment vas-tu ? a-t-elle dit.

— Qu'est-ce que tu deviens ? D'un seul coup, comme ça, tu as disparu de ma vie. Tu ne m'as plus jamais rappelé. Et maintenant, on raconte que tu es fiancée avec quelqu'un que personne n'a encore vu.

— En un sens. Comment vas-tu ? »

Nerveuse, elle déplaçait sans cesse le poids de son corps d'une jambe sur l'autre, jetant des regards inquiets vers l'endroit où je m'étais trouvé. Je me suis écarté. Il aurait peut-être été plus discret de me mettre hors de portée de voix, mais sans aucun profit pour Alice, qui n'avait aucun moyen de le savoir.

« Et si on dînait ensemble ? J'imagine que ce type est souvent en voyage. »

Il la tenait toujours par le bras gauche.

« Je ne peux vraiment pas. Je...

— Ou bien à l'heure du déjeuner. En douce.

— Quand Nick sera rentré, on pourra peut-être se voir tous les trois...

— Je t'appellerai à ton travail, Alice. » Sa main a glissé le long du bras d'Alice et il lui a serré la main. « Porte-toi bien. »

Nous avons marché en silence pendant plusieurs minutes.

« Tu sais, Alice, tu devrais sûrement sortir plus souvent et rencontrer des jeunes gens convenables, bien visibles. Tu vas gâcher ta jeunesse à fréquenter des spectres. »

Elle a froncé les sourcils.

« Tu crois ça ? Tu devrais peut-être t'occuper de tes propres fréquentations. Quelles qu'elles soient. »

Dans l'intérêt de chacun, c'était sans doute le meilleur moment de faire honnêtement mes adieux à Alice. Je m'étais assuré une autre existence, une autre place dans le monde, absolument secrète, impénétrable. Je n'avais qu'à dire au revoir et me diriger vers l'ouest, quelques rues plus loin, là où tout était prêt à me recevoir, et rester seul jusqu'à la fin de mes jours. Je serais à l'abri, et Alice pourrait vivre sa vie.

L'inconvénient de cette conclusion solidement argumentée, c'était qu'elle laissait de côté le seul élément véritablement important dans ce débat : j'aimais Alice et j'allais continuer à vivre avec elle. Si seulement je m'en étais rendu compte, sur le moment, je le lui aurais peut-être dit. Mais parfois, je dois l'admettre, mon obstination à vouloir résoudre le premier problème qui se présente me fait manquer l'essentiel de ce qui est en jeu. Dans ce cas précis, j'ai seulement pensé que je ne vivrais pas plus de quelques jours de plus avec Alice, qu'alors je choisirais la prudence et que je disparaîtrais à jamais au fond de mon terrier, là où Jenkins ne pourrait jamais me retrouver.

En réalité, je ne craignais plus tellement Jenkins. Il y avait bien longtemps que je n'avais plus eu le sentiment d'être poursuivi. Et aussi, me semble-t-il, le fait d'avoir appris tant de choses à son sujet me le rendait moins menaçant.

C'est peut-être pourquoi, certain matin d'octobre, quand je l'ai rencontré sur la 72e Rue, j'ai eu l'arrogance de revenir sur mes pas et de marcher à côté de lui.

Il ne fallait pas que je lui parle. Il était le seul à pouvoir en tirer avantage.

« Bonjour, colonel. »

La façon dont il a maîtrisé sa surprise m'a impressionné : sa tête a eu un léger sursaut, ses mains se sont un peu crispées, mais il s'est immédiatement détendu et m'a répondu sans que sa démarche dénote la moindre hésitation.

« Bonjour, Nick. Êtes-vous décidé à vous mettre de mon côté ? »

Il n'avait pas l'air d'attacher d'importance à ma réponse, au contraire des autres fois. Et en plus, il ne m'avait pas demandé comment j'allais. J'aurais dû y voir un signe.

« Ma façon de vivre, pour l'instant, me convient fort bien. Gardez les bras le long du corps, je vous prie, et ne mettez surtout pas les mains dans vos poches. Sinon, je devrais vous quitter. Or, nous avons rarement l'occasion de bavarder, désormais.

— Oui, il semble que nous vous avons effectivement perdu de vue, Nick. Je me suis trompé. Je ne pensais pas que vous pourriez passer l'hiver.

— Qu'est-ce que vous faites de beau, ces jours-ci, colonel ?

— La même chose, Nick.

— Toujours après moi ?

— Oui. Entre autres. Vous êtes certain de ne pas vouloir venir de mon côté ?

— Tout à fait. Au revoir.

— Au revoir, Nick. »

Il ne m'avait pas menacé une seule fois, n'avait pas affirmé qu'ils étaient sur le point de me rattraper. J'aurais dû faire plus attention à ce qu'il disait. J'aurais dû voir que quelque chose clochait.

C'est seulement quelques jours plus tard qu'Alice est rentrée de son travail avec un de ces grands cartons à dessins dans lesquels les artistes transportent leurs œuvres. Cela sortait de l'ordinaire, car elle ne ramenait jamais rien de son atelier. Elle me disait parfois qu'elle travaillait à une illustration publicitaire pour un magazine, ou à une couverture de livre, mais elle ne m'avait jamais rien montré en dehors des dessins qu'elle faisait à la maison, pour elle.

J'ai vu qu'elle se donnait beaucoup plus de peine que d'habitude pour préparer le dîner, je me suis demandé si elle voulait fêter quelque succès professionnel, et je me suis rappelé de penser à l'interroger plus souvent sur son travail.

« Nick, tu peux déboucher le champagne ?

— Certainement, si tu me dis en quel honneur.

— Tu ne sais pas quel jour on est, Nick ? »

Son anniversaire ? Je me suis rendu compte, piteusement, que j'ignorais sa date de naissance.

Voyant que je restais silencieux, elle a répondu : « C'est le premier anniversaire de notre rencontre. »

Sa bonne humeur n'était pas retombée, mais sa voix laissait transparaître une déception certaine.

« Je suis désolé. C'est vraiment stupide. Je suis nul, pour ces choses-là.

— Ce n'est rien. Je te connais, maintenant. C'est sans importance. »

D'après l'expérience que j'ai des femmes en général et d'Alice en particulier, ce n'était pas sans importance.

« Bien sûr que c'est important. Je suis contente que tu t'en sois souvenue, en tout cas.

— Ce n'est pas grave. Ouvre le champagne. J'ai une surprise pour toi. »

Le temps que je fasse sauter le bouchon et que je remplisse deux verres, elle était allée chercher dans son carton un paquet plat enveloppé de papier multicolore avec un ruban autour.

« C'est peut-être un cadeau pour nous deux », a-t-elle dit.

Son regard plein d'espoir s'est d'abord fixé sur le papier qui se déchirait de lui-même, puis sur l'endroit où je me trouvais. Au début, j'ai regardé sans comprendre, et il a dû s'écouler un certain temps avant que je ne parle, car l'expression impatiente et passionnée d'Alice avait fait place à l'incompréhension et à la déception.

C'était un dessin à la plume, le portrait d'un homme nu, un cadeau étrange, à première vue, jusqu'à ce que je me rende compte que c'était un portrait de moi. Je l'ai contemplé, frappé de stupeur, en essayant de voir à quel point il me ressemblait. Je n'avais jamais eu en tête une image très nette de mon aspect, et il y avait un an et demi que je ne m'étais pas vu, mais la ressemblance, à mon avis, ne faisait aucun doute, je tremblais de peur et de colère.

« *Alice, comment as-tu pu te permettre de faire ça ?*

— Je ne comprends pas.

— Il faut absolument le détruire.

— Je ne comprends vraiment pas.

— Je veux savoir si tu en as d'autres versions ou même des esquisses.

— Non... C'est le seul... »

Une fois de plus, j'ai eu l'impression que sa réponse sonnait faux. Ses joues ruisselaient de larmes.

« Moi qui croyais que tu serais content ! »

Elle s'est enfuie dans l'autre pièce. Je l'ai entendue déchirer méthodiquement le dessin en petits morceaux, tout en sanglotant convulsivement.

Le monde m'a paru soudain terriblement triste, et j'aurais tout donné, avec joie, pour retirer ce que j'avais dit et retrouver le dessin d'Alice.

Je suis allé la rejoindre et je l'ai embrassée. Elle m'a tourné le dos, la bouche serrée, le corps raide.

« Alice, je suis affreusement désolé. Bien sûr, tu n'avais aucune raison d'imaginer le danger que me ferait courir ce dessin. Mais tout ce que j'ai dit est tout de même inexcusable.

— Va au diable ! Va au diable avec tous tes secrets ! Pourquoi ne pas t'en aller maintenant ? Tu vas partir, de toute façon, n'est-ce pas ?

— Non, je ne vais pas partir... Alice, écoute-moi. Je suis entièrement dans mon tort. Et si on partait ensemble, tous les deux, pendant quelque temps ? »

Elle n'a pas répondu. Je l'ai encore embrassée. Elle ne sanglotait plus, mais tout le temps que nous avons fait l'amour, j'ai senti des larmes couler sur ses joues.

Le lendemain matin, pourtant, cet incident semblait lui être sorti de la tête. Quand j'ai voulu m'excuser une fois de plus, elle a coupé court en secouant la tête, et quand je lui ai proposé à nouveau de partir pour Sheffield, elle a aussitôt accepté, alors que je savais qu'elle avait beaucoup de travail.

Nous y avons presque passé la semaine. Il faisait déjà froid, mais je mettais une veste avec un énorme capuchon en duvet que je rabattais par-devant, et je ne portais que des vêtements normaux pour aller me promener. Si quelqu'un m'avait approché d'assez près pour voir le capuchon vide, il aurait cru être tombé sur la Faucheuse en personne. Sans pouvoir juger de l'effet produit, je prenais plaisir à marcher librement et chaudement vêtu. Mon aspect, par contre, paraissait affecter Alice, et il lui suffisait de lever les yeux vers moi pour passer du rire aux larmes. Il lui arrivait aussi, au milieu d'une conversation, de se taire, subitement assombrie, et de rester muette.

Nous faisions de longues promenades à travers champs. Comme toujours, la possibilité de parler normalement en plein air me procurait un merveilleux sentiment de liberté, et j'ai failli plus d'une fois raconter toute mon histoire à Alice. Malgré son humeur morose, j'étais chaque jour plus heureux. Pourtant, quand est venu le moment de rentrer à New York, c'est elle qui a voulu rester.

« Pourquoi ne pas passer l'hiver ici ? Qu'est-ce qui nous oblige à rentrer en ville ?

— Crois-tu que les gens du coin mettraient longtemps à s'intéresser au mystérieux personnage masqué qui ne dit jamais un mot à personne ?

— Tu pourrais porter tes affaires invisibles. Je pourrais faire croire que je vis seule. »

J'ai vu mes empreintes apparaître sur la neige, par magie.

« On pourrait s'installer définitivement, a-t-elle ajouté. On pourrait vivre ensemble, et mener une existence tout à fait normale.

— Je ne suis pas en sécurité, ici, Alice. Il faut qu'on rentre en ville. »

Mais, dès que nous sommes arrivés à New York, Alice a retrouvé sa gaieté. Elle semblait avoir complètement oublié son dessin et ne me demandait plus, à mon grand soulagement, où je passais mes journées, si j'étais sur le point de la quitter ou qui j'étais vraiment, de sorte que notre vie à deux était encore plus agréable, si possible, qu'avant. De mon côté, naturellement, je me sentais plus sûr de moi, sachant que si quelque chose tournait mal, si jamais Jenkins recommençait à me talonner, je pourrais prendre l'identité de Jonathan Crosby et me terrer dans mon appartement de la 92e Rue. Et entre-temps, j'étais parfaitement heureux de vivre avec Alice.

Ils sont arrivés au petit matin, alors que l'aube se levait. Je me suis rendu compte plus tard que j'avais entendu dans mon sommeil le sifflement produit par le gaz qu'ils injectaient sous la porte et aussi Alice se lever et se diriger vers l'entrée pour voir ce qui se passait. Mais le premier son dont j'aie eu conscience a été le cri étranglé et les horribles spasmes d'Alice quand elle a respiré le gaz.

Je me souviens d'être tombé du lit pour la rejoindre et de l'avoir vue tourner le dos à la porte, le visage convulsé, la bouche grande ouverte laissant voir sa langue tordue de façon grotesque. Elle essayait peut-être de parler. Elle a avancé vers moi, tendu un bras dans le vide pour se retenir, mais ses jambes ont lâché d'un seul coup et elle s'est écroulée sur le sol. On entendait tourner les serrures de la porte.

J'étais maintenant complètement réveillé. La panique m'avait fait passer instantanément d'un profond sommeil à une lucidité totale, un état mental où je percevais avec une clarté éblouissante tout ce qui m'entourait et où mon esprit restait figé, comme en transe, uniquement capable de comprendre une pensée à la fois. Mais, sur l'instant, il n'y avait qu'une seule chose à comprendre. Dès que j'avais vu Alice, j'avais retenu mon souffle. J'ai couru dans l'autre sens loin d'elle. La porte s'était rabattue avec violence vers l'intérieur et des hommes munis de masques à gaz, tels des insectes géants, s'avançaient vers moi. L'un d'eux tenait à deux mains une sorte de lance aplatie reliée par un tuyau à un grand réservoir monté sur roulettes. Il visait le centre de la pièce, et le sifflement du gaz était maintenant parfaitement audible. Je croyais ne pas respirer, mais j'ai tout de même avalé un peu de gaz. J'ai eu l'impression d'avoir été heurté de plein fouet par un autobus. Deux hommes ramassaient Alice. Les autres se précipitaient vers la chambre.

J'ai traversé le living en courant et ouvert la porte à glissière du balcon. J'ignore si l'un d'eux l'a vue bouger. Ils avaient envahi la chambre. Je me rappelle m'être penché sur la rambarde, au bord de l'asphyxie, pour avaler d'énormes goulées d'air, et m'être aperçu que j'avais à la main, par miracle, mon paquet de vêtements, le petit ballot que je préparais chaque soir et que je gardais près du lit en prévision d'un moment comme celui-là.

Je l'ai jeté sur le balcon du dessous. Celui d'Alice était fermé sur trois côtés par des panneaux de verre opaque posés dans une armature en acier. Je suis passé par-dessus, je me suis laissé descendre en me retenant à un des montants de l'armature, et je me suis retrouvé suspendu dans le vide à un bout du balcon. En bas, c'était une vision horrible : je voyais le motif répétitif des balcons multiplié à l'infini, comme des formes prises entre deux miroirs, et puis la chaussée. Il y avait des groupes de gens au bas de l'immeuble — trop loin pour les distinguer clairement — et partout des voitures de police garées en double file. Vertigineux. Si on se met à penser à la chute interminable, horrible, on risque de basculer dans le vide. L'horreur, pour moi, était d'autant plus hallucinante que je ne pouvais pas voir ma main agrippée au balcon, mon seul lien avec la vie.

En passant un bras derrière un montant, j'ai glissé un peu plus bas, en dessous du balcon. A ce moment-là, je m'en souviens, j'ai pensé que je ne pourrais probablement pas remonter. J'ai donné des coups de pied dans tous les sens dans l'espoir d'atteindre la rambarde du balcon inférieur. Rien. « Si seulement je voyais mon pied ! » J'apercevais la rambarde, juste en dessous, juste au bord de la chute vertigineuse jusqu'au trottoir. J'étais sûrement capable d'y arriver, de la toucher du pied.

Au-dessus, j'ai entendu des voix.

« Il y a quelque chose dehors ? »

Je n'ai plus bougé. En levant les yeux, j'ai vu deux têtes coiffées de masques à gaz dépasser du balcon et scruter les étages inférieurs. Une tête, puis deux ont pivoté pour regarder vers le haut. « La porte était ouverte quand on est entrés. Mieux vaut vérifier les appartements du dessus et du dessous. D'abord celui du dessous. »

C'était peut-être Clellan.

Je me suis rhabillé à toute vitesse. Dès que les têtes ont disparu, je me suis laissé glisser sur la rambarde et j'ai continué vers le balcon suivant.

Cette fois, c'était plus facile. D'abord, je savais que c'était possible. Ensuite, j'avais maintenant aux pieds des tennis à semelles en caoutchouc pour mieux assurer mes prises et des vêtements pour me protéger du rebord en ciment qui pouvait m'érafler. Mais mes doigts se sont mis à trembler de fatigue après trois étages de plus. De fatigue et de terreur, sans doute. J'ai dû me reposer. En haut, des têtes ont reparu, penchées sur la rambarde, dépourvues de masques à gaz. J'ai reconnu Morrissey. L'esprit paralysé par la panique, j'ai essayé de compter pour savoir exactement à quel étage ils se trouvaient. C'était l'horreur. Je n'étais pas sûr de pouvoir recommencer seize fois de plus. Seize, c'est ça ? Non, quinze. Sans importance. Pas le choix. J'ai descendu deux étages de plus, et au deuxième, je suis tombé à travers une chaise longue en toile.

En regardant ce qui me restait à parcourir, j'ai vu à quelques mètres la colonne de balcons des appartements voisins. En dessous du second étage, plus de balcons ! Bien sûr.

J'ai essayé la porte du balcon où je me trouvais. Fermée à clef. Je suis descendu d'un étage, repris par une panique croissante. Fermée aussi. Un de plus. A cet étage, la porte a bougé. Je l'ai à peine entrebâillée pour regarder à l'intérieur. Une femme d'un certain âge était dans la cuisine, juste en face du balcon. Elle faisait chauffer quelque chose. Du thé. J'ai attendu. « Dépêche-toi, je t'en prie. »

Finalement, elle a rempli son bol, est sortie de la cuisine le plus lentement possible, et elle a traversé le living pour rentrer dans sa chambre. J'ai alors repoussé doucement la porte et je suis entré en refermant derrière moi, au verrou, dans l'espoir qu'ils auraient encore plus de mal à comprendre par où j'étais passé.

Arrivé à la porte d'entrée, j'ai tendu l'oreille. On faisait couler de l'eau. J'ai ouvert, ce qui a produit un grincement déchirant.

« Oui ? » a crié la femme.

Je suis sorti et j'ai refermé. Pour le bruit, rien à faire.

« Oui ? Qui est là ? »

J'ai couru au bout du couloir, pris l'escalier d'incendie le plus proche, et je l'ai dévalé à une allure folle, quatre étages, cinq, six, sautant trois ou quatre marches d'un coup.

Plus bas, j'ai entendu une porte qui s'ouvrait, et des voix. J'ai brusquement ralenti, mais continué à descendre les marches deux par deux, prudemment cette fois, sans bruit, une main effleurant la rampe pour ne pas risquer de trébucher et de trahir ma présence.

« Combien y a-t-il d'escaliers ?

— Ces deux-là, c'est tout. »

« ... entrée principale sur l'avenue et entrée de service au sous-sol, derrière l'immeuble... »

Au deuxième, j'ai entrevu le visage de Clellan un peu plus bas. Je suis resté sur place un moment et j'ai continué à descendre tout doucement. Il y avait aussi Tyler, et quelqu'un d'autre.

« Pourquoi c'est pas fermé à clef ?

— En cas d'incendie...

— On va tout de suite faire monter des gardes de la rue et en mettre deux à chaque porte, l'arme à la main. Au premier étage aussi. On devrait avoir fini d'évacuer les deux niveaux d'ici quelques minutes. S'il essaye de quitter l'immeuble, il est obligé de passer par le rez-de-chaussée ou le premier. Je veux voir ce deuxième escalier... »

Je suis resté sur leurs talons et je les ai suivis jusque dans le hall. A l'autre bout, j'ai vu Jenkins et Gomez. Gomez faisait sortir des gens par une porte à tambour, l'un après l'autre.

Un policier appelait les locataires par l'interphone. « C'est la police. Nous devons évacuer l'immeuble. N'ouvrez pas votre porte avant l'arrivée des policiers qui vous escorteront jusqu'à l'extérieur... C'est cela, il s'agit d'un fugitif, et il est armé. »

Jenkins parlait dans un émetteur : « Combien d'hommes avez-vous dehors ?... Très bien, si vous pouvez en amener d'autres... Assurez-vous qu'ils sont prêts à tirer sur quoi que ce soit d'anormal... Surveillez spécialement les fenêtres du premier... »

Simple bon sens. L'entrée de service était impensable, et il n'y avait pas d'appartements au rez-de-chaussée. Le deuxième peut-être, mais c'était trop haut. J'ai retraversé le hall. Par les fenêtres en verre armé qui faisaient toute la hauteur de la pièce, je voyais une multitude de voitures de police et d'hommes en uniforme, munis de gilets pare-balles, le fusil à la main. Ils avaient les yeux fixés sur le premier étage. La situation ne pouvait qu'empirer.

Je me suis dirigé vers un petit fauteuil capitonné, avec des pieds en bois. Plié en deux, j'ai glissé les mains dans les fentes à la jonction du siège et des accoudoirs, ce qui m'a un peu retourné les doigts tout en m'offrant une prise solide. La tête en bas, j'ai incliné le fauteuil vers moi, puis je l'ai soulevé pour que le dossier porte sur mes épaules et sur ma tête et que les quatre pieds pointent vers l'avant comme les cornes d'un animal en pleine charge.

J'ai entendu un cri, suivi par d'autres, et j'ai couru à toute vitesse vers une des grandes fenêtres. Ce moment m'a paru interminable, atroce : je ne pouvais rien voir, avec le fauteuil sur la tête, et je ne savais pas quand le choc aurait lieu, ni même si j'avais assez de force pour passer à travers.

Au moment de l'impact, il y a eu comme une explosion tout autour de moi. J'ai senti quelque chose m'effleurer les jambes, et une violente averse de verre brisé. J'ai fait glisser le fauteuil de mes épaules, libéré mes deux mains, et je me suis aussitôt précipité sur le côté. La fusillade venait de partout. Je me suis demandé si j'étais blessé, j'ai traversé le trottoir en courant et je me suis faufilé entre les voitures jusqu'au milieu de la rue.

« Où est-il ?

— Il n'est pas sorti.

— Il est sous le fauteuil. On le tient !

— Je ne l'ai même pas vu. »

De l'autre côté de la rue, malgré l'heure matinale, une foule s'était agglutinée. On voyait des gens aux fenêtres des immeubles voisins.

« Faites reculer ces gens, nom de Dieu. Il est encore à l'intérieur !

— C'est un seul type, ou quoi ? Combien ils sont, au juste ? »

J'étais toujours au milieu de la rue, essoufflé, et je les surveillais. Tyler et Morrissey refoulaient les policiers sur le trottoir. Ce dernier avait à la main une canne en métal, longue et mince, comme celles dont se servent les aveugles, et la promenait de droite à gauche au-dessus du trottoir, en face de la fenêtre pulvérisée. Il a relevé les yeux à l'arrivée de Clellan.

« Du sang, peut-être.

— Beaucoup ? » a demandé Clellan, plein d'espoir, je suppose.

Tyler a secoué la tête. « Pas ici, mais ça ne veut pas dire grand-chose. Il devait courir à toute vitesse. »

Clellan a regardé Morrissey arriver au coin et faire demi-tour, agitant toujours sa canne.

« On dirait qu'il court encore », a dit Clellan d'un ton funèbre.

J'étais sur le point de partir quand deux hommes sont sortis de l'immeuble avec une civière. Quelqu'un avait dû être blessé au cours de la fusillade. Mais soudain j'ai vu — son visage et ses cheveux brillants étaient à découvert — que c'était Alice qu'ils emportaient. Alice ! J'ai été pris de frénésie, incapable d'avoir une seule idée claire, sinon qu'il me fallait à tout prix l'arracher à ces gens. Vivait-elle encore ? Tout était de ma faute. J'ai eu conscience de m'être mis à courir vers la civière qu'on maintenait immobile, sans raison apparente, devant la portière ouverte de l'ambulance.

Gomez était debout un peu plus loin, le regard aux aguets, un revolver à la main. De l'autre côté, encore plus loin, Jenkins surveillait la scène, la main droite enfoncée dans sa poche. Les porteurs restaient immobiles, sans lâcher la civière, comme pour offrir leur fardeau à la curiosité publique. Cette vision insolite m'a figé dans mon élan, puis j'ai brusquement compris qu'elle m'était destinée. J'ai senti la rage bouillonner en moi comme une réaction chimique incontrôlable, et un délire de haine m'a submergé. Ils m'attendaient. Essayaient de me provoquer. Un seul désir m'animait encore, celui de leur infliger le châtiment le plus effroyable qu'on puisse imaginer.

Alice a frémi. J'ai pu, je ne sais comment, me convaincre qu'il n'y avait rien à tenter. Sa bouche s'est ouverte. Jenkins a fait un signe. L'instant d'après, la civière était à l'intérieur, les portières ont claqué et l'ambulance a démarré. Partie. (Si j'avais eu mon arme, Jenkins, je t'aurais abattu à ce moment-là.) Jenkins, indifférent, s'est retourné et s'est approché d'un homme qui avait l'allure d'une sorte d'officier de police. Jenkins lui a parlé, trop bas pour que je l'entende, mais il a paru désigner les voitures de police, avec un signe de la main comme pour les renvoyer. L'autre lui a répondu avec animation :

« Écoutez, on fera ce que vous voulez. On a un tas d'autres choses à faire. Mais quel que soit le type que vous cherchez, les gars, il est encore dans cet immeuble. *Personne* n'est sorti par cette fenêtre. »

Jenkins lui a encore dit quelques mots avant de se diriger vers Tyler qui était toujours accroupi sur son trottoir. Je ne pouvais pas les entendre, mais j'ai vu Tyler hocher la tête et désigner l'endroit où je m'étais glissé entre les voitures pour atteindre la rue.

Il m'est soudain venu à l'esprit que je devais laisser une traînée de sang derrière moi. Je me suis agenouillé pour tâter l'asphalte. Il y avait une mare de liquide épais, poisseux, tout autour de moi. Je me suis passé les mains sur le corps. Du sang coulait le long de mes jambes et mon pantalon, déchiré, en était imbibé. J'ai cherché à savoir d'où il venait, mais j'avais maintenant les mains pleines de sang et tout me collait à la peau.

« Sauve-toi ! »

J'ai couru au bout de l'avenue, laissant derrière moi les policiers et les badauds, et j'ai tourné à l'ouest, restant le plus possible au milieu de la chaussée. Dans ma tête, je laissais une piste sanglante qu'ils n'auraient plus qu'à suivre, et je voulais que le soleil et la circulation s'allient pour l'effacer.

Je me suis arrêté au bout de cinq cents mètres, saisi par le ridicule de cette idée, et je me suis dit que cette course risquait de me faire perdre encore plus de sang.

Au pas, cette fois, j'ai mis quelques minutes pour atteindre mon appartement de la 92e Rue. Je l'ai dépassé, je suis allé jusqu'au coin et je suis revenu. Rien d'anormal. J'ai monté l'escalier en pierre et je me suis penché par-dessus la rambarde pour appuyer sur le vieux bouton de sonnette collé à la porte d'en bas, aussitôt rassuré d'entendre le déclic. Ils n'avaient pas découvert cet endroit. J'ai attendu plusieurs minutes, par précaution. Pas un bruit, pas un mouvement nulle part. Je suis descendu jusqu'à ma porte et j'ai appuyé une deuxième fois sur le bouton, pour entendre à nouveau le déclic rassurant.

A l'intérieur, tout était en ordre. Je suis allé me déshabiller dans la salle de bains. Le pantalon était déchiré, il faudrait le rapiécer et le recoudre, mais c'était surtout mon corps qui me préoccupait. Je suis resté sous la douche, moins d'une minute, je me suis essuyé avec soin, et j'ai commencé à explorer du bout des doigts chaque centimètre carré de ma peau, en commençant par le sommet du crâne. J'ai l'habitude de m'examiner de cette manière, car toutes les fois que je tombe un peu durement ou que je me cogne à un objet pointu, je dois rechercher à grand peine si je ne me suis pas coupé ou cassé quelque chose. En général, je me limite à une partie du corps, mais ce jour-là, je devais tout vérifier pour être sûr que ma vie n'était pas en train de se vider par une coupure ou une blessure par balle.

Tout allait bien, sauf au niveau des chevilles, où mes doigts ont reconnu l'humidité poisseuse, épaisse, des blessures ouvertes. Je me suis aussitôt repassé les jambes sous la douche, je me suis séché, et immédiatement, j'ai senti le sang se remettre à couler sur mes chevilles. Il est presque impossible de juger au toucher de la gravité d'une blessure, mais j'ai localisé une mauvaise entaille en travers de mon mollet gauche et deux autres sur le droit.

J'ai ouvert la trousse de secours que j'avais prise à MicroMagnetics, et j'y ai trouvé un rouleau de sparadrap et un morceau de gaze. Je ne m'en servais qu'à regret : normalement, j'aurais employé des pansements visibles et je serais resté à l'abri jusqu'à la guérison, mais j'étais pressé. J'ai coupé plusieurs longueurs de sparadrap que j'ai alignées sur le rebord de la baignoire, prêts à l'emploi. Ensuite, j'ai coupé un grand morceau de gaze que j'ai plié à la taille qui m'a paru convenir, et je l'ai appliqué sur la première blessure, me servant aussitôt du sparadrap pour refermer les lèvres de l'entaille et maintenir le pansement. J'avais employé trop de gaze, trop d'adhésif, mais il fallait que je sois sûr de pouvoir sortir sans saigner.

Quand j'ai eu fini de panser mes deux jambes, je suis resté une heure les pieds en l'air, appuyés sur une chaise, pour que les entailles se referment. Je devais marcher jusqu'au centre et j'avais peur de les rouvrir. Je me suis changé, j'ai glissé mon revolver dans ma poche, et j'ai descendu Madison Avenue d'un pas prudent. Vers la 60ᵉ, je me suis servi d'un téléphone public.

« J'ai un appel en PCV adressé à n'importe qui, de la part de M. Halloway. Acceptez-vous de payer ?

— Bien sûr ! a répondu Jenkins de sa voix la plus onctueuse. Comment allez-vous, Nick ?

— Très bien. J'appelle surtout pour vous en informer. J'ai pensé que vous pourriez vous inquiéter.

— De votre part, il me semble que c'est une imprudence. A moins que vous n'ayez besoin d'aide. Ou que vous ayez envie d'obtenir de moi une information. »

D'habitude, il n'aurait pas dit ça. Il essayait de me provoquer, de me faire perdre mon sang-froid. Mais j'étais déjà dans une telle rage que rien de ce qu'il disait n'aurait pu me toucher.

« Pourquoi avez-vous pris Alice, Jenkins ?

— Elle est plus en sûreté avec nous. Et naturellement, nous désirons lui parler.

— Jenkins, elle ne sait rien qui puisse vous aider. Rien. Là-dessus, j'ai pris toutes mes précautions.

— Cela ne m'étonne pas. Vous êtes presque toujours très prudent quand vous en avez les moyens. Mais nous nous inquiétons pour votre santé. Êtes-vous sûr de ne pas avoir été blessé par la fusillade ou les éclats de verre ? Si vous saignez, il vous faut un examen...

— Qu'est-ce que vous allez faire d'elle ?

— Nous allons lui parler et garantir sa sécurité. Nous allons nous occuper d'elle.

— Qu'est-ce que ça veut dire, vous " occuper d'elle " ? Elle ne sait rien. Vous pouvez la relâcher tout de suite.

— Nick, je ne mets pas en doute le fait que vous ne lui avez rien dit. Je vous connais. D'ailleurs, je vais vous dire quelque chose : si vous lui aviez raconté la vérité sur votre histoire, nous n'aurions peut-être pas réussi à vous trouver aussi vite.

— Comment m'avez-vous trouvé ? Est-ce qu'Alice a parlé de moi ?

— Allez voir dans n'importe quelle librairie. Vous êtes la seule cause de ce qui vous arrive. Vous devriez apprendre à faire confiance aux gens, Nick. Quant à Alice, elle en sait peut-être plus qu'elle ne le croit. Et il nous faut quelquefois assez longtemps, dans ce genre de situation, pour être persuadés que quelqu'un s'est montré d'une parfaite franchise. De toute façon, elle est plus en sécurité avec nous jusqu'à ce qu'on vous prenne. Alors, bien sûr, il n'y aurait plus de raison...

— Maintenant, c'est moi qui vais vous dire quelque chose, Jenkins. Si je pouvais vous faire confiance, je vous proposerais l'échange : moi contre Alice. Mais, comme vous dites, je ne suis pas doué pour faire confiance aux autres. Pas plus que vous pour inspirer confiance. »

J'ai raccroché. Cette conversation s'était déroulée exactement comme prévu, et ils avaient eu tout le temps de repérer mon appel.

Alice m'avait-elle trahi ? J'ai voulu tirer au clair ce que Jenkins m'avait dit à propos des librairies. Je suis entré dans la première que j'ai vue en poussant la porte, tout simplement, sans me soucier, au point où j'en étais, d'attirer l'attention. Je suis tombé dessus presque aussitôt. Une sorte de roman à l'eau de rose. *Mensonges Innocents*, par D. P. Gengler. Il devait avoir pas mal de succès, parce qu'il y en avait plusieurs piles, et au-dessus un livre debout pour qu'on voie la couverture. C'est d'abord Alice que j'ai reconnue, bien qu'elle se soit dessinée de dos, pâmée dans les bras d'un homme élégant, mais plutôt louche, en tenue de soirée. La ressemblance était très bonne, suffisante pour que Jenkins ou un de ses hommes me reconnaisse au premier coup d'œil. Sur le rabat on pouvait lire : « Illustration d'Alice Barlow. »

Jenkins avait raison : c'était de ma faute. Mais tout cela ne comptait plus : il fallait que je reprenne Alice. En faisant le plus de mal possible à Jenkins. J'ai essayé d'imaginer ce qu'ils pouvaient lui faire. Tout ce qu'ils croiraient utile. Bon, ils n'avaient aucun intérêt à la tuer. Inutile de penser à ça. « Bouge-toi, ne reste pas sur place. »

Cinq cents mètres plus loin, vers le sud, je suis entré dans un grand cabinet juridique pour téléphoner sans risque. Il y avait une salle de conférences déserte. J'ai fermé la porte et composé le numéro du *Times*.

« Je voudrais parler à Michael Herbert, s'il vous plaît. »

C'était simplement un nom que j'avais vu au bas de quelques articles sans intérêt, et qu'Anne avait parfois mentionné comme celui d'un ami.

Une sonnerie, une autre voix : « Ici Michael Herbert.

— Allô, j'ai besoin de parler à Anne Epstein de toute urgence.

— Vous vous trompez de poste. Attendez que...

— J'ai des informations extrêmement confidentielles à lui transmettre et je ne veux pas appeler son poste. » Je parlais très vite, en baissant la voix, essayant de donner une impression d'urgence et de secret. « Pourriez-vous aller lui demander de prendre cet appel dans votre bureau ? C'est très important. »

Après un silence, il m'a répondu : « Je vais voir si elle est là. »

Plusieurs minutes ont passé.

« Allô, ici Anne Epstein. Qui est-ce ?

— Bonjour, Anne. Tu reconnais ma voix ?

— Je...

— Ne prononce pas mon nom. C'est Nick. Tu me reconnais maintenant ?

— Oui. Comment... ?

— Si quelqu'un apprend que je t'ai parlé, je serai en danger de mort. Tu ne dois dire absolument à personne d'où tu tiens l'information que je vais te donner. Tu comprends ?

— Oui.

— Ce que je vais te raconter va te sembler impossible à croire. Et puis on peut penser que c'est complètement idiot. Mais ce n'est pas une idiotie. C'est terriblement sérieux. Un officier très haut placé dans les services de renseignements, un homme dont le pouvoir s'étend à tous les services secrets et qui dispose de sommes énormes, non inscrites au budget, quasiment sans avoir de comptes à rendre, a sombré dans la démence. Il est actuellement convaincu que nous sommes envahis par des êtres invisibles venus d'une autre planète. Du point de vue humain, c'est tragique de voir un homme à ce point détruit par une maladie mentale. Mais le pire, c'est qu'il consacre l'argent des contribuables et l'activité de tous nos services de renseignements à combattre son propre délire paranoïaque. Des sommes gigantesques sont gaspillées, des milliers d'heures de travail sont perdues, des opérations se font en marge de la loi — des cambriolages, des incendies volontaires, ou même des enlèvements. Des vies humaines sont réduites à néant. Et comme aucun garde-fou n'est prévu, aucune surveillance, aucun contrôle réel sur les services secrets, rien ne freine leur élan. Ces opérations, en fait, prennent de plus en plus d'ampleur, et les hauts fonctionnaires du gouvernement qui n'ont pas su exercer leur contrôle sont aujourd'hui amenés à tout entreprendre pour en étouffer les conséquences. Cette affaire remet en question pour chaque citoyen d'une démocratie les limites qu'il assigne aux institutions qui le gouvernent. Anne, tu sais où se trouve le club de l'Académie ?

— Oui...

— Il faudrait que tu sois sur place d'ici une heure. Amène un photographe. Je vais te donner le signalement de l'homme en question — actuellement il se fait appeler David Jenkins. Il va demander qu'on cerne et perquisitionne ce club à la recherche des ennemis qu'il s'est inventés. Tu as sûrement du mal à croire ce que je t'ai raconté, c'est pour ça que je veux que tu assistes à ce genre d'intervention. Je veux aussi que tu voies comment les autorités vont s'y prendre pour l'étouffer. Sans toi, cette agression — et Dieu sait combien d'autres du même genre — se dérouleraient en toute impunité. Si tu repères Jenkins, n'oublie pas de faire prendre sa photo sur les lieux.

« Aujourd'hui, par téléphone, je peux seulement t'indiquer les grandes lignes de cette histoire, mais je vais t'envoyer par la poste une documentation complète sur le personnage en question. Ainsi que des informations, que tu pourras vérifier, sur certaines des activités illégales dont il est responsable... »

Quand j'ai eu fini, Anne se voyait déjà recevoir le prochain prix Pulitzer. Il fallait que je fasse vite. Il était onze heures, et je voulais que mon coup de théâtre se produise à l'heure du déjeuner, quand le club de l'Académie serait bondé. D'une cabine publique située juste en face du club, sur le trottoir d'en face, j'ai appelé mon ancien bureau et demandé Cathy.

« Cathy, je n'ai pas le temps de bavarder, mais est-ce que par hasard vous vous souvenez du nom du médecin que j'ai vu il y a trois ou quatre ans ? Eisenstein ? Einstein ? Quelque chose comme ça. J'ai perdu mon carnet d'adresses et j'ai besoin de son nom... Je le connais très bien. Son nom m'est sorti de la tête juste au moment où j'en avais besoin... Non, je vais très bien. Pouvez-vous regarder dans les remboursements de la mutuelle ou je ne sais quoi... Je vous rappelle dans cinq minutes. »

Je l'ai rappelée un peu plus tard d'une autre cabine.

« Essler. C'est ça. Vous n'auriez pas son numéro sous la main, en plus ?... Merci... Non, je vais bien. Je passerai vous voir un de ces jours. Bye. »

Ça devait suffire. Mais pour plus de sûreté, je suis entré dans le club par la grande porte. Il y avait une cellule photo-électrique à l'entrée du hall. Je suis passé en plein devant et j'ai marché sur la moquette. Jenkins avait disséminé ce genre de machins dans tous les endroits où je m'étais caché depuis un an. J'ignorais complètement s'il prenait encore la peine de surveiller les clubs, mais si c'était le cas, il devrait y avoir bientôt un peu d'animation. Surtout après les coups de fil à mon bureau.

Pour qu'il n'y ait aucun doute, je suis allé téléphoner du premier étage et j'ai appelé Essler.

« Allô, le cabinet du Dr Essler.

— Allô, j'aimerais parler au Dr Essler, s'il vous plaît.

— Le docteur est actuellement occupé. Il s'agit d'un rendez-vous ?

— Eh bien, oui, je voudrais le voir, mais il faut que je lui parle...

— Je ne peux rien vous proposer avant le mois de décembre.

— Décembre me conviendrait difficilement. Il faut que je lui parle. C'est un cas un peu exceptionnel. Je veux dire... c'est urgent.

— Laissez-moi votre nom et un numéro où vous joindre, et je verrai si le docteur peut vous rappeler quand il sera libre. »

Elle semblait en douter. Poussez vos enfants à faire médecine. C'est la seule profession où on se permette de traiter les gens de cette manière.

« On ne peut me joindre nulle part. Il vaut peut-être mieux que je reste en ligne.

— Je regrette, monsieur, mais c'est impossible. Le docteur...

— Je dois reposer l'appareil un instant mais je reviens tout de suite.

— Allô ? Vous ne pouvez pas faire ça. Qui êtes-vous ? Allô... »

J'ai laissé le téléphone décroché et je suis redescendu vers le rez-de-chaussée pour m'éclipser avant l'arrivée de Jenkins. Mais au milieu de l'escalier, quand j'ai jeté un regard vers la porte d'entrée, j'ai compris que je l'avais sous-estimé. La sortie était déjà entièrement aveuglée par une sorte de tente, du côté de la rue, et des hommes équipés de masques à gaz étaient à l'intérieur, devant la porte.

Je me suis tout de suite précipité dans un des salons donnant sur le hall, sans idée précise, pensant forcer ou enfoncer une fenêtre, là aussi, mais j'ai remarqué un homme muni d'un réservoir mobile d'où sortait un sifflement ininterrompu. Le même, quelques heures plus tôt, avait gazé l'appartement d'Alice. Pendant la fraction de seconde qu'il m'a fallu pour faire demi-tour en courant, j'ai vu trois hommes s'avancer, une longue canne d'aveugle à la main, qu'ils agitaient de droite à gauche sur toute la largeur de la pièce, sous chaque meuble, au-dessus des tables, sondant l'embrasure des fenêtres et tous les recoins où j'aurais pu me trouver, avec des gestes efficaces et rapides.

J'ai remonté l'escalier quatre à quatre mais je me suis trouvé bloqué par d'autres gardes munis de masques à gaz. Il y avait aussi deux membres du club et trois ou quatre employés, l'air anxieux, qui se sont tous agglutinés autour des gardes. L'un d'eux a ôté son masque, découvrant un visage que je n'avais jamais vu.

« Que tout le monde garde son calme. Il y a une fuite dans une conduite de gaz. Vous allez tous être évacués aussitôt que possible avec les masques dont nous disposons. En attendant, tout le monde doit se regrouper dans la petite salle de l'angle nord-est et fermer les portes. Vous serez évacués un par un. Vous ne courez aucun danger si vous gardez votre calme et si vous suivez nos instructions. »

D'autres employés émergeaient de la salle à manger, et quelques membres du club, en tenue de squash, descendaient des étages supérieurs. Il n'était pas plus de onze heures et demie : l'endroit était presque vide. Ce n'était pas du tout ce que j'avais prévu. J'avais pensé que cela se passerait une heure plus tard, quand le club serait plein, et j'avais cru qu'ils annonceraient qu'un criminel en fuite s'était introduit dans l'immeuble. Ils auraient alors fait sortir des centaines de membres plus indignés les uns que les autres et fouillé brutalement les locaux sans se soucier des dégâts. Anne se serait trouvée sur place, avec des photographes, et quand le fiasco aurait été bien engagé, elle s'en serait pris directement à lui : « Colonel Jenkins ? Anne Epstein du *New York Times.* » Un crépitement d'appareil photo enregistrant sa stupéfaction. « Pouvez-vous nous dire la raison de cette perquisition au club de l'Académie et le nom du service que vous représentez ? » Ou bien : « Que pensez-vous des informations selon lesquelles le gouvernement fédéral organise des recherches en vue de capturer des êtres invisibles venus de l'espace ? »

Jenkins aurait cligné des yeux, battu en retraite. Même si j'avais été enfermé dans le club, il aurait dû abandonner et s'en aller avant de me trouver.

Mais la réalité était très différente. Le club était toujours aux trois quarts désert. L'histoire de la fuite de gaz avait paru convaincre tout le monde. Et l'immeuble était investi à un rythme accéléré. Une file de gens descendait l'escalier pour se faire évacuer. En les voyant se couvrir le visage avec des serviettes ou des mouchoirs, j'ai compris que le gaz atteignait déjà le premier étage.

J'ai repris l'escalier en courant jusqu'au dernier étage. J'attendrais sur le toit que tout soit fini. Là-haut, je n'avais rien à craindre. Mais la porte de la terrasse était fermée à clef. Ce n'était jamais arrivé. « Quoi d'autre ? Essayer quand même d'ouvrir. Impossible. Il doit y avoir mille endroits où me cacher, dans tout l'immeuble. Pense à quelque chose. Retourne à l'intérieur. Tu trouveras bien une cachette. »

Je suis entré dans une petite pièce où il y avait des tables de bridge. Si j'arrivais à ouvrir une fenêtre... Non, ils viendraient immédiatement. Dehors, des ambulances et des gens surveillaient la façade du bâtiment. Où était Jenkins ? Peut-être à l'intérieur, et Anne ne pourrait pas l'approcher. Est-ce qu'elle allait attendre qu'il sorte ? Ou est-ce qu'elle n'arriverait même pas à le voir ? Je l'ai cherchée des yeux, sans succès.

Je suis ressorti de la pièce en courant. Tout ça n'était qu'une erreur du début à la fin. J'entendais de nombreux bruits de pas à l'étage du dessous. J'ai débouché dans une des salles à manger privées, où une table, qui occupait toute la longueur de la pièce, était surmontée d'un lustre gigantesque dont les branches contournées partaient d'un axe scellé au plafond. C'est la seule idée qui m'est venue. J'ai sauté sur la table et je me suis accroché à une des branches, près de l'axe central. Le lustre s'est balancé, il y a eu un craquement au plafond, là où il était fixé, mais il a tenu et j'ai commencé à grimper. Tout s'est mis à vibrer. J'étais à la fois épuisé et torturé à l'idée que le lustre s'écrase sur la table et sur moi.

J'ai réussi à me hisser et à passer d'abord une jambe, qui me faisait atrocement mal, au-dessus d'une branche, puis la seconde. Je me suis contorsionné pour m'asseoir dans l'autre sens, le torse et le visage collés à l'axe central, j'ai défait la ceinture de mon pantalon et je l'ai refermée en la serrant sur la tige d'acier, retenu ainsi par la taille. Ensuite j'ai déboutonné ma chemise dont j'ai retiré les manches et je l'ai reboutonnée. J'ai fait passer une manche sur mon épaule, l'autre sous l'aisselle, et je les ai nouées ensemble derrière l'axe pour maintenir le haut de mon corps. J'ai relevé mes jambes qui pendaient au-dessus de la table et je les ai coincées du mieux possible dans les branches.

J'ai entendu des gens dans le couloir. J'ai essayé de me détendre pour éviter, quand je m'évanouirais, de m'affaisser d'un seul coup en faisant osciller le lustre. Les insectes géants sont entrés, suivis de leurs réservoirs mobiles, et j'ai eu tout juste le temps, avant de perdre conscience, de penser que mon perchoir était affreusement douloureux et terriblement vulnérable.

J'ai d'abord eu conscience d'avoir horriblement mal au bras et au cou, à l'endroit où ma chemise me retenait au lustre. Ce qui m'a rendu aussitôt assez lucide pour sentir une douleur atroce dans les reins, cisaillés par ma ceinture, et des élancements dans une cuisse posée sur l'étroite volute métallique d'une des branches. Mon corps pendait mollement au lustre, inerte comme un sac de grain.

« Rien. »

Deux hommes en combinaison grise étaient dans l'embrasure de la porte, me faisant face.

« On aurait dit un gémissement. Tu vois, comme quelqu'un qui ne serait pas sorti à temps. »

Surtout, ne pas bouger. En tout cas, ce n'étaient sûrement pas des hommes de Jenkins.

« Allons voir dans la pièce d'à côté. »

Dès qu'ils sont sortis, j'ai essayé de me redresser pour détacher ma chemise et ma ceinture. Au début, c'était au-dessus de mes forces — ou du moins, si j'en avais la force, j'étais trop abruti et mal en point pour y faire appel. Ensuite, mes doigts étaient trop engourdis. « Attention. Tu risques de t'étrangler. » Après avoir tout de même fini par me libérer, je me suis péniblement laissé descendre jusqu'à ce que mes pieds atteignent la table. En me redressant, je me suis évanoui.

« Ça n'est pas ici. »

Les deux hommes avaient reparu, les yeux fixés dans ma direction. Je m'étais écroulé sur la table. Fichtre ! Mieux vaut rester allongé un bout de temps. Je me sens déjà beaucoup mieux, en tout cas.

« C'est peut-être en haut. Quelqu'un a dû laisser tomber quelque chose par terre au-dessus de nous. »

Allez-vous-en, s'il vous plaît.

Même après leur départ, je suis resté allongé sur la table un long moment. Ensuite, je me suis laissé glisser par terre et je n'ai plus bougé. Il s'est presque écoulé une heure avant que je descende en chancelant et que je retrouve la lumière d'un bel après-midi d'automne. Le club de l'Académie était à nouveau rempli. Dans la rue, les gens passaient sans même tourner la tête. C'était comme si rien ne s'était passé. Pourtant, j'étais bien resté accroché à ce lustre : tout mon corps me faisait affreusement mal... Il fallait que j'appelle quelqu'un. Jenkins. Ou Anne Epstein. Ils avaient Alice. D'abord commencer par mettre mes idées en ordre, rentrer chez moi.

A l'entrée de mon immeuble, j'ai appuyé sur la sonnette, par principe, mais sans vraiment faire attention. Les jambes flageolantes, je me suis écroulé sur mon lit. S'ils avaient découvert cet endroit, qu'ils viennent me prendre. Je dormirais là.

Le lendemain matin, on m'a livré le *Times.* Rien en première page. J'ai cherché partout, page par page, colonne après colonne. Rien, tout était raté. Anne n'avait probablement même pas trouvé Jenkins. Il fallait que je téléphone.

J'ai inspecté mes pansements du mieux que j'ai pu. Des croûtes s'étaient formées et la gaze avait l'air d'y être collée. Une blessure s'était partiellement rouverte mais il n'avait filtré qu'un peu de sang. J'ai ajouté un morceau de gaze et deux bandes de sparadrap.

Je suis revenu à pied jusqu'au centre pour appeler Anne d'un bureau relié à un central particulier. En fait, j'ai appelé son ami, Michael Herbert, et quand il a décroché, j'ai demandé Anne. Elle a répondu immédiatement, comme si elle avait attendu mon appel près du téléphone.

« Bonjour », a-t-elle dit d'une voix pleine d'espoir.

J'étais content qu'elle ait pensé à ne pas prononcer mon nom.

« Qu'est-ce qui s'est passé ? ai-je demandé sans préambule.

— Qu'est-ce que tu veux dire ?

— Pourquoi le *Times* d'aujourd'hui n'a-t-il rien publié ? Tu n'as pas trouvé Jenkins ?

— Bien sûr que si. Tu l'avais décrit à la perfection. Tout s'est passé comme tu l'avais prévu, sauf le truc de la Con Ed.

— La Con Ed ?

— L'histoire de la fuite de gaz. Je ne m'attendais pas à ça, d'après ce que tu m'avais dit. Mais on a attendu presque une heure entière, pour voir. Jenkins était là, planté devant l'immeuble, et il est resté jusqu'au bout. On est allés le trouver juste au moment où il allait entrer dans le club.

— Tu as pris une photo ?

— Des photos géniales. Il a cligné des yeux comme une taupe

quand Jimmy s'est mis devant lui avec son appareil. Je me suis présentée, j'ai dit que j'étais au *Times*, et je lui ai demandé s'il était bien le colonel Jenkins, alias Donald Haslow, alias...

— Qu'est-ce qu'il a répondu ? »

Je frémissais d'impatience.

« Rien. Il s'est arrêté net et il a cligné des yeux. Il est resté figé sur place comme s'il n'entendait plus rien, l'esprit à des kilomètres. Ensuite, il a eu un petit hochement de tête, mais sans s'adresser à personne — plutôt pour lui-même, en fait — et il est retourné à sa voiture.

— Tu ne lui as rien demandé d'autre ?

— Bien sûr que si. Plein de choses. Pourquoi il était là, à quel titre, s'il avait un mandat pour perquisitionner le club de l'Académie, si le gouvernement fédéral croyait officiellement à l'existence de visiteurs extraterrestres, toutes sortes de choses.

— Et qu'est-ce qu'il a dit ?

— Rien. Il m'a regardé comme pour graver mes traits dans sa mémoire. Mais à part ça, il est simplement remonté dans sa voiture et il a démarré. Stupéfiant. Dix minutes après, je crois, ils étaient tous partis — la police, la Con Ed, tout le monde.

— Et ils avaient un mandat de perquisition ?

— Non. Il n'y a jamais eu de mandat. Ils s'en tiennent à leur histoire de fuite de gaz. Ils affirment que Jenkins passait par là, par hasard, et qu'il s'est arrêté pour voir, comme tout le monde...

— Donc il n'y a pas de quoi faire un article ?

— Bien sûr qu'il y a de quoi ! C'est une histoire fantastique.

— Alors pourquoi ils n'ont rien sorti aujourd'hui ?

— Ça ne se passe pas comme ça. On ne peut pas publier un truc pareil sans tout vérifier en détail. Est-ce que tu as envoyé ce que tu voulais me donner sur Jenkins ?

— Je vais le faire tout de suite.

— Tout ce que tu m'as dit au téléphone a été pleinement confirmé. Tous les rédacteurs en chef et le service juridique sont réunis en permanence et ils en discutent pratiquement sans arrêt depuis hier soir. On a envoyé deux personnes à Washington par le premier avion mais les services de renseignement se cramponnent à leur version tout en hurlant que l'on mettra en danger la sécurité nationale si on publie quoi que ce soit. C'est magnifique ! J'ai tout lâché pour travailler là-dessus.

— C'est vraiment bien, Anne. Donc, cette histoire a l'air de susciter un certain malaise à Washington ?

— C'est incroyable, l'énergie absolument démente qu'ils déploient à affirmer ne rien savoir, à ne faire aucun commentaire, à ne jamais répondre au téléphone. C'est certainement une grosse affaire.

— Quand penses-tu qu'il pourra y avoir un article, Anne ?

— Je ne sais pas. Dans une semaine, un mois. Ou même six. Il y a un énorme travail d'enquête. Je vais te donner un numéro où me joindre en permanence dès que tu auras la moindre information qui puisse nous servir. C'est très courageux et patriotique de...

— Bonne chance pour tout, Anne. Je ne peux pas rester en ligne plus longtemps.

— Attends... »

J'ai essayé de me représenter la situation. J'ignorais où en était exactement Jenkins, mais il était sûrement en mauvaise position. Je me suis rendu dans un autre bureau, à quelques pâtés de maisons, et j'ai attendu d'avoir les idées claires et de savoir exactement ce que j'allais dire pour ne pas laisser traîner la conversation, quelle que soit la tactique de Jenkins.

J'ai composé le numéro, et il n'y a eu aucune sonnerie. Un déclic, et Jenkins s'est adressé à moi :

« Halloway ! »

Sa voix était toujours aussi douce, mais je sentais qu'il était convulsé de rage.

« Bonjour, ai-je dit.

— Halloway, vous ne savez pas ce que vous êtes en train de faire. »

Il avait un ton légèrement plaintif, prêt à se changer en rugissement d'une seconde à l'autre.

« Pas vraiment, ai-je admis. Rien ne se passe jamais exactement comme on l'a prévu, semble-t-il. Vous devez probablement constater la même chose de votre côté...

— Halloway, il y a des hommes honnêtes, dévoués, dont vous brisez la carrière.

— Vous ne cessez de me le répéter. Je veux que vous...

— Vous vous conduisez comme si votre existence était la seule chose importante au monde, comme si personne d'autre ne comptait. Ces hommes ont seulement essayé de faire leur travail et de vous aider, mais vous...

— Jenkins, cela ne vous ennuie pas que je donne ce numéro au *Times* ? Ils se cassent la tête pour essayer de vous joindre.

— Maintenant, nous allons devoir vous tuer. Je voulais vous avoir vivant, mais il faudra que je me contente de vous avoir mort, pour ma propre survie.

— Cela aussi, vous me le répétez sans arrêt. Je veux que vous relâchiez Alice.

— Il n'en est pas question. » Sa voix est devenue menaçante, haineuse. « Elle reste avec nous jusqu'à ce qu'on vous prenne. Si elle survit jusque-là.

— Jenkins, ça suffit. Cent personnes ont vu vos hommes l'emporter. Les gens du *Times* savent — qu'ils puissent ou non le prouver est encore à décider — que vous avez mis à sac le club de l'Académie sans aucun mandat et à moitié empoisonné plusieurs membres distingués et vindicatifs du barreau new-yorkais, mais ils ignorent encore que vous avez enlevé une femme pour la garder en otage. Et ils vont l'apprendre si Alice n'est pas relâchée d'ici une demi-heure. Laissez-la partir, et je serai raisonnable. Il y a toutes sortes de choses que je pourrais ne pas dire au *Times*. Et un scandale ne serait pas non plus dans mon intérêt.

— Halloway, vous ne pouvez pas vous en sortir comme ça. J'ai tous les moyens de prouver ce que vous êtes.

— Rien qui puisse faire croire à quiconque ce que vous avez l'intention de raconter sur moi.

— Et j'ai les enregistrements de toutes ces conversations.

— Je n'en ai jamais douté. J'ai moi aussi quelques enregistrements, d'ailleurs. Je les ai faits sur des cassettes que j'avais trouvées par hasard à MicroMagnetics. Voulez-vous réécouter la partie de cette conversation où vous avez menacé Alice ? »

Il y a eu un silence. Je l'ai laissé réfléchir un peu avant de continuer :

« Jenkins, je ne vous veux aucun mal. La situation est claire. Vous devez relâcher Alice. Sinon, vous serez bientôt en prison ou dans un asile de fous — l'un ou l'autre, je ne sais pas. Ma propre existence en deviendra peut-être moins agréable, mais sûrement préférable à ce que vous m'offrez. A part ce que je vous ai vu faire, j'ai appris où on vous a entraîné, où vous avez été affecté, tous les noms que vous avez portés. J'ai découvert aussi quelques détails intéressants sur des gens avec qui vous avez travaillé. Je suis prêt à tout communiquer au *Times*.

— Halloway, si vous me brisez, il en viendra un autre. Il y a maintenant des gens qui savent que vous existez. Tôt ou tard, on vous aura.

— C'est à la 38e Rue que vous gardez Alice ? »

Silence.

« Je veux que vous lui disiez de remonter la Cinquième Avenue tout droit vers le nord. Vous comprenez pourquoi. En sens inverse de la circulation, pour vous rendre les choses un peu plus difficiles. Mais je ne veux pas voir un seul de vos hommes la suivre. C'est compris ? Cela vaudra mieux pour tout le monde. »

J'ai attendu. Il n'a pas répondu.

« Jenkins, je vais raccrocher. Qu'elle soit dehors d'ici une demi-heure. Je ne vous rappellerai pas et il n'y a rien à discuter. »

Je l'ai attendue sur un banc à la hauteur de la 60e Rue, d'où je pouvais surveiller les deux côtés de l'avenue, et aussi, en montant sur le banc, tout ce qui se passait dans Central Park, derrière moi. J'ignorais s'ils allaient relâcher Alice, mais j'étais décidé à serrer la vis à Jenkins, quoi qu'il arrive.

Au bout de trois quarts d'heure, de plus en plus nerveux, sans qu'il y ait trace d'Alice ou des hommes de Jenkins, je me suis demandé quelles étaient les prochaines informations qu'il me fallait donner à Anne. L'adresse du bureau de Jenkins, sûrement. Et je pouvais commencer à impliquer certains de ses supérieurs. Ce qui devrait les retourner contre Jenkins et son opération.

Jenkins se livrait probablement aux mêmes calculs.

Je me suis levé et j'ai descendu lentement la Cinquième Avenue en cherchant Alice des yeux. Une femme aux cheveux blonds est sortie d'un groupe de piétons, à quelques centaines de mètres. « Non, ce n'est pas elle. Comment est-elle habillée ? Impossible de le savoir : l'équipe de Jenkins a dû prendre des vêtements chez elle. » Est-ce qu'elle avait pu passer sans que je la voie ? Peu plausible. Qu'est-ce que Jenkins avait décidé ? Pour ce que j'en savais, il n'avait pas besoin d'en référer à qui que ce soit ni de demander la moindre autorisation. Mais peut-être que si. Maintenant qu'il avait le *Times* accroché à ses basques, il devait probablement consulter ses supérieurs avant de prendre la moindre décision. Il valait mieux que je revienne m'asseoir sur mon banc. De là, je pourrais voir venir tout véhicule ou toute personne indésirable. Mais il y avait un problème : même s'ils relâchaient Alice, comment savoir si elle ne leur servirait pas à me tendre un piège ?

Je lui avais donné une demi-heure, et j'attendais déjà depuis plus d'une heure. S'il avait choisi de la libérer, il l'aurait déjà fait. En agissant trop tard, il risquait de me pousser à divulguer d'autres renseignements compromettants. Mais attendre un peu plus ne me coûtait rien. Donnons-lui encore un quart d'heure. Ou même une demi-heure.

Je l'ai aperçue deux rues plus loin, du côté de Central Park, et je me suis précipité à sa rencontre. A dix mètres d'elle, je me suis collé au mur et j'ai attendu qu'elle s'approche de moi. Elle avait le regard vide, comme si elle n'avait pas dormi depuis longtemps. Quand elle est arrivée à ma hauteur, je suis reparti dans l'autre sens, sans m'approcher. Je ne savais pas ce que je devais dire, ou faire.

« Nick ? »

Elle a tourné la tête.

« Continue à marcher, ai-je dit à voix basse. Et ne regarde pas de mon côté. »

Des larmes coulaient sur son visage.

« Oh, mon Dieu !

— Alice, je regrette. Je regrette de t'avoir mêlée à tout ça. Qu'est-ce qu'ils t'ont fait ?

— Rien. » Elle a secoué la tête. « Ils m'ont juste posé une quantité de questions. Presque toujours les mêmes, en les répétant sans arrêt. A la fin, ils sont devenus horribles.

— Qu'est-ce que tu leur as dit ?

— Tout. Je ne savais pas que ça pouvait avoir de l'importance. Tu ne m'as jamais rien dit, idiot. » Elle s'est mise à sangloter tout haut. « Je suis désolée, Nick. J'ignorais que c'était important.

— Ça n'a pas d'importance. Mais ne te tourne pas vers moi. Nous sommes peut-être surveillés, et je ne veux pas qu'ils sachent précisément où je suis.

— Ils ne sont pas là, a-t-elle affirmé.

— Comment le sais-tu ?

— Ils sont tous *là-bas*. A la 38e Rue. Ils étaient tous rassemblés là-bas quand je suis partie.

— Combien étaient-ils ?

— Sept ou huit.

— Sept ou huit ?

— Oui. Ce matin, d'autres gens sont arrivés. De Washington, je crois. Il s'est passé quelque chose hier soir. Et après, ils ont reçu sans arrêt des coups de téléphone et des visites. Ils ont continué à m'interroger toute la nuit, mais c'était comme si ça ne les intéressait plus vraiment. Quelque chose, je ne sais pas quoi, les inquiétait.

— Leur propre avenir.

— Nick, je suis tellement désolée. C'est ma faute s'ils nous ont trouvés, n'est-ce pas ? C'est cette illustration imbécile. J'aurais dû t'en parler.

— Ça n'aurait rien changé.

— Tu es vraiment un idiot. Tu aurais dû tout me raconter. Ou alors partir, si c'est ce que tu voulais.

— En se fondant sur les principes moraux les plus communément partagés et aussi sur les données empiriques, il semble que tu aies raison sur ce point.

— Qu'est-ce qui nous empêchait tout simplement de partir ensemble ?

— Pour toi, ce n'aurait pas été une existence enviable.

— Idiot. C'est mon affaire.

— Est-ce qu'ils t'ont donné un message pour moi ?

— Celui qui commande, Jenkins, m'a chargé de te dire qu'ils t'auraient un jour ou l'autre. »

Elle a recommencé à pleurer.

« C'est tout ?

— Oui. Il a dit : " Dites-lui qu'on l'aura, que ce soit moi ou un autre, qu'on l'aura de toute façon. " »

Nous avons quitté l'avenue pour entrer dans Central Park. Elle m'a décrit ses interrogatoires. Ils s'y étaient mis à tour de rôle, tous les cinq, en répétant sans cesse les mêmes questions. Où m'avait-elle rencontré ? Quand ? Qu'est-ce que je faisais pendant la journée ? Où j'allais ? Comment étais-je habillé ? Qu'est-ce que je mangeais ? Est-ce qu'il m'arrivait de parler à d'autres personnes qu'elle ?

« D'abord, j'ai cru que c'étaient des amis à toi. Ils n'arrêtaient pas de le répéter. Qu'ils étaient tes amis et qu'ils cherchaient seulement à te retrouver pour t'apporter l'aide dont tu as besoin. »

Ils lui avaient tout raconté sur moi et la façon dont j'étais devenu invisible.

« Ils voulaient que je les aide à te retrouver, et quand j'ai refusé, ils ont commencé à me menacer. Je suis désolée, Nick. Je leur ai tout dit sans me rendre compte de rien.

— Ça n'a pas d'importance. Ils n'ont rien appris qu'ils ne savaient déjà. Non, c'est faux. Ils ont appris une seule chose. La plus importante. Ils ont appris ton existence. »

Alice s'est remise à pleurer.

« Cela signifie qu'on ne peut plus vivre ensemble, n'est-ce pas ? »

Nous avons marché en silence pendant une minute.

« Il y a quand même quelque chose dont ils ne t'ont pas parlé. J'ai toujours voulu te le dire, mais je me retenais chaque fois au dernier moment.

— Comme de juste.

— Je voulais te dire que je t'aime.

— Ça me fait une belle jambe si tu as l'intention de filer et de me laisser en plan.

— Alice, je ferai toutes tes volontés, même les plus extravagantes. Je te le jure. »

Un sourire éblouissant a illuminé son visage, elle a jeté ses bras autour de moi et m'a embrassé, ce qui lui a fait prendre une pose très curieuse. Nous étions au milieu de Central Park, et les gens se sont retournés pour la regarder, mais il m'a semblé que ce n'était pas le moment de lui en faire part.

Jenkins a connu une période difficile. Il a dû rester plusieurs mois à Washington pour répondre de sa voix sérieuse et convaincante aux questions qu'on lui posait. Il a expliqué, sans vraiment satisfaire tout le monde, que son enquête était avant tout de nature scientifique, visant à reproduire les résultats singuliers — qu'ils soient volontaires ou accidentels — obtenus par le professeur Wachs. Parler de « matière invisible » était sans nul doute un excès de langage. Lui-même n'aurait jamais choisi une telle expression pour caractériser les objets découverts sur le site de MicroMagnetics, et s'il l'avait peut-être employée à de rares occasions, c'était toujours officieusement et à l'occasion de discussions avec des gens parfaitement au courant de la nature du phénomène qu'il s'agissait d'étudier. Il était certainement regrettable que quelques informations fragmentaires, malgré tous les efforts consacrés à maintenir une sécurité appropriée, aient néanmoins réussi à filtrer, car il était inévitable qu'en dehors de tout contexte elles donnent naissance à des rumeurs fantaisistes qui mettaient actuellement en péril des recherches pouvant aboutir à des résultats inestimables, et qui venaient également remettre en question de façon injustifiée la crédibilité et la compétence des hommes qui travaillaient sous ses ordres — des hommes qui s'étaient comportés de façon remarquable dans des conditions extrêmement difficiles.

Il y avait, bien sûr, le « superverre », étudié actuellement dans deux laboratoires de recherches, et que tous ceux qui s'intéressaient à cette affaire ne devraient pas manquer d'examiner. Ils comprendraient certainement pourquoi des efforts aussi extraordinaires avaient été consacrés à reconstituer les travaux de Wachs et à enquêter sur les circonstances de l'explosion de son laboratoire.

Mais le plus regrettable était encore les rumeurs fantastiques faisant état de prétendus « hommes invisibles ». Il était certes exact qu'une personne, au moins, dont on avait établi avec certitude la présence sur les lieux au moment de l'explosion et qui s'était rendu coupable d'incendies volontaires à cette occasion et subséquemment à d'autres, n'avait toujours pas été localisée, qu'une opération importante avait été mise en œuvre, à juste titre, pour l'appréhender. Il était également exact que certains aspects de cet incident ne seraient probablement jamais élucidés, soit à cause de la difficulté à reconstituer les événements, soit pour des raisons de sécurité. L'implication de certains groupes activistes d'extrême gauche était prouvée, celle de puissances étrangères n'était pas à exclure. D'autres considérations pourraient entrer un jour en ligne de compte, mais ce n'était pas le rôle de Jenkins de les introduire dans le débat en cours.

Les subordonnés de Jenkins sont également restés dans le vague. Sur le site de l'explosion, il n'y avait plus grand-chose à voir : le bâtiment avait été entièrement détruit, les alentours avaient été ravagés par plusieurs incendies successifs et un réservoir de carburant avait explosé. Quant à l'étendue de l'enquête ultérieure, le colonel Jenkins était seul à tout avoir en main, et ses hommes eux-mêmes étaient trop mal informés pour porter un jugement valable. Ils avaient exécuté ses ordres. Rien ne leur avait paru sortir vraiment de l'ordinaire, et ils n'avaient jamais eu aucune raison de remettre en question la validité de ces ordres. Ils étaient tous d'accord pour affirmer — avec une insistance qui a semblé curieusement rassurer les enquêteurs et les compilateurs des rapports, malgré son caractère nettement tautologique — qu'ils n'avaient jamais vu d'homme invisible.

Aussitôt après, Clellan a été nommé instructeur dans un camp d'entraînement en Caroline du Nord. Morrissey a été envoyé successivement dans plusieurs contrées lointaines pour participer à la surveillance de trafiquants de drogue associés aux autorités de certains pays étrangers. Tyler, resté impénétrable tout au long de l'enquête, a tout de suite monté en grade. Il vit désormais dans une banlieue de la Virginie où il supervise la collecte puis l'analyse d'une énorme quantité d'informations politiques et absurdes venues des coins les plus reculés de la planète. Seul Gomez est resté à New York avec Jenkins.

Quant à Jenkins, j'ai été surpris de constater que sa carrière n'avait pas été entièrement brisée, mais en y repensant, cette conclusion était tout à fait logique et prévisible. En fin de compte, après s'être soumis les uns les autres à une enquête aussi minutieuse et approfondie que possible, ils ont estimé, quoique certaines décisions individuelles puissent être ultérieurement remises en question, que dans l'ensemble ils s'étaient tous comportés de façon appropriée sans excéder les limites de leurs autorités respectives, et qu'il n'y avait aucune raison valable d'étendre ou de poursuivre cette enquête. Néanmoins, bien sûr, ils devraient tous changer d'affectation, et on veillerait à ce qu'aucune recherche ou opération subséquente ne soit mise en œuvre dans un futur immédiat si elle risquait d'attirer à nouveau l'attention sur les problèmes virtuels soulevés dans le cadre de la présente enquête. Jenkins, semble-t-il, bénéficie quelque part d'appuis sérieux. Il a été finalement chargé de contrôler l'expédition à partir du port de New York des technologies d'importance stratégique à destination de pays hostiles. Si cela indique une baisse de son statut, je l'ignore, mais je suis de près ce genre de choses, et je remarque qu'il a remporté plusieurs succès et qu'on est satisfait de son travail. Son budget a augmenté de façon spectaculaire, il a de plus en plus d'hommes sous ses ordres, et il recommence à consacrer une part de son temps à me chercher. Sur ce point, je ne saurais dire s'il est soutenu par ses supérieurs. Je pourrais toujours lui attirer des ennuis, bien sûr, mais je ne suis pas certain de ne pas rendre du même coup ma propre situation encore plus précaire.

Quand l'article d'Anne sur le club de l'Académie a fini par être publié, je l'ai trouvé insipide. Il était composé de phrases du genre : « Quoi qu'il en soit, malgré les démentis officiels, l'incident laisse dans son sillage une légion de questions sans réponses. » Un porte-parole, au nom de Jenkins injoignable par la presse, a confirmé que celui-ci remontait Madison Avenue au volant de sa voiture, et qu'en voyant des ambulances devant le club de l'Académie, il s'était arrêté au cas où il aurait pu se rendre utile. Il y avait toujours un débat en cours sur l'emplacement des conduites de gaz et sur les archives de la Con Ed, apparemment incomplètes. Mais Anne et ses employeurs se sont vite rendu compte que cette histoire se perdait dans les sables, leur enthousiasme a faibli et ils ont laissé tomber. Anne, un peu plus tard, a été nommée à leur agence de Washington. On ne l'aurait pas cru, mais elle s'y plaît énormément.

Plusieurs feuilles d'extrême gauche ont pris la suite, et les universitaires de pointe ont acquis un savoir encyclopédique sur le réseau des conduites de gaz et les membres du club de l'Académie. On a avancé l'hypothèse qu'un sénateur du parti libéral, sorti par hasard de l'immeuble juste avant l'incident, devait être victime d'une opération clandestine lancée par l'extrême droite. Ce qui a eu comme unique effet d'obliger ce sénateur à démissionner de son poste, quand on a appris qu'il était membre d'un club où les femmes ne sont pas admises. Un groupuscule d'extrême droite a décelé un complot monté par le KGB, les Rockefeller et les trilatéralistes, et s'est mis à coller régulièrement des affiches exposant minutieusement leurs déductions complexes sur les murs du club, ce qui incommodait tout autant les membres que le personnel.

Il me reste très peu de choses à vous dire, et très peu de temps. J'aurais aimé pouvoir résumer à votre intention l'essentiel de cette expérience, vous offrir, de mon point de vue unique, une vision originale de la condition humaine — ou au moins un adieu moins poignant que « Vous ne m'aurez pas ! ». Le problème, c'est que je suis si bien habitué à ce point de vue que son originalité m'échappe, et bien que vous soyez en droit d'espérer qu'un homme invisible puisse vous fournir quelques éclaircissements sur le sens invisible de notre univers, s'il existe, je ne l'ai pas encore découvert. Il me crève les yeux, sans doute, mais je ne le vois pas. Comme le motif inscrit dans le tapis. Comme moi, d'ailleurs. Si jamais j'y parviens, je ne manquerai pas de vous le faire savoir.

Pour le moment, je peux seulement vous dire que le mauvais côté de cette existence, c'est qu'elle est souvent solitaire et n'a peut-être aucun sens. Quant à son bon côté, elle dure encore, et puis il y a Alice.

Aujourd'hui, au moment où j'écris ces derniers mots à votre intention, je sais que Jenkins est de nouveau sur mes traces. Je peux prévoir — peu importe comment — qu'il va bientôt découvrir l'appartement de Jonathan Crosby. Mais cela ne m'inquiète pas. Je n'y serai plus. Et cette fois, je serai beaucoup plus difficile à trouver. Comme le léopard, je vais changer de taches.

Le problème, c'est qu'Alice a l'intention de me suivre. J'ai essayé de lui prouver que c'est absurde, pour elle comme pour moi. Les risques sont terrifiants. Bien sûr, tout est possible, et je l'ai tout de même envisagé. C'est peut-être à tenter.

Un jour, qui sait ? quand Alice prendra le métro pour rentrer de son travail, elle descendra juste à la fermeture des portes sur le quai d'une station où elle n'a jamais mis les pieds et elle courra jusqu'à l'air libre. Elle montera dans la voiture qui l'attendra et nous franchirons un pont ou un tunnel sans espoir de retour. Le lendemain, elle aura des cheveux bruns, coupés court, d'autres vêtements, et nous serons à San Francisco, à Londres, ou même à New York avec des noms, des âges et des accents différents.

J'ai essayé de lui démontrer en quoi c'est un choix déraisonnable. Je me suis efforcé de tout lui expliquer, de lui faire un bilan rationnel de ma propre situation — avec quel succès ? C'est difficile à dire.

« Nick, explique-moi encore une fois ta théorie au sujet de ce qui est arrivé à ton corps. » Son visage souriant exprime une parfaite innocence ou bien une ironie mordante — je n'arrive jamais à le savoir, mais je suis chaque fois ébloui. « Redis-moi ce que c'est qu'un quark.

— C'est très simple, en réalité. Le quark est un des éléments constitutifs de la matière. Ce dont est composé l'univers tout entier. Quoiqu'à vrai dire, j'imagine que c'est plutôt une abstraction mathématique... en un sens.

— L'univers serait donc composé d'abstractions mathématiques ? Tu sais, je crois que je préfère ma propre manière de dire les choses. Je pense que tu n'as rien compris à tout ce qui s'est passé. Tu es un fantôme, après tout. Tu es mort dans un accident, et tu as été renvoyé sur terre pour accomplir certaines choses très importantes.

— Quel genre de choses ?

— Me rendre mon honneur, pour commencer. Je crois que j'ai envie de me marier à l'église.

— Je ne vois pas comment ce serait possible, pratiquement. Ou même théologiquement, puisque pour toi, en théorie, je suis un fantôme.

— C'est à toi de régler tout ça. Tu as promis de faire tout ce que je voudrais. »

Le temps presse, et je ne peux pas demeurer ici beaucoup plus longtemps. Mais il me semble que je vais finir par accepter ce que demande Alice. Je ne sais pas. C'est contraire à tout bon sens, mais autrement, que signifierait tout ça ? De toute façon, tant que nous resterons en mouvement, tout ira bien.

La composition de ce livre
a été effectuée par Bussière à Saint-Amand,
l'impression et le brochage ont été effectués
sur presse CAMERON
dans les ateliers de la S.E.P.C. à Saint-Amand-Montrond (Cher)
pour les Éditions Albin Michel

AM

Achevé d'imprimer en janvier 1989.
N° d'édition : 10302. N° d'impression : 4301-824.
Dépôt légal : février 1989.

Imprimé en France